MW00613204

LE FRANÇAIS
Départ-Arrivée

LE FRANÇAIS
Départ-Arrivée

THIRD EDITION

John A. Rassias

Dartmouth College

Jacqueline de La Chapelle Skubly

Housatonic Community College

HH Heinle & Heinle Publishers, A Division of Wadsworth, Inc.
Boston, Massachusetts 02116 U.S.A.

Publisher: Stanley J. Galek
Editor: Petra Hausberger
Production Editor: Barbara Browne
Project Editor: Julia Price
Development Editor: Cynthia Fostle
Designer: Claudia Durrell
Art: Claude Martinot Design/Illustration
Cover illustration: Manuel King
Cover design: Jean Hammond
Compositor: Ruttle, Shaw & Wetherill

LE FRANÇAIS: Départ-Arrivée

Manufactured in the United States of America.

ISBN 0-8384-3728-1 (Teacher's Edition)
ISBN 0-8384-3726-5 (Student's Edition)

Library of Congress Cataloging–in–Publication Data

Rassias, John.
    LE FRANÇAIS: Départ-Arrivée / John A. Rassias, Jacqueline de La Chapelle Skubly.
    p. 624;
    Includes index.
    ISBN 0-8384-3726-5
    1. French language—Textbooks for foreign speakers—English.
2. French language—Grammar—[date]   I. La Chapelle Skubly,
Jacqueline.   II. Title.
PC2129.E5R37   1982
448.2'421—dc20   91-46452
                                                          CIP

Heinle & Heinle Publishers is a division of Wadsworth, Inc.

10 9 8 7 6 5 4 3 2

The photo credits appear in the back of the book.

To my students
without whom this would have been
completed many years ago,
but without whom there would have
been nothing

Table des matières

Le monde francophone   **514**

Appendixes   **A-1**

Preface .•-•

LE FRANÇAIS: Départ-Arrivée, Third Edition, is a complete introductory program that teaches the basic structures and vocabulary of French language and culture, including colloquial French expressions. Derived from the internationally recognized Dartmouth College language program, whose approach was reworked and adapted into a comprehensive text, this edition is further enhanced by the inclusion of a variety of challenging, student-oriented exercises. The *Third Edition* will continue to serve traditional language programs both in two- and four-year colleges and universities and in high schools (covering two years). It can easily be adapted to either the semester or the quarter system.

The *Third Edition* is designed to give both instructor and student maximum flexibility in completing a thoroughly tested approach to learning French. To expand possibilities, a variety of new presentations and activities are offered, but not all are required for successful study.

Rationale

A foreign language textbook should fulfill two needs: it should offer instructors a variety of creative tools with which to work and it should offer students adequate resources for study while helping them acquire the self-confidence to face real-life situations. This text is designed to be both teachable and learnable.

Communication occurs through an understanding of the language and how it works in structural and cultural contexts. The cultural context is not only what people do when they speak, but also what they read and what preoccupies them. It's what amuses them, bothers them, inspires them. It's grammar, comprehension, vocabulary, fluency, accent. It's literature.

We believe that a text should offer many possibilities for substantive thought and dramatic action. The **Scénarios** which open each chapter epitomize that concept. They invite dramatic action and a variety of uses. We urge instructors and students to devise their own renditions of each **Scénario,** paralleling the story line and, whenever possible, casting different characters and imagining different outcomes.

The word **scénario** suggests a theater. But the classroom itself should not be merely a theater, which in Greek means a place to sit and see. Rather, the ideal classroom is a place where there is drama, which, again in Greek, means action. And the best kind of action is full and participatory.

Each real-life **Scénario** is reinforced by the many drills that appear throughout the chapter. The drills are contextualized and designed to foster dramatic situations, some of which may actually be acted out. Language must be grasped and registered by and through the senses and the emotions. Learning to communicate in face-to-face encounters, an important part of which is learning structure and vocabulary, should not be tedious. It should be stimulating, entertaining, and, to put it quite simply, fun. It should also be challenging—not a matter of routine. There must be mutual respect and cooperation between instructors and students in the learning encounter.

Each learning task in each chapter of this book is structured to follow three steps:

1. **Preparatory:** to make a thorough identification of the subject being considered
2. **Relative:** to establish relationships among the various parts of the subject
3. **Manipulative:** to draw conclusions from those parts and enable students to manipulate the language for specific purposes

In implementing this three-step approach, we first present preparatory situations in the **Scénario** and then proceed gradually to the relative and manipulative levels. Each **Scénario** introduces the chapter's core vocabulary and structures. We then progress to the relative level with the **Questions sur le scénario.** The **Coin culturel** adds pertinent information about subjects raised in the **Scénario,** along with gestures and proverbs that enrich the language. The **Vocabulaire illustré** and its accompanying exercises build vocabulary through visual cues. And to lend more variety to vocabulary, a new feature, **Allons plus loin,** was created for this edition. This section, which either augments the vocabulary of the chapter's **Scénario** or pursues other significant topics, may be assigned for active study or treated as a more passive reading activity.

Each chapter's grammatical structures, after being introduced in the **Scénario,** are clearly, thoroughly, and concisely explained in five **Notes de grammaire.** Each grammar point is then reinforced by a sequence of exercises that invite repetition in some cases, reflective responses in others, and creative responses in yet others.

These preparatory and relative steps lead to the more manipulative activities provided by the carefully constructed **Travaux pratiques,** the personalized **Questions générales,** the multipurpose **Micrologues,** the practically designed **Lectures** (which include many literary texts), and the freewheeling **Création et récréation.** All of these culminating activities encourage students to combine chapter vocabulary and grammar in new ways to achieve a variety of purposes and prepare students to perform at the intermediate to advanced levels of foreign language proficiency described in the ACTFL guidelines.

Finally, closing out the preparatory-relative-manipulative sequence, is the **Coup d'œil,** a systematic grammar review that encourages students to inventory their knowledge and accept personal responsibility for their progress in learning French, and the end-of-chapter **Vocabulaire,** which helps students check their mastery of vocabulary.

New Elements

In response to users' changing needs and demands, we have completely revised a substantial portion of this text and have added many more drawings, photos, and realia. We think that the following changes are particularly noteworthy:

- The newly added **Chapitre préliminaire** presents practical French expressions that may be put to use immediately, along with the French alphabet, helpful hints on determining the gender of nouns, and other basics.
- The **Itinéraire** at the beginning of each chapter prepares students for what lies ahead and describes the objectives of each lesson in keeping with proficiency guidelines.
- The **Scénarios,** while still presented in three progressively more challenging **étapes,** have been enriched to include the active participation of a woman, Marguerite, and an expanded role for the African-American Henry. Consequently, modifications have been made in almost every chapter and two brand-new chapters appear in the second half of the book.
- Each **Coin culturel** has been extended to include two new elements that give students insight into everyday French culture. The **Gestes** section describes and illustrates gestures commonly used in French conversation, and the **Proverbes** section presents proverbs that illustrate key grammar and vocabulary while prompting class discussion. We have also added pertinent realia throughout the book.
- **Synonymes et expressions approximatives,** the list of colloquial and synonymous alter-

natives for terms in the **Scénario,** which appeared in the main text in previous editions, has been transferred to the *Student Workbook/Laboratory Manual.* Also moved to the *Workbook* are revised sections on pronunciation and **Mots problématiques,** studies of those tricky French words, such as **porter, apporter,** and **emporter,** that often confound American students.

• The sequence of grammar study has been reorganized and some **Notes de grammaire** that were too advanced for most elementary language programs have been eliminated. Each regular chapter now presents only five grammar points, using a combination of inductive and deductive approaches. Each **Note de grammaire** consists of a clear explanation in English, numerous examples, and a comprehensive set of progressively more challenging exercises.

• Many grammatical exercises are contextualized, and to help students focus, specific functions are labeled. The exercises serve to reinforce vocabulary, attain rhythmic control of language, and elicit both automatic and reflective responses.

• More personalized **Questions générales** have been added to help students think in French and use recently acquired grammar to create new word and thought combinations.

• Newly devised **Travaux pratiques** are scattered throughout each chapter to challenge students to manipulate chapter content in personalized, imaginative, and productive ways. This symbol indicates that a **Travaux pratiques** exercise should be done orally. This symbol indicates written treatment.

• Beginning with **Chapitre 2,** at least one **Micrologue** now appears in every chapter. These brief, culturally oriented passages may be used to develop auditory comprehension, dictation, and discussion skills.

• The **Chapitre facultatif** has been streamlined to contain only six optional grammar points. The **Scénarios** and grammar exercises for this chapter have been transferred to the *Instructor's Manual.*

• In a special new section, **Le monde francophone,** reading passages on France and the francophone world, are grouped together to focus on the uniqueness and diversity of such French-speaking regions as Algeria, Senegal, Haiti, Louisiana, and Quebec. The material in **Le monde francophone** may be treated as a separate unit or integrated into earlier chapters as supplementary readings. For example, the reading **"Le Sénégal"** could be used to expand on the **Micrologue** and **Lecture** about Léopold Senghor that appear in **Chapitre 17.**

Ancillary Materials

LE FRANÇAIS: Départ-Arrivée, Third Edition, is an integrated learning package that includes all elements of language instruction: listening, speaking, reading, writing, culture, and civilization. In addition to the textbook, the complete educational package consists of the *Student Workbook/Laboratory Manual,* the *Tape Program,* and the *Instructor's Manual.*

The *Student Workbook/Laboratory Manual* supplements the textbook in two ways: (1) it presents totally new and valuable information that does not appear in the textbook, such as **Synonymes et expressions approximatives, Prononciation,** and **Mots problématiques,** and (2) it provides additional vocabulary, grammar, writing, and listening practice in the form of challenging exercises, activities, puzzles, and games that continue the language-learning process outside the classroom. It contains exercises to be completed both at home and in the language laboratory.

The *Tape Program*, which supplements both the textbook and the *Student Workbook/Laboratory Manual*, helps students master the **Scénario,** practice pronunciation, and develop aural comprehension.

The *Instructor's Manual* explains our teaching philosophy, provides lesson plans and a sequenced curriculum, and offers an abundance of teaching aids.

A Special Note to the Student

An exciting adventure awaits you. Because language influences the ways in which we think and perceive, studying languages gives us insight into how we view the world. As you study French, your insight will expand as you learn to perceive the world through the eyes of another people and the language of another culture. To acquire another language is to acquire another vision.

Learning another language means developing competence in five areas:

1. **Grammar.** Grammar provides an organized approach to learning a language. This textbook teaches grammar through dialogues, explanations, and exercises. Grammar is sometimes taught inductively (by presenting examples of a structure before explaining it) and sometimes deductively (by explaining how a structure works and then presenting examples). To ensure that you will readily understand our explanation, we urge you to familiarize yourself with the **Glossary of Grammatical Terms** on pages A-14 and A-15 and to consult it every time you are puzzled by a particular term.

2. **Comprehension.** Comprehension of spoken French may be developed with relative ease if you are alert in class, practice the **Scénarios** thoroughly, and use the language laboratory. You will develop reading comprehension as you work on the various reading selections and activities.

3. **Vocabulary.** You will acquire vocabulary through active use of the words you learn in each chapter. You will quickly forget new words if you do not use them. Therefore, this text presents practical vocabulary in meaningful contexts.

4. **Fluency.** Many students mistakenly equate fluency with rapid speech and thus try to perform the miracle of speaking a foreign language as rapidly as a native speaker. In actuality, fluency is the ability to express your thoughts and feelings clearly, without stumbling too often, and is totally unrelated to the number of words spoken per minute. The drills and exercises in this book are designed to help you acquire fluency. To further aid fluency, do not attempt to visualize a word when you hear it, but get into the habit of "just gist" learning: try to grasp the general sense of words and sentences, rather than trying to decode word-for-word equivalencies.

5. **Accent.** You can cultivate as accurate an accent as possible by imitating the pronunciation of your instructor and the speakers on the recorded tapes that accompany this text. Do not expect to develop "perfect" pronunciation, whatever that is!

Our best advice to you about how to learn French is to have the courage to be "bad"—that is, to make mistakes. No communication can occur unless people speak to each other. Therefore, to learn to communicate in French, you must begin speaking from the first day of class. Make learning French a productive experience and have fun!

Acknowledgments

We are deeply indebted to all of our valued colleagues, splendid apprentice teachers, and students at Dartmouth College who worked with the text in workshops and in class and made many suggestions for its improvement. We should particularly like to cite D. M. Buckley, M. Cinotti, M. J. Green, V. Kogan, M. Lyons, B. Shupp, R. P. Shupp, J. B. Sices, R. Tessier, N. Vickers, and K. Walker for their many perceptive suggestions. Others throughout the country who class-tested this program and to whom we are equally indebted include colleagues at Baruch College, Burke Mountain Academy, Harvard University, Hope College, University of Idaho, Lenoir-Rhyne College, Loma Linda University, Norwich University, St. Olaf College, State University of New York at Stony Brook, Temple University, Western Carolina University, College of William and Mary, and many others.

To the Charles A. Dana Visiting Fellows in French—Ray Clough, Joan Dargan, Courtenay Dodge, Bruce Davis, Alan Farrell, Tola Mosadomi, Edward Pierce, Judith Schaneman, Françoise Watts, and Richard White—who worked with the text at Dartmouth and made helpful suggestions, we are truly grateful.

To our conscientious reviewers, whose many suggestions enhanced this volume, we express our appreciation: Karl-Heinrich Barsch, University of Central Florida; Margaret W. Blades, Linfield College; Liette Brisebois, University of Illinois/Chicago; Patrice Caux, University of Houston; Jeffrey T. Chamberlain, George Mason University; Charles Crain, Norwich University; Courtenay Dodge, Allegheny College; Alan Ford Farrell, Hampden-Sydney College; Nicole Fouletier-Smith, University of Nebraska/Lincoln; Thomas M. Hines, Samford University; Patricia L. Jordahl, Roanoke College; Janine Kreiter, University of the Pacific; Nada Learned, The American University; Wendell McClendon, Texas Tech University; Josy McGinn, Syracuse University; Debra Popkin, Baruch College CUNY; Ellen Silber, Academic Alliances in Foreign Languages and Literatures; and Kathleen W. Smith, Kalamazoo College.

To Laura McKenna, Brigitte Pelner, and Marian Wassner we hereby express our appreciation for their encouragement throughout the long effort.

We are profoundly grateful to Bernadette de L. Skubly Butts and Nicole de La Chapelle, without whose selfless and indefatigable application in research many parts of this text would have suffered.

We should like to express our deep gratitude to Monique Briend-Walker for her many significant contributions. Also, we thank Susan Carnochan, William Deevey, James Harper, Alexandra Maeck, Peter Maeck, Richard Mosenthal, Nicole Mull, Tamara Norman, and Katherine Puerschner. Mary Bachman, Donald Havens, Janice Phinney, and Helene Rassias rendered many services that facilitated the completion of this work. Jean Laurain was of particular value for his knowledge of French history and culture. We should like once again to repeat our debt to the memory of the late Professor George Diller for his sensitivity to and appreciation of French culture and the many insights he shared.

We should also like to pay our respects and extend our heartfelt appreciation to Raymond Cormier, Alan Farrell, and Alicia Ramos for their continuous interest, and enlightened suggestions which enriched the quality of this work.

It was with great pleasure that we worked with Joel Goldfield, who critiqued the manuscript and contributed significant concepts, exercises, and brilliant suggestions in his role as Creative Consultant.

We owe a particular debt of gratitude to Howard "Buck" Becker, who was exceptionally helpful in the production of the first test version of this text. We are equally appreciative of Edward P. Barker, Jr., for his arduous and conscientious work in preparing the manuscript for the Third Edition.

Finally, we would like to thank the crew at Heinle & Heinle: Stanley Galek, Petra Hausberger, Barbara Browne, Cheryl Carlson, and Amy Jamison for their unflagging support in all aspects of this production. We were extremely fortunate to have as our Project Editor Julia Price, who kept us on time and who responded to all queries with alacrity and good humor, which made the whole task a pleasurable happening. We are grateful to Developmental Editor Cynthia Fostle, who has been with us from the beginning, for her expertise, precision, and insightful contributions, which may be seen in the best parts of this work.

J.A.R.
J. de L.S.

LE FRANÇAIS

Départ-Arrivée

CHAPITRE PRELIMINAIRE

LE FRANÇAIS:
Départ-Arrivée

Scénarios par
John A. Rassias
Jacqueline dela
Chapelle Skubly

Personnages
principaux

Robert

Henry

Marguerite

Monsieur Fourchet

Madame Fourchet

Nicole

Itinéraire ....

This preliminary chapter will introduce you to the French language. You'll learn the French alphabet and become acquainted with international phonetic symbols, which will help you pronounce new words. You will also receive some instruction about gender. Along the way, you'll learn some practical expressions that will start you speaking French immediately. **Bon voyage!**

1

ALPHABET (avec l'alphabet phonétique international)

There are 26 letters in the French alphabet. Their names are pronounced as indicated below. The phonetic transcriptions use the signs of the International Phonetic Alphabet.

WRITTEN	PHONETIC SOUND AND SIGN		WRITTEN	PHONETIC SOUND AND SIGN	
a	a	a	n	enne	ɛn
b	bé	be	o	o	o
c	sé	se	p	pé	pe
d	dé	de	q	ku	ky
e	e	ə	r	erre	ɛʀ
f	effe	ɛf	s	esse	ɛs
g	ze	ʒe	t	té	te
h	hache	aʃ	u	u	y
i	i	i	v	vé	ve
j	ji	ʒi	w	double vé	dubləve
k	ka	ka	x	iks	iks
l	elle	ɛl	y	i grec	iɡʀɛk
m	emme	ɛm	z	zède	zɛd

TRAVAUX PRATIQUES (*Practical application*) •◦•◦•◦•◦•◦•◦•◦•◦•◦•

[1] *Use the French alphabet to spell your name. If your name has either a double vowel or a double consonant, say* **deux** *and then give the vowel or consonant.*

Remember that not all speakers of French pronounce their language in exactly the same way, just as we do not all pronounce English in the same way.

Correct pronunciation should never be drilled at the expense of encouraging you to speak freely. Listen carefully to your professor, the tapes, and, whenever you have the opportunity, native speakers.

To pronounce anything, to communicate anything, you must open your mouth. Rule number 1 for pronunciation and communication: OPEN YOUR MOUTH AND SPEAK! Repetition too is crucial if you are to acquire a new language.

---

[1] means "Perform this exercise orally." ✎ means "Write out this exercise."

ACCENTS

1. **Accent aigu** (*acute accent*) (´)

   été, espérer, thé, départ, étudiant

2. **Accent grave** (*grave accent*) (`)

   père, collège, frère, mère, très

   The **accent grave** is sometimes used to distinguish between similarly spelled words. It has no effect on pronunciation:

VERB: il **a** (*he has*)	CONJUNCTION: **ou** (*or*)	ARTICLE: **la** (*the*)
PREPOSITION: **à** (*at, to, into*)	ADVERB: **où** (*where*)	ADVERB: **là** (*there*)

3. **Accent circonflexe** (*circumflex*) (^)

   a. The **accent circonflexe** often replaces an **s** and lengthens the vowel sound:

   bête, forêt, hâte, hôpital, hôtel

   b. It also distinguishes between similarly spelled words and has no effect on pronunciation:

   PARTITIVE ARTICLE: **du** (*some*)   PAST PARTICIPLE: **dû** (*owed*)

4. **Cédille** (*cedilla*) (ç)

   The **cédille** indicates that a **c** is to be pronounced as an **s** sound and not a **k** sound before **a, o, u:**

   français, François, garçon, leçon, reçu

5. **Tréma** (*diaeresis*) (¨)

   The **tréma** separates the pronunciation of two adjacent vowels into distinct syllables:

   Noël, Israël, naïf, maïs, Zaïre

6. Some ground rules for pronunciation:

   a. Generally, a final consonant is not pronounced:

   dan**s**, françai**s**, pendan**t**, repa**s**, Pari**s**

   b. A few one-syllable words are exceptions:

   ly**s**, neu**f**, se**c**, ca**r**, fil**s**

   c. A consonant at the end of a word is pronounced if it is followed by an unaccented **e**:

   je dési**r**e, mala**d**e, Fran**c**e, jeu**n**e, liv**r**e, grou**p**e

d. The final **s** of a plural noun (or adjective) is not pronounced:

étudiants, amis, dîners, livres, jeunes gens

e. An **s** between two vowels is pronounced as a **z** sound:

épuisé, cousin, poison, désert

f. A **double s** is pronounced as an **s** sound:

poisson, dessert, tasse, assiette

As you can see, confusing the pronunciation of single **s** or double **s** in a word could cause some difficulties in communication. Imagine the confusion that would result, say, in a restaurant if you ordered **du poison** (*poison*) instead of **du poisson** (*fish*), followed by **un désert** (*a desert*) instead of **un dessert** (*a dessert*)!

GENRE

1. You will notice that in French there are two genders, masculine and feminine:

   MASCULINE: **un** père, **un** livre, **un** couteau
   FEMININE: **une** mère, **une** tasse, **une** soucoupe

2. The best way to remember a word's gender is to memorize it when you learn the word. Gender never changes.

   There are no general rules for identifying gender, but some endings can give you clues.

   a. Generally, nouns ending in **-eau, -ant,** and **-et** are masculine:

   un plat**eau**, un bur**eau**, un bat**eau**
   un étudi**ant**, un restaur**ant**, un éléph**ant**
   un obj**et**, un carn**et**, un bill**et**

   b. Generally, nouns ending in **-ette, -ion,** and **-té** are feminine:[2]

   une assi**ette**, une fourch**ette**, une servi**ette**
   une composit**ion**, une quest**ion**, une addit**ion**
   une universi**té**, une identi**té**, une priori**té**

3. Many nouns ending with an **e** are feminine:

   une port**e**, une tabl**e**, une fenêtr**e**, une lettr**e**, une class**e**, une mèr**e**

---

[2] English words ending in **-ion** often have the same meaning and spelling in French. English words ending in **-ty** often have French counterparts ending in **-té**.

BUT there are exceptions:

un verre, un père, un groupe

4. A masculine noun must be modified by a masculine adjective, and a feminine noun must be modified by a feminine adjective. Many feminine adjectives are formed by adding **-e** to the masculine form:

américain, américaine   petit, petite   content, contente   fatigué, fatiguée

5. If the masculine form of an adjective ends in **e**, the feminine form remains the same:

même, même   rouge, rouge   jaune, jaune   jeune, jeune

EXPRESSIONS UTILES

Listen as your professor pronounces and dramatizes each expression. Perform each command and expression presented to you.

Bonjour!	*Good day!*
Ecoutez!	*Listen!*
Répétez!	*Repeat!*
Levez-vous!	*Get up!*
Asseyez-vous!	*Sit down!*
Marchez tout droit!	*Walk straight ahead!*
Avancez!	*Forward!*
Tournez à droite!	*Turn to the right!*
Tournez à gauche!	*Turn to the left!*
Arrêtez!	*Stop!*
Ouvrez la porte!	*Open the door!*
Fermez la porte!	*Close the door!*
Ouvrez la fenêtre!	*Open the window!*
Fermez la fenêtre!	*Close the window!*
Ouvrez le livre!	*Open the book!*
Fermez le livre!	*Close the book!*
Répétez plus fort!	*Repeat louder!*
Réveillez-vous!	*Wake up!*
Répondez!	*Answer!*
Merci.	*Thanks.*
De rien.	*You're welcome.*
Au revoir.	*Good-bye.*
A bientôt.	*See you soon.*
A tout à l'heure.	*See you soon.*

ALLONS PLUS LOIN

Study the picture. Repeat each sentence after your instructor.

Une salle de classe

Voici le professeur.	*Here's the teacher.*	Voici la classe.	*Here's the class.*
Voilà le professeur.	*There's the teacher.*	Voilà la classe.	*There's the class.*

Voici les étudiants.   *Here are the students.*   Voici le livre.   *Here's the book.*
Voilà les étudiants.   *There are the students.*   Voilà le livre.   *There's the book.*
Voici la salle de classe.   *Here's the classroom.*
Voilà la salle de classe.   *There's the classroom.*

Qu'est-ce que c'est?   *What is this?*
—C'est une étudiante.   *—It's a student (female).*
—C'est un étudiant.   *—It's a student (male).*

—C'est une chaise.   —C'est un tableau.   —C'est un crayon.
—C'est une fenêtre.   —C'est un stylo.   —C'est un bureau.

TRAVAUX PRATIQUES •◦•

Now quiz your partner by covering the text and pointing to various illustrations.

Modèle: Qu'est-ce que c'est?
     C'est une étudiante.

After the pictures in the text have been identified, quiz your partner about the items in the classroom.

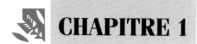

Le départ

Itinéraire

In starting our journey together, you will learn how to say your name and ask another person's name. You will practice some French expressions used to greet people, name eating utensils, and describe family relationships. You will also discover how to tell how you feel and where you are going.

To help you do these things, you'll learn the important verbs **être** (*to be*) and **aller** (*to go*), along with noun and pronoun subjects; how to ask questions using **est-ce que, n'est-ce pas,** and inversion; and how to use definite and indefinite articles.[1]

---

[1] Because of its introductory nature, this first chapter is structured somewhat differently from the rest of the text.

Scénario •••••••••••••••••••••••••••••••••••••••

PREMIERE ETAPE

The **Première étape** isolates some of the basic elements of the **Scénario** and is for comprehension only. Listen carefully as your professor reads the **Première étape.** Do not repeat or look at the text as it is being read. If asked by your professor, look only at the illustration at the beginning of the chapter and try to follow the story as shown.

Deux étudiants américains vont en France. Les amis s'appellent Robert et Henry. Ils sont avec un groupe de camarades. L'hôtesse de l'air apporte les dîners.

L'HOTESSE: Bonsoir. Voici vos dîners. Comment allez-vous?
HENRY: Je vais bien, merci, mais mon ami va mal.
5   L'HOTESSE: Est-ce que vous êtes fatigué?
ROBERT: Oui, je suis très fatigué.

DEUXIEME ETAPE

The **Deuxième étape** is for you to learn after your professor has presented it orally. Either keep your book closed throughout the presentation or look only at the illustration, depending on your professor's preference. After studying the **Deuxième étape** and becoming familiar with its principal grammatical forms, you should be able to present it as a dramatic skit.

Deux étudiants américains vont en France. Ils sont avec un groupe de camarades. Les amis s'appellent Robert et Henry. Ils voyagent ensemble. Ils sont dans un avion. L'avion vole vers la France. Ils décident de parler français. L'hôtesse de l'air apporte les dîners.

L'HOTESSE: Bonsoir. Voici vos dîners. Comment allez-vous?
5   HENRY: Je vais bien, merci, mais mon ami va mal.
L'HOTESSE: Est-ce que vous êtes fatigué ou malade, monsieur?
ROBERT: Fatigué, mademoiselle. Oui, je suis très fatigué.
L'HOTESSE: Allez-vous dormir ou regarder le film après le repas?
HENRY: Je vais regarder le film.
10   ROBERT: Moi, je désire dormir.
L'HOTESSE: D'accord. Bon appétit, messieurs. Je vais apporter les écouteurs.
HENRY: Merci et à tout à l'heure.

TROISIEME ETAPE

The **Troisième étape** is for reading. Your professor will explain the new vocabulary it contains. You may practice the new vocabulary by working with the **Synonymes et expressions approximatives** in the *Student Workbook.*

Deux étudiants américains vont en France. Ils sont avec un groupe de camarades. Les amis s'appellent Robert et Henry. Ils voyagent ensemble. Ils sont dans un avion. L'avion vole vers la France. Ils décident de parler français pendant cette «expérience française». L'hôtesse de l'air apporte les dîners.

5 L'HOTESSE: Bonsoir. Voici vos dîners. Comment allez-vous?

HENRY: Je vais bien, merci, mais mon ami va mal.

L'HOTESSE: Est-ce que vous êtes fatigué ou malade, monsieur?

ROBERT: Fatigué, mademoiselle. Oui, je suis très fatigué.

L'HOTESSE: Allez-vous dormir ou regarder le film après le repas?

10 HENRY: Je suis fatigué aussi, mais je vais regarder le film.

ROBERT   Moi, je désire dormir. N'oubliez pas... (*il cherche ses mots*) n'oubliez pas de me réveiller à Paris.

L'HOTESSE: (*Elle rit.*) D'accord. Bon appétit, messieurs. Je vais apporter les écouteurs immédiatement.

15 HENRY: Merci et à tout à l'heure.

Le Concorde

VOCABULAIRE ILLUSTRE: Le plateau

Robert et Henry sont contents. Ils vont en France. L'hôtesse de l'air apporte les dîners.
Sur le plateau il y a **une** fourchette, **une** serviette, **un** verre, **une** tasse, **une** soucoupe,
une assiette, **une** cuillère et **un** couteau.

Faisons connaissance *(Getting acquainted)*

Listen and observe carefully as your professor guides you through this application drill.

1. Les amis s'appellent Robert et Henry.
   Il s'appelle Robert.
   Il s'appelle Henry.

   Je m'appelle *(instructor's name)*.

   Comment vous appelez-vous?
   Je m'appelle ———.

2. Il s'appelle *(name of male student)*.
   Il s'appelle ———.

3. Comment s'appelle l'étudiant?
   Il s'appelle ———.

4. Elle s'appelle (*name of female student*).
   Elle s'appelle _____.

5. Comment s'appelle l'étudiante?
   Elle s'appelle _____.

6. Comment va-t-il?
   Il va bien.

7. Comment va-t-il?
   Il va mal.

8. Comment allez-vous?
   Je vais _____.

TRAVAUX PRATIQUES ●●●●●●●●●●●●●●●●●●●●●●●●●●●●●●●●●●●●●

One student begins the round robin: **Je m'appelle** _____. *That student turns to the next student and asks:* **Comment vous appelez-vous?** *That student answers appropriately:* **Je m'appelle** _____. *Then the first student reports to the professor:* **Il/Elle s'appelle** _____. *Continue until all members of the class have said their names and have had their names repeated.*

NOTE DE GRAMMAIRE 1
Les pronoms personnels sujets

FRENCH PRONOUN	ENGLISH PRONOUN	USAGE
je	*I*	First-person singular: used when the subject is the speaker.
tu	*you*	Second-person singular: used among friends or equals, by adults to address children, and generally by children to address their parents; sometimes used in arguments to indicate scorn. In general, one does not use this form in speaking to older people.
il	*he, it*	Third-person singular: used to indicate a masculine person or thing.
elle	*she, it*	Third-person singular: used to indicate a feminine person or thing. ☞

on	*one*	Third-person singular: used to refer to an unnamed person or persons and to make generalizations as in English using *they, people,* or *we.*
nous	*we*	First-person plural: used to refer to oneself and one or more other persons.
vous	*you*	Second-person plural: used to address one person formally; also used to address several persons at one time, even if you would use **tu** to address each individually.
ils	*they*	Third-person plural: used to indicate two or more masculine persons or things. One masculine noun and one feminine noun, or several feminine nouns and one masculine noun, are always referred to by the masculine plural pronoun **ils**.
elles	*they*	Third-person plural: used to indicate two or more feminine persons or things.

Simples substitutions

A. *We need these to eat.*

1. Sur le plateau il y a *le couteau.* (*la fourchette, la tasse, la cuillère, le verre, le menu*)
2. Elle apporte *le dîner.* (*la salade, la serviette, l'assiette, le menu, le plateau*)

Exercice de transformation

B. *What's on the tray? Noun/thing → pronoun.*

Modèle: Le couteau est sur le plateau.
      Il est sur le plateau.

1. La cuillère est sur le plateau.
2. Le menu est sur le plateau.
3. La tasse et la soucoupe sont sur le plateau.
4. La serviette et le verre sont sur le plateau.
5. Le dessert et le menu sont sur le plateau.

TRAVAUX PRATIQUES

How does one do the following?

Modèle: Eat soup.
      Avec une cuillère.

1. Eat meat. *Avec une* _____.
2. Cut steak. *Avec un* _____.
3. Select what one wants to eat. *Avec un* _____.
4. Drink coffee. *Avec une* _____.
5. Drink milk. *Avec un* _____.
6. Wipe one's mouth. *Avec une* _____.
7. Finish a delicious meal. *Avec un* _____.

NOTE DE GRAMMAIRE 2

Le verbe irrégulier **être**

1. Verbs are parts of speech that indicate some kind of action. Verbs may also convey the idea of motion, condition, existence, or relationship.

2. Verbs are *regular* or *irregular* and may be conjugated. When a verb is conjugated, it changes forms to match its subject.

3. **Etre** (*to be*) is an irregular verb. Verbs are considered irregular when they do not follow the standard patterns of conjugation for most verbs.

4. In declarative usage (in a sentence that is neither a question nor a command), the verb is usually preceded by a subject. Study some of the possibilities presented in the **Scénario.** Note that the *subject* is either a *noun* or a *pronoun*.

SUBJECT NOUN	SUBJECT PRONOUN	VERB	
	Je	**suis**	dans l'avion.
	Tu	**es**	dans l'avion.
(Robert) (L'étudiant)	Il	**est**	dans l'avion.
(L'hôtesse de l'air)	Elle	**est**	dans l'avion.
	On	**est**	dans l'avion.
	Nous	**sommes**	dans l'avion.
	Vous	**êtes**	dans l'avion.
(Robert et Henry) (Robert, Henry et l'hôtesse de l'air)	Ils	**sont**	dans l'avion.
(Les hôtesses de l'air)	Elles	**sont**	dans l'avion.

Simples substitutions

A. *One simply cannot exist without the verb* **être.**

1. *Les deux amis sont* dans un avion. (*Nous sommes, Tu es, Henry est, Vous êtes, Elles sont, Je suis*)
2. *Ils sont* en France. (*On est, Vous êtes, Nous sommes, Il est, Tu es, Je suis*)

Exercice de transformation

B. *Who's flying with whom? Noun/person → pronoun.*

Modèle: Henry est avec son ami.
          Il est avec son ami.

1. Les deux étudiants et l'hôtesse de l'air sont dans un avion.
2. Les copines vont en France.
3. Les deux amis s'appellent Robert et Henry.
4. Robert et Henry voyagent ensemble.
5. L'hôtesse de l'air apporte les dîners.

TRAVAUX PRATIQUES •◦

A. *Rewrite the passage that follows, replacing the italicized nouns with appropriate pronouns.*

Modèle: *Deux étudiants américains* sont dans un avion.
Ils sont dans un avion.

Les amis sont contents. *L'hôtesse de l'air* apporte les dîners. *Robert* est fatigué et désire dormir. *Henry* va regarder le film. *Le film* est intéressant. *Robert, Henry et l'hôtesse* voyagent ensemble.

B. *Insert the appropriate form of* **être.**

Je _____ content(e). Elle _____ dans l'avion et nous _____ ensemble. Mais vous _____ fatigué(e) et ils _____ malades.

DANS LA SALLE DE CLASSE *(In the classroom)*
Exercice de transformation

As someone names a location, a student stands in the designated spot.

1. Vous êtes devant *le bureau*. (*la porte, la chaise, le tableau, la fenêtre, la carte*)
2. Vous êtes derrière *les étudiants*. (*les amis, les camarades, les jeunes gens, les étudiants américains, les étudiantes américaines*)

TRAVAUX PRATIQUES .•~

 Où êtes-vous? *A student moves around the room and is asked by various students where he/she is:* **Où êtes-vous?** *The student responds:* **Je suis devant/derrière** *(person's name). The student may then ask others:* **Où suis-je?** *and elicit answers, such as* **Vous êtes devant/derrière Claire,** *and so on.*

VOCABULAIRE ILLUSTRE: La carte d'Europe

L'avion va en France où on parle français.[2]
             Espagne   espagnol.
             Italie   italien.
             Grèce   grec.
             Angleterre   anglais.
             Allemagne   allemand.

The plane goes to France, where they speak French.
             Spain   *Spanish.*
             Italy   *Italian.*
             Greece   *Greek.*
             England   *English.*
             Germany   *German.*

---

[2] Note that the names of languages are not capitalized in French.

NOTE DE GRAMMAIRE 3

Le verbe irrégulier **aller**

1. Like the verb **être**, the verb **aller** is irregular. Its forms are as follows:

je **vais**	nous **allons**
tu **vas**	vous **allez**
il **va**	ils **vont**
elle **va**	elles **vont**
on **va**	

2. **Aller** is used mainly to mean *to go:*

Ils vont en France.   ***They are going** to France.*

3. The present tense of **aller** has the following English equivalents:

Ils vont en France.
$\begin{cases} \textit{\textbf{They are going }}to\ France. \\ \textit{\textbf{They go }}to\ France. \\ \textit{\textbf{They do go }}to\ France. \end{cases}$

4. In the **Scénario** you saw **aller** used in the following forms:

Comment **allez**-vous?
Je **vais** bien, merci, mais mon ami **va** mal.

Aller is used with the adverbs **bien** and **mal** to describe one's state of health or well-being.

5. **Aller** may also serve as a helping verb to form the near future, as in English:

Je vais apporter les écouteurs immédiatement.   *I am going to bring the headsets immediately.*

We will study the near future in **Chapitre 3**.

Simples substitutions

A.
1. *Nous allons en France. (Tu vas, Vous allez, Elles vont, Je vais, Robert va, On va)*
2. *Je vais apporter les écouteurs. (L'hôtesse va, Nous allons, Vous allez, Il va, Elles vont, Tu vas)*

Exercices de transformation

B. **Modèle:** *Je vais à l'avion. (L'hôtesse)*
        L'hôtesse va à l'avion.

1. *Je vais à l'avion. (L'hôtesse, Tu, Nous, Vous, Ils, Robert)*
2. *Les étudiants vont à Paris. (Nous, Vous, L'avion, Je, On, Tu)*

C. *We are definitely on our way:* **Aller → être.**

Modèle: Nous allons en France.
          Nous sommes en France.

1. Je vais en France.
2. Il va à Paris.
3. Vous allez en Espagne.
4. Ils vont à Madrid.

5. Les jeunes gens vont en Italie.
6. Nous allons à Rome.
7. Tu vas en Angleterre.
8. Elle va à Londres.

TRAVAUX PRATIQUES

Refer to the drawing on page 16. Working with a partner, use all the names of countries and all the forms of **aller** *to ask and answer questions.*

Pointing to France on the map, you say: **Où allez-vous?** *Your partner answers:* **Je vais en France.** *You point to another country, say, England, and ask:* **Où allons-nous?** *Your partner answers:* **Nous allons en Angleterre.** *Continue until you have covered all the countries with your partner, using a different subject pronoun or noun for each one. Then have your partner ask you the same types of questions.*

Vue aérienne de Paris

NOTE DE GRAMMAIRE 4

Les articles définis et indéfinis

L'article défini

1. The definite article **le, la,** or **l'** (*the* in English) indicates that the noun it accompanies refers to something specific. Recall from the **Chapitre préliminaire** that all nouns in French have gender: they are either *masculine* or *feminine*:

MASCULINE SINGULAR	FEMININE SINGULAR
le dîner	**la** tasse
le film	**la** classe
le repas	**la** fourchette
le steward	**l'**assiette
l'avion	**l'**hôtesse de l'air

   Replace the vowel of the definite article (**le** or **la**) with an apostrophe before a word beginning with a vowel (**l'avion**) or a mute **h** (**l'hôtesse**).

2. Definite articles and nouns also have number: they may be singular, as in the examples in point 1, or they may be plural. There is one plural form: **les.** A noun is usually made plural by adding **-s** to the singular form:

MASCULINE PLURAL	FEMININE PLURAL
les dîner**s**	**les** tasse**s**
les film**s**	**les** classe**s**
les repas[3]	**les** fourchette**s**
les steward**s**	**les** assiette**s**
les avion**s**	**les** hôtesse**s** de l'air

   Monsieur has the plural form **Messieurs.**
   Mademoiselle has the plural form **Mesdemoiselles.**
   Madame has the plural form **Mesdames.**

   When preceded by the definite article, these words assume the following forms:

   les messieurs (*the men*)
   les demoiselles (*the young women*)
   les dames (*the women*)

L'article indéfini

3. The French indefinite articles are **un** and **une** (*a* or *an* in English). **Un** and **une** are singular in number:

---

[3] If a noun already ends in **s,** do not add another **-s.**

MASCULINE	FEMININE
un steward	**une** hôtesse
un passager	**une** passagère
un camarade	**une** camarade

4. The indefinite article indicates that the noun that it accompanies is meant in a nonspecific sense. Note the different meanings of the indefinite and definite articles in the following sentences:

INDEFINITE ARTICLE

Dans les avions en général il y a **un** pilote et **un** copilote.

*In general, an airplane has **a** pilot and **a** copilot.*

DEFINITE ARTICLE

Dans l'avion de Robert et Henry, **le** pilote s'appelle Georges et **le** copilote s'appelle Paul.

*In Robert and Henry's airplane, **the** pilot's name is Georges and **the** copilot's name is Paul.*

5. The plural of the indefinite article **un/une** is **des:**

Il apporte **un** verre.   Il apporte **des** verres.   *He brings **some** glasses.*
Il apporte **une** tasse.   Il apporte **des** tasses.   *He brings **some** cups.*

Exercices de transformation

A. *Singular → plural.*

1. **Modèle:** L'hôtesse est dans l'avion.
    Les hôtesses sont dans l'avion.

    (*Le pilote, Le copilote, Le monsieur, La demoiselle, La dame*)

2. **Modèle:** Voici la serviette.
    Voici les serviettes.

    (*le dîner, l'assiette, la tasse et la cuillère, le verre et la fourchette*)

B. *Plural → singular.*

   Modèle: Les étudiants sont dans la classe.
        L'étudiant est dans la classe.

   (*Les camarades, Les amies, Les copains, Les Américaines, Les copines*)

C. **Un/une → des.**

Modèle: Dans l'avion il y a une hôtesse.
        Dans l'avion il y a des hôtesses.

1. Sur le plateau il y a un menu.
2. Elle apporte un dîner.

3. Sur le plateau il y a une assiette.
4. Il apporte un repas.
5. Voici un dessert.

D. Le/la/l' → un/une.

Modèle: Elle apporte le plateau.
Elle apporte un plateau.

1. Sur le plateau il y a le menu.
2. Je vais regarder le menu.
3. Ils sont derrière le pilote.
4. Elle apporte le dessert.
5. Le steward est fatigué.

E. Un/une → le/la/l'.

Modèle: Un avion vole vers la France.
L'avion vole vers la France.

1. Dans un avion il y a un pilote.
2. Il y a aussi un copilote.
3. Un steward apporte le plateau.
4. Une hôtesse est devant les passagers.
5. Henry va regarder un film.

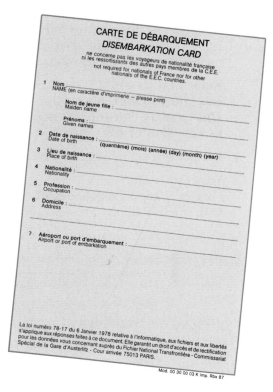

CARTE DE DÉBARQUEMENT
DISEMBARKATION CARD

NOTE DE GRAMMAIRE 5

Interrogations

Questions may be asked in several ways.

1. By adding **est-ce que** to a declarative sentence:

Vous êtes fatigué.   **Est-ce que** vous êtes fatigué?

When using **est-ce que,** drop the **e** from **que** before a vowel:

Il est content.   Est-ce **qu'**il est content?

2. By inverting (reversing) the order of the subject pronoun and the verb:[4]

Vous êtes fatigué.   **Etes-vous** fatigué?

When a verb in the third-person singular ends with a vowel, **-t-** is inserted between the inverted verb and pronoun:

va-**t**-il... ?   va-**t**-elle... ?   désire-**t**-on... ?

---

[4] With the first-person singular, **est-ce que** is normally used instead of inversion:
Je vais à Paris.   **Est-ce que je vais** à Paris?

3. By beginning the sentence with the noun subject and adding the appropriate third-person subject pronoun *after* the verb. Note that no comma is used between the noun subject and the inversion:

Robert est fatigué.   **Robert est-il** fatigué?
Les pilotes sont contents.   **Les pilotes sont-ils** contents?
L'hôtesse de l'air est contente.   **L'hôtesse de l'air est-elle** contente?
Les étudiantes sont ensemble.   **Les étudiantes sont-elles** ensemble?

4. By adding **n'est-ce pas?** to the end of the sentence:

Vous êtes fatigué.
Vous êtes fatigué, **n'est-ce pas?**
Oui, je suis fatigué.

Use **n'est-ce pas?** when you expect an affirmative (yes) answer.

5. In spoken French, by raising the voice (intonation) at the end of the sentence:

Vous êtes fatigué.   Vous êtes fatigué?

Exercices de transformation

A. **Modèle:** Ils sont avec un groupe. (*Est-ce que*)
              Est-ce qu'ils sont avec un groupe?

1. Ils s'appellent Robert et Henry.
2. Ils voyagent ensemble.
3. Ils sont dans un avion.
4. Ils décident de parler français.
5. Ils sont avec un groupe de camarades.

B. **Modèle:** L'hôtesse de l'air apporte les dîners. (*Est-ce que*)
              Est-ce que l'hôtesse de l'air apporte les dîners?

1. Henry va bien.
2. Robert va mal.
3. Le steward est fatigué.
4. Deux étudiants américains vont en France.
5. L'hôtesse s'appelle Jeanne.

C. **Est-ce que... ? Oui,...**

Modèle: Est-ce que le pilote est français?
            Oui, il est français.

1. Est-ce que les passagers sont dans l'avion?
2. Est-ce que l'hôtesse de l'air apporte les dîners?
3. Est-ce que Robert va mal?
4. Est-ce que Henry va bien?
5. Est-ce que le steward est fatigué?

D. *Verb + pronoun.*

Modèle: Ils sont avec un groupe.
Sont-ils avec un groupe?

1. Ils sont dans un avion.
2. Ils voyagent ensemble.
3. Vous allez dormir.
4. Nous allons regarder le film.
5. Ils vont en France.

E. *Noun + verb + pronoun.*

Modèle: Les deux étudiants vont en France.
Les deux étudiants vont-ils en France?

1. Robert et Henry voyagent ensemble.
2. Robert est malade.
3. L'hôtesse apporte la serviette.
4. Le professeur est avec les étudiants.
5. Les étudiants parlent français.

F. N'est-ce pas? Oui,...

Modèle: Vous êtes fatigué.
Vous êtes fatigué, n'est-ce pas?
Oui, je suis fatigué.

1. Le steward est dans l'avion.
2. Elle apporte les dîners.
3. Ils voyagent ensemble.
4. Henry désire dormir.
5. Vous allez regarder le film.

Questions sur le scénario

It is often easy to answer a question by changing the verb in the question to a different form. This may be done with the verbs we have seen so far:

Où **êtes-vous?**
Je suis dans la salle de classe.

Later we will encounter questions with which this is not always possible.

1. Où vont les étudiants américains?
2. Sont-ils avec un groupe de camarades?
3. Comment s'appellent les deux amis?
4. Voyagent-ils ensemble?
5. Où sont-ils?
6. Est-ce que l'avion vole vers la France?

7. Est-ce qu'ils vont parler français?
8. Comment va Robert?
9. Henry va-t-il regarder le film après le repas?
10. Est-ce que Robert va dormir après le repas?
11. Est-ce que l'hôtesse de l'air va apporter les écouteurs?

ARBRE GENEALOGIQUE DE CHRISTOPHE

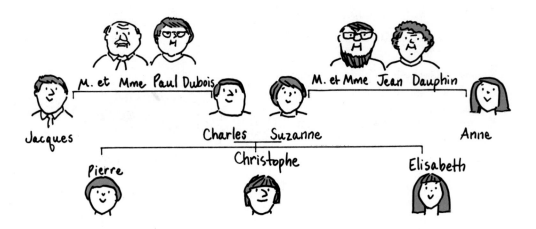

1. Charles et Suzanne Dubois sont **les parents** de Christophe.
2. Charles est **le père.**
3. Suzanne est **la mère.**
4. Jacques Dubois est **l'oncle** de Christophe.
5. Anne Dauphin est **la tante** de Christophe.
6. **Les fils** s'appellent Pierre et Christophe.
7. **La fille** s'appelle Elisabeth.
8. Pierre, Christophe et Elisabeth sont **les enfants** de Charles et Suzanne Dubois.
9. Pierre est **le frère** de Christophe.
10. Elisabeth est **la sœur** de Pierre et de Christophe.
11. Pierre et Christophe sont **des garçons.**
12. Elisabeth est **une fille.**
13. Ils sont cinq dans **la famille** de Christophe.
14. M. et Mme Paul Dubois sont **les grands-parents** de Christophe.[5]
15. M. et Mme Jean Dauphin sont aussi **les grands-parents** de Christophe.

---

[5]   **M.** is the abbreviation for **Monsieur** (*Mr.*).
Mme is the abbreviation for **Madame** (*Mrs.*).
Mlle is the abbreviation for **Mademoiselle** (*Miss*).

Note that **M.** is the only abbreviation of the three that requires a period.

Repas en famille

Vocabulaire

l'arbre (*m.*)   *the tree*
les parents (*m. pl.*)   *the parents*
le père   *the father*
la mère   *the mother*
l'oncle (*m.*)   *the uncle*
la tante   *the aunt*
le fils   *the son*
la fille   *the daughter, the girl*[6]

les enfants (*m.* or *f. pl.*)   *the children*
le frère   *the brother*
la sœur   *the sister*
le garçon   *the boy*
cinq   *five*
la famille   *the family*
les grands-parents (*m. pl.*)   *the grandparents*
aussi   *also*

Questions

1. Comment s'appellent les parents de Christophe?
2. Comment s'appelle le père de Christophe?
3. Comment s'appelle la mère de Christophe?
4. Comment s'appelle l'oncle de Christophe?
5. Comment s'appelle la tante de Christophe?
6. Comment s'appelle le frère de Christophe?
7. Comment s'appelle la sœur de Christophe?
8. Comment s'appellent les enfants de M. et Mme Charles Dubois?
9. Comment s'appellent les grands-parents de Christophe?
10. Comment vous appelez-vous?

[6] **Une jeune fille** is also *a teenager* but not necessarily *a daughter.*

Exercice de manipulation

A vous maintenant! Demandez à _____ (nom d'une personne dans la classe) comment il/elle va.
Ask _____ (name of a person in the class) how he/she is.

1. Demandez à _____ où il/elle est.
2. Demandez à _____ comment s'appelle la sœur de Christophe.
3. Demandez à _____ comment s'appelle le frère de Christophe.
4. Demandez à _____ d'ouvrir (*to open*) la porte.
5. Demandez à _____ de fermer la porte.
6. Demandez à _____ d'ouvrir le livre.
7. Demandez à _____ de fermer le livre.
8. Demandez à _____ de répéter son nom.

ALLONS PLUS LOIN: Salutations

Here are some other expressions you may use to vary your responses.

> You meet a friend and he/she greets you with a hearty: **Salut!**
> You may answer: **Salut!** or **Comment vas-tu?** or **Ça va?**
> He/She answers: **Oui, ça va.**
> **Je vais très bien. Et toi?** (*And you?*)
> **Je vais pas mal.**
> **Je vais très mal.**
> **Ça va bien.**
> **Ça va mal.**
> **Comme-ci, comme-ça.** (*So-so.*)

TRAVAUX PRATIQUES ·•

 A. *Now practice greeting your friends, using as many different expressions as possible.*

 B. *Suppose that Robert and Henry are talking with a friend from school instead of with the flight attendant, as in the* **Deuxième étape** *of the* **Scénario.** *Change the form of address from* **vous** *to* **tu** *and make any necessary changes.*

 C. *Apply models from the* **Scénario** *to your own life.*

1. Ask where dinner is.
2. Ask a friend how he/she is.
3. Ask a friend if he/she is tired or sick.
4. Wish a friend or friends a hearty appetite.
5. Tell someone you are going to bring dinner immediately.
6. Ask someone if he/she wants to eat dinner or watch a film. Your partner should answer that he/she wants to eat dinner. You should reply OK.

COIN CULTUREL: La France

1. When you are in France, you will discover many similarities to and many differences from your own world. These cultural phenomena define people, Americans and French alike.

2. But France is only a part—albeit a major part—of a world of 38 countries in which some 165 million people speak French. Along with France, these countries make up the francophone world.

3. This book will prepare you to enter this vast territory as a knowledgeable person who appreciates the similarities and respects the differences you will encounter. Each **Coin culturel** will provide you with information to help you communicate sensitively with the inhabitants of the French-speaking community.

Gestes

1. An important approach to the study of French is to observe how native speakers express themselves through gestures. For instance, the French automatically extend their hand when meeting someone. The handshake is one quick pump, accompanied by **Bonjour** or **Au revoir.** One shakes hands when greeting someone and when leaving someone.

2. Male and female friends also kiss each other, usually once on each cheek, when they meet and when they part. In some areas of France, one may kiss people three times or even four. You'll have to find these places on your own.

Les amis s'embrassent.

Création et récréation

A. Bring in a photograph of your family or friends and identify each person. Try to add as many details about them as you can, such as their names, their relationship to you, and their state of health.

Modèle: *Voici la famille. Voici le père. Il s'appelle _____. Il va bien. Voici la mère. Elle s'appelle _____. Elle va bien. Voici le frère et la sœur. Ils s'appellent _____ et _____. Le père et la mère sont avec les enfants. Les enfants sont avec le père et la mère...*

B. Adapt the story of Robert and Henry to apply to Monique Golaud and Pierre Dubout, two French students who will spend a term studying in the United States. Describe what could happen to such French students. Try to convey how they would react to American culture. In each **Création et récréation,** you will find lead sentences to help you tell your story. Try to use your new vocabulary in each episode.

Modèle: *Monique et Pierre sont copains. Ils sont français. Ils sont étudiants. Ils vont étudier aux Etats-Unis...*

Coup d'œil

For each topic, check **OUI** if you know it well or **NON** if you do not. Carefully review the sections in the chapter dealing with the topics checked **NON**.

OUI   **NON**

_____   1. The personal subject pronouns in French are: _____

je	**nous**
tu	**vous**
il	**ils**
elle	**elles**
on	

_____   2. **Etre** is an irregular verb. It is conjugated: _____

je **suis**	nous **sommes**
tu **es**	vous **êtes**
il **est**	ils **sont**
elle **est**	elles **sont**
on **est**	

3. **Aller** is an irregular verb. It is conjugated:

je **vais**	nous **allons**
tu **vas**	vous **allez**
il **va**	ils **vont**
elle **va**	elles **vont**
on **va**	

Aller is used mainly to mean *to go.*

Aller may also serve as a helping verb to form the near future:

Il **va apporter** les dîners.   *He **is going to bring** the dinners.*

4. The definite article in French is **le, la,** or **l'** in the singular and **les** in the plural. It agrees in gender and number with the noun:

le film	**l'**avion	**les** menus
la classe	**l'**hôtesse de l'air	

The indefinite article is **un** or **une.** It agrees in gender and number with the noun it modifies:

un steward
une hôtesse de l'air

The plural form of the indefinite article for both masculine and feminine is **des:**

des stewards
des hôtesses de l'air

5. Questions in French are formed in several ways:

Est-ce qu'il est fatigué?
Est-il fatigué?
Robert est-il fatigué?
Il est fatigué, **n'est-ce pas?**
Il est fatigué?

VOCABULAIRE

Words listed here should become part of your active vocabulary. Memorize them. Nouns are grouped logically whenever possible.

VERBES

aller   être

NOMS

la famille (voir p 25)   l'aéroport (*m.*)   l'ami/l'amie
les pays et les langages (voir l'avion (*m.*)   le/la camarade
  p 16)   le copilote   le copain/la copine
le plateau (voir p 10)   le départ   la dame
                                les écouteurs (*m. pl.*)   la demoiselle
le déjeuner   l'expérience (*f.*)   le groupe
le dessert   le film   les jeunes gens (*m. pl.*)
le dîner   l'hôtesse de l'air (*f.*)
le menu   l'itinéraire (*m.*)   Madame (Mme), Mesdames
le petit déjeuner   le passager/la passagère   Mademoiselle (Mlle),
le repas   le pilote   Mesdemoiselles
                                le steward   Monsieur (M.), Messieurs

ADJECTIFS

alerte   content   français/française
américain/américaine   fatigué   malade

ADVERBES

aussi   immédiatement   si
bien   maintenant   toujours
comment   mal   tout de suite
en général   où   très
ensemble   oui

EXPRESSIONS UTILES

la salle de classe (voir pp 5   d'accord   mais
  et 6)   dans   ou
après   derrière   pendant
avec   devant   sur
bon appétit   en   vers
bonsoir   il y a

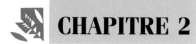

CHAPITRE 2

L'arrivée

Itinéraire •••

On this second leg of our trip, you'll retrieve bags with Robert and Henry at the airport and consider different modes of transportation. You'll learn about shops and other places of business in France; how to count to 20, do simple math problems, and tell time; how to describe extended family relationships; and how to talk about your usual daily activities.

To help you do these things, you will study the verb **avoir** (*to have*) and a practical selection of regular **-er** verbs, such as **arriver** (*to arrive*), **chercher** (*to look for*), and **trouver** (*to find*). And you will practice negative statements and negative questions.

Scénario .•.◦.•.◦.•.◦.•.◦.•.◦.•.◦.•.◦.•.◦.•.◦.•.◦.•.◦.•.◦.•.◦.•.◦.•.◦.•.◦.•.

PREMIERE ETAPE

L'avion arrive à huit heures. Les deux étudiants retrouvent Marguerite, une camarade. Ils sont au service des bagages.

MARGUERITE: Je ne trouve pas ma raquette de tennis. Avez-vous toutes vos affaires?
ROBERT: Non, je n'ai pas mon sac de couchage. (*Ils cherchent.*)
5 HENRY: Tiens, le voilà! (*Il le pose sur le caddie.*)

Les trois jeunes gens trouvent un taxi.

ROBERT: (*au chauffeur*) Sommes-nous à la gare?
LE CHAUFFEUR: Vous y voilà!
ROBERT: Bien. Merci.

DEUXIEME ETAPE

L'avion arrive à huit heures du matin. Les deux étudiants trouvent Marguerite, une camarade. Ils sont au service des bagages où ils cherchent les valises.

MARGUERITE: Je ne trouve pas ma raquette de tennis. Et vous, avez-vous toutes vos affaires?
5 ROBERT: Non, j'ai mes valises, mais je n'ai pas mon sac de couchage. (*Ils cherchent.*)
HENRY: Tiens, le voilà! (*Il le pose sur le caddie.*)

Les trois jeunes gens trouvent l'autobus pour aller à l'aérogare. Là, ils trouvent un taxi.

ROBERT: (*au chauffeur*) Sommes-nous à la gare?
LE CHAUFFEUR: C'est ce que vous voulez, non? (*Il s'irrite.*) Vous y voilà!
10 ROBERT: (*intimidé*) Bien. Merci. Combien est-ce que je dois?
LE CHAUFFEUR: Cent cinquante francs et cinquante francs pour les bagages.
ROBERT: (*Il compte deux billets de cent francs. Il donne l'argent à l'homme.*) Voici deux cents francs.

TROISIEME ETAPE

L'avion arrive à Charles de Gaulle à huit heures du matin. Les deux étudiants retrouvent Marguerite, une camarade du groupe américain. Ils sont au service des bagages où ils cherchent les valises. Le service des bagages est au rez-de-chaussée de l'aéroport.

MARGUERITE: Je ne trouve pas ma raquette de tennis. Ah, la voilà. Et vous, avez-
5 vous vos trucs... euh, toutes vos affaires?
ROBERT: Non, j'ai mes valises, mais je n'ai pas mon sac de couchage. (*Ils cherchent.*)
HENRY: Tiens, le voilà! (*Il le pose sur le caddie.*)

Les trois jeunes gens trouvent l'autobus pour aller à l'aérogare des Invalides. Là, ils trouvent un taxi.

10 LE CHAUFFEUR: Où allez-vous?

HENRY: A la gare d'Austerlitz, s'il vous plaît.

Ils vont directement à la gare.

ROBERT: (*au chauffeur*) Sommes-nous déjà à la gare?

LE CHAUFFEUR: Ben oui! C'est ce que vous voulez, non? (*Il s'irrite.*) Vous y voilà!

15 ROBERT: (*intimidé*) Bien. Merci. Combien est-ce que je dois?

LE CHAUFFEUR: Cent cinquante francs et cinquante francs pour les bagages.

ROBERT: (*Il compte deux billets de cent francs. Il donne l'argent à l'homme.*) Voici deux cents francs.

LE CHAUFFEUR: (*irrité*) Et tout ça sans pourboire! Ça alors!

Vocabulaire pour les questions

Que cherche-t-il?　　　　}
Qu'est-ce qu'il cherche?　}　　**What** *is he looking for?*

Comment va-t-il à la gare?　　**How** *is he going to the train station?*

Qui cherche la valise?　　　　}
Qui est-ce qui cherche la valise?　}　　**Who** *is looking for the suitcase?*

A quelle heure déjeunez-vous?　　**At what time** *do you eat lunch?*

Où est le bâtiment?　　　　**Where** *is the building?*

Quand l'avion arrive-t-il?　　**When** *does the plane arrive?*

Combien Robert doit-il?　　**How much** *does Robert owe?*

QUESTIONS SUR LE SCENARIO

1. **A quelle heure** l'avion arrive-t-il à Charles de Gaulle?
2. **Qui** les deux étudiants retrouvent-ils?
3. **Que** cherchent-ils?
4. **Où** cherchent-ils leurs bagages?
5. **Où** est le service des bagages?
6. **Qu'est-ce que** Marguerite ne trouve pas?
7. **Est-ce que** Robert a toutes ses affaires?
8. **Où** Henry pose-t-il le sac de couchage?
9. **Que** trouvent-ils pour aller à l'aérogare des Invalides?
10. **Comment** vont-ils à la gare d'Austerlitz?
11. **Combien** est-ce que Robert donne au chauffeur pour les valises?

COIN CULTUREL: Renseignements pratiques

1. **Le rez-de-chaussée** is the ground floor.

2. Currently, there are five major railroad stations in Paris in addition to **la gare d'Austerlitz**: **la gare Montparnasse, la gare de Lyon, la gare de l'Est, la gare du Nord, la gare Saint-Lazare.**

3. Buses provide connecting service between the airports and the **aérogare des Invalides** (in central Paris) for a reasonable price. For traveling between points within the city of Paris, however, the **métro** (*subway*) is the least expensive and often the quickest means of transportation. It is less expensive to purchase a book of tickets (**un carnet de tickets**) than to buy tickets individually.

4. Special numbered seats at one end of **métro** cars are reserved for disabled and old people.

5. It is customary to give a 15 percent tip to taxi drivers.

6. **Un autobus,** or **un bus,** is for urban transportation, whereas **un autocar,** or **un car,** is for sightseeing and traveling between distant cities.

Gestes

1. When counting on fingers, the French raise the thumb to indicate **un** (*one*), the index finger for **deux** (*two*), and so on, with the back of the hand facing outward.

2. A hand with palm facing outward usually accompanies a kind refusal: **Non, merci** (*No, thanks*).

« Non, merci! »

Proverbe

Aide-toi, le ciel t'aidera.   *God helps those who help themselves.*

VOCABULAIRE ILLUSTRE: Transports et boutiques

A Paris il y a beaucoup de moyens (*means*) de transport. Il y a, par exemple, la voiture, l'autobus, la mobylette, la bicyclette et le métro.

Dans une ville typique on trouve des magasins (*shops*). Il y a, entre autres (*among others*), un café où on mange des sandwichs, un cinéma où on passe (*shows*) des films, une boutique où on trouve des vêtements (*clothing*), un bureau de poste où on poste des lettres et un bureau de tabac où on trouve des cigarettes, des cartes postales et des timbres (*stamps*).

Questions

Modèle: Quel moyen de transport préférez-vous?
         Je préfère le métro.

1. Y a-t-il le métro dans votre ville (*your city*)?
2. Sinon (*if not*), quels sont les moyens de transport?
3. As-tu une voiture? De quelle marque (*make*)?
4. Comment vas-tu à l'école (*to school*), en bicyclette ou en autobus?
5. A l'école les étudiants ont-ils des bicyclettes ou des autos?

Questions

Modèle: Où passe-t-on des films?
         On passe des films dans un cinéma.

1. Que fait-on dans un café?
2. Où trouve-t-on des vêtements?
3. Où poste-t-on des lettres?
4. Où trouve-t-on des cartes postales?
5. Où trouve-t-on des timbres?

Simples substitutions

These are places worth knowing.

Modèle: A Charles de Gaulle ils cherchent *un café. (un cinéma)*
        A Charles de Gaulle ils cherchent un cinéma.

1. A Charles de Gaulle ils cherchent *un café. (un cinéma, une boutique, un bureau de tabac, un bureau de poste)*
2. A Charles de Gaulle ils trouvent *le café. (le cinéma, la boutique, le bureau de tabac, le bureau de poste)*

Allons plus loin: L'aéroport

Study the following terms.

la carte de débarquement   *debarkation card*
la police   *police*
vérifier les passeports *(m. pl.)*   *to check passports*
le douanier   *customs agent*
rien à déclarer   *nothing to declare*
les touristes *(m./f. pl.)*   *tourists*
être dépaysé(e)(s)   *to be homesick*

atterrir   *to land*
montrer   *to show*
ouvrir   *to open*

TRAVAUX PRATIQUES ·•·

A. *Complete the paragraph with appropriate words from* **Allons plus loin**.

L'avion des jeunes gens va _____ à huit heures. Les stewards et les hôtesses de l'air donnent les _____ aux passagers. La police va _____ les _____. Ensuite *(then)* les _____ vont ouvrir leurs *(their)* bagages pour le _____. Robert et Henry disent *(tell)* au douanier: «Nous n'avons _____.» Comme tous *(like all)* les touristes les jeunes gens sont _____.

B. *Now ask your partner questions about the paragraph in item* **A**.

1. A quelle heure l'avion va-t-il atterrir?
2. Qui donne les cartes de débarquement dans un avion?
3. Qui vérifie les passeports des passagers?
4. Qu'est-ce que les touristes vont ouvrir?
5. A qui les passagers montrent-ils leurs bagages?
6. Qu'est-ce que les jeunes gens disent aux douaniers?
7. Comment sont les touristes américains quand ils arrivent en France?

NOTE DE GRAMMAIRE 6

Le verbe **avoir**

1. **Avoir** (*to have*) is an irregular verb. Its conjugation in the present indicative (**le présent de l'indicatif**) is:

j'**ai**	nous **avons**
tu **as**	vous **avez**
il **a**	ils **ont**
elle **a**	elles **ont**
on **a**	

J'ai une valise.	**Nous avons** un caddie.
As-tu toutes tes affaires?	**Vous avez** l'argent.
Robert n'a pas son sac de couchage.	**Ils ont** un taxi.

2. The interrogative with **avoir** is formed as follows:

est-ce que j'ai... ?	avons-nous... ?
as-tu... ?	avez-vous... ?
a-t-il... ?	ont-ils... ?
a-t-elle... ?	ont-elles... ?
a-t-on... ?	

When a verb ends in a vowel and is followed by **il, elle,** or **on,** remember to add **-t-** between the verb and the subject pronoun:

A-**t**-il le plateau?
A-**t**-elle les écouteurs?
A-**t**-on l'argent?

3. Also note the form:

Y a-t-il un pilote dans l'avion?	*Is there a pilot on the plane?*
Oui, **il y a** un pilote et un copilote dans l'avion.	*Yes, there are a pilot and a copilot on the plane.*

which should be distinguished from:

Le/La voilà!	*There it is!*
Les voilà!	*There they are!*

Voilà usually points something out.

Simples substitutions

A. Each person has some related objects. Tell what they are.

1. J'ai *le caddie.* (*la valise, le sac de couchage, les bagages, la malle, les affaires*)
2. Tu as *la fourchette.* (*le couteau, le verre, la tasse, la soucoupe, la cuillère*) ☞

3. Elle a *un vélo.* (*une bicyclette, une mobylette, une voiture, une auto, un taxi*)

4. Vous avez *l'argent.* (*le pourboire, la monnaie, les dollars, les francs*)

B. *Who has the letters?*

Avez-vous *les lettres?* (*As-tu, A-t-il, A-t-elle, Ont-ils, Avons-nous*)

C. *Who has the tip?*

A-t-il *le pourboire?* (*Avez-vous, Avons-nous, Ont-ils, As-tu, Est-ce que j'ai*)

Exercices de transformation

D. Modèle: *Il* a une malle. (*Nous*)
     Nous avons une malle.

1. *Il* a une malle. (*Nous, Robert, Tu, Vous, Les hôtesses*)
2. *Nous* avons un vélo. (*Robert, Ils, Vous, Tu, Je*)

Différents moyens de transport

E. **Modèle:** Nous avons un taxi.
Avons-nous un taxi?

1. *Nous* avons un taxi. (*Vous, Je, On, Ils, Tu*)
2. *Ils* ont une mobylette. (*On, Je, Nous, Tu, Vous*)

F. **Modèle:** Henry a le caddie.
Henry a-t-il le caddie?

1. *Henry* a le caddie. (*L'hôtesse de l'air, Le garçon, Le père, La tante, L'oncle*)
2. *Robert* a le sac de couchage. (*Henry, La fille, Le copain, La copine, La mère*)

NOTE DE GRAMMAIRE 7

Les verbes réguliers en **-er**

1. There are three groups of regular verbs in French. The verbs in these groups are considered regular because they follow unvarying patterns in conjugation. A verb is classified into one of the three groups according to the ending of its infinitive. The infinitive is the form that expresses the general meaning of the verb. In English an infinitive is preceded by the preposition *to* (**to** *like*, **to** *study*).

2. Regular verbs in the first group end in **-er,** like the verb **parler** (*to speak*). The present indicative stem of these verbs is formed by dropping the **-er** ending of the infinitive. For example, the stem of **parler** is **parl-.** To the stem you add the following verb endings:

   -e, -es, -e, -ons, -ez, -ent

3. The present indicative conjugation of **parler** is as follows:

SUBJECT PRONOUN	STEM		ENDING	
je	parl-	+	**-e** (*not pronounced*)	[parl]
tu	parl-	+	**-es** (*not pronounced*)	[parl]
il/elle/on	parl-	+	**-e** (*not pronounced*)	[parl]
nous	parl-	+	**-ons** (*pronounced* [õ])	[parlõ]
vous	parl-	+	**-ez** (*pronounced* [e])	[parle]
ils/elles	parl-	+	**-ent** (*not pronounced*)	[parl]

4. Only three different sounds are involved in this conjugation. The written forms look like this:

je parle	nous parlons
tu parles	vous parlez
il parle	ils parlent
elle parle	elles parlent
on parle	

The verb forms within the shaded area are pronounced alike.

5. Remember that the present tense in French has three equivalents in English:

Je parle français.
$$\begin{cases} \textit{\textbf{I speak}} \text{ French.} \\ \textit{\textbf{I am speaking}} \text{ French.} \\ \textit{\textbf{I do speak}} \text{ French.} \end{cases}$$

6. Questions are formed as explained in **Chapitre 1.** In most cases, **est-ce que** is used with the first-person singular to ask questions:

Est-ce que je cherche la valise?
Trouves-tu le taxi?
Parlez-vous français?
Arrivent-ils à Charles de Gaulle?

Remember that in an inverted question, when a verb ends in a vowel and is followed by **il, elle,** or **on, -t-** must be added between the verb and the subject pronoun:

Cherche-**t**-il les lettres?
Parle-**t**-elle français?
Où passe-**t**-on des films?

7. You have so far encountered the following verbs of this category:

aimer	to like, to love	intimider	to intimidate
apporter	to bring	manger*	to eat
arrêter	to stop	marcher	to walk
arriver	to arrive	montrer	to show
avancer*[1]	to advance	oublier	to forget
chercher	to look for	parler	to speak
commencer*	to begin	passer	to show (a film), to pass
compter	to count	poser	to put
continuer	to continue	poster	to mail
décider	to decide	préférer*	to prefer
déjeuner	to have lunch	quitter	to leave
demander	to ask for	regarder	to look at
désirer	to desire, to want	répéter*	to repeat
dîner	to dine	tourner	to turn
donner	to give	trouver	to find
écouter	to listen to	vérifier	to verify
étudier	to study	voler	to fly
fermer	to close	voyager*	to travel
habiter	to live, to dwell		

[1] Certain changes in spelling are required when conjugating the verbs marked with an asterisk (*). They will be dealt with later.

Simples substitutions

A. *We hire a taxi, put in our bags, and close the door.*

1. *Je parle* au chauffeur de taxi. (*Nous parlons, Tu parles, On parle, Vous parlez, Elles parlent*)
2. *Elle apporte* les valises. (*J'apporte, Nous apportons, Vous apportez, Tu apportes, Elles apportent*)
3. *On ferme* la porte du taxi. (*Je ferme, Tu fermes, Ils ferment, Vous fermez, Nous fermons*)

B.

1. *Cherchent-ils* les malles? (*Est-ce que je cherche, Cherchons-nous, Cherchez-vous, Cherches-tu, Les étudiantes cherchent-elles*)
2. *Les touristes trouvent-ils* le taxi? (*Trouvez-vous, Est-ce que je trouve, Trouve-t-on, Trouves-tu, Henry trouve-t-il*)

Exercices de transformation

C. *Clearing customs is quite easy.*

1. *Ils apportent* les affaires. (*Vous, Tu, On, Nous, Je*)
2. *La police* vérifie les passeports. (*Je, Nous, Tu, Vous, Il*)

D. *Let's go shopping.*

Modèle: Vous cherchez un taxi.
          Cherchez-vous un taxi?

1. Nous trouvons un taxi.
2. Tu regardes la boutique.
3. On marche rapidement.
4. Elle arrive à la boutique.
5. Il compte l'argent.

E. *Un voyage.*

Modèle: *L'avion* arrive à huit heures, n'est-ce pas? (*Vous*)
          Vous arrivez à huit heures, n'est-ce pas?

1. *L'avion* arrive à huit heures, n'est-ce pas? (*Vous, Le pilote, Je, Nous, L'hôtesse de l'air*)
2. *Oublient-ils* les valises? (*tu, vous, Robert et Henry, le chauffeur, la mère*)
3. *Ils* montrent les cartes de débarquement. (*Je, Tu, On, La mère, Nous*)
4. *Ils* marchent dans la rue. (*Nous, Robert, Vous, Je, Tu*)
5. *Le chauffeur* intimide les étudiants. (*Tu, Vous, Les jeunes filles, Je, Nous*)
6. *Est-ce que je* compte seize francs? (*Robert et Henry, nous, vous, tu, la dame*)

F. *En ville.*

1. *On* déjeune dans un café. (*Nous, Vous, Tu, Elles, Je*)
2. *Vous* regardez les vêtements dans une boutique. (*Ils, Tu, Nous, Je, On*)
3. *Tu* demandes des timbres au bureau de tabac. (*Le pilote, Vous, Nous, Elles, Je*)
4. Après, *nous* postons des lettres. (*Vous, Elles, Tu, Je, On*)
5. *Je* désire aller au cinéma. (*Elles, Vous, Nous, Le pilote, Tu*)

TRAVAUX PRATIQUES •◦•◦•◦•◦•◦•◦•◦•◦•◦•◦•◦•◦•◦•◦•◦•◦•◦

Choose seven verbs from the list of verbs on p. 40, for instance:

apporter, poser, écouter, trouver, étudier, regarder, aimer

Create a simple scenario using all of the verbs you've chosen.

Modèle: ***Nous apportons** les livres en classe. **Nous posons** les crayons et les stylos sur les tables. **Nous écoutons** le professeur. **Nous trouvons** la page et **nous étudions** les verbes. **Le professeur regarde. Il aime** ça.*

NOTE DE GRAMMAIRE 8

Les nombres cardinaux de 0 à 20

1. As in English, cardinal numbers in French precede the nouns they modify:

   deux livres   ***two*** *books*

2. The final consonant of a cardinal number is pronounced when the following word begins with a vowel or a mute **h**. This phenomenon is called **liaison** (*linking*) and is indicated by the symbol ‿ :

1	un/une	un frère, une sœur
		un‿étudiant, une étudiante
2	deux	deux frères, deux‿étudiants[2]
3	trois	trois frères, trois‿étudiants
4	quatre	quatre frères, quatre étudiants
5	cinq	cinq frères, cinq‿étudiants
6	six	six frères, six‿étudiants
7	sept	sept frères, sept‿étudiants
8	huit	huit frères, huit‿étudiants
9	neuf	neuf frères, neuf‿étudiants[3]
10	dix	dix frères, dix‿étudiants
11	onze	onze frères, onze étudiants

[2] Note the [z] sound in **deux‿étudiants, six‿étudiants,** and **dix‿étudiants.**
[3] Note the [v] sound in **neuf‿étudiants** and **dix-neuf‿étudiants.**

12	douze	douze frères, douze étudiants
13	treize	treize frères, treize étudiants
14	quatorze	quatorze frères, quatorze étudiants
15	quinze	quinze frères, quinze étudiants
16	seize	seize frères, seize étudiants
17	dix-sept	dix-sept frères, dix-sept étudiants
18	dix-huit	dix-huit frères, dix-huit étudiants[4]
19	dix-neuf	dix-neuf frères, dix-neuf étudiants
20	vingt	vingt frères, vingt étudiants

Exercices de transformation

Here are three functions of arithmetic.

A. *Addition.*

Modèles: $1+1$
   Un et un font deux.

   $1+2$
   Un et deux font trois.

1. $(1+2, 1+3, 1+5)$
2. $(2+3, 2+4, 2+5, 2+6)$
3. $(3+3, 3+4, 3+5, 3+6, 3+7)$
4. $(4+4, 4+5, 4+6, 4+7, 4+8)$
5. $(5+5, 5+6, 5+7, 5+8, 5+9)$
6. $(6+7, 6+9, 6+10)$
7. $(7+5, 7+7, 7+8)$
8. $(8+9, 8+10, 8+11, 8+12)$

B. *Subtraction.*

Modèles: $3-1$
   Trois moins un font deux.

   $12-5$
   Douze moins cinq font sept.

$(9-2, 13-6, 18-8, 20-6, 12-2, 19-1, 16-5)$

C. *Multiplication.*

Modèles: 2×6
   Deux fois six font douze.

   3×4
   Trois fois quatre font douze.

$(8\times2, 7\times2, 6\times3, 4\times4, 3\times3, 1\times20, 2\times10)$

---

[4] Although the **h** in **huit** is ordinarily aspirate, there is **liaison** with **dix**.

NOTE DE GRAMMAIRE 9

L'heure

1. The phrase **Il est** is used to tell time:

Il est une heure.   *Il est neuf heures.*

2. Minutes after the hour are indicated as follows:

Il est cinq heures cinq.   *Il est quatre heures et quart.*   *Il est huit heures et demie.*

3. Minutes before the hour are stated as follows:

Il est deux heures moins le quart.   *Il est une heure moins dix.*

4. Midnight is **minuit** (*m.*); noon is **midi** (*m.*):

Il est minuit.   *Il est midi.*

5. Note the following expressions:

Il est huit heures **du matin.**	*It's 8 o'clock **in the morning*** (8:00 a.m.).
Il est quatre heures **de l'après-midi.**	*It's 4 o'clock **in the afternoon*** (4:00 p.m.).
Il est huit heures **du soir.**	*It's 8 o'clock **in the evening*** (8:00 p.m.).

Demie agrees in gender with **heure** when **heure** precedes it:

 une heure et **demie**

Demi does not agree with **heure** when **heure** follows it:

 une **demi**-heure

Add an **-s** to make **heure** plural.

 cinq heure**s**

Heure is abbreviated **h:**

 Il est 5 **h.**

Exercice de manipulation

Quelle heure est-il?

TRAVAUX PRATIQUES

 A. *Read Robert's schedule on a typical school day. Then answer the questions.*

8 h du matin: Robert prend le petit déjeuner (*has breakfast*).

8 h 45 du matin: Robert arrive à l'école.

9 h du matin: La classe commence.

Midi: Robert déjeune.

4 h de l'après-midi: La classe se termine.

8 h du soir: Robert dîne.

Questions

1. A quelle heure Robert prend-il le petit déjeuner?
2. A quelle heure arrive-t-il à l'école?
3. A quelle heure la classe commence-t-elle?
4. A quelle heure Robert déjeune-t-il?
5. A quelle heure la classe se termine-t-elle?
6. A quelle heure Robert dîne-t-il?

 B. *Complete with the appropriate times.*

Ma journée (*My day*)

Je prends le petit déjeuner à _____. J'écoute la radio à _____ et quitte la maison (*house*) ou la résidence universitaire à _____. La classe de français commence à _____ et se termine à _____. Je déjeune à _____.

 C. *Now ask a classmate about a typical day. Include the following questions.*

1. A quelle heure est-ce que tu prends le petit déjeuner?
2. A quelle heure est-ce que tu écoutes la radio?
3. A quelle heure est-ce que tu quittes la maison/la résidence universitaire?
4. A quelle heure est-ce que la classe de français commence?
5. A quelle heure est-ce que la classe de français se termine?
6. A quelle heure est-ce que votre père/votre mère va au bureau (*to the office*)?
7. A quelle heure allez-vous au cinéma?

NOTE DE GRAMMAIRE 10

Ne... pas et questions négatives

1. The negative is formed by adding **ne** before the verb and **pas** after the verb:

Je vais bien.   *I'm well.*

Je **ne** vais **pas** bien.   *I'm **not** well.*

2. Drop the final **e** of **ne** before a verb beginning with a vowel or a mute **h**:

J'ai la valise.	*I have the suitcase.*
Je **n**'ai **pas** la valise.	*I **don't** have the suitcase.*
J'habite à Paris.	*I live in Paris.*
Je **n**'habite **pas** à Paris.	*I **don't** live in Paris.*

3. The indefinite articles **un** and **une** become **de** or **d'** after the negation **ne... pas**:

J'ai **un** vélo.	Je **n**'ai **pas de** vélo.
J'ai **une** auto.	Je **n**'ai **pas d**'auto.
Il y a **une** table ici.	Il **n**'y a **pas de** table ici.

You will learn more about this in **Chapitre 7**.

4. Note the use of **ne... pas** with two verbs together:

Je vais apporter les écouteurs.	*I'm going to bring the earphones.*
Je **ne** vais **pas** apporter les écouteurs.	*I'm **not** going to bring the earphones.*

5. In a statement in the present indicative, **ne... pas** surrounds the conjugated verb, whether the subject is a noun or a pronoun:

SUBJECT	NE	VERB	PAS	
Ils	**ne**	vont	**pas**	en taxi.
L'avion	**n'**	arrive	**pas**	à Charles de Gaulle.

6. The pattern changes in questions, however. Note that **ne... pas** surrounds the inverted subject and verb in a question when a pronoun is the subject:

Vont-ils en taxi?	*Are they going by taxi?*
Ne vont-ils **pas** en taxi?	*Are**n't** they going by taxi?*

7. If a noun is the subject of the question, the negative is formed as follows:

L'avion va-t-il à Charles de Gaulle?
L'avion **ne** va-t-il **pas** à Charles de Gaulle?

8. In both instances of inversion, **ne** directly precedes the verb and **pas** follows the pronoun:

SUBJECT	NE	VERB		SUBJECT PRONOUN	PAS	
	Ne	va	-t-	il	**pas**	à l'école?
L'avion	**ne**	va	-t-	il	**pas**	à Charles de Gaulle?
La voiture	**ne**	va	-t-	elle	**pas**	à Charles de Gaulle?

9. With **est-ce que** there is no inversion, so **ne... pas** follows the pattern used in a statement:

Est-ce qu'il **ne** va **pas** à l'école en taxi?
Est-ce que l'avion **ne** va **pas** à Charles de Gaulle?

10. **Si** is used instead of **oui** to answer *yes* to a negative question:

Ne va-t-il **pas** en France?　　　*Isn't he going to France?*
Si, il va en France.　　　　　　*Yes, he's going to France.*

Est-ce qu'ils **ne** vont **pas** en taxi?　*Aren't they going by taxi?*
Si, ils vont en taxi.　　　　　　　*Yes, they are going by taxi.*

Exercices de transformation

A. L'arrivée: *Affirmative → negative.*

Modèle: L'avion arrive à Charles de Gaulle.
　　　　L'avion n'arrive pas à Charles de Gaulle.

1. Les étudiants cherchent les valises.
2. Il a ses affaires.
3. J'ai mon sac de couchage.
4. Nous avons le caddie.
5. On trouve l'autobus.
6. Ils vont à l'aérogare.
7. Tu demandes un taxi.
8. Vous oubliez le pourboire.

B. Une classe: *Affirmative → negative.*

Modèle: Nous sommes ensemble dans la salle de classe.
　　　　Nous ne sommes pas ensemble dans la salle de classe.

1. Vous étudiez le français.
2. Tu es avec un groupe.
3. J'oublie la leçon.
4. Il regarde le livre.
5. Le professeur est irrité.
6. Les étudiants sont intimidés.
7. La classe se termine.
8. Nous quittons la salle de classe.

C. La classe de demain (*Tomorrow's class*): *Negative → affirmative.*

Modèle: Nous n'allons pas étudier le livre.
　　　　Nous allons étudier le livre.

1. Vous n'allez pas parler français.
2. Tu ne vas pas donner la leçon au professeur.
3. Elles ne vont pas répéter la leçon.
4. Je ne vais pas être sérieux.
5. Le professeur ne va pas être content.
6. Nous n'allons pas écouter le professeur.
7. La classe ne va pas étudier le scénario.
8. Vous n'allez pas oublier l'anglais.

D. A la poste: *Affirmative → negative.*

Modèle: Tu vas arriver à la porte.
　　　　Tu ne vas pas arriver à la porte.

1. Il va poster la lettre.
2. Elles vont apporter les cartes postales.

A la douane

Stationnement de taxis

3. Nous allons fermer les enveloppes.
4. Vous allez oublier les timbres.
5. Je vais compter les timbres.

E. En voyage: *Affirmative → negative.*

Modèle: Il a une valise.
              Il n'a pas de valise.

1. Nous avons un passeport.
2. Le douanier vérifie une valise.
3. Vous trouvez un taxi.
4. On donne un pourboire.
5. Les touristes désirent une carte postale.

F. *Let's double-check the negative: Negative → negative question.*

Modèle: Ils ne sont pas dans la boutique.
              Ne sont-ils pas dans la boutique?

1. Vous ne trouvez pas le métro.
2. Tu n'es pas dans le café.
3. Elle n'est pas dans le bureau de tabac.
4. Nous ne déjeunons pas dans le restaurant.
5. Je n'aime pas les films.

G. **Modèle:** Ils ne sont pas avec un groupe.
Ne sont-ils pas avec un groupe?

1. Vous ne voyagez pas vers Paris.
2. Le pilote n'est pas fatigué.
3. Je ne désire pas regarder le film.
4. L'hôtesse ne va pas être irritée.
5. Le steward ne va pas apporter les repas.

H. **Modèle:** Tu ne désires pas avoir le livre.
Est-ce que tu ne désires pas avoir le livre?

1. Il ne va pas parler anglais.
2. Elles ne désirent pas étudier.
3. Le professeur ne va pas répéter les verbes.
4. Il ne va pas continuer la leçon.
5. Les étudiants ne vont pas oublier le professeur.

I. *Negative question → **si** + affirmative.*

Modèle: Henry ne va-t-il pas bien?
Si, Henry va bien.

1. L'avion n'arrive-t-il pas à Charles de Gaulle?
2. Les étudiants ne cherchent-ils pas les valises?
3. Les deux amis ne vont-ils pas au service des bagages?
4. Le chauffeur n'est-il pas irrité?
5. Les garçons ne sont-ils pas intimidés?

J. **Modèle:** Robert ne prend-il pas le petit déjeuner à neuf heures?
Si, Robert prend le petit déjeuner à neuf heures.

1. Henry n'arrive-t-il pas à l'école à neuf heures?
2. La classe ne commence-t-elle pas à neuf heures?
3. La classe ne se termine-t-elle pas à dix heures?
4. Les jeunes gens ne déjeunent-ils pas à midi?
5. Robert ne dîne-t-il pas à six heures du soir?

K. *Affirmative → negative question → **si** + affirmative answer.*

Modèle: Le chauffeur est impatient.
Le chauffeur n'est-il pas impatient?
Si, le chauffeur est impatient.

1. Le chauffeur pose les affaires dans le taxi.
2. Henry est un bon garçon.
3. Robert oublie le pourboire.
4. Le chauffeur est irrité.
5. Les garçons sont intimidés.

ARBRE GENEALOGIQUE DE CHRISTOPHE (SUITE)

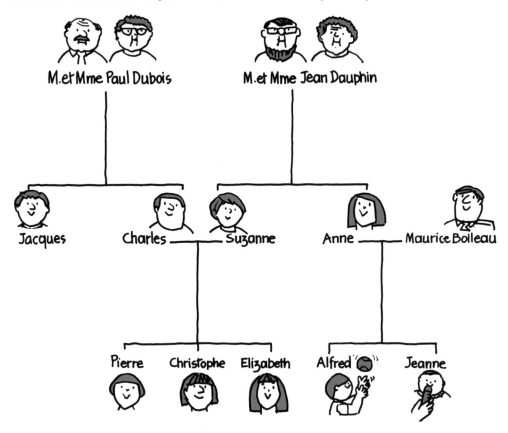

1. Charles est **le mari** de Suzanne.
2. Suzanne est **la femme** de Charles.
3. Jeanne est **la cadette** de la famille. Elle a un mois.
4. Elisabeth est **l'aînée** de la famille. Elle a vingt ans.
5. Christophe et Pierre sont **les neveux** de Jacques Dubois et d'Anne Boileau.
6. Elisabeth est **la nièce** de Jacques Dubois et d'Anne Boileau.
7. M. Dubois est **le grand-père** de Christophe.
8. Mme Dubois est **la grand-mère** de Christophe.
9. Alfred Boileau est **le cousin** de Christophe.
10. Jeanne Boileau est **la cousine** de Christophe.
11. Quel âge Christophe a-t-il? Christophe a dix-neuf ans.
12. Quel âge Pierre a-t-il? Pierre a douze ans.

Vocabulaire

l'aîné(e)   *the eldest*
un an   *one year*
le cadet/la cadette   *the youngest*
le cousin/la cousine   *the cousin*
la femme   *the wife, the woman*
le mari   *the husband*
un mois   *a month*

la grand-mère   *the grandmother*
le grand-père   *the grandfather*
le petit-fils   *the grandson*
la petite-fille   *the granddaughter*
le neveu/les neveux   *the nephew(s)*
la nièce   *the niece*

Exercices de manipulation

A. A vous maintenant!

1. Suzanne Dubois est la femme de Charles. Qui est la femme de Maurice Boileau?
2. Charles est le mari de Suzanne. Qui est le mari d'Anne Boileau?
3. Suzanne est la sœur d'Anne. Qui est la sœur d'Alfred?
4. Pierre est le frère d'Elisabeth. Qui est aussi le frère d'Elisabeth?
5. Christophe est le cousin d'Alfred. Qui est aussi le cousin d'Alfred?
6. Elisabeth est la cousine d'Alfred. Qui est la cousine de Christophe et de Pierre?
7. Elisabeth est la fille de Charles et Suzanne Dubois. Qui est la fille de Maurice et Anne Boileau?
8. Maurice est le fils de Maurice et Anne. Qui sont les fils de Charles et Suzanne?
9. Charles est l'oncle d'Alfred et Jeanne. Qui est l'oncle de Pierre, Christophe et Elisabeth?
10. Anne est la tante de Pierre, Christophe et Elisabeth. Qui est la tante d'Alfred et Jeanne?
11. Jeanne est la nièce de Charles et Suzanne. Qui est la nièce de Maurice et Anne?
12. Christophe et Pierre sont les neveux de Maurice et Anne. Qui est le neveu de Charles et Suzanne?
13. Pierre et Christophe sont les petit-fils de M. et Mme Dubois. Qui est la petite-fille de M. et Mme Dubois?

B. Répondez aux questions.

1. Quel âge Christophe a-t-il?
2. Quel âge sa sœur a-t-elle?
3. Quel âge son frère a-t-il?
4. Quel âge avez-vous?
5. Avez-vous une sœur? Quel âge a-t-elle?
6. Avez-vous un frère? Quel âge a-t-il?
7. Qui est l'aînée de la famille Dubois?
8. Qui est le cadet de la famille Dubois?
9. Etes-vous l'aîné(e)?
10. Etes-vous le cadet/la cadette?

TRAVAUX PRATIQUES

 A vous maintenant! Demandez à votre partenaire...

1. quel âge il/elle a.
2. à quelle heure il/elle déjeune.
3. à quelle heure il/elle dîne.
4. à quelle heure il/elle va à l'école.
5. où on trouve les valises à l'aéroport.
6. à quelle heure se termine la classe.
7. comment s'appelle l'étudiant(e) devant vous.
8. de compter de un jusqu'à dix-neuf par nombres impairs (*odd*).
9. de compter de zéro jusqu'à vingt par nombres pairs (*even*).

MICROLOGUES: **Les aéroports de Paris et de New York**

A. *There are three commercial airports in Paris. The following* **micrologue** *will tell you where they are located and how to get there.*

Il y a trois aéroports à Paris. Ils s'appellent Le Bourget, Orly et Charles de Gaulle. Ils sont situés **en banlieue.** Orly est au sud et Charles de Gaulle au nord de Paris. Le Bourget est **le plus ancien** — c'est là où Charles Lindbergh **a atterri.** Le Bourget
5 est pour **le fret.** Le **trajet entre** les aéroports et Paris est d'**environ** une heure. On fait le trajet en autobus ou en train. Les autobus et les trains passent régulièrement. Charles de Gaulle est l'aéroport **le plus nouveau** et **le plus important.** C'est là que **la plupart** des vols intercontinentaux **atterrissent.**

in the suburbs
the oldest
landed
cargo / trip between
approximately

the newest / the biggest
most / land

Questions

1. Combien d'aéroports y a-t-il à Paris?
2. Comment s'appellent-ils?
3. Où sont-ils situés?
4. Est-ce que le trajet entre les aéroports et Paris est d'environ une heure?
5. Quel aéroport est le plus nouveau et le plus important?

B. *Now let's compare airports in New York with those in Paris.*

A New York il y a deux aéroports. Ils s'appellent John F. Kennedy et La Guardia. Les aéroports sont nommés **d'après** un des présidents des Etats-Unis et **un maire** de la ville de New York. **Ces** aéroports sont situés en banlieue. Le trajet entre les aéro-
5 ports et New York diffère **un peu.** Le trajet entre New York et La Guardia **ne dépasse pas** vingt minutes; le trajet entre New York et John F. Kennedy ne dépasse pas quarante-cinq minutes.

after
a mayor
These
a little
does not exceed

Questions

1. Combien d'aéroports y a-t-il à New York?
2. Comment s'appellent-ils?
3. D'après qui les aéroports sont-ils nommés?
4. Où sont-ils situés?
5. Combien de temps (*how long*) les trajets durent-ils (*last*)?

TRAVAUX PRATIQUES

A. 1. Y a-t-il un aéroport dans votre ville? Sinon, où est l'aéroport le plus proche (*nearest*)?
   2. Comment s'appelle-t-il?
   3. Où est-il situé?
   4. Est-ce que le trajet entre votre ville et l'aéroport dépasse vingt minutes?
   5. Est-ce que votre aéroport est important?

B. *Situation: Choose a partner for further personalized discussion.*

You want to go to your local airport to watch airplanes. Ask your partner to go with you and tell when you are going to leave. He/She replies that he/she is not feeling well. Ask if he/she is angry at you. What will he/she reply?

Création et récréation

A. Sketch your own **arbre généalogique.** Show as many family relationships as you can.

B. A friend is coming to spend a week with you at your school. You meet him/her at the local airport or train or bus station. When do you arrive? When does he/she arrive? Describe your friend and his/her belongings, how you go to school, and what you do upon your arrival there. For example:

J'arrive à _____ à _____ heures du _____. Mon ami(e) s'appelle
_____. Il/Elle a _____ et il/elle est _____. Il/Elle a _____,
_____ et _____. Nous allons à l'école _____...

C. Add to the story about Monique and Pierre that you began in **Chapitre 1**.

Modèle: *Monique et Pierre arrivent à New York. Ils cherchent leurs bagages. Ils désirent un taxi pour aller à Grand Central Station...*

Coup d'œil

_____ 6. **Avoir** (*to have*) is an irregular verb. It may be used alone, or it may be used as an auxiliary verb. It is conjugated as follows: _____

j'**ai**	nous **avons**
tu **as**	vous **avez**
il **a**	ils **ont**
elle **a**	elles **ont**
on **a**	

_____ 7. **Parler** (*to speak*) is typical of all regular **-er** verbs. It is called regular because it follows a predictable pattern of conjugation. To form the present tense of a verb of this group, find the stem by dropping the **-er** ending from the infinitive. Then add the appropriate present tense ending (**-e, -es, -e, -ons, -ez,** or **-ent**) to that stem: _____

je **parle**	nous **parlons**
tu **parles**	vous **parlez**
il **parle**	ils **parlent**
elle **parle**	elles **parlent**
on **parle**	

_____ 8. Cardinal numbers function as adjectives and precede nouns. Except for **un/une,** they are invariable: _____

deux, trois, quatre, cinq...

_____ 9. The formula for telling time is always **Il est** _____ **heure(s)**: _____

Il est **une heure.**
Il est **huit heures cinq** du matin.
Il est **midi et quart.**
Il est **deux heures et demie** de l'après-midi.
Il est **dix heures moins dix** du soir.
Il est **minuit moins le quart.**   ☞

_____ 10. To negate a statement, put **ne** before the verb and **pas** after the verb:

Robert **ne** trouve **pas** son sac de couchage.

_____ In an inverted question, **ne** precedes the verb and **pas** follows the subject pronoun attached to the verb. The same pattern is used whether the subject is a person or a noun:

N'est-il **pas** content?
Henry **n'**est-il **pas** content?

_____ **Si** is used to answer *yes* to a negative question:

N'est-elle **pas** contente?
Si, elle est contente.

VOCABULAIRE

VERBES

avoir

parler

verbes comme parler (voir p 40)

NOMS

la famille (voir p 52)
l'heure (*f.*) (voir pp 44 et 45)
les magasins (*m. pl.*) (voir p 35)
les moyens (*m. pl.*) de transport (voir p 35)
les nombres (*m. pl.*) de 0 à 20 (voir pp 42 et 43)

l'aérogare (*f.*)
les affaires (*f. pl.*)
l'arrivée (*f.*)
le caddie
la chose
la gare
le rez-de-chaussée
le sac de couchage

le service des bagages
la valise

l'argent (*m.*)
le chauffeur
le dollar
le franc
le pourboire
le taxi

EXPRESSIONS UTILES

en avance
en retard

A quelle heure?
Quel âge avez-vous?

J'ai... ans.

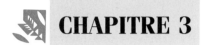
A la gare

Itinéraire

Now you'll learn how to use French to ask for information, check schedules, reserve and buy train tickets, and have lunch while waiting for a train. You'll also learn how to describe emotional states, count beyond 20, and express dates.

To help you do these things, you will study the prepositions **à** and **de,** the French way to express official times, and the immediate future tense. Finally, you will discover how to use the **micrologues** as models for conveying information about yourself, your city, and other subjects of interest.

Scénario ....

PREMIERE ETAPE

Les trois amis sont bouleversés. Ils ramassent leurs affaires.

HENRY: Vite, nous allons être en retard.
MARGUERITE: Quelle heure est-il?
HENRY: Il est neuf heures moins le quart.
5   MARGUERITE: Alors, nous sommes en avance.

Au guichet...

ROBERT: Trois billets, s'il vous plaît.
L'EMPLOYE: Quelle classe? Première ou seconde?
ROBERT: Trois billets de seconde.
10   L'EMPLOYE: Voilà vos trois billets et votre monnaie, quarante francs.

DEUXIEME ETAPE

*Les trois amis sont bouleversés. Ils n'aiment pas ce chauffeur de taxi. Ils ramassent
leurs affaires.*

HENRY: Vite! Nous allons être en retard pour le train de neuf heures trois.
MARGUERITE: Quelle heure est-il?
5   HENRY: Il est neuf heures moins le quart.
MARGUERITE: Alors, nous sommes en avance.

Au guichet...

ROBERT: Trois billets pour Bourges, s'il vous plaît.
L'EMPLOYE: Quelle classe? Aller et retour?
10   ROBERT: Est-ce que vous voulez dire... ?
L'EMPLOYE: Première ou seconde?
ROBERT: Je ne sais pas.
L'EMPLOYE: *(exaspéré)* Allez, allez! Je suis occupé, moi! Il y a du monde. C'est un
   jour de congé.
15   ROBERT: *(désorienté)* Trois billets de seconde. Trois allers simples.
L'EMPLOYE: Quatre cent soixante francs.
ROBERT: *(intimidé)* Voici cinq cents francs.
L'EMPLOYE: Voici vos trois billets et votre monnaie, quarante francs. Dépêchez-vous!
   Le train est toujours à l'heure!

TROISIEME ETAPE

*Les trois amis sont bouleversés par l'attitude du chauffeur de taxi. Ils n'aiment pas ce
chauffeur. Ils ramassent leurs affaires.*

ROBERT: Oh! Qu'il est impatient ce chauffeur!

MARGUERITE: Tu sais, tous les chauffeurs de taxi sont impatients dans le monde
5   entier.

HENRY: Vite! Nous allons être en retard pour le train de neuf heures trois.

MARGUERITE: Mais non! Quelle heure est-il?

HENRY: Il est neuf heures moins le quart.

MARGUERITE: Alors, nous sommes en avance.

10   *Ils font la queue au guichet.*

ROBERT: Trois billets pour Bourges, s'il vous plaît.

L'EMPLOYE: Quelle classe? Aller et retour?

ROBERT: Est-ce que vous voulez dire... ?

L'EMPLOYE: Première ou seconde?

15   ROBERT: Je ne sais pas.

L'EMPLOYE: (*exaspéré*) Allez, allez! Je suis occupé, moi! Il y a du monde. C'est un
jour de congé.

ROBERT: (*désorienté*) Trois billets de seconde. Trois allers simples.

L'EMPLOYE: Quatre cent soixante francs.

20   ROBERT: (*intimidé*) Voici cinq cents francs.

L'EMPLOYE: Voici vos trois billets et votre monnaie, quarante francs. Dépêchez-vous!
Le train est toujours à l'heure!

HENRY: Congé? Quel jour sommes-nous aujourd'hui?

ROBERT: Nous sommes le premier novembre, c'est la Toussaint.

Wagon de première classe

Wagon de seconde classe

Questions sur le scénario

1. Est-ce que les trois amis sont bouleversés par l'attitude du chauffeur?
2. Aiment-ils ce chauffeur?
3. Est-ce qu'ils ramassent leurs affaires?
4. Comment Robert trouve-t-il le chauffeur?
5. Sont-ils vraiment en retard?
6. Quelle heure est-il?
7. Que font-ils au guichet?
8. Combien de billets Robert désire-t-il?
9. Est-ce que l'employé est exaspéré? Pourquoi?
10. Combien coûtent les billets?
11. Combien d'argent Robert donne-t-il à l'employé?
12. Combien d'argent l'employé donne-t-il à Robert?

Le hall de la
gare d'Austerlitz

Machine automatique
pour les billets

COIN CULTUREL: La S.N.C.F.

1. Robert chose well. Second-class train accommodations are very good. First-class tickets cost more, the seats are slightly more comfortable, and fewer people share the same compartment, but the added comfort is not worth the difference in price.

2. French rail service is among the best in the world. The French National Railway is known as the **Société Nationale des Chemins de Fer Français,** or **S.N.C.F.**

3. Reduced train fares are available for families, senior citizens, and groups. Information is available in all railway stations throughout France.

Gestes

1. The thumb projected upward crisply in front of one's chest indicates admiration, usually accompanied by an exclamation such as « **Super!** » « **Comme ça!** » « **Extra!** » « **Génial!** » « **Géant!** » « **Sensass!** » « **Chapeau!** » « **Du tonnerre!** » All these exclamations mean the same: *superb.* Most are idiomatic, but you can trace the origins of some. For example, « **Chapeau!** » comes from the gesture of tipping one's hat to someone to honor an achievement.

2. Using an index finger to pull down the lower eyelid is a way of saying « **Mon œil!** », which means *"I don't believe you!"* or *"My foot!"* or *"My eye!"* in English.

« Mon œil! »

Proverbe

Mieux vaut tard que jamais.   *Better late than never.*

VOCABULAIRE ILLUSTRE: Les émotions

On exprime (*expresses*) souvent ses émotions par des gestes et des grimaces. On décrit (*describes*) ces réactions par des adjectifs. Essayez (*try*) de visualiser et de sentir (*to feel*) le sens de chaque expression démontrée par l'image.

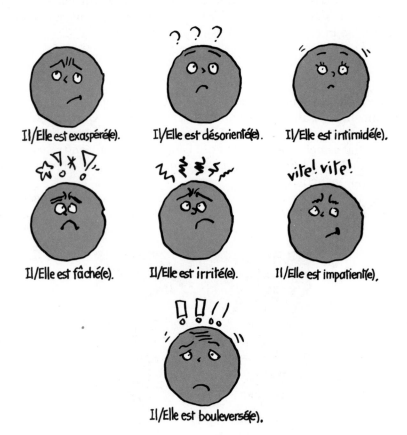

Il/Elle est exaspéré(e).   Il/Elle est désorienté(e).   Il/Elle est intimidé(e).

Il/Elle est fâché(e).   Il/Elle est irrité(e).   Il/Elle est impatient(e).

Il/Elle est bouleversé(e).

TRAVAUX PRATIQUES

Acting out.

1. Quelle grimace faites-vous quand vous êtes irrité(e)? exaspéré(e)? intimidé(e)? impatient(e)? fâché(e)? bouleversé(e)? désorienté(e)?

2. Now say, act out, and *feel* each emotion listed in item 1.

Modèle: *Quand je suis irrité(e), je fais cette grimace* (make appropriate face).

3. Act out or mime a situation that would give rise to each of the seven reactions.

Allons plus loin: La gare

Study the following terms.

la salle d'attente	*waiting room*
le bureau de renseignements	*information desk*
le buffet/la buvette	*cafeteria*
réserver une place	*to reserve a seat*
enregistrer les bagages	*to check baggage*
la consigne automatique	*locker*
la grande horloge	*big clock*
l'horaire (*m.*)	*schedule*
le quai	*platform*
le wagon fumeur	*smoking car*
le wagon non-fumeur	*no-smoking car*
la fumée	*smoke*
l'arrêt (*m.*)	*stop*
la correspondance	*change, connection (of transportation)*
attendre	*to wait for*
éviter	*to avoid*
laisser	*to leave*
monter	*to get into, to go up*
savoir	*to know (a fact)*

TRAVAUX PRATIQUES

A. *Complete the paragraph with the appropriate terms from* **Allons plus loin.**

Robert et Henry vont attendre le train de neuf heures trois dans _____. Pour être sûrs de l'heure de l'arrivée, ils vont demander des renseignements au _____. Ils vont manger un sandwich au _____. Ils laissent leurs bagages à la _____. Ils regardent la _____ pour savoir l'heure qu'il est. Ils consultent _____ pour vérifier l'heure du départ. Le train arrive. Ils vont sur _____. Ils _____ dans le train et évitent _____.

B. *Now ask your partner questions about the paragraph in item A.*

1. Où est-ce que Robert et Henry vont attendre le train?
2. Où vont-ils demander des renseignements?
3. Où vont-ils manger un sandwich?
4. Où laissent-ils leurs bagages?

5. Pourquoi regardent-ils la grande horloge?
6. Qu'est-ce qu'ils consultent pour vérifier l'heure du départ?
7. Où vont-ils?
8. Où montent-ils?
9. Qu'est-ce qu'ils évitent?

 C. *In how many ways can you form questions about the paragraph in item A?*

Modèles: *Qu'est-ce qu'on fait dans la salle d'attente?*
           A qui demandez-vous des renseignements?
           Aimez-vous les sandwichs?
           Avez-vous des bagages?
           Regardez-vous la grande horloge? Pourquoi?

 D. A vous maintenant! *If you were traveling in France, you'd need to ask a lot of questions. Ask questions that would elicit the information in italics.*

Modèle: Robert et Henry vont attendre *le train.*
           Qu'est-ce que Robert et Henry vont attendre?

1. Le train arrive à *neuf heures trois.*
2. *Robert et Henry* sont à la gare.
3. Ils demandent *des renseignements.*
4. Ils vont *manger un sandwich.*
5. Ils laissent leurs bagages *à la consigne automatique.*
6. Ils regardent la grande horloge *pour savoir quelle heure il est.*
7. Robert et Henry vérifient *l'heure du départ.*
8. *Le train* arrive.
9. Ils montent *dans le wagon non-fumeur.*
10. Ils n'aiment pas *la fumée.*

NOTE DE GRAMMAIRE 11

Les prépositions **à** et **de** + l'article défini

1. The preposition **à** usually means *to, in,* or *at.* When **à** is followed by **le** and a masculine noun, **à** + **le** form the contraction **au:**

   Je vais **au** guichet.   *I'm going **to the** ticket window.*
   Le guichet est **au** rez-de-chaussée.   *The ticket window is **on the** ground floor.*

2. The preposition **de** usually means *of* or *from.* When **de** is followed by **le** and a masculine noun, **de** + **le** form the contraction **du.** Note that the preposition **de** is often used to show possession:

Je compte le pourboire **du** chauffeur. — *I'm counting the chauffeur's tip.*

Il cherche le père **du** garçon. — *He's looking for the boy's father.*

3. When followed by the definite article **la** and a feminine singular noun, **à** and **de** do not form contractions:

Robert va **à la** gare. — *Robert is going **to the** station.*

Henry parle **à la** dame. — *Henry is speaking **to the** woman.*

La porte **de la** gare est immense. — *The door **of the** station is huge.*

La valise **de la femme** est sur le caddie. — *The woman's suitcase is on the luggage cart.*

4. When followed by the definite article **l'** and a singular noun beginning with a vowel or a mute **h, à** and **de** do not form contractions:

Elle parle **à l'**homme. — *She's speaking **to the** man.*

Il parle **à l'**hôtesse de l'air. — *He's speaking **to the** flight attendant.*

Ils arrivent **à l'**aérogare. — *They arrive **at the** terminal.*

Nous arrivons **de l'**aérogare. — *We are coming **from the** terminal.*

Il trouve l'auto **de l'**étudiante. — *He finds the student's car.*

Voilà le taxi **de l'**homme. — *There is the man's taxi.*

5. **A** + **les** always becomes **aux,** and **de** + **les** always becomes **des,** whether the noun that follows is masculine or feminine:

Nous parlons **aux** chauffeurs. — *We are speaking **to the** drivers.*

Henry parle **aux** hôtesses de l'air. — *Henry is speaking **to the** flight attendants.*

Robert parle **aux** femmes. — *Robert is speaking **to the** women.*

Il est intimidé par l'attitude **des** hommes. — *He's intimidated by the men's attitude.*

Nous parlons **des** hôtesses. — *We're talking **about the** flight attendants.*

Elle parle **des** femmes. — *She's speaking **about the** women.*

Simples substitutions

A. *Everyone is in a talkative mood.*

Modèle: Vous parlez au *garçon.* (chauffeur)
    Vous parlez au chauffeur.

1. Vous parlez au *garçon.* (*neveu, pilote, steward, client, professeur*)
2. Elle parle à la *famille.* (*tante, fille, mère, sœur, cousine, cadette*)
3. Je parle à l'*employé.* (*homme, étudiant, étudiante, ami, Américaine*)
4. Paul parle aux *hommes.* (*femmes, étudiants, amies, sœurs, étudiantes*)

B. *Let's talk about people we've met and things we've seen.*

Modèle: Je parle de l'*employé*. (*homme*)
            Je parle de l'homme.

1. Je parle de l'*employé*. (*enfant, ami, hôtesse de l'air, étudiante*)
2. Vous parlez du *billet*. (*train, métro, taxi, bus, vélo*)
3. Ils parlent de la *mère*. (*famille, tante, sœur, grand-mère, femme*)
4. Tu parles du *pilote*. (*copilote, steward, passager, touriste*)
5. Nous cherchons des *renseignements*. (*réservations, billets, allers simples, allers et retours*)

Exercices de transformation

C. En famille: **du, de la → des.**

Modèle: Elle parle du mari.
            Elle parle des maris.

1. Tu parles du cousin.
2. Elles parlent de la mère.
3. Nous parlons de la nièce.
4. Vous parlez de la cousine.
5. On parle de l'aînée.
6. Elle parle du frère.

D. A table: **des → du, de la.**

Modèle: La mère parle des menus.
            La mère parle du menu.

1. Le père parle des desserts.
2. Vous parlez des cuillères.
3. Tu parles des serviettes.
4. Nous parlons des tasses.
5. Ils parlent des soucoupes.
6. Elle parle des assiettes.

TRAVAUX PRATIQUES

A. Modèle: Si je désire des cartes postales, je vais...
            Si je désire des cartes postales, je vais au bureau de tabac.

1. Si je désire des billets pour le train, je vais...
2. Si je désire des vêtements, je vais...

3. Si je désire regarder un film, je vais...
4. Si je désire prendre un repas, je vais...
5. Si je désire poster des lettres, je vais...

 B. Modèle: Si je parle du frère du père, je parle...
Si je parle du frère du père, je parle de l'oncle.

1. Si je parle de la sœur de la mère, je parle...
2. Si je parle du fils du père, je parle...
3. Si je parle de la fille de l'oncle, je parle...
4. Si je parle du plus jeune enfant de la famille, je parle...
5. Si je parle de la mère de la mère, je parle...

NOTE DE GRAMMAIRE 12

Les nombres cardinaux à partir de 20

As you have seen, the counting system in French is not complicated. There are a few basic and logical rules to learn. Note the combination of the tens and units:

20	vingt	
21	vingt et un	The conjunction **et** is used *only* in the numbers 21, 31, 41, 51, 61, and 71.
22	vingt-deux	A hyphen is used to connect all other compound numbers to 99.
23	vingt-trois	
24	vingt-quatre	The **-t** of **vingt** is pronounced in the numbers 21 to 29.
25	vingt-cinq	
26	vingt-six	
27	vingt-sept	
28	vingt-huit	
29	vingt-neuf	
30	trente	The same basic pattern applies for the numbers 30 through 69.
31	trente et un	
40	quarante	
41	quarante et un	
50	cinquante	
60	soixante	
70	soixante-dix	This is a different construction (60 + 10); 71 through 79 logically follow.
71	soixante et onze	
75	soixante-quinze	

80	quatre-vingts	Note the multiplication: $4 \times 20 = 80$.
81	quatre-vingt-un	Note the silent **-s** in **quatre-vingts**.
90	quatre-vingt-dix	The **-s** is dropped when **quatre-vingts** is followed by another number.
		The **-t** is not pronounced from 80 on.
100	cent	**Cent** is not preceded by **un**. The **-t** is never pronounced.
101	cent un, *and so on*	
200	deux cents	In whole hundreds, **-s** is added to **cent**.
201	deux cent un	Note that the **-s** is dropped when **cent** is followed by another number.
999	neuf cent quatre-vingt-dix-neuf	
1 000	mille	**Mille** is invariable. It is not preceded by **un** and never takes **-s**.
1 001	mille un	
2 000	deux mille	A space or a period is used instead of a comma to indicate thousands: 1 001 or 1.001.
		A comma is used where English would use a decimal point: 1 000,10.
1 000 000	un million	**Million** is treated as a noun and requires **de** when followed by a noun: **un million de dollars**.
2 000 000	deux millions	Note the plural **-s**.

Exercices de manipulation

Read the figures aloud.

1. 21, 31, 41
2. 51, 61, 71
3. 81, 91, 101
4. 201, 301, 401
5. 1, 11, 111

6. 6, 67, 78
7. 8, 80, 88
8. 1 000, 1 001, 5 005
9. 1 938, 1 856, 1 765
10. 15 030, 19 910, 21 366

TRAVAUX PRATIQUES

 Un peu d'histoire de France. Lisez les dates.

Charlemagne roi	768–800
Charlemagne empereur	800–814
Henri Ier roi	1031–1060
Louis IX (saint Louis) roi	1226–1270
François Ier roi	1515–1547

Henri IV roi	1589–1610
Louis XIV (le Roi Soleil)	1643–1715
Louis XVI roi	1774–1792
Louis XVI guillotiné	1793
Napoléon Ier né	1769
Napoléon empereur le 2 décembre	1804
Napoléon en exil le 5 mai	1821
Napoléon III empereur	1852–1870

LE CALENDRIER

Etudiez le calendrier à la page suivante.

In France, a different saint is honored on each day of the year. Many French people celebrate the saint after whom they are named. In fact, the French show a preference for feast days (**les jours de fête**) over birthdays. Each day, florists remind people by displaying the appropriate saint's name in their shop windows. The French say « **Bonne fête** » for a feast day and « **Bon anniversaire** » for a birthday.

Many holidays are celebrated throughout the year—some national, some historical, some religious, and some local. Workers are entitled to paid time off on all legal holidays.

Banks, schools, and public offices are closed on legal holidays. See page 71 for the legal holidays in France.

Aujourd'hui c'est la Saint-Maxime.

JANVIER 7h46 à 16h02		FÉVRIER 7h23 à 16h46		MARS 6h34 à 17h33	
1 M	JOUR de l'AN	1 S	Sᵉ Ella	1 D	S. Aubin
2 J	S. Basile	2 D	Présentation	2 L	S. Charles le B.
3 V	Sᵉ Geneviève	3 L	S. Blaise ●	3 M	Mardi-Gras
4 S	S. Odilon ●	4 M	Sᵉ Véronique	4 M	Cendres ●
5 D	Épiphanie	5 M	Sᵉ Agathe	5 J	S. Olive
6 L	Sᵉ Mélaine	6 J	S. Gaston	6 V	Sᵉ Colette
7 M	S. Raymond	7 V	Sᵉ Eugénie	7 S	Sᵉ Félicité
8 M	S. Lucien	8 S	Sᵉ Jacqueline	8 D	Carême
9 J	Sᵉ Alix	9 D	Sᵉ Apolline	9 L	Sᵉ Françoise
10 V	S. Guillaume	10 L	S. Arnaud ☽	10 M	S. Vivien
11 S	S. Paulin	11 M	N.-D. Lourdes ☽	11 M	Sᵉ Rosine
12 D	Sᵉ Tatiana	12 M	S. Félix	12 J	Sᵉ Justine ☽
13 L	Sᵉ Yvette ☽	13 J	Sᵉ Béatrice	13 V	S. Rodrigue
14 M	Sᵉ Nina	14 V	S. Valentin	14 S	Sᵉ Mathilde
15 M	S. Remi	15 S	S. Claude	15 D	Sᵉ Louise
16 J	S. Marcel	16 D	Sᵉ Julienne	16 L	Sᵉ Bénédicte
17 V	Sᵉ Roseline	17 L	S. Alexis	17 M	S. Patrice
18 S	Sᵉ Prisca	18 M	Sᵉ Bernadette ○	18 M	S. Cyrille ○
19 D	S. Marius ○	19 M	S. Gabin	19 J	S. Joseph
20 L	S. Sébastien	20 J	Sᵉ Aimée	20 V	PRINTEMPS
21 M	Sᵉ Agnès	21 V	S. P. Damien ○	21 S	Sᵉ Clémence
22 M	S. Vincent	22 S	Sᵉ Isabelle	22 D	Sᵉ Léa
23 J	S. Barnard	23 D	S. Lazare	23 L	S. Victorien
24 V	S. Fr. de Sales	24 L	S. Modeste	24 M	Sᵉ Cath. de Su.
25 S	Conv. S. Paul	25 M	S. Roméo ☾	25 M	Annonciation
26 D	Sᵉ Paule	26 M	S. Nestor	26 J	Sᵉ Larissa ☾
27 L	Sᵉ Angèle	27 J	S. Honorine	27 V	S. Habib
28 M	S. Th. d'Aquin	28 V	S. Romain	28 S	S. Gontran
29 M	S. Gildas	29 S	S. Auguste	29 D	Sᵉ Gwladys
30 J	Sᵉ Martine	Epacte 25 / Lettre dominic. ED		30 L	S. Amédée
31 V	Sᵉ Marcelle	Cycle solaire 13 / Nbre d'or 17		31 M	S. Benjamin
		Indiction romaine 15			

AVRIL 5h29 à 18h20		MAI 4h32 à 19h05		JUIN 3h53 à 19h44	
1 M	S. Hugues	1 V	FÊTE du TRAVAIL	1 L	S. Justin
2 J	S. Sandrine	2 S	S. Boris	2 M	Sᵉ Blandine
3 V	S. Richard	3 D	SS. Phil., Jacq.	3 M	S. Kévin
4 S	S. Isidore	4 L	S. Sylvain	4 J	Sᵉ Clotilde
5 D	Sᵉ Irène	5 M	Sᵉ Judith	5 V	S. Igor
6 L	S. Marcellin	6 M	Sᵉ Prudence	6 S	S. Norbert
7 M	S. J.-B. de la S.	7 J	Sᵉ Gisèle	7 D	PENTECÔTE ☽
8 M	Sᵉ Julie	8 V	VICTOIRE 1945	8 L	S. Médard
9 J	S. Gautier	9 S	S. Pacôme ☽	9 M	Sᵉ Diane
10 V	S. Fulbert ☽	10 D	Fête J.-d'Arc	10 M	S. Landry
11 S	S. Stanislas	11 L	Sᵉ Estelle	11 J	S. Barnabé
12 D	S. Jules	12 M	Sᵉ Achille	12 V	S. Guy
13 L	Sᵉ Ida	13 M	Sᵉ Rolande	13 S	S. Antoine de P.
14 M	S. Maxime	14 J	S. Matthias	14 D	S. Elisée
15 M	S. Paterne	15 V	Sᵉ Denise	15 L	Sᵉ Germaine ○
16 J	S. Benoît-J.	16 S	S. Honoré ○	16 M	S. J.F. Régis
17 V	S. Anicet	17 D	S. Pascal	17 M	S. Hervé
18 S	S. Parfait	18 L	S. Eric	18 J	S. Léonce
19 D	PAQUES	19 M	S. Yves	19 V	S. Romuald
20 L	Sᵉ Odette	20 M	S. Bernardin	20 S	S. Silvère
21 M	S. Anselme	21 J	S. Constantin	21 D	F.-Dieu / ÉTÉ
22 M	S. Alexandre	22 V	S. Emile	22 L	S. Alban
23 J	S. Georges	23 S	S. Didier	23 M	Sᵉ Audrey ☾
24 V	S. Fidèle	24 D	S. Donatien ☾	24 M	S. Jean-Bapt.
25 S	S. Marc	25 L	Sᵉ Sophie	25 J	S. Prosper
26 D	Jour du Souvenir	26 M	Sᵉ Bérenger	26 V	S. Anthelme
27 L	Sᵉ Zita	27 M	S. Augustin	27 S	S. Fernand
28 M	Sᵉ Valérie	28 J	ASCENSION	28 D	S. Irénée
29 M	Sᵉ Catherine	29 V	S. Aymard	29 L	SS. Pierre, Paul
30 J	S. Robert	30 S	S. Ferdinand	30 M	S. Martial
		31 D	Fête des Mères	CASLON - Paris (1) 45 42 13 20	

JUILLET 3h53 à 19h56		AOUT 4h26 à 19h27		SEPTEMBRE 5h09 à 18h31	
1 M	S. Thierry	1 S	S. Alphonse	1 M	S. Gilles
2 J	S. Martinien	2 D	S. Julien-Ey.	2 J	Sᵉ Ingrid
3 V	S. Thomas	3 L	Sᵉ Lydie	3 J	S. Grégoire ☽
4 S	S. Florent	4 M	S. J.M. Vianney	4 V	Sᵉ Rosalie
5 D	S. Antoine	5 M	S. Abel ☽	5 S	Sᵉ Raïssa
6 L	Sᵉ Mariette	6 J	Transfiguration	6 D	S. Bertrand
7 M	S. Raoul ☽	7 V	S. Gaétan	7 L	Sᵉ Reine
8 M	S. Thibaut	8 S	S. Dominique	8 M	Nativité N.D.
9 J	Sᵉ Amandine	9 D	S. Amour	9 M	S. Alain
10 V	S. Ulrich	10 L	S. Laurent	10 J	Sᵉ Inès
11 S	S. Benoît	11 M	Sᵉ Claire	11 V	S. Adelphe
12 D	S. Olivier	12 M	Sᵉ Clarisse	12 S	S. Apollinaire ○
13 L	SS. Henri, Joël	13 J	S. Hippolyte	13 D	S. Aimé
14 M	F. NATIONALE ○	14 V	S. Evrard	14 L	La Sᵉ Croix
15 M	S. Donald	15 S	ASSOMPTION	15 M	S. Roland
16 J	N.D.Mt-Carmel	16 D	S. Armel	16 M	Sᵉ Edith
17 V	Sᵉ Charlotte	17 L	S. Hyacinthe	17 J	S. Renaud
18 S	S. Frédéric	18 M	Sᵉ Hélène	18 V	Sᵉ Nadège
19 D	S. Arsène	19 M	S. Jean Eudes	19 S	Sᵉ Emilie ☾
20 L	Sᵉ Marina	20 J	S. Bernard	20 D	S. Davy
21 M	S. Victor	21 V	S. Christophe ☾	21 L	S. Matthieu
22 M	Sᵉ Marie-M. ☾	22 S	S. Fabrice	22 M	AUTOMNE
23 J	Sᵉ Brigitte	23 D	Sᵉ Rose de L.	23 M	S. Constant
24 V	Sᵉ Christine	24 L	S. Barthélemy	24 J	Sᵉ Thècle
25 S	S. Jacques	25 M	S. Louis	25 V	S. Hermann
26 D	SS. Anne, Joa.	26 M	Sᵉ Natacha ●	26 S	SS. Côme, Dam. ●
27 L	Sᵉ Nathalie	27 J	Sᵉ Monique	27 D	S. Vinc. de Paul
28 M	S. Samson	28 V	S. Augustin	28 L	S. Venceslas
29 M	Sᵉ Marthe	29 S	Sᵉ Sabine	29 M	S. Michel
30 J	Sᵉ Juliette	30 D	S. Fiacre	30 M	S. Jérôme
31 V	S. Ignace de L.	31 L	S. Aristide		

OCTOBRE 5h52 à 17h28		NOVEMBRE 6h39 à 16h29		DÉCEMBRE 7h24 à 15h55	
1 J	Sᵉ Th. de l'E.J.	1 D	TOUSSAINT	1 M	Sᵉ Florence
2 V	S. Léger	2 L	Défunts ☽	2 M	Sᵉ Viviane ☽
3 S	S. Gérard ☽	3 M	S. Hubert	3 J	S. Xavier
4 D	S. Fr. d'Assise	4 M	S. Charles	4 V	Sᵉ Barbara
5 L	Sᵉ Fleur	5 J	Sᵉ Sylvie	5 S	S. Gérald
6 M	S. Bruno	6 V	Sᵉ Bertille	6 D	S. Nicolas
7 M	S. Serge	7 S	Sᵉ Carine	7 L	S. Ambroise
8 J	Sᵉ Pélagie	8 D	S. Geoffroy	8 M	Imm. Concept.
9 V	S. Denis	9 L	S. Théodore	9 M	S. P. Fourier ○
10 S	S. Ghislain	10 M	S. Léon	10 J	S. Romaric
11 D	S. Firmin	11 M	ARMISTICE 1918	11 V	S. Daniel
12 L	S. Wilfried	12 J	S. Christian	12 S	Sᵉ Jeanne F.C.
13 M	S. Géraud	13 V	S. Brice	13 D	Sᵉ Lucie
14 M	S. Juste	14 S	Sᵉ Sidoine	14 L	Sᵉ Odile
15 J	Sᵉ Th. d'Avila	15 D	S. Albert	15 M	Sᵉ Ninon
16 V	Sᵉ Edwige	16 L	Sᵉ Marguerite	16 M	Sᵉ Alice ☾
17 S	S. Baudouin	17 M	Sᵉ Elisabeth ☾	17 J	S. Gaël
18 D	S. Luc	18 M	Sᵉ Aude	18 V	S. Gatien
19 L	S. René ☾	19 J	S. Tanguy	19 S	S. Urbain
20 M	Sᵉ Adeline	20 V	S. Edmond	20 D	S. Abraham
21 M	Sᵉ Céline	21 S	Prés. Marie	21 L	HIVER
22 J	Sᵉ Elodie	22 D	Sᵉ Cécile	22 M	Sᵉ Fr.-Xavière
23 V	S. Jean de C.	23 L	S. Clément	23 M	S. Armand
24 S	S. Florentin	24 M	Sᵉ Flora ●	24 J	Sᵉ Adèle ●
25 D	S. Crépin ●	25 M	Sᵉ Catherine L.	25 V	NOËL
26 L	S. Dimitri	26 J	Sᵉ Delphine	26 S	S. Etienne
27 M	Sᵉ Emeline	27 V	S. Séverin	27 D	S. Jean
28 M	SS. Sim., Jude	28 S	S. Jacq. d.l.M.	28 L	SS. Innocents
29 J	S. Narcisse	29 D	Avent	29 M	S. David
30 V	S. Bienvenue	30 L	S. André	30 M	S. Roger
31 S	S. Quentin	CASLON - Paris (1) 45 42 13 20		31 J	S. Sylvestre

Le calendrier: Remarquez que le soleil se lève *(rises)* à 7h46 et se couche *(sets)* à 16h02, au mois de janvier. La pleine lune est le 19 janvier. Notez la présentation verticale des mois dans le calendrier français. Notez aussi que la semaine commence le lundi.

NATIONAL HOLIDAYS

Le jour de l'An (**Le Nouvel An**) (*New Year's Day*). People visit friends to wish them a happy New Year: « **Bonne année!** » Adults exchange gifts at this time, whereas children receive gifts on Christmas Day. Greeting cards are also exchanged on New Year's Day rather than on Christmas Day.

Le 1ᵉʳ mai (*Labor Day*). **La fête du Travail** is celebrated by workers' parades. On this day friends exchange lilies of the valley to celebrate spring. The lily of the valley symbolizes happiness.

Le huit mai (*May 8*). May 8 marks the end of World War II in Europe. Wreaths are placed on the Tomb of the Unknown Soldier at the **Arc de Triomphe** in Paris and at memorials in towns and cities throughout France.

Le quatorze juillet (*July 14*). July 14 is Bastille Day, the anniversary of the taking of the Bastille (**la Prise de la Bastille**) in 1789. On this day there are military parades throughout France. In the evening, people dance in the streets in certain neighborhoods and enjoy fireworks displays.

Le onze novembre (*Armistice Day*). **Le jour de l'Armistice** commemorates the signing of the armistice that ended World War I.

RELIGIOUS HOLIDAYS

Pâques, lundi de Pâques (*Easter Sunday, Easter Monday*). After mass on Easter Sunday, families gather to enjoy a special meal. They great each other with « **Joyeuses Pâques** ». Chocolate eggs and fish are given to children.

Le jeudi de l'Ascension (*Ascension Thursday*). This holiday occurs 40 days after Easter.

L'Assomption (*Assumption Day*). This religious holiday occurs on August 15.

La Toussaint (*All Saints' Day*). **La Toussaint** is observed on November 1 and **le jour des Morts** (*All Souls' Day*) on November 2. On November 2, families and friends visit cemeteries and place flowers (usually chrysanthemums) on the graves of the deceased. (By the way, one never gives chrysanthemums to a French person for any other occasion.)

Noël (*Christmas*). Christmas is celebrated on December 25. On Christmas Eve (**la veille de Noël**), the French have a festive supper (**le réveillon**) after midnight Mass. Children set their shoes by the fireplace or the Christmas tree in hopes that Santa Claus (**le Père Noël**) will fill them with gifts. A **réveillon** is also enjoyed on New Year's Eve.

NOTE DE GRAMMAIRE 13

Les jours, les mois, les saisons et les dates

1. In French, all the days of the week are masculine:

> Les jours de la semaine sont **lundi**, **mardi**, **mercredi**, **jeudi**, **vendredi**, **samedi**, **dimanche**.

In France, the first day of the week is **lundi.**

To indicate that something occurs regularly on a certain day of the week, use the definite article:

> Je vais au cinéma **le samedi.**   *I go to the movies **every Saturday.***

2. All the months are masculine:

> Les mois de l'année sont **janvier**, **février**, **mars**, **avril**, **mai**, **juin**, **juillet**, **août**, **septembre**, **octobre**, **novembre**, **décembre**.

3. All the seasons are masculine:

> Les quatre saisons sont **le printemps, l'été, l'automne, l'hiver**.

The definite article is usually used with the seasons:

> J'aime **le** printemps et j'aime **l'**été.   *I like spring and I like summer.*

To say that something happens in a particular season, use the following prepositions:

> **Au** printemps il fait beau.   ***In the** spring the weather's fine.*
> **En** été il fait chaud.   ***In the** summer it's hot.*
> **En** automne il pleut.   ***In the** fall it rains.*
> **En** hiver il fait froid.   ***In the** winter it's cold.*

Attention! Days of the week, months, and seasons are not capitalized in standard French.

4. Dates are expressed as follows:

> Quelle date sommes-nous? ⎱
> Quelle est la date d'aujourd'hui? ⎰   *What's today's date?*

> **C'est le huit octobre.**[1] ⎱
> **Nous sommes le huit octobre.** ⎰   ***It's the eighth of October.***

The ordinal number is used only for the first day of the month:

> C'est **le premier** novembre.   *It's **the first of** November.*

[1] Note that the article is never elided before **huit** or **onze.**

5. There are two ways of saying the year:

   1995 = dix-neuf cent quatre-vingt-quinze
   　　　　mil neuf cent quatre-vingt-quinze[2]

   Quand êtes-vous né(e)?　　　　　　　*When were you born?*
   Je suis né(e) en dix-neuf cent soixante-douze.　*I was born in 1972.*

6. In French, the day always comes first, then the month, then the year:

   le 23 novembre 1992

When a date is written in figures, the day comes first, preceded by the definite article. Note that this differs from English, in which the month comes first:

   le 23/11/92

By the way, 1992 is a leap year. (**A propos, 1992 est une année bissextile.**)

Exercice de transformation

Modèles:　le 1/1/1992

　　　　　le premier janvier mil neuf cent quatre-vingt-douze
　　　　　le premier janvier dix-neuf cent quatre-vingt-douze

1. le 25/12/1880　　4. le 14/7/1789　　7. le 11/11/1911　　10. le 2/6/1920
2. le 2/4/1882　　　5. le 31/1/1975　　8. le 1/4/1916　　　11. le 1/5/1970
3. le 4/7/1776　　　6. le 29/2/1972　　9. le 17/3/1888　　　12. le 7/8/1990

TRAVAUX PRATIQUES

A. A vous maintenant! *Quiz a partner on the following material. Then have your partner take you through the same exercise.*

1. Quels sont les jours de la semaine?
2. Quels sont les mois de l'année?
3. Combien de jours le mois de janvier a-t-il? février? juillet? septembre?
4. Combien de semaines y a-t-il dans un an?
5. Combien de jours y a-t-il dans un an?
6. Quelles sont les quatre saisons?
7. Quand chaque (*each*) saison commence-t-elle?
8. Quelle saison préférez-vous?
9. Quel jour sommes-nous?
10. Quels sont les mois qui ont trente jours?

---

[2] **Mil** is used when followed by other numbers in a date. **Mille** is used only with years of round thousands:
1000 = **l'an mille**; 2000 = **l'an deux mille.**

11. Quel est le dernier *(last)* mois de l'année?
12. En quelle année êtes-vous né(e)?
13. Demandez à ____ quel est le dernier jour de la semaine.
14. Demandez à ____ quel est le premier mois de l'année.

B. *Match the date with the event.*

1. 25/12   a. Le jour de l'An
2. 4/7   b. Fête nationale française
3. 14/7   c. Le premier mai
4. 1/1   d. Noël
5. 1/5   e. Fête nationale américaine

C. *Match the year with the event.*

1. 1066   a. Bataille de Hastings
2. 1927   b. Neil Armstrong sur la lune
3. 1861   c. Début de la Guerre de sécession américaine
4. 1863   d. Lindbergh traverse l'océan Atlantique
5. 1969   e. Adresse de Lincoln à Gettysburg

NOTE DE GRAMMAIRE 14

L'heure officielle

Official time (the times listed in railroad schedules, for instance) is based on a 24-hour clock. Note the differences between official time and common time:

COMMON		OFFICIAL
une heure	**du matin**	une heure
deux heures		deux heures
trois heures et quart		trois heures quinze
quatre heures		quatre heures
cinq heures et demie		cinq heures trente
six heures		six heures
sept heures vingt		sept heures vingt
huit heures dix		huit heures dix
dix heures dix-sept		dix heures dix-sept
onze heures		onze heures
midi		douze heures
une heure	**de l'après-midi**	treize heures
deux heures		quatorze heures
trois heures vingt-cinq		quinze heures vingt-cinq
quatre heures moins dix		quinze heures cinquante
quatre heures dix		seize heures dix
cinq heures moins dix-huit		seize heures quarante-deux

six heures	**du soir**	dix-huit heures
sept heures		dix-neuf heures
huit heures		vingt heures
neuf heures trois		vingt et une heures trois
neuf heures et demie		vingt et une heures trente
dix heures et quart		vingt-deux heures quinze
onze heures sept		vingt-trois heures sept
minuit		vingt-quatre heures
minuit une		zéro heure une

1. For official morning times, hours are indicated by numbers from 0 to 12:

   OFFICIAL: Il est **onze heures.**
   COMMON: Il est **onze heures du matin.**

2. For official times from 1:00 p.m. to midnight, hours are indicated by numbers from 13 to 24:

   OFFICIAL: Il est **treize heures.**
   COMMON: Il est **une heure de l'après-midi.**

3. In official time, minutes are indicated by numbers from 1 to 59:

   OFFICIAL: Il est **treize heures quinze.**
   COMMON: Il est **une heure et quart de l'après-midi.**

Remember, **une** agrees with **heure,** as does **demie** following **heure,** as in **Il est une heure et demie.**

4. *Exactly* or *precisely* for both common time and official time is rendered by:

   10 heures **tapantes**
   10 heures **pile**
   10 heures **précises**

Exercice de manipulation

Quelle heure est-il? (*heure officielle*)

Exercice de compréhension

Dans cet épisode de Tintin les deux détectives Dupondt se trompent d'heure. Le résultat est qu'ils partent vers la lune dans la fusée qu'ils protégeaient.

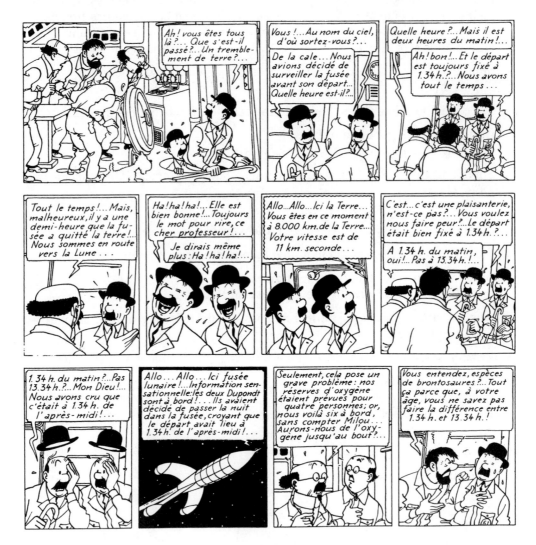

VOCABULAIRE

se trompent d'heure *confuse the time*
le résultat *the result*
ils partent *they leave*

la lune *the moon*
la fusée *the rocket*
ils protégeaient *they were protecting*

Translation

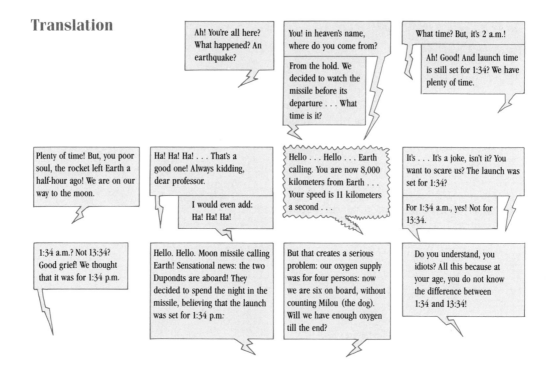

Ah! You're all here? What happened? An earthquake?

You! in heaven's name, where do you come from?

From the hold. We decided to watch the missile before its departure . . . What time is it?

What time? But, it's 2 a.m.!

Ah! Good! And launch time is still set for 1:34? We have plenty of time.

Plenty of time! But, you poor soul, the rocket left Earth a half-hour ago! We are on our way to the moon.

Ha! Ha! Ha! . . . That's a good one! Always kidding, dear professor.

I would even add: Ha! Ha! Ha!

Hello . . . Hello . . . Earth calling. You are now 8,000 kilometers from Earth . . . Your speed is 11 kilometers a second . . .

It's . . . It's a joke, isn't it? You want to scare us? The launch was set for 1:34?

For 1:34 a.m., yes! Not for 13:34.

1:34 a.m.? Not 13:34? Good grief! We thought that it was for 1:34 p.m.

Hello. Hello. Moon missile calling Earth! Sensational news: the two Duponts are aboard! They decided to spend the night in the missile, believing that the launch was set for 1:34 p.m.

But that creates a serious problem: our oxygen supply was for four persons: now we are six on board, without counting Milou (the dog). Will we have enough oxygen till the end?

Do you understand, you idiots? All this because at your age, you do not know the difference between 1:34 and 13:34!

Exercice de transformation

Make rapid transitions from one time-telling system to the other, or you may miss your plane or train or be late for the theater.

Modèle: 7:24 p.m.
*Sept heures vingt-quatre du soir
Dix-neuf heures vingt-quatre*

1. 6:12 a.m.
2. 4:17 p.m.
3. 7:36 p.m.
4. 11:54 a.m.
5. 2:45 a.m.
6. 6:50 p.m.
7. 5:15 p.m.
8. 10:10 p.m.
9. 10:50 p.m.
10. 12:30 p.m.

TRAVAUX PRATIQUES

Read the following train schedule in both official and common times. What are the train departure and arrival times?

ATLANTIQUE

Paris-Vierzon-Montluçon   **Montluçon-Vierzon-Paris**

								(b)	(a)		
6 22	9 00	12 36	16 40	18 20	19 02	21 06	Paris-Austerlitz	6 45	8 51	9 25	12 16	20 18	22 33	——
8 17	10 52	14 14	18 19	20 08	20 44	22 52	Vierzon	4 37	7 06	7 57	10 33	18 38	20 46	——
8 50	11 27	15 03	19 03	20 45	21 25	23 22	Bourges	3 32	6 34		9 55	18 04	19 53	——
9 50	13 52	15 53	20 17	——	22 28	0 33	Montluçon	2 30	5 04	6 25	8 35	16 51	18 58	——

NOTE DE GRAMMAIRE 15

Le futur immédiat

As you have seen, the verb **aller** + *an infinitive* forms the near future:

Je vais parler au professeur.   ***I am going to speak*** *to the professor.*

This usage implies that an action will be performed immediately in the future.

Attention! Remember, too, the formation of the negative:

Je ne vais pas parler au professeur.   ***I am not going to speak*** *to the professor.*

The interrogative is formed in the usual fashion:

Est-ce que tu vas parler?   *Are you going to talk?*
Allez-vous partir bientôt?   *Are you going to leave soon?*

Exercices de transformation

A. *Waiting for the train, and later, still waiting for the train.*

Modèle: Il regarde la grande horloge.
             Il va regarder la grande horloge.

1. Tu entres dans la salle d'attente.
2. Nous demandons des renseignements.
3. L'employé mange un sandwich.
4. Ils enregistrent les bagages.
5. Elle consulte l'horaire.
6. Vous vérifiez l'heure du départ.
7. Vous montez dans le train.
8. J'évite le wagon fumeur.
9. On arrive à Bourges.

B. **Modèle:** Ils ramassent leurs affaires.
               Ils vont ramasser leurs affaires.

1. Je fais la queue.
2. J'achète les billets.
3. Vous désirez un aller simple.
4. L'employé est au guichet.
5. Le train est à l'heure.
6. Nous sommes en avance.
7. Vous voyagez vers Bourges.

C. *We learn to observe people.*

Modèle: Henry calme Robert.
        Henry va calmer Robert.

1. L'employé parle aux clients.
2. Tu réserves les places.
3. Elle monte dans le train.
4. On étudie la langue.
5. Ils étudient la culture.
6. On observe les gens.
7. Nous parlons aux Français.
8. Vous regardez leurs gestes.

D. *Getting tickets.*

Modèle: Nous allons attendre le train de 9 heures.
        Allons-nous attendre le train de 9 heures?

1. Ils vont demander des renseignements.
2. Tu vas faire la queue devant le guichet.
3. L'employé va poser des questions.
4. Vous allez répondre aux questions.
5. Je vais avoir les billets.

TRAVAUX PRATIQUES

 A. *Now write* **Exercice C** *above, changing the affirmative to the negative.*

Modèle: Henry calme Robert.
        Henry va calmer Robert.
        Henry ne va pas calmer Robert.

 B. *Interview one of your classmates. Ask questions of all types to establish that person's character, reveal his/her likes and dislikes, etc. Follow the example, adding as many of your own questions as you consider pertinent.*

Modèle: AUTOBIOGRAPHICAL DATA

    1. Quel âge avez-vous?
    2. En quelle année êtes-vous né(e)?
    3. Quelle est la date de votre anniversaire?
    4. Etes-vous le cadet/la cadette de la famille?
    5. Etes-vous l'aîné/l'aînée de la famille?
    6. Combien de frères ou de sœurs avez-vous?
    7. Quel âge ont-ils?

    TRAVEL

    1. Aimez-vous les chauffeurs de taxi?
    2. Est-ce que les chauffeurs sont patients ou impatients?

3. Quand vous voyagez, allez-vous par le train ou par avion?
4. Avez-vous un passeport?
5. Allez-vous payer le billet avec une carte de crédit ou en argent liquide (*cash*)?
6. Aimez-vous voyager par le train ou par avion?
7. Etes-vous intimidé(e) par les douaniers?

MISCELLANEOUS

1. Etes-vous en retard généralement pour la classe?
2. Etes-vous toujours à l'heure pour le dîner?
3. Allez-vous souvent au théâtre?
4. Aimez-vous étudier le français?
5. Avez-vous une voiture? De quelle marque?
6. Quelle saison aimez-vous?
7. Etes-vous calme en général?

C. *Etude psychologique.*

Now let's add another psychological touch to the study of your classmate's character. Ask him/her to tell you immediately the first association he/she makes to the word mentioned. Try using the following list, or make up your own. Then analyze the responses. Did the person give you poetic responses? Practical equivalents? No responses? What do these responses tell you about that person? Add as many words as you feel necessary to reveal the person's character.

1. taxi   3. avion   5. France   7. intimidé
2. bagages   4. billet   6. gare

MICROLOGUES: **Des villes**

A. *This **micrologue** describes a town. The description includes references to size, location, weather conditions, and a major industry.*

Hanover est une petite ville dans l'état du New Hampshire. Elle
est située sur **une colline** sur **la rive est** du Connecticut River.   *a hill / the east bank*
En été, **il fait très chaud.** En hiver, il fait très **froid.** La ville   *it is very hot / cold*
a plus de deux cents ans. Toute la ville **dépend de** l'université.   *depends on*

Questions

1. Est-ce que Hanover est une petite ville?
2. Est-ce qu'elle est dans le New Hampshire?
3. Est-ce qu'elle est située sur une colline?
4. Est-ce qu'elle est située sur la rive est du Connecticut River?
5. Est-ce qu'il fait chaud en été?
6. Est-ce qu'il fait froid en hiver?

7. Est-ce que la ville a plus de deux cents ans?

8. Est-ce que toute la ville dépend de l'université?

B. *Describe your own city, following the pattern of* **Micrologue A**.

(*Name of your city or town*) est une petite/grande ville. Elle est dans l'état de (*name of the state*). Elle est située sur une colline/ **dans une plaine/dans une vallée/au bord de la mer**, sur la rive **nord/sud**/est/**ouest** du (*name of river*) au nord/sud/est/ouest de l'état de (*name of another state*).

on a plain / in a valley / on the coast

north / south / west

Now ask one question about each statement in your paragraph.

C. *Study the following example based on the original model.*

New York est une grande ville dans l'état de New York. Elle est située au sud de l'état entre le Hudson River and l'East River. En été, il fait chaud et en hiver, il fait froid. La ville a plus de deux cents ans. New York est **la capitale artistique du monde entier.** Il y a **beaucoup de** théâtres, de **musées** et de salles de concerts.

the artistic capital of the entire world / a lot of / museums

Questions

1. Est-ce que New York est une grande ville?
2. Est-ce qu'elle est située au sud de l'état?
3. Est-ce qu'elle est entre le Hudson River et l'East River?
4. En été, est-ce qu'il fait chaud?
5. En hiver, est-ce qu'il fait froid?
6. Est-ce que la ville a plus de deux cents ans?
7. Est-ce que New York est la capitale artistique du monde?
8. Est-ce qu'il y a beaucoup de théâtres, de musées et de salles de concerts?

One of the first questions you will be asked in any French-speaking country will be:

D'où venez-vous?/D'où viens-tu? (*Where are you from?*)

Now you are ready to cope and respond in an impressive manner. Good luck!

TRAVAUX PRATIQUES

Robert, Henry et Marguerite arrivent à Charles de Gaulle. Qu'est-ce qu'ils font pour aller à la gare d'Austerlitz? Racontez leurs aventures. (*Recount their adventures.*) Dramatisez l'histoire! (*Act out the story!*) Suivez l'intrigue indiquée! (*Follow the indicated story line!*)

1. Le départ: dans l'avion
2. Film ou repas?
3. Le service des bagages au rez-de-chaussée

4. Le sac de couchage
5. Le chauffeur de taxi

Création et récréation

A. French telephone numbers are read in a specific way. For instance, for **382 28 00** you would say **trois cent quatre-vingt-deux vingt-huit zéro zéro**. Say the actual telephone numbers of the following services available in Paris.

45	82	50	50	Renseignements (trains)
48	62	12	12	Renseignements à Charles de Gaulle
48	84	52	52	Renseignements à Orly
45	35	61	61	Renseignements Air France
36	69	00	00	Météo (*weather information*)
42	60	84	00	La Bourse (*stock exchange information*)
		36	99	L'horloge parlante (*time*)
48	28	32	36	Bureau central des objets trouvés (*lost and found*)

B. Bring in a photo or drawing of people having a celebration. Tell what they are celebrating, such as a birthday or a holiday. Be sure to include—in complete sentences—the day of the week, the time of day, the date, the season, and a fairly detailed description of what the people are doing; for example:

Sur cette photo/image, on célèbre la fête du/de la/des _____. Il est _____ heure(s) du/de l' _____. C'est le _____, 19_____. On _____...

C. Continue your story of Monique and Pierre.

Modèle: *Monique et Pierre vont acheter leurs billets. Ils cherchent les renseignements pour l'heure de départ du train pour (name of place your school is located)...*

Coup d'œil

OUI   **NON**

_____   11. When followed by a masculine noun, **à** + **le** be-   _____
              comes **au** and **de** + **le** becomes **du:**

              Je vais **au** guichet.
              Je compte le pourboire **du** chauffeur.

_____   **A** and **de** do not contract when followed by the feminine   _____
              form of the definite article:

              Robert va **à la** gare.
              Quels sont les jours **de la** semaine?

A and **de** do not contract when they are followed by a noun that begins with a vowel or a mute **h**:

Elle parle **à l'**homme.
Nous arrivons **de l'**aérogare.

A + **les** always becomes **aux,** and **de** + **les** always becomes **des,** whether the plural noun is masculine or feminine:

Nous parlons **aux** chauffeurs.
Elles parlent **des** hôtesses de l'air.

12. The cardinal numbers above 20 parallel English structures in many ways:

vingt-deux livres
trente-trois étudiantes

The conjunction **et** is used only in the following numbers:

vingt **et** un, trente **et** un, quarante **et** un, cinquante **et** un, soixante **et** un, soixante **et** onze

Years may be stated in two ways:

1994 = **dix-neuf cent quatre-vingt-quatorze**
     = **mil neuf cent quatre-vingt-quatorze**

13. Days, months, seasons, and dates:

Les jours: **lundi, mardi, mercredi, jeudi, vendredi, samedi, dimanche**
Les mois: **janvier, février, mars, avril, mai, juin, juillet, août, septembre, octobre, novembre, décembre**
Les saisons: **le printemps, l'été, l'automne, l'hiver**

Quel jour sommes-nous?   Nous sommes le premier novembre.

Quelle est la date d'aujourd'hui?   C'est le huit octobre.

14. Official time is based on the 24-hour clock. Times before 1:00 p.m. are indicated by the numbers 0 through 12, times after 1:00 p.m. are indicated by the numbers

13 through 24, and minutes are indicated by the numbers 1 through 59:

OFFICIAL	COMMON
Il est **zéro heure quinze.**	Il est **minuit et quart.**
Il est **onze heures trente.**	Il est **onze heures et demie du matin.**
Il est **vingt-deux heures cinquante.**	Il est **onze heures moins dix du soir.**

15. The near future consists of a form of **aller** + *infinitive*:

> Les trois amis **vont attendre** le train.
> Ils **ne vont pas être** en retard.

VOCABULAIRE

NOMS

les jours, les mois et les
   saisons (voir p 72)
les nombres à partir de 20
   (voir pp 67 et 68)

l'aller simple (*m.*)
l'aller et retour (*m.*)
le billet
la carte de crédit
le client

l'employé/l'employée
les gens (*m. pl.*)
le guichet
la monnaie
la pièce
la poche
la première classe
les renseignements
   (*m. pl.*)

le sac
la salle d'attente
la seconde classe
le train

le jour de congé
le jour de repos
les vacances

ADJECTIFS

vocabulaire des émotions
   (voir p 62)

ADVERBES

aujourd'hui
souvent

vite
vraiment

CHAPITRE 4

Dans le train

Itinéraire

In this chapter, you'll learn more about taking trains in France, become acquainted with the subway system in Paris, and discover how to point things out, give commands, and describe the weather.

To help you do these things, you will study demonstrative adjectives, the formation of the imperative, the irregular verb **faire** (*to do, to make*), and the second group of regular verbs—those ending in **-ir**.

Scénario ━•

PREMIERE ETAPE

Robert, Henry et Marguerite discutent de l'employé de la gare. Le train commence à rouler. Ils voient des choses intéressantes.

HENRY: Que va-t-on faire des billets?
ROBERT: Gardons les billets!

5 *Un vieux monsieur ouvre la portière.*

LE VIEUX MONSIEUR: La place est-elle libre?
ROBERT: Ah, oui, oui, je vous en prie.
MARGUERITE: Pardon, monsieur, est-ce que Bourges est loin de Paris?
LE VIEUX MONSIEUR: Non, pas très loin, mademoiselle. Bourges est à deux cent vingt-
10   cinq kilomètres de la capitale.
HENRY: Quel temps fait-il là-bas?
LE VIEUX MONSIEUR: Il y fait beau en été, mais il pleut beaucoup en hiver.

DEUXIEME ETAPE

Robert, Henry et Marguerite discutent de l'employé de la gare et de son attitude. Le train commence à rouler. Ils regardent le paysage. Ils voient des choses intéressantes.

HENRY: Que va-t-on faire des billets?
ROBERT: Gardons les billets!
5 MARGUERITE: Ils sont compostés.

Un vieux monsieur ouvre la portière du compartiment.

LE VIEUX MONSIEUR: La place est-elle libre?
ROBERT: Ah, oui, oui, *(il cherche la formule)* je vous en prie.
MARGUERITE: Pardon, monsieur, est-ce que Bourges est loin de Paris?
10 LE VIEUX MONSIEUR: Non, pas très loin, mademoiselle. Bourges est à deux cent vingt-
cinq kilomètres de la capitale. Allez-vous faire des études là-bas?
ROBERT: Oui, monsieur.
HENRY: Quel temps fait-il là-bas?
LE VIEUX MONSIEUR: Il y fait beau en été, mais il pleut beaucoup en hiver. On finit
15   par s'y habituer.
ROBERT: Tu vois, Henry, ce monsieur est très gentil.

TROISIEME ETAPE

Robert, Henry et Marguerite discutent de l'employé de la gare et de son attitude. Le train commence à rouler et quitte la banlieue de Paris. Ils regardent le paysage par la fenêtre. Ils voient des choses intéressantes.

Il faut composter les billets!

HENRY: Que va-t-on faire des billets?

5 ROBERT: Gardons les billets parce que le contrôleur va peut-être les vérifier.

MARGUERITE: Oui, heureusement ils sont compostés. De toute façon, gardons-les comme souvenirs.

Un vieux monsieur ouvre la portière du compartiment.

LE VIEUX MONSIEUR: La place est-elle libre?

10 ROBERT: Ah, oui, oui, (*il cherche la formule*) je vous en prie.

MARGUERITE: Pardon, monsieur, est-ce que Bourges est loin de Paris?

LE VIEUX MONSIEUR: Non, pas très loin, mademoiselle. Voyons, Bourges est à deux cent vingt-cinq kilomètres de la capitale. Allez-vous faire des études là-bas?

ROBERT: Oui, monsieur.

15 HENRY: Quel temps fait-il là-bas?

LE VIEUX MONSIEUR: Il y fait beau en été, mais il pleut beaucoup en hiver. Ecoutez, ne vous inquiétez pas! On finit par s'y habituer.

ROBERT: (*Il chuchote.*) Tu vois, Henry, ce monsieur est très gentil.

Questions sur le scénario

1. De qui les amis discutent-ils?
2. Est-ce que tous les Français sont comme l'employé de la gare?
3. Que regardent-ils par la fenêtre?
4. Pourquoi gardent-ils les billets?
5. Que fait un monsieur?
6. Est-il jeune ou vieux?

☞

7. Est-ce que Bourges est loin de Paris?
8. Bourges est à combien de kilomètres de Paris?
9. Quelle est la capitale de la France?
10. Les amis vont-ils faire des études là-bas?
11. Quel temps y fait-il généralement?
12. Est-ce que ce monsieur est impatient?

COIN CULTUREL: Les trains

1. Train travelers must validate (**composter**) their tickets in machines located at the entrance to platforms.

2. Distances in France are measured in kilometers. A kilometer is five-eighths of a mile. A quick estimate of miles can be made by dividing kilometers by 10 and multiplying by 6. Thus Bourges is about 135 miles ($225 \div 10 \times 6$) from Paris. (See the conversion chart on the following page.)

3. On the sill of every train window you will see a warning: **NE PAS SE PENCHER AU DEHORS!** This means: *DO NOT LEAN OUT OF THE WINDOW!* And they mean what they say!

4. The **TGV**, or **train à grande vitesse**, is the fastest train in the world. In 1981, the TGV covered the distance between Paris and Lyon at 186 mph. The train has the potential of reaching 223 mph.

Le TGV en gare

The TGV is environmentally sound. Noise barriers have been erected in certain places to protect nearby houses. Near Tours, in Vouvray, a tunnel has been built incorporating rubber cushions to protect vineyards and wine cellars from the rumbling of the train.

The TGV has an enviable 98.5 percent on-time arrival record. TGV tickets cost the same as tickets for ordinary trains, plus a small extra charge for reservations. You may also purchase season tickets at a discount.

Radio phones are available on the TGV, and there are small compartments for business meetings or families with children. The family accommodations include a nursery and machines to warm baby bottles.

Eventually, Paris will be linked with Brussels, Cologne, and Amsterdam, and, once the "chunnel" is finished, the TGV will link Paris and London. The TGV now services Geneva, Lausanne, and Bern in Switzerland. It is expected to be ready to run to Spain for the 1992 Olympic Games in Barcelona.

By the year 2015, the French expect to have completed some 3,370 kilometers (approximately 2,100 miles) of high-speed railroad tracks. The TGV continues to break world speed records.

TGVs do not have compartments. Older trains do. Second-class compartments seat eight people: four on each side, facing each other. First-class compartments seat six people. A sliding door lets you into the compartment.

CONVERSIONS

POIDS (*WEIGHT*)

1 oz. = 28.36 grams	1 gram = 0.035 oz.
1 lb. = 453 grams	1 kg. = 1,000 g or 2.2 lb.

LONGUEUR (*LENGTH*)

1 inch = 0.0254 m	1 cm = 0.393 inches
1 foot = 0.3048 m	1 meter = 1.0938 yards
1 yd. = 0.9144 m	1 km = 1,093 yards
1 mile = 1.6 km	

TEMPERATURE

0° centigrade = 32° Fahrenheit

5° C = 41° F	25° C = 77° F
10° C = 50° F	30° C = 86° F
15° C = 59° F	35° C = 95° F
20° C = 68° F	100° C = 212° F

Gestes

1. The gesture for "OK" in English (known as the "high sign") has the same significance in France: « **Très bon!** » or « **Ça va!** » or « **D'accord!** » Not all gestures mean the same thing throughout the world. Thus all gestures presented in this book

« Moi, je fonce! »

must be used with discretion. Indeed, gestures used in France may have other meanings in other French-speaking countries. In Tunisia, for instance, the high sign means "I'm going to kill you." Need more be said?

2. To indicate determination after a decision has been made, a French person projects the fist outward from the stomach. This gesture conveys the message: « **Moi, je fonce vraiment!** » (*"Once I make up my mind, no further discussion."*)

Proverbes

Après la pluie, le beau temps.   *Every cloud has a silver lining.*

Le soleil brille pour tout le monde.   *The sun shines for everyone.*

L'habit ne fait pas le moine.   *Clothes do not make a person.*

VOCABULAIRE ILLUSTRE: Par la fenêtre

Il regarde **le paysage** par la fenêtre. Il voit **une maison.**
  la vache   une école.
  le cheval   une église.
  le chien   un château.
  le chat   un pont.

TRAVAUX PRATIQUES

 A. *Read the sentences. Then answer the questions.*

La vache donne du lait. On monte à cheval. Le chien garde la maison. Le chat chasse les souris.

1. Qui est-ce qui donne du lait?
2. Qui monte à cheval?
3. Qui garde la maison?
4. Qui chasse les souris?

5. Aimez-vous le lait?
6. Montez-vous à cheval?
7. Avez-vous un chien? Comment s'appelle-t-il?
8. Préférez-vous un chien ou un chat?

B. *Read the sentences. Then answer the questions.*

Les enfants étudient à l'école. On prie dans une église, dans un temple ou dans une synagogue. Les touristes visitent le château. La voiture traverse le pont.

1. Que font les enfants?
2. Où prie-t-on?
3. Et vous, où priez-vous?
4. Qui visite le château?

5. Est-ce que les châteaux vous intéressent?
6. Qu'est-ce qui traverse le pont?
7. Pourquoi le poulet traverse-t-il la rue?

Allons plus loin: Dans le train

Study the following terms.

le couloir et les compartiments (*m. pl.*)   *the passageway and the compartments*
une place libre   *an unoccupied seat*
une place occupée   *an occupied seat*
le filet pour les bagages   *the net that holds baggage*
le wagon-restaurant   *the dining car*
le wagon-lit avec des couchettes (*f. pl.*)   *the sleeping car with berths*
le contrôleur fait payer un supplément   *the conductor collects a surcharge*

entrer dans   *to enter into*
composter un billet   *to validate a ticket*

TRAVAUX PRATIQUES ❖◦❖◦❖◦❖◦❖◦❖◦❖◦❖◦❖◦❖◦❖◦❖◦❖◦❖◦❖◦❖◦❖◦❖◦

 A. *Complete the paragraph with appropriate words from* **Allons plus loin**.

Avant d'entrer sur le quai, Robert, Henry et Marguerite _____ les billets. Si le _____ passe pour vérifier les billets, ils ne vont pas payer de _____. Dans le wagon, ils entrent dans le _____ et cherchent un _____ avec trois places libres. Bourges n'est pas loin de Paris, aussi il n'y a pas de _____, et ils ne vont pas déjeuner au _____.

 B. A vous maintenant! *Now ask your partner questions based on the paragraph in item A.*

1. Quand Robert, Henry et Marguerite compostent-ils les billets?
2. Qui passe pour vérifier les billets?
3. Où entrent-ils?
4. Qu'est-ce qu'ils cherchent?
5. Est-ce que Bourges est loin de Paris?
6. Y a-t-il un wagon-lit?
7. Où ne vont-ils pas déjeuner?

NOTE DE GRAMMAIRE 16

Les adjectifs démonstratifs

1. The demonstrative adjective is used to point out a *specific* noun. In English, *this* and *that* are demonstrative adjectives:

   Ce monsieur est gentil.   ***This/That*** *man is nice.*

In general, whether the demonstrative adjective means *this* or *that* is determined from the context.

2. The demonstrative adjective agrees in gender (masculine or feminine) and in number (singular or plural) with the noun it modifies:

	SINGULAR	PLURAL
MASCULINE:	**ce** monsieur	**ces** messieurs
	cet employé	**ces** employés
FEMININE:	**cette** femme	**ces** femmes

Cet is used with a masculine singular noun beginning with a vowel or a mute **h**. The plural is always **ces**:

cet étudiant   **ces** étudiants
cet hôtel   **ces** hôtels

3. To distinguish between *this* and *that* more clearly, **-ci** or **-là** may be added to the noun:

Ce monsieur-**ci** est gentil.   ***This*** *man* (***here***) *is nice.*
Ce monsieur-**là** est vieux.   ***That*** *man* (***there***) *is old.*

Simples substitutions

A. *Let's be specific about whom we are speaking.*

1. *Ce monsieur* est gentil. (*Ce cousin, Ce jeune homme, Ce Français, Ce camarade*)
2. *Cette mère* est contente. (*Cette sœur, Cette fille, Cette cousine, Cette dame*)
3. *Cet employé* est bouleversé. (*Cet ami, Cet enfant, Cet homme, Cet étudiant*)
4. *Ces messieurs* sont jeunes. (*Ces garçons, Ces femmes, Ces hôtesses de l'air, Ces employés*)

Exercices de transformation

B. *Describe how this or that person feels. Use* **ce** *or* **cet**.

Modèle: Le garçon est fâché.
            Ce garçon est fâché.

1. L'étudiant est intimidé.
2. L'ami est fatigué.
3. Le monsieur est bouleversé.
4. Le jeune homme est impatient.
5. Le chauffeur est irrité.

C. *Describe what this or that person or thing is doing. Use* **cet** *or* **cette**.

Modèle: L'employé discute avec Henry.
            Cet employé discute avec Henry.

1. L'étudiant voyage.
2. L'avion est à l'heure.
3. L'hôtesse de l'air est aimable.
4. L'étudiante est contente.
5. L'arrivée est rapide.

D. *Point out the places one finds in a city.*

Modèle: La boutique est loin d'ici.
　　　　Cette boutique est loin d'ici.

1. La poste est derrière l'hôtel.
2. La gare est devant l'école.
3. La banque est fermée.
4. L'église est ouverte.
5. Le musée est important.

E. *Point out what people are doing in the train station.*

Modèle: Le train arrive à l'heure.
　　　　Ce train n'arrive pas à l'heure.

1. Les amis font la queue.
2. L'employé compte les billets.
3. Les touristes ont les valises.
4. Les familles consultent les horaires.
5. Les Américains cherchent le train.

F. *Compare* **this** *person or* **these** *persons with* **that** *person or* **those** *persons.*

Modèle: Cet homme-ci est content.
　　　　Cet homme-là est content aussi.

1. Ce garçon-ci est beau.
2. Cet enfant-ci est fort.
3. Cette femme-ci est impatiente.
4. Ces Américains-ci sont vieux.
5. Ces copains-ci sont maigres.

TRAVAUX PRATIQUES

 A. *Repeat* **Exercices A** *and* **B** *using mime to express the adjectives. You and your classmates should take turns describing what each person is doing. For example, if a female student were miming contentment, another student would say:*

Cette étudiante est contente.

When you have mimed all the adjectives in both exercises, add other adjectives you know.

 B. *Now repeat* **Exercice F,** *contradicting each statement and miming each adjective.*

Modèle: Cet homme-ci est content.
　　　　Cet homme-ci n'est pas content, il est triste.

NOTE DE GRAMMAIRE 17

L'impératif

1. The imperative is used to give commands. You have already come across the imperative form:

Ouvrez la porte!   **Asseyez-vous!**
Fermez la porte!   **Levez-vous!**

2. It is formed by using the second person singular, first person plural, or second person plural form of the present indicative without the pronoun subject. The **-s** of the second person singular form is dropped for infinitives that end in **-er**:

Donne le billet au contrôleur!   *Give the ticket to the conductor!*
Donnons un pourboire au chauffeur!   *Let's give a tip to the driver!*
Donnez les crayons aux enfants!   *Give the pencils to the children!*

The irregular verb **aller** follows the same pattern:

Va à l'école!   *Go to school!*
Allons à l'école!   *Let's go to school!*
Allez à l'école!   *Go to school!*

3. Commands may be affirmative:

Ferme la porte, s'il te plaît!   *Please **close** the door!*
Gardons les billets!   *Let's hold on to the tickets!*
Ouvrez les livres, s'il vous plaît!   *Open the books, please!*

Or, commands may be negative:

Ne ferme pas la porte!
Ne gardons pas les billets!
N'ouvrez pas les livres!

In the negative, **ne** precedes the verb and **pas** follows it directly.

4. The imperative of the irregular verb **être** is:

Sois prudent!   *Be careful!*
Soyons prudents!   *Let's be careful!*
Soyez prudent!   *Be careful!*

5. The imperative of the irregular verb **avoir** is:

Aie de la patience!   *Be patient! (Lit: **Have** patience!)*
Ayons de la patience!   *Let's be patient! (Lit: **Let's have** patience!)*
Ayez de la patience!   *Be patient! (Lit: **Have** patience!)*

Des gens dans le métro à Paris

Simples substitutions

A. *Use a book.*

1. *Ferme le livre! (Fermons, Fermez)*
2. *Donne le livre! (Donnons, Donnez)*
3. *Consulte le livre! (Consultons, Consultez)*
4. *Ne ferme pas le livre! (Ne fermons pas, Ne fermez pas)*
5. *Ne regarde pas le livre! (Ne regardons pas, Ne regardez pas)*

Exercices de transformation

B. *Tell people to perform the following activities at an imaginary railroad station, converting the infinitive to the proper form.*

Modèle: aller au guichet
    Allez au guichet, s'il vous plaît!

1. vérifier l'heure
2. consulter l'horaire
3. montrer les billets
4. composter les billets
5. chercher le train

C. *Tell someone to take a ride in an imaginary taxi.*

Modèle: ramasser les affaires
    Ramasse les affaires, s'il te plaît!

1. chercher un taxi
2. parler au chauffeur
3. monter dans le taxi
4. compter l'argent
5. donner un pourboire

D. *Tell others to join you in performing these actions. Then do them.*

Modèle: décider de parler français
Décidons de parler français!

1. étudier les verbes
2. parler toujours en français
3. regarder des films français
4. écouter le professeur
5. compter de un à vingt

E. *Practice the imperative forms of irregular verbs.*

Modèle: Vous êtes à l'heure.
Soyez à l'heure!

1. Tu es en avance, Marguerite.
2. Nous sommes patients.
3. Vous êtes gentil.

Modèle: Vous avez de la patience.
Ayez de la patience!

4. Nous avons de la patience.
5. Tu as de la patience, Nicole.
6. Vous avez de la patience.

Modèle: Nous ne sommes pas intimidés.
Ne soyons pas intimidés!

7. Vous n'êtes pas impatient.
8. Nous ne sommes pas déconcertés.
9. Tu n'es pas exaspéré.

Modèle: Nous n'avons pas peur.
N'ayons pas peur!

10. Tu n'as pas peur.
11. Vous n'avez pas cette attitude.
12. Nous n'avons pas l'habitude
    d'être en retard.

Le contrôleur demande les billets.

TRAVAUX PRATIQUES ･❀･❀･❀･❀･❀･❀･❀･❀･❀･❀･❀･❀･❀･❀･❀･❀

 A. *Using the verbs* **chercher, trouver,** *and* **poser,** *tell one or more classmates to look for specified objects, to find them, and to put them in various places.*

Modèle: *Cherchez le billet! Trouvez le livre! Posez les objets sur la table!*

Your partner(s) will then use the expressions **avoir de la patience, compter,** *and* **vérifier** *to answer.*

Modèle: *Alors, ayez de la patience! Comptez et vérifiez les objets!*

 B. *Use* **arriver, frapper à la porte** (*to knock on the door*), **entrer,** *and* **admirer** *in a story. Create an atmosphere; use your imagination to mime the actions and, whenever possible, the objects. Use imperatives to tell each student to perform.*

Modèle: *Arrivez à l'heure! Frappez à la porte!...*

NOTE DE GRAMMAIRE 18

Le verbe **faire**

1. **Faire** is an irregular verb with many meanings. When used alone, it usually means *to do* or *make*, but it is also used in many idiomatic expressions:

Il **fait** l'exercice.	***He is doing** the exercise.*
Il **fait** beau.	***It's a nice day**.*

2. **Faire** has the following conjugation in the present tense:

je **fais**	nous **faisons**
tu **fais**	vous **faites**
il **fait**	ils **font**
elle **fait**	elles **font**
on **fait**	

IMPERATIF: **fais! faisons! faites!**

3. Although a question and its answer often contain the same verb, a question containing **faire** may require a different verb in its answer:

Que **faites-vous?**	*What **are you doing**?*
Je travaille.	***I'm working**.*
Je parle.	***I'm speaking**.*

4. Some expressions with **faire**:

faire du sport *to play sports*	faire un voyage *to take a trip*
faire du jogging *to jog*	faire les bagages *to pack one's bags*
faire du ski *to ski*	faire des courses/des achats *to run*
faire du tennis *to play tennis*	*errands*
faire une promenade *to take a walk*	faire le marché *to go shopping*

faire la cuisine *to cook*

faire la connaissance de quelqu'un
to make someone's acquaintance

faire la queue *to stand in line*

faire la grasse matinée *to sleep late*

Faites attention! *Be careful! Pay attention!*

Ça ne fait rien. *It doesn't matter.*

Simples substitutions

A. Nous avons beaucoup à faire. *We have much to do.*

Modèle: *Je fais les devoirs. (Tu fais)*
Tu fais les devoirs.

1. *Nous faisons l'exercice. (Vous faites, Ils font, Je fais, On fait, Tu fais)*
2. *Fais l'exercice! (Faisons, Faites, Fais)*
3. *Ne fais pas la leçon! (Ne faisons pas, Ne faites pas, Ne fais pas)*
4. *Ne fait-elle pas le devoir? (Ne font-ils pas, Ne fais-tu pas, Ne faites-vous pas, Ne faisons-nous pas, Est-ce que je ne fais pas, Ne fait-elle pas)*

Exercice de transformation

B. Modèle: *Je fais la queue. (Elle)*
Elle fait la queue.

1. *Je fais la queue. (Nous, Tu, On, Les messieurs, Vous)*
2. *Faites-vous des achats? (je, ils, nous, tu, elle)*
3. *Je ne fais pas le marché. (Tu, Elles, Nicole, Vous, Nous)*

TRAVAUX PRATIQUES ∙━

A. *Create full sentences using the following cues.*

Modèle: Robert et Henry/faire/voyage/en France
Robert et Henry font un voyage en France.

1. Marguerite/faire/marché/le samedi
2. le week-end/je/aimer/faire/sport
3. en hiver/faire/vous/ski?
4. faire/attention/voitures/dans les rues!
5. les enfants/ne/faire/pas/grasse matinée/le dimanche

B. *Complete the following partial statements.*

1. Avant de faire un voyage, on...
2. Pour préparer un repas, on...
3. Tu dis « Enchanté » quand tu...
4. En traversant la rue, il faut...
5. Pour être en forme, il faut...
6. Boris Becker ...

NOTE DE GRAMMAIRE 19

Le temps et la météo

Ciel très nuageux avec pluie, suivi d'un temps sec et ensoleillé. Vent du sud-ouest puis du nord-ouest. Températures minimals, 6° à 9°, maximales, 14° à 17° [Celsius; voir p. 89].

Very cloudy skies with rain, followed by dry and sunny weather. Southwesterly winds followed by northwesterly winds. Lows, 6° to 9°, high, 14° to 17°.

Temps d'abord très nuageux le matin, devenant de moins en moins nuageux l'après-midi. Vent nord-ouest faible. Températures minimals, 6° à 8°, maximals, 18° à 20°.

Very cloudy in the morning, clearing in the afternoon. Weak northwesterly winds. Lows, 6° to 8°, highs, 18° to 20°.

Il fait beau. *It's nice out.*
Il fait chaud. *It's hot.*
Il fait froid. *It's cold.*
Il fait du soleil. *It's sunny.*
Il fait du vent. *It's windy.*
Il pleut. *It's raining.*
Il neige. *It's snowing.*

Il gèle. *It's freezing.*
Il fait un froid de canard. *It's extremely cold.*
Le ciel est couvert. *It's cloudy.*
Il y a des nuages. *It's cloudy.*
Il fait un temps de chien. *It's raining cats and dogs.*
Il fait un temps épouvantable. *It's a dreadful day.*

Il fait du soleil.

Il pleut.

Il fait froid.

Il neige.

Il fait un temps de chien.

VOCABULAIRE UTILE

A Londres il fait souvent du brouillard.	*In London it's often foggy.*
Au Sahara il fait sec.	*In the Sahara it's dry.*
En automne il fait un temps couvert.	*In autumn the weather is cloudy.*
Avant la pluie il fait un temps nuageux.	*Before it rains it's cloudy.*
En novembre il fait humide et frais.	*In November it's humid and chilly.*
Au mois de mars il pleut à verse.	*In the month of March it pours.*
En hiver il gèle et il fait du verglas.	*In winter it's freezing and it's icy.*
Il fait doux les soirs d'été.	*It's pleasant on summer evenings.*
Quel temps lourd! Il va faire de l'orage.	*How muggy! There's a storm brewing.*
Il y a des éclairs et du tonnerre!	*There's lightning and thunder!*

Simples substitutions

People like different seasons for different reasons.

Modèle: Il fait *chaud* en été. (*nuageux*)
        Il fait nuageux en été.

1. Il fait *chaud* en été. (*sec, beau, du soleil, doux, humide*)
2. *Il neige* en hiver. (*Il gèle, Il fait un temps de chien, Il fait froid, Il fait un froid de canard, Il fait du brouillard*)
3. Il fait *beau en été.* (*froid en hiver, doux au printemps, un temps épouvantable en automne, frais au printemps*)

TRAVAUX PRATIQUES ·-·

A. *Ask these questions of a partner, who will answer orally and draw the weather conditions on the board. Take turns asking and answering questions.*

1. Quel temps fait-il en hiver? en été? en automne? au printemps?
2. Est-ce qu'il fait sec à Londres?
3. Est-ce qu'il fait humide au Sahara?
4. Quel temps fait-il aujourd'hui?
5. Quand fait-on du ski?
6. Quelle saison préférez-vous?
7. Où fait-il chaud généralement?
8. Où fait-il froid généralement?
9. Où fait-il du brouillard d'habitude?
10. Comment est le ciel quand il pleut à verse?
11. En quelle saison fait-il du verglas?
12. Quand y a-t-il des éclairs et du tonnerre?
13. Quel temps fait-il dans votre ville?
14. Quel temps préférez-vous?

B. *Locate other well-known places on a map and describe their usual weather conditions.*

 C. *Play the role of a weather reporter and give the local weather report for the day.*

NOTE DE GRAMMAIRE 20
Les verbes réguliers en **-ir**

1. The verb **finir** (*to finish*) is typical of the second group of regular French verbs, verbs ending in **-ir.**

2. To form the present tense of these verbs, drop the **-ir** from the infinitive and add the appropriate ending: **-is, -is, -it, -issons, -issez,** or **-issent:**

SUBJECT PRONOUN	STEM		ENDING
je	fin	+	-is
tu	fin	+	-is
il/elle/on	fin	+	-it
nous	fin	+	-issons
vous	fin	+	-issez
ils/elles	fin	+	-issent

Note the **-iss-,** which appears in all plural forms.

3. The written forms look like this:

je **finis**	nous **finissons**
tu **finis**	vous **finissez**
il **finit**	ils **finissent**
elle **finit**	elles **finissent**
on **finit**	

IMPERATIF: **finis! finissons! finissez!**

4. The following verbs are conjugated like **finir:**

agir *to act*	obéir (à) *to obey*
bâtir *to build*	pâlir *to get pale*
choisir *to choose*	punir *to punish*
grandir *to grow tall*	réfléchir (à) *to think (about)*
grossir *to get fat*	remplir *to fill*
maigrir *to get thin*	réussir (à) *to succeed (at)*
noircir *to blacken*	

5. **Finir de** + *infinitive* means *to finish doing something*:

Elle **finit de faire** les courses.   *She **finishes doing** her errands.*

Simples substitutions

A. *There is an end to everything.*

Modèle: Robert finit le livre. (*Tu finis*)
　　　　Tu finis le livre.

1. *Robert finit* le journal. (*Tu finis, Ils finissent, Nous finissons, Vous finissez, Je finis*)
2. *Finis* l'exercice! (*Finissons, Finissez*)
3. *Ne finit-elle pas* l'histoire? (*Ne finissez-vous pas, Ne finissons-nous pas, Ne finis-tu pas, Est-ce que je ne finis pas, Ne finit-on pas*)

Exercices de transformation

B. *Plates are filled and curious things happen.*

Modèle: *Nous* remplissons les assiettes. (*Je*)
　　　　Je remplis les assiettes.

1. *Nous* remplissons les assiettes. (*Je, Tu, Vous, Elle, Ils*)
2. *Cet enfant* grandit vite. (*Nous, Les étudiants, Je, Vous, Tu*)
3. *Cet homme* ne grossit pas. (*Nous, Les étudiantes, Je, Vous, Tu*)
4. Réussissez-*vous* à maigrir? (*il, nous, Est-ce que je, elle, tu*)

C. *Various things happen in the classroom.*

Modèle: *J'*obéis au professeur. (*Tu*)
　　　　Tu obéis au professeur.

1. *Je* finis d'étudier la leçon. (*Tu, Elle, Les étudiantes, Vous, Nous*)
2. *Je* réfléchis aux questions. (*Robert, Vous, Tu, Ils, Nous*)
3. *Nous* noircissons les pages. (*Ils, Vous, On, Je, L'enfant*)
4. Pâlissent-*ils* devant les examens? (*Tu, L'homme, Nous, Vous, On*)

D. *One thing leads to another.*

Modèle: *Tu* fais de l'exercice: *tu* rajeunis. (*Il*)
　　　　Il fait de l'exercice: il rajeunit.

1. *Tu* fais de l'exercice: *tu* rajeunis. (*Nous, Vous, Ils, Je, On*)
2. *Elle* mange trop: *elle* grossit. (*Ils, Nous, Vous, Tu, Je*)
3. *Il* maigrit quand *il* ne mange pas. (*Je, Tu, Ils, Nous, Vous*)

TRAVAUX PRATIQUES ◦•◦•◦•◦•◦•◦•◦•◦•◦•◦•◦•◦•◦•◦•◦•◦•◦•◦•◦•

A. *Create full sentences using these cues. Expand your sentences as much as possible.*

1. je/choisir/vêtements
2. nous/remplir/verres
3. vous/agir/comme/enfant
4. elles/grandir/vite
5. il/bâtir/maison/loin/église

B. *Many* **-ir** *verbs are based on adjectives*:

beau/belle	*beautiful*	em**bell**ir
blanc/blanche	*white*	**blanch**ir
grand	*tall*	**grand**ir
gros/grosse	*fat*	**gross**ir
maigre	*thin*	**maigr**ir
noir	*black*	**noir**cir
pâle	*pale*	**pâl**ir
jeune	*young*	ra**jeun**ir
lent	*slow*	ra**lent**ir
rouge	*red*	**roug**ir
vert	*green*	**verd**ir
vieux/vieille	*old*	**vieill**ir

Use as many adjectives and verbs as possible in as many sentences as you can create. Then ask a partner questions about your sentences.

Modèles: *Le grand garçon grossit vite. Il mange trop.*
Qu'est-ce qui se passe (What happens) *quand on mange trop?*

Le gros monsieur maigrit. Il ne mange pas.
Qu'est-ce qui se passe quand on ne mange pas beaucoup?

MICROLOGUE: **Le métro à Paris**

A Paris le métro est un moyen de transport très facile. Il est rapide, pratique, efficace et **propre.** Le métro traverse Paris dans tous les **sens** et maintenant le **Réseau express régional (RER)** **s'étend en dehors de** la ville. Il est presque impossible de **s'y**
5   **perdre.** Sur le plan de Paris les lignes sont de couleurs différentes. Avec un seul billet, il est possible de faire plusieurs fois le tour de Paris sans rien voir. Les trajets sont économiques. Sur le RER, le prix varie **suivant** la destination.

clean
directions / Regional Express Network
goes beyond / get lost

depending on

Questions

1. Comment est le métro à Paris?
2. Est-ce un moyen pratique de transport?
3. Comment traverse-t-il Paris?
4. Est-ce qu'il est possible de s'y perdre?
5. Comment peut-on identifier chaque ligne sur le plan?
6. Quel est le prix sur le RER?
7. Y a-t-il le métro dans votre ville?
8. Quel est le moyen de transport le plus populaire dans votre ville?

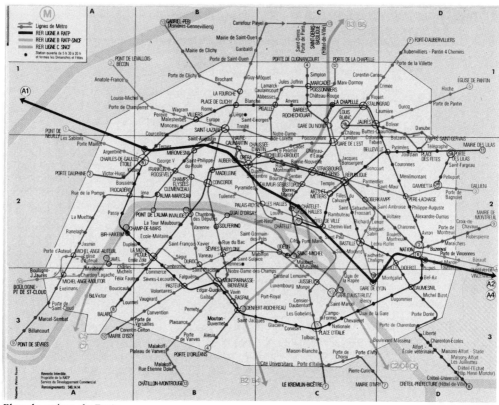

Plan du métro de Paris;
Station de métro Miromesnil

Création et récréation

A. Match the weather conditions in the left column with the areas or places listed in the right column; then compose an original sentence using the same weather conditions but pertaining to a place not listed in the right column.

Modèle: Il y fait torride en été.   Baton Rouge
En été il fait torride à Baton Rouge.
En été il fait torride à Caracas.

_____ 1. Il y fait du brouillard.   a. Rio de Janeiro
_____ 2. Il y neige souvent.   b. Seattle
_____ 3. Il y fait torride en été.   c. Los Angeles
_____ 4. Il y fait chaud et sec.   d. Miami
_____ 5. Le ciel y est souvent couvert.   e. Londres
_____ 6. Il y a du « smog ».   f. Boston
_____ 7. Il y fait frais en automne.   g. Casablanca
_____ 8. Il y fait froid en hiver.   h. Québec
_____ 9. Il y fait doux toute l'année.   i. Honolulu

B. Add another paragraph to your story about Monique and Pierre.

Modèle: *Monique et Pierre sont dans un train. Ils discutent de leur aventure avec le chauffeur de taxi. Ils regardent le paysage. Ils parlent avec un vieux monsieur de...*

Coup d'œil

OUI   **NON**

_____   16. The demonstrative adjective (**ce, cette, ces**) points   _____
something out:

Je parle à **ce** garçon.
Je parle à **cet** homme.
Je parle à **cette** femme.
Je parle à **ces** camarades.

_____   17. The imperative expresses commands: _____

Ferme la porte!
Fermons la porte!
Fermez la porte!

In the negative imperative, **ne** precedes the verb and **pas** follows it:

> **Ne** ferme **pas** la porte!

Note the imperative forms of the verbs **être** and **avoir**:

> ETRE: **sois! soyons! soyez!**
> AVOIR: **aie! ayons! ayez!**

18. **Faire** is an irregular verb:

je **fais**	nous **faisons**
tu **fais**	vous **faites**
il **fait**	ils **font**
elle **fait**	elles **font**
on **fait**	

> IMPERATIF: **fais! faisons! faites!**

Faire is used in many idiomatic expressions, such as **faire du sport, faire un voyage,** and **faire les bagages.**

19. Weather conditions are usually stated with the formula **il fait**:

> **Il fait** du vent aujourd'hui.

Weather conditions include **il fait beau, il fait froid, il fait chaud, il pleut,** and **il neige.**

20. **Finir** is typical of the second group of regular verbs—those ending in **-ir**:

je **finis**	nous **finissons**
tu **finis**	vous **finissez**
il **finit**	ils **finissent**
elle **finit**	elles **finissent**
on **finit**	

> IMPERATIF: **finis! finissons! finissez!**

Some verbs like **finir** are **agir, bâtir, choisir, obéir, pâlir,** and **réussir.**

VOCABULAIRE

VERBES

faire

verbes comme *finir* (voir
   pp 102 et 104)

NOMS

le paysage (voir pp 90 et 91)
la capitale

le compartiment
le contrôleur

le devoir
la discussion

ADJECTIFS

aimable
brusque
facile

gentil
intéressant
jeune

patient
sage
vieux

ADVERBES

beaucoup
d'habitude

facilement
là-bas

normalement
pourquoi

EXPRESSIONS UTILES

la météo (voir pp 100 et 101)
expressions avec *faire* (voir
   pp 98 et 99)

avoir de la patience
avoir peur de
Je vous en prie.

Pardon!
Quel temps fait-il?

L'intérieur de la Gare St Lazare à Paris: « Une bière en attendant? »

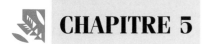

CHAPITRE 5

Rencontre à la gare

Itinéraire

On this leg of your journey, you'll learn how to describe a person's physical characteristics and how to ask for and give directions to key locations in a city. You'll also discover how Paris is divided into districts and read a poem by Jacques Prévert.

To help you accomplish these things, you'll study plural nouns and adjectives, possessive pronouns, expressions with **avoir,** the verbs **voir** (*to see*) and **croire** (*to believe*), verbs conjugated like **venir** (*to come*), and the use of **venir de** to express the immediate past.

Scénario ....

PREMIERE ETAPE

Les trois amis arrivent à la gare de Bourges. Il y a beaucoup de monde devant la gare. Il est onze heures vingt-deux. Les familles françaises sont déjà là. Plusieurs mères et pères sont inquiets.

M. AUBRY: Voici mon jeune étudiant. Qu'il est différent!
5 M. CORNET: C'est vrai.
MME BOYER: Ils sont grands et forts! Tous les Américains sont très sportifs.
M. AUBRY: J'espère que le nouveau va être bavard.
MME FOURCHET: J'espère qu'il ne va pas être difficile à table.
LE PROFESSEUR: Ils sont tous là.

DEUXIEME ETAPE

Les trois amis arrivent à la gare de Bourges. Il y a beaucoup de monde devant la gare. Il est onze heures vingt-deux et le train vient d'arriver. Les familles françaises sont déjà là. Plusieurs mères et pères sont inquiets parce qu'ils ne peuvent pas identifier leurs étudiants américains.

5 MME FOURCHET: Je crois reconnaître cet étudiant-là.
M. AUBRY: Voici mon jeune étudiant qui vient. Mais qu'il est différent!
M. CORNET: C'est vrai. Je ne peux pas l'identifier par sa photo.
MME BOYER: Ils sont grands et forts! On voit que tous les Américains sont très sportifs
et prennent beaucoup de vitamines.
10 M. AUBREY: J'espère que le nouveau va être plus bavard que nos deux premiers
étudiants.
MME FOURCHET: Et moi, j'espère qu'il ne va pas être si difficile à table.

Le professeur américain consulte la liste des étudiants.

LE PROFESSEUR: (*Il les compte.*) ...dix-huit, dix-neuf, vingt. Enfin, ils sont tous là.

TROISIEME ETAPE

Les trois amis arrivent à la gare de Bourges. Il y a beaucoup de monde devant la gare. Il est onze heures vingt-deux et le train 4511 vient d'arriver. Les familles françaises qui vont héberger les étudiants américains sont déjà là. Plusieurs mères et pères sont inquiets parce qu'ils ne peuvent pas identifier leurs étudiants américains.

5 MME FOURCHET: Je crois reconnaître cet étudiant-là.
M. AUBRY: Voici mon jeune étudiant qui vient. Mais qu'il est différent!
M. CORNET: C'est vrai. (*Il regarde la photo.*) Je ne peux pas l'identifier par sa photo.
MME BOYER: Mon Dieu, qu'ils sont grands et forts! On voit bien que tous les Amé-

ricains sont très sportifs et prennent beaucoup de vitamines pour rester en bonne
10   santé.

M. AUBRY: J'espère que le nouveau va être plus bavard que nos deux premiers
étudiants.

MME FOURCHET: Et moi, j'espère qu'il ne va pas être si difficile à table.

Le professeur américain consulte la liste des étudiants.

15   LE PROFESSEUR: (*Il les compte.*) ...dix-huit, dix-neuf, vingt. Enfin, ils sont tous là. Et
à l'heure. (*Aux étudiants*) Prenez toutes vos affaires avec vous.

Questions sur le scénario

1. Où les trois amis arrivent-ils?
2. Y a-t-il beaucoup de monde devant la gare?
3. A quelle heure est-ce que le train arrive?
4. Pourquoi plusieurs parents sont-ils inquiets?
5. Que dit M. Aubry?
6. Comment sont les étudiants américains?
7. Pourquoi sont-ils grands et forts?
8. Qu'est-ce que M. Aubry espère?
9. Et qu'est-ce que Mme Fourchet espère?
10. Combien d'étudiants y a-t-il?

COIN CULTUREL: La famille

1. Your family tree may have to reflect divorced parents. In this case you should
say:

Mes parents sont divorcés.
Ma mère est divorcée.
Mon père est divorcé.

You may also have a half-brother or a half-sister. You would refer to each as **mon
demi-frère** and **ma demi-sœur. Demi** is invariable when it precedes the noun, as
in **demi-heure.**

If you are adopted, you may refer to your mother as **ma mère adoptive** and to
your father as **mon père adoptif.**

2. A widow is **une veuve,** and a widower is **un veuf.**

3. Your stepfather is **mon beau-père**; your stepmother is **ma belle-mère.** There
is no equivalent for stepbrother or stepsister. It is preferable to introduce your step
relatives as **le fils** or **la fille du mari de ma mère** and **le fils** or **la fille de la
femme de mon père.** Your stepfather is **le mari de ma mère**, and your stepmother
is **la femme de mon père.**

4. Your brother-in-law is **mon beau-frère,** and your sister-in-law is **ma belle-
sœur.**

Gestes

1. The expression **comme ci comme ça** (*so-so*) is expressed by a slightly twirling motion of the hand.

2. French children make a fist and rub their chins with their thumbs to indicate victory. By making this gesture and chanting **Na na na!** or **Na na nère!** they mock others for not equaling their prowess. The gesture is usually repeated three times.

« Na na na! »

Proverbes

Tout vient à point à qui sait attendre. *Good things come to those who wait.*

Voir c'est croire.   *Seeing is believing.*

VOCABULAIRE ILLUSTRE: Les formes physiques

Mon Dieu, qu'ils sont grands!

forts!

beau   belle

beaux!   laids!   costauds!

faibles!   maigres!   gros!

Je crois reconnaître ce visage.

cette tête

ces cheveux

ce front

ce nez

cette joue

cette bouche

cette oreille

ce menton

TRAVAUX PRATIQUES ·—·—·—·—·—·—·—·—·—·—·—·—·—·—·—·—·—·—

Two students go to the board and stand so that they cannot see each other. The remaining students take turns calling out parts of the head and physical characteristics. As each body part or characteristic is named, the students at the board must draw it and label its order (1, 2, 3, etc.). When the drawings are complete, the class should describe and compare them.

VOCABULAIRE ILLUSTRE: Les directions

Où est le chien?
Où va-t-il ?

tout droit

à côté de la porte · en face de la porte · à gauche · à droite

près de la porte · jusqu'au bout du couloir · en haut de l'escalier · en bas de l'escalier

sur la table · sous la table · loin de la porte

VOCABULAIRE ILLUSTRE: Plan de la ville

le garage — le cinéma Lux

RUE VICTOR HUGO

A V E N U E

la librairie — le gymnase

RUE RONSARD

un café — l'église

RUE DE L'ABBAYE

le terrain de sports

RUE DU STADE

D U

la pharmacie — le bureau de tabac

RUE DU BAC

L'Hôtel du pont — l'école

RUE STE ANNE

RUE DU PETIT PONT

G E N E R A L

la rivière des renards

RUE DE LA PAIX

le pont — la rivière

D E

l'épicerie — LETTRES P.T.T. la poste

un restaurant — le cinéma de Paris

CHEZ MADELEINE

G A U L L E

RUE DE LA REPUBLIQUE

CREDIT LYONNAIS — une banque

RUE DU QUATRE SEPTEMBRE

SNCF la gare

Nord Ouest Est Sud

RUE DE LA GARE

la bibliothèque

ALLEE DES LIMOUSINS

SORTIE l'hôpital

la station-service — le supermarché

RUE EMILE DESVAUX

Allons plus loin: Les prépositions

1. Some prepositions precede the noun directly:

Passez **sur** le pont.	*Cross the bridge.*
La rivière passe **sous** le pont.	*The river passes **under** the bridge.*
L'église est **devant** l'épicerie.	*The church is **in front of** the grocery store.*
L'école est **derrière** l'épicerie.	*The school is **behind** the grocery store.*
L'épicerie est **entre** l'hôtel et le restaurant.	*The grocery store is **between** the hotel and the restaurant.*
La voiture est **dans** le garage.	*The car is **in** the garage.*

2. Other prepositions include **à** or **de**, which contracts with **le** or **les**:

Allez tout droit **jusqu'au** coin de la rue.	*Go straight ahead **to the** corner of the street.*
Marchez **jusqu'à** l'arrêt de l'autobus.	*Go **to** the bus stop.*
La poste est **à côté de** la banque.	*The post office is **next to** the bank.*
Près du restaurant, il y a un cinéma.	***Near the** restaurant there is a movie house.*
Le garage est **en face de** l'école.	*The garage is **opposite** the school.*

3. Here are some other useful expressions:

Traversez le pont!	*Cross the bridge!*
L'église est rue des Platanes!	*The church is on rue des Platanes!*
Prenez l'autobus numéro 53!	*Take the number 53 bus!*
Descendez place de l'Opéra!	*Get off at the place de l'Opéra!*

Exercice de manipulation

Maintenant étudiez le plan de la ville présenté à la page 115 et répondez aux questions suivantes.

Modèle: Vous êtes devant le café. Comment allez-vous à la bibliothèque?
Je tourne à droite jusqu'au coin de la rue. Je tourne à droite Avenue Charles de Gaulle et je vais tout droit jusqu'à la rue Emile Desvaux. Là, je tourne à droite. La bibliothèque est à droite.

1. De la bibliothèque comment allez-vous à l'école?
2. De l'école comment allez-vous au gymnase?
3. Du gymnase comment allez-vous à la pharmacie?
4. De la pharmacie comment allez-vous au cinéma de Paris?
5. Du cinéma de Paris comment allez-vous à la librairie?
6. De la librairie comment allez-vous au garage?
7. Du garage comment allez-vous à la station-service?

Place Charles de Gaulle

TRAVAUX PRATIQUES

A. *Using the map on page 115, ask your partner to give as many answers as possible:*

1. Où se trouve l'épicerie?
2. Où se trouve la gare?
3. Où est le supermarché?
4. Où est l'hôpital?
5. Où se trouve la rivière?
6. Où se trouve le terrain de sports?
7. Où se trouve le restaurant Chez Madeleine?

B. *In the following situation, use the map to lead your partner from point to point.*

Vous êtes en face de librairie. Vous voulez aller au cinéma Lux. Vous n'aimez pas le film, donc (*therefore*) vous voulez aller à l'autre cinéma. Après cela, vous allez au restaurant, mais il faut aller chercher de l'argent à la banque. Ensuite vous allez au restaurant, puis à l'hôtel.

C. *Study these expressions. Then use them to complete the paragraph that follows.*

Où se trouve le boulevard Saint-Germain?
　　　　　la place Saint-Michel?
　　　　　le pont Neuf?

Je suis perdu(e).	*I'm lost.*
Je cherche le musée de Cluny.	*I'm looking for the Cluny Museum.*
Prenez la première rue à droite.	*Take the first street on your right.*
C'est la troisième rue à gauche.	*It's the third street on your left.*
Où se trouve l'arrêt d'autobus?	*Where's the bus stop?*
Où se trouve le métro?	*Where is the subway?*
visiter un monument	*to visit a monument*
visiter un musée	*to visit a museum*
demander son chemin	*to ask one's way*

Les trois amis visitent le Quartier latin. Ils cherchent le _____ de Cluny. Ils sont _____ et demandent leur _____ à un agent de police. Henry demande: « Pardon, Monsieur l'agent, où _____ le musée de Cluny? » L'agent répond: « Pour aller au musée de Cluny, prenez la première _____ à droite, ensuite tournez _____. Le musée est en face de l'arrêt d' _____ devant le _____ sur le boulevard Saint-Germain. »

Les ruines du Musée Cluny

D. A vous maintenant! *Now ask a partner the following questions.*

1. Qu'est-ce que les amis visitent?
2. Que cherchent-ils?
3. Pourquoi demandent-ils leur chemin à l'agent de police?
4. Que demande Henry?
5. Comment les amis vont-ils aller au musée?
6. Où tournent-ils?
7. Qu'est-ce qu'il y a en face du musée?
8. Où est le métro?

 E. *Change each of the following statements to a question by using a pronoun to replace the italicized words.*

Modèle: *Le musée* est en face de la gare.
   Qu'est-ce qui est en face de la gare?

1. Les amis visitent *le Quartier latin.*
2. Ils cherchent *une certaine boutique.*
3. Ils demandent *quelque chose* à l'agent de police.
4. Ils vont prendre *la première rue à droit.*

NOTE DE GRAMMAIRE 21

Le pluriel des adjectifs et des noms

1. You must have noticed that adjectives agree in number and gender with the nouns and pronouns they modify:

   L'**étudiant** est **grand** et **fort.**
   Cette **femme** est **contente.**
   Ils voient des **choses intéressantes.**
   Les trois **amis** sont toujours **bouleversés.**

   a. The feminine of most adjectives is formed by adding **-e** to the masculine form:

MASCULINE SINGULAR:	Il est grand/petit/fort.
FEMININE SINGULAR:	Elle est grand**e**/petit**e**/fort**e**.

   b. If a masculine adjective already ends in **e,** the same form is used for the feminine:

MASCULINE SINGULAR:	Il est jeune/brav**e**/faibl**e**.
FEMININE SINGULAR:	Elle est jeune/brav**e**/faibl**e**.

   c. Some adjectives have irregular feminine singular forms, which we will study later:

   beau/**belle**   gros/**grosse**   vieux/**vieille**

d. A plural adjective form is usually created by adding **-s** to the masculine or feminine singular form:

MASCULINE PLURAL: Ils sont grand**s**/petit**s**/fort**s**/jeune**s**/brave**s**/faible**s**.
FEMININE PLURAL: Elles sont grande**s**/petite**s**/forte**s**/jeune**s**/brave**s**/
                     faible**s**.

e. If a masculine singular adjective ends in **s,** the same form is used for the masculine plural:

SINGULAR: Il est gro**s**/gri**s**.
PLURAL: Ils sont gro**s**/gri**s**.

2. In French, the plural of most nouns is formed by adding **-s** to the singular form:

Un homme entre dans la salle de classe.
Des homme**s** entrent dans la salle de classe.

Le petit enfant fait du ski.
Les petits enfant**s** font du ski.

Family names never take **-s** in French. The definite article shows the plural:

Les Cornet habitent près du pont.   ***The Cornets*** *live near the bridge.*

3. A noun ending in **s, x,** or **z** has the same form in the singular and the plural:

SINGULAR   PLURAL

le fil**s**   **les** fil**s**
la croi**x**   **les** croi**x**
le ne**z**   **les** ne**z**

4. Other nouns have irregular endings:

-al → -aux   **-ou → -oux**
un chev**al**   **des** chev**aux**   **un** bij**ou**   **des** bij**oux**
un journ**al**   **des** journ**aux**   **un** gen**ou**   des gen**oux**

-eu/-eau → -eux/eaux
un neve**u**   **des** neve**ux**
un château   **des** château**x**
un bureau   **des** bureau**x**

Exercices de transformation

A. *We don't know where to buy some postcards. We finally succeed, as well as learn how to form the plural of nouns.*

Modèle: Où allons-nous pour trouver *une carte postale?*
            Où allons-nous pour trouver des cartes postales?

1. *Le fils* va dans *un château.*
2. Elle va *au bureau de poste.*
3. *Un neveu* va au restaurant.
4. Nous trouvons *un bureau de tabac.*
5. On voit *un timbre* et *un journal.*

B. *We look for symbols where we can.*

Modèle: L'animal est un symbole.
   Les animaux sont des symboles.

1. On trouve l'oiseau sur un timbre.
2. Il y a une croix sur le drapeau grec.
3. Le cheval symbolise la force.
4. Sur le tableau on voit un lion.
5. Le chapeau rouge représente un cardinal.

TRAVAUX PRATIQUES

Make sentences and put them in the plural.

1. un cheval/entrer/boutique/et/manger/tout
2. enfant/manger/et/grossir
3. un neveu/trouver/cheveu/gris
4. il/regarder/croix/dans/église
5. il/porter/costume/et/chapeau

NOTE DE GRAMMAIRE 22

Les adjectifs possessifs

1. The possessive adjective expresses ownership. Like most adjectives, the possessive adjective agrees in gender and number with the noun it modifies.

2. The forms of the possessive adjective are as follows:

	SINGULAR		PLURAL MASCULINE AND
	MASCULINE	FEMININE	FEMININE
my	**mon** frère	**ma** sœur	**mes** frères/sœurs
your (**tu**)	**ton** frère	**ta** sœur	**tes** frères/sœurs
his, her, its, one's	**son** frère	**sa** sœur	**ses** frères/sœurs
our	**notre** frère	**notre** sœur	**nos** frères/sœurs
your (**vous**)	**votre** frère	**votre** sœur	**vos** frères/sœurs
their	**leur** frère	**leur** sœur	**leurs** frères/sœurs

Voici **mon train** qui vient.	*Here's **my train** arriving.*
Ta maison est près de l'épicerie.	*Your house is near the grocery.*
Henry trouve **ses affaires.**	*Henry is finding **his things**.*
Notre voiture est dans le garage.	***Our car** is in the garage.*
Vos billets sont compostés.	***Your tickets** are validated.*
Les Fourchet reconnaissent **leur** **étudiant.**	*The Fourchets recognize **their** **student**.*

3. Before a feminine singular noun beginning with a vowel or a mute **h,** use the masculine form of the possessive adjective:

mon amie   **ton** étudiante   **son** hôtesse de l'air

4. Remember, agreement in gender and number is determined by the noun in possession, not by the possessor:

♀   ♂ ♂
Elle donne **son livre** au professeur.   *She gives **her book** to the teacher.*

♂   ♀   ♀
Il place **sa valise** dans le placard.   *He puts **his suitcase** in the closet.*

Au jardin des Tuileries

Simples substitutions

A. *We are sometimes too possessive.*

1. Ne jette pas *ton* billet. (*mon, notre, votre, son, leur*)
2. *Ma* valise est dans le train. (*Notre, Votre, Sa, Leur, Ta*)
3. *Notre* auto est devant la gare. (*Son, Votre, Leur, Ton, Mon*)
4. *Mes* affaires sont sur le caddie. (*Vos, Leurs, Nos, Tes, Ses*)

Exercice de transformation

B. *Steps in mailing.*

Modèle: *Je regarde* mes cartes postales. (*Il regarde*)
Il regarde ses cartes postales.

1. *Il achète* ses timbres. (*Nous achetons, Vous achetez, Ils achètent, Tu achètes, J'achète*)
2. *Je vérifie* mon enveloppe. (*Nous vérifions, Elle vérifie, Tu vérifies, Vous vérifiez, Ils vérifient*)
3. *Nous postons* notre lettre. (*Je poste, Tu postes, Vous postez, Elle poste, Ils postent*)

TRAVAUX PRATIQUES ••

Answer each question, using the appropriate possessive adjective.

Modèle: Qui est le frère de mon père?
Le frère de ton père c'est ton oncle.

1. Qui est le mari de ma mère?
2. Qui est la sœur de ma mère?
3. Qui est la mère de ma mère?
4. Qui est le mari de ma sœur?
5. Qui est la femme de mon frère?
6. Qui sont les enfants de mon oncle et de ma tante?

NOTE DE GRAMMAIRE 23

Expressions avec **avoir**

The verb **avoir**, which you first studied in **Chapitre 2**, is used in many idiomatic expressions:

avoir besoin de   *to need*
Robert **a besoin d'**argent.   *Robert **needs** money.*

avoir faim   *to be hungry*
M. Fourchet **a faim**.   *Mr. Fourchet **is hungry**.*

avoir soif   *to be thirsty*
   As-tu **soif**?   *Are you **thirsty**?*

avoir sommeil   *to be sleepy*
   Nous **avons** tous **sommeil**.   *We **are** all **sleepy**.*

avoir raison   *to be right*
   L'agent de police **a raison**.   *The police officer **is right**.*

avoir tort   *to be wrong*
   Elle n'**a** jamais **tort**.   *She **is** never **wrong**.*

avoir peur (**de**)   *to be afraid* (*of*)
   J'**ai peur de** ce chien.   *I **am afraid of** that dog.*

avoir honte (**de**)   *to be ashamed* (*of*)
   L'enfant a tort et il **a honte**.   *The child is wrong and he **is ashamed**.*

avoir envie de   *to want to*
   Nous **avons envie de** manger du chocolat.   *We **want to** eat some chocolate.*

avoir l'intention de   *to intend to*
   Elles **ont l'intention d'**aller en France.   *They **intend to** go to France.*

avoir mal (**à**)   *to ache, to feel pain* (*in*)
   J'**ai mal à** la tête.   *I **have** a head**ache**.*

avoir chaud   *to feel or be warm or hot*
   Il fait du soleil et j'**ai** très **chaud**.   *It's sunny and I **am** very **warm**.*

avoir froid   *to feel or be cold*
   J'**ai** toujours **froid** quand il neige.   *I **am** always **cold** when it snows.*

To indicate the temperature of an object, use **être** with **froid** or **chaud**:

   Cette bière **est froide**.   *This beer **is cold**.*
   Ce café **est chaud**.   *This coffee **is hot**.*

Simples substitutions

I'm really tired.

J'ai besoin de sommeil. (*Il a besoin de, Nous avons besoin de, Vous avez besoin de, Tu as besoin de, Ils ont besoin de*)

TRAVAUX PRATIQUES ●●

 A. *Using expressions with* **avoir,** *ask and answer questions based on the following statements.*

Modèle: Je veux un sandwich.
      As-tu faim?
      Oui, j'ai faim.

1. Je veux dormir.
2. Je veux acheter une auto.
3. Je veux un verre d'eau.
4. Je veux de l'aspirine.
5. Je ne veux pas voir le chien.

 B. *Look for opposites.*

Modèle: Je ne fais pas de fautes.
      J'ai toujours raison.

1. Il n'a pas raison.
2. Je n'ai pas d'argent.
3. Nous n'avons pas chaud.
4. Vous n'avez pas froid.

NOTE DE GRAMMAIRE 24

Les verbes **voir** et **croire**

1. The verbs **voir** (*to see*) and **croire** (*to believe*) are irregular. Their forms are as follows:

voir   **croire**

je **vois**	nous **voyons**	je **crois**	nous **croyons**
tu **vois**	vous **voyez**	tu **crois**	vous **croyez**
il **voit**	ils **voient**	il **croit**	ils **croient**
elle **voit**	elles **voient**	elle **croit**	elles **croient**
on **voit**		on **croit**	

IMPERATIF: **vois!**   IMPERATIF: **crois!**
      voyons!   **croyons!**
      voyez!   **croyez!**

2. **Prévoir** (*to foresee*) is conjugated in the same way.

3. Note the difference in usage between **voir** (*to see*) and **regarder** (*to look at, to watch*):

Nous **voyons** le train.   *We **see** the train.*
Nous **regardons** le train.   *We **look at** the train.*

Both verbs require a direct object in French.

Simples substitutions

A. *Do you believe what you see?*

Modèle: *Je vois les châteaux. (Nous voyons)*
        Nous voyons les châteaux.

1. *Je vois les châteaux. (Nous voyons, Tu vois, Vous voyez, On voit, Ils voient)*
2. *Est-ce que je vois le pont? (Voyez-vous, André voit-il, M. et Mme Fourchet voient-ils, Vois-tu, Voyons-nous)*
3. *Je ne vois pas la librairie. (Nous ne voyons pas, Vous ne voyez pas, Elle ne voit pas, Tu ne vois pas, Ils ne voient pas)*
4. *Je crois qu'il va à la bibliothèque. (Nous croyons, On croit, Tu crois, Vous croyez, Les enfants croient)*

Exercices de transformation

B. *Before leaving on a picnic, it's wise to check the weather forecast.*

Modèle: *Nous prévoyons un temps de chien. (Tu)*
        Tu prévois un temps de chien.

1. *Nous prévoyons un temps de chien. (Tu, La météo, Je, Les femmes, Vous)*
2. *Je crois qu'il va faire beau. (Nous, Vous, L'hôtesse, On, Elles)*
3. *Crois-tu la météo? (il, nous, Marguerite, je, mes cousines)*

C. *Answer these questions.*

1. Quand il y a des nuages, quel temps prévoit-on?
2. Croyez-vous la météo? A-t-elle souvent tort?
3. Quand vous voyez la pluie, est-ce que vous restez à la maison?
4. Si vous regardez par la fenêtre, que voyez-vous?

NOTE DE GRAMMAIRE 25

Le verbe **venir** et **venir de** + *infinitif*

1. The verb **venir** (*to come*) is irregular:

je **viens**	nous **venons**
tu **viens**	vous **venez**
il **vient**	ils **viennent**
elle **vient**	elles **viennent**
on **vient**	

IMPERATIF: **viens! venons! venez!**

Note that **venir** takes the stem of the infinitive in the first and second persons plural.

2. The following verbs are conjugated like **venir**:

appartenir (à) *to belong (to)*   **obtenir** *to obtain*
contenir *to contain*   **retenir** *to retain*
devenir *to become*   **revenir** *to come back*
maintenir *to maintain*   **tenir** *to hold*

Ce billet **appartient à** l'étudiant.	*This ticket **belongs to** the student.*
Ce musée **contient** des œuvres d'art.	*This museum **contains** works of art.*
On **devient** sérieux.	*You**'re becoming** serious.*
Je **maintiens** que la vérité est éternelle.	*I **maintain** that truth is eternal.*
Vous **obtenez** tout ce que vous désirez.	*You **obtain** all you desire.*
Le professeur **retient** les mauvais étudiants après la classe.	*The professor **keeps** bad students after class.*
Je **reviens** de l'église.	*I'm **coming back** from church.*
Ils **tiennent** leurs billets à la main.	*They **are holding** their tickets in their hands.*
Il **vient** manger.	*He **comes** to eat.*

3. A form of **venir de** + an infinitive expresses the immediate past. This usage indicates that an action was just completed and is translated by *to have just*. Contrast these examples:

Elle vient dîner.	***She's coming** for dinner.*
Elle vient de dîner.	***She has just** eaten dinner.*

Simples substitutions

A. *A day at a university.*

Modèle: *Je viens de la bibliothèque. (Nous venons)*
      Nous venons de la bibliothèque.

1. *Je viens de la bibliothèque. (Nous venons, Tu viens, Ils viennent, Elle vient, Vous venez)*
2. *Venez-vous de la classe de français? (Viens-tu, Venons-nous, Vient-il, Viennent-elles, Est-ce que je viens)*
3. *Je ne viens pas avec mes livres. (Tu ne viens pas, Ils ne viennent pas, Nous ne venons pas, Vous ne venez pas, Elle ne vient pas)*
4. *Ne vient-il pas étudier? (Ne venez-vous pas, Ne viennent-ils pas, Ne viens-tu pas, Ne vient-on pas, Est-ce que je ne viens pas)*

Exercices de transformation

B. *The professor is entitled to be angry.*

1. *Le professeur* n'obtient pas de réponse. (*Tu, Nous, Les jeunes gens, Vous, Elle*)
2. *Il* devient furieux. (*Nous, Tu, On, Les parents, Le neveu*)
3. Maintient-*il* l'ordre? (*nous, on, la mère, les cousins, le grand-père*)
4. *Il* retient les étudiants après la classe. (*Vous, Tu, Les professeurs, Je, Nous*)

C. *Present → immediate past.*

Modèle: L'agent de police vérifie les passeports.
L'agent de police vient de vérifier les passeports.

1. On consulte les papiers.
2. Il remplit la carte de débarquement.
3. Ils ont peur du douanier.
4. Nous voyons un taxi.
5. Obtiennent-ils un taxi?

Exercice de manipulation

D. *Working with a partner, take turns asking and answering questions.*

Modèle: Demandez à _____ s'il/si elle est difficile à table.
Etes-vous difficile à table?
Oui, je suis difficile à table. Je ne mange pas tout.   ou:
Non, je ne suis pas difficile à table. J'aime manger de tout.

1. Demandez à _____ s'il/si elle est grand(e).
2. Demandez à _____ s'il/si elle est gros(se).
3. Demandez à _____ s'il/si elle est difficile à table.
4. Demandez à _____ s'il/si elle est bavard(e).
5. Demandez à _____ où est son livre.
6. Demandez à _____ s'il/si elle est loin de la porte.
7. Demandez à _____ s'il/si elle est en face de la fenêtre.
8. Demandez à _____ la date de son anniversaire.
9. Demandez à _____ s'il/si elle vient de manger.
10. Demandez à _____ si le professeur est à sa gauche.
11. Demandez à _____ si le professeur est à sa droite.
12. Demandez à _____ si la classe est au bout du couloir.
13. Demandez à _____ si la classe est en haut de l'escalier.
14. Demandez à _____ où il/elle va aller après la classe.

MICROLOGUE: Les arrondissements

En regardant le plan de Paris, on découvre que la ville est divisée
en vingt arrondissements. **Chacun** de ces arrondissements a   *Each one*
son caractère distinctif. Par exemple, dans le premier, situé sur

la **rive droite** de la Seine, on voit la splendeur du Louvre avec   *right bank*
5   sa pyramide de **verre** et le charme du jardin des Tuileries. Le   *glass*
quatrième, **qui comprend** l'île de la Cité, contient l'Hôtel de   *which includes*
Ville et **surtout** la magnifique cathédrale de Notre-Dame. Sur   *especially*
la rive gauche se trouve le célèbre Quartier latin qui **s'étend**   *spreads*
sur les cinquième et sixième arrondissements. Le symbole de
10 Paris, la tour Eiffel, se trouve dans le septième.

Questions

1. Qu'est-ce qu'on découvre en regardant le plan de Paris?
2. Que voit-on dans le 1er arrondissement?
3. Quels bâtiments le 4e contient-il?
4. Qu'est-ce qu'il y a sur la rive gauche?
5. Où se trouve la tour Eiffel?

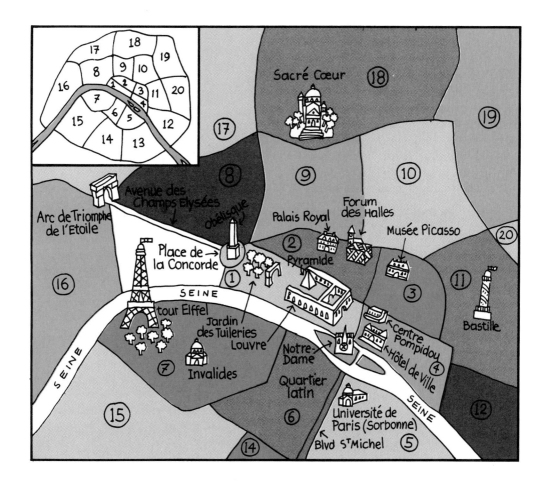

LECTURE: L'accent grave

LE PROFESSEUR: **Elève** Hamlet!   *Pupil*

L'ELEVE HAMLET: (***sursautant***) **Hein... Quoi...** Pardon...   *startled / Eh / What*
Qu'est-ce qui se passe... Qu'est-ce qu'il y a... Qu'est-ce que
c'est?...

5 LE PROFESSEUR: (***mécontent***) Vous ne pouvez pas répondre   *displeased*
« présent » comme tout le monde? Pas possible, vous êtes
encore dans les nuages.   *still*

L'ELEVE HAMLET: Etre ou ne pas être[1] dans les nuages!

LE PROFESSEUR: **Suffit.** Pas tant de manières. Et conjuguez-   *Enough!*
10 moi le verbe *être*, comme tout le monde, c'est tout ce que je
vous demande.

L'ELEVE HAMLET: *To be...*

LE PROFESSEUR: En français, s'il vous plaît, comme tout le
monde.

15 L'ELEVE HAMLET: Bien, monsieur. (*Il conjugue.*)

Je suis ou je ne suis pas
Tu es ou tu n'es pas
Il est ou il n'est pas
Nous sommes ou nous ne sommes pas...

20 LE PROFESSEUR: (*excessivement mécontent*) Mais c'est vous qui
n'y êtes pas, mon pauvre ami!   *aren't with it*

L'ELEVE HAMLET: C'est exact, monsieur le professeur,

Je suis « où » je ne suis pas
Et **dans le fond,** hein, à la réflexion   *basically*
25 Etre « où » ne pas être,[1]
C'est peut-être aussi la question.

JACQUES PREVERT, ***Paroles*** (Paris: Gallimard, 1949)   *Words*

Questions

1. Que dit Hamlet?
2. Qu'est-ce que le professeur demande à Hamlet de répondre?
3. Où Hamlet est-il encore?
4. Que répond Hamlet?
5. Quel verbe Hamlet doit-il conjuguer?
6. Comment tout le monde conjugue-t-il le verbe **être**?
7. Conjuguez le verbe **être** comme fait Hamlet.
8. Le professeur est-il content? Pourquoi?
9. Pensez-vous comme Hamlet que « être où ne pas être » est peut-être aussi la question?

[1] Note the negation of infinitives: être ou **ne pas** être = *to be or **not** to be*; pour **ne pas** être en retard = *in order **not** to be late.*

La Pyramide du Louvre

 Création et récréation

A. Using the picture of a family or a celebration that you brought to class for **Chapitre 1** or **Chapitre 3,** elaborate on your original description, paying special attention to the spatial relationships among the persons and objects—who is where, who is next to whom, and so on. Use the following expressions: **à côté de, au bout de, derrière, devant, en face de, loin de, près de, sous,** and **sur.** Then describe who is doing what, using as many of the irregular verbs you have studied as possible. One useful expression might be **en train de** (*in the process of*).

Modèle: *Vous voyez sur cette photo l'ensemble d'une famille à table. La mère est à côté du père... Elle est en train de servir le dîner...*

B. Add to your story about Monique and Pierre.

Modèle: *Monique et Pierre arrivent à la gare de* _____. *Ils font la connaissance des familles américaines qui vont les héberger. Monique et Pierre décrivent* (describe) *leurs mères américaines...*

Coup d'œil

_____ 21. The feminine of most adjectives is formed by adding -**e** to the masculine form. If the masculine form already ends in **e,** the same form is used in the feminine: _____

Il est **bavard.**	**Elle** est **bavarde.**
Le garçon est **maigre.**	**La fille** est **maigre.**

_____ The plural of most adjectives is formed by adding -**s** to the singular masculine or feminine form. If the masculine singular form already ends in **s,** the same form is used for the masculine plural: _____

Le café est **petit.**	**Les cafés** sont **petits.**
L'auto est **petite.**	**Les autos** sont **petites.**
Le sac est **gros.**	**Les sacs** sont **gros.**

_____ The plural of most nouns is formed by adding -**s** to the singular form: _____

Le petit **enfant** est là.
Les petits **enfants** sont là.

_____ Singular nouns ending in **s, x,** or **z** have the same form in the plural: _____

le fils	**les** fils
le repas	**les** repas
le choix	**les** choix
la croix	**les** croix
le nez	**les** nez

_____ Some nouns have irregular plural endings: _____

un cheval	**des** chevaux
un neveu	**des** neveux
un château	**des** châteaux
un bijou	**des** bijoux

_____ 22. A possessive adjective agrees in gender and number with the noun it modifies: _____

Henry a **sa valise.**
Marguerite a **son sac de couchage.**
Robert a **ses livres.**

A singular feminine noun that begins with a vowel is preceded by the masculine form of the possessive adjective:

Mon école est près du terrain de sports.

23. **Avoir** appears in many idiomatic expressions, such as **avoir faim, avoir soif, avoir peur,** and **avoir mal** (à).

To indicate that a person is warm or cold, use **avoir**:

En hiver, j'**ai** toujours **froid.**
En été, nous **avons chaud.**

To indicate the temperature of an object, use **être**:

Ce café **est chaud**.

24. **Voir** and **croire** are conjugated similarly:

voir

je vois	**nous voyons**
tu vois	vous **voyez**
il **voit**	ils **voient**
elle **voit**	elles **voient**
on **voit**	

IMPERATIF: **vois! voyons! voyez!**

croire

je **crois**	nous **croyons**
tu **crois**	vous **croyez**
il **croit**	ils **croient**
elle **croit**	elles **croient**
on **croit**	

IMPERATIF: **crois! croyons! croyez!**

25. **Venir** is an irregular verb:

je **viens**	nous **venons**
tu **viens**	vous **venez**
il **vient**	ils **viennent**
elle **vient**	elles **viennent**
on **vient**	

IMPERATIF: **viens! venons! venez!**

Among the verbs conjugated like **venir** are **appartenir, devenir, maintenir, obtenir, revenir,** and **tenir.**

☞

A form of **venir de** + *infinitive* expresses a just-completed action and is translated by *to have just*:

Elle **parle** à son ami.   *She **is speaking** to her friend.*

Elle **vient de parler** à son ami.   *She **has just spoken** to her friend.*

VOCABULAIRE

VERBES

croire
espérer
prévoir

venir (de)
verbes comme *venir* (voir p 127)
voir

NOMS

la tête (voir p 113)   la ville (voir p 115)

ADJECTIFS (voir p 113)

vrai

ADVERBES

les directions (voir p 114)

CONJONCTION

parce que

PREPOSITION

entre

EXPRESSIONS UTILES

expressions avec *avoir* (voir pp 123 et 124)

CHAPITRE 6

Chez les Fourchet

Itinéraire

In this chapter, you'll learn how to describe furnishings and locations in a house and how to cope with basic French expectations of American visitors.

To help you do these things, you'll study adjectives that precede nouns, **-er** verbs with spelling changes, direct object pronouns, and four irregular verbs: **prendre** (*to take*), **pouvoir** (*to be able*), **vouloir** (*to want*), and **savoir** (*to know*).

Scénario .•·

PREMIERE ETAPE

Robert monte dans la petite « deux chevaux » de Mme Fourchet.[1] Elle le conduit chez elle.

MME FOURCHET: Voici notre jeune étudiant américain.
M. FOURCHET: Je le reconnais, nous avons sa photo. Bonjour!
5 ROBERT: Bonjour, monsieur.
M. FOURCHET: Et voici notre fille, Nicole.
ROBERT: Bonjour, Nicole.
MME FOURCHET: Je vais vous montrer votre chambre.

Ils montent au premier étage.

10 MME FOURCHET: La voici. Elle est grande, n'est-ce pas?
ROBERT: *(gêné)* Madame, euh! Puis-je...
MME FOURCHET: Oui, ah, oui. Les W.-C. sont au bout du couloir.
ROBERT: *(soulagé)* Oui, les W.-C., merci.
MME FOURCHET: De rien.

DEUXIEME ETAPE

Robert monte dans la petite « deux chevaux » de Mme Fourchet. Elle le conduit chez elle. Tout à coup il commence à pleuvoir.

MME FOURCHET: Je suis désolée, il pleut souvent.
ROBERT: Ça ne fait rien.
5 MME FOURCHET: Il va faire beau demain.

Ils arrivent chez les Fourchet.

MME FOURCHET: Olivier, voici notre jeune étudiant américain.
M. FOURCHET: *(Il serre la main de Robert.)* Je le reconnais, nous avons sa photo. Bonjour!
10 ROBERT: Bonjour, monsieur... *(il réussit à trouver la formule)* Je suis heureux de faire votre connaissance.
M. FOURCHET: Et voici notre fille, Nicole.
ROBERT: Bonjour, Nicole.
MME FOURCHET: Venez, Robert, je vais vous montrer votre chambre.

15 *Ils montent au premier étage et entrent dans la chambre de Robert.*

---

[1] Automobiles are always feminine in French: **une deux chevaux, une Porsche, une Buick, une Toyota**.

MME FOURCHET: La voici. Elle est grande, n'est-ce pas? Dans ce placard vous avez des serviettes propres.

ROBERT: (*gêné*) Madame, euh! Puis-je...

MME FOURCHET: Oui, ah, oui. Les W.-C. sont au bout du couloir.

20 ROBERT: (*soulagé*) Oui, les W.-C., merci.

MME FOURCHET: De rien. Il y a du savon sur le lavabo, Robert, et une serviette sur le porte-serviettes.

TROISIEME ETAPE

Robert monte dans la petite « deux chevaux » de Mme Fourchet. Elle le conduit chez elle. Tout à coup il commence à pleuvoir.

MME FOURCHET: Je suis désolée, Robert, mais, vous savez, il pleut souvent par ici.

ROBERT: Ça ne fait rien, madame, j'ai mon imperméable.

5 MME FOURCHET: Mais, il va faire beau demain.

Ils arrivent chez les Fourchet. Mme Fourchet présente Robert à sa famille.

MME FOURCHET: Olivier, voici notre jeune étudiant américain.

M. FOURCHET: (*Il serre la main de Robert.*) Je le reconnais, nous avons sa photo. Bonjour, jeune homme. Soyez le bienvenu!

10 ROBERT: Bonjour, monsieur,... (*il réussit à trouver la bonne formule*) Je suis heureux de faire votre connaissance.

M. FOURCHET: Et voici notre fille, Nicole.

ROBERT: Bonjour, Nicole.

NICOLE: Bonjour. As-tu fait bon voyage?

15 ROBERT: Oui, j'ai fait la connaissance d'un très gentil monsieur.

MME FOURCHET: Venez, Robert, je vais vous montrer votre chambre.

Ils montent au premier étage et entrent dans la chambre de Robert.

MME FOURCHET: La voici. Elle est grande, n'est-ce pas? Devant la fenêtre vous avez votre table et votre lampe. Dans ce placard il y a des serviettes propres.

20 ROBERT: (*gêné*) Madame, euh! Puis-je...

MME FOURCHET: Oui, ah, oui. Les W.-C. sont au bout du couloir.

ROBERT: (*soulagé*) Oui, je peux les voir, merci.

MME FOURCHET: Il y a du savon sur le lavabo, Robert, et une serviette sur le porte-serviettes.

Questions sur le scénario

1. Où monte Robert?
2. Où Mme Fourchet le conduit-elle?
3. Quel temps fait-il?

4. Quel temps va-t-il faire demain?
5. De qui Robert serre-t-il la main?
6. Que dit M. Fourchet?
7. Quelle est la réponse de Robert?
8. Où Mme Fourchet et Robert montent-ils?
9. Comment est la chambre de Robert?
10. Où sont les serviettes?
11. Où se trouvent les W.-C.?
12. Qu'est-ce qu'il y a sur le lavabo?

COIN CULTUREL: La 2 CV

A **deux chevaux** (abbreviated **2 CV**), no longer in production, was a small Citroën of 2 horsepower. Horsepower is determined in a different way in France. A **deux chevaux** would have roughly 25 horsepower by our calculations.

Une 2 CV Citroën

Gestes

1. To indicate that someone is stubborn, the French strike their foreheads with an open palm or a closed fist, and may say: « **Non, non et non!** »

2. Placing the left hand on the right wrist and raising the wrist slightly is a gesture used among friends to indicate that one is leaving. This gesture is often accompanied by the expression « **Si on se tirait!** » (*What if we split!*) or « **Si on s'en allait!** » or « **On se fait la malle**! » or « **On se casse**! »

« Si on s'en allait! »

Proverbes

Tout nouveau tout beau.   *Novelty is always appealing.*
Qui veut la fin veut les moyens. *The end justifies the means.*
Vouloir c'est pouvoir.   *Where there's a will, there's a way.*
Savoir c'est pouvoir.   *Knowledge is power.*

VOCABULAIRE ILLUSTRE: **La maison**

une couverture

des draps

un oreiller

LA CHAMBRE A COUCHER

↑ LE DEUXIEME ETAGE

LE W.C.

une douche
un porte-serviettes

un ordinateur   une étagère

un téléphone

un bidet
un lavabo

LA SALLE DE BAINS

un bureau

une corbeille à papier

LE BUREAU

↑ LE PREMIER ETAGE

un réfrigérateur
un micro-onde

des rideaux

un buffet

un tableau

un téléviseur

une chaîne stéréo

une chaise
une table

une cuisinière

un tapis

LA CUISINE   LA SALLE A MANGER

un fauteuil

LA SALLE DE SEJOUR

↑ LE REZ-DE-CHAUSSEE

Allons plus loin: La maison des Fourchet

Etudiez le vocabulaire.

la maison   *house*
le pavillon   *villa*
le garage   *garage*
la pièce   *room*
au fond de   *at the end of*
le chauffage central   *central heating*
le deuxième étage   *the third floor*
le premier étage   *the second floor*
le rez-de-chaussée   *ground floor*
le grenier   *the attic*
la cave   *the cellar*
le sous-sol   *the basement*
très clair   *very bright*
le vin   *wine*
ranger   *to put away*
descendre   *to go downstairs*

TRAVAUX PRATIQUES

A. Finissez les phrases avec le vocabulaire ci-dessus.

La _____ des Fourchet est grande. C'est un pavillon de six pièces. Au deuxième étage se trouve le _____ où on range les malles. Il y a trois chambres au premier _____ avec une salle de bains et les W.-C. Au _____-_____-_____, dans le couloir à droite, il y a une salle de séjour et le bureau de M. Fourchet. A gauche, il y a la salle à manger et une cuisine très _____. Au _____ du couloir, il y a l'escalier pour _____ au _____. C'est là que se trouve la cave où M. Fourchet garde son _____.

Sous la maison, il y a aussi le _____ pour les voitures de M. et Mme Fourchet.

B. Maintenant posez des questions à votre partenaire.

1. Combien de pièces y a-t-il chez les Fourchet?
2. Combien de pièces y a-t-il chez vous?
3. Où trouve-t-on les malles et les valises chez les Fourchet?
4. Et chez vous?
5. A quel étage les chambres sont-elles chez les Fourchet?
6. Et chez vous?
7. Quelles pièces y a-t-il au rez-de-chaussée chez les Fourchet?
8. Et chez vous?
9. Comment la cuisine est-elle chez les Fourchet?
10. Et chez vous?

11. Qu'y a-t-il pour descendre au sous-sol chez les Fourchet?
12. Que voyez-vous dans la cave?
13. Et chez vous?
14. Où le garage se trouve-t-il chez les Fourchet?
15. Et chez vous?

 C. Voici des réponses. Posez des questions.

Modèle: La maison a *deux étages.*
    Combien d'étages la maison a-t-elle?

1. Le pavillon est *grand.*
2. Il y a *six pièces* dans le pavillon des Fourchet.
3. *M. Fourchet* range les malles.
4. Les chambres se trouvent *au premier étage.*
5. M. Fourchet garde *son vin* dans la cave.
6. Mme Fourchet conduit *une voiture.*

 D. *Now you have the opportunity to design your dream home. Draw up a blueprint and explain where each room is, what function it serves, and how you would furnish it. Do you have a garage? How many cars can you park in it? Describe each feature in this manner.*

NOTE DE GRAMMAIRE 26
Les adjectifs précédents les noms

1. Adjectives describe qualities of nouns or pronouns:

    C'est un **bon** livre.   *It's a **good** book.*
    Il est **grand.**   *He is **tall.***

They agree with the nouns and pronouns they modify in gender and number:

    J'ai une **petite** chambre.   *I have a **small** bedroom.*
    Regardez les **beaux** enfants.   *Look at the **beautiful** children.*
    Ils sont **grands.**   *They are **tall.***

2. Most adjectives follow the noun they modify, but certain adjectives usually precede the noun. Study the following table, which shows the masculine and feminine singular and plural forms of some common adjectives that precede the noun:

| SINGULAR | | PLURAL | | |
MASCULINE	FEMININE	MASCULINE	FEMININE	
autre	autre	autres	autres	*other*
jeune	jeune	jeunes	jeunes	*young*
même	même	mêmes	mêmes	*same*

SINGULAR		PLURAL		
MASCULINE	FEMININE	MASCULINE	FEMININE	
joli	jolie	jolis	jolies	*pretty*
grand	grande	grands	grandes	*tall*
petit	petite	petits	petites	*small*
mauvais	mauvaise	mauvais	mauvaises	*bad*
bon	bonne	bons	bonnes	*good*
gentil	gentille	gentils	gentilles	*nice*
gros	grosse	gros	grosses	*big*
long	longue	longs	longues	*long*

Some adjectives have a special form that is used before a masculine singular noun beginning with a vowel or a mute **h**:

SINGULAR					
MASCULINE BEFORE A CONSONANT	MASCULINE BEFORE A VOWEL	FEMININE	PLURAL		
			MASCULINE	FEMININE	
beau	bel	belle	beaux	belles	*beautiful*
nouveau	nouvel	nouvelle	nouveaux	nouvelles	*new*
vieux	vieil	vieille	vieux	vieilles	*old*

Quel **bel enfant**!
Regardez mon **nouvel ordinateur**!
Leur **vieil oncle** est très gentil.

3. In a few cases, some adjectives that precede the noun are viewed as forming a single idea with the noun:

une petite amie	*a girlfriend*
une jeune fille	*a young lady (a teenager)*
une petite fille	*a little girl*
des petits pois	*some peas*
des jeunes gens	*some young people*

Simples substitutions

A. *Marguerite describes some of the sites of the city.*

1. Voilà *un vieux* pont. (*un petit, un joli, un beau, un autre, un nouveau*)
2. Elle regarde *une vieille* église. (*une petite, une jolie, une belle, une autre, une nouvelle*)
3. Voilà *un vieil* hôtel. (*un petit, un joli, un bel, un autre, un nouvel*)
4. C'est *un beau* cinéma. (*un bon, un grand, un petit, un nouveau, un vieux*)

5. Elle passe devant *une belle* cathédrale. (*une autre, une grande, une petite, une nouvelle, une vieille*)
6. Elle admire *les vieilles* églises. (*les petites, les jolies, les belles, les autres, les nouvelles*)
7. Elle visite *les vieux* palais. (*les petits, les jolis, les beaux, les mêmes, les nouveaux*)

Exercices de transformation

B. *Imagine that you are a tour guide on a bus and must quickly describe the changing scenery.*

Modèle: C'est une route. (*mauvais*) (*bon*)
     C'est une mauvaise route.
     C'est une bonne route.

1. C'est une rue. (*grand*) (*long*)
2. Je vois un château. (*beau*) (*vieux*)
3. Voilà un hôtel. (*beau*) (*autre*)
4. Y a-t-il un café près d'ici? (*bon*) (*autre*)
5. Nous passons devant une maison. (*petit*) (*nouveau*)

C. *Now you enter a historic home and describe what you see.*

1. C'est la chambre. (*autre*) (*même*)
2. Nous voyons le salon. (*joli*) (*petit*)
3. Il entre dans la salle à manger. (*nouveau*) (*beau*)
4. On traverse la cuisine. (*vieux*) (*joli*)
5. Nous sommes dans le bureau. (*grand*) (*nouveau*)

D. *You also meet members of the family who live there.*

Modèle: C'est un oncle. (*vieux*)
     C'est un vieil oncle.

1. C'est un enfant. (*beau*)
2. C'est une cousine. (*nouveau*)
3. C'est une nièce. (*autre*)
4. C'est un cousin. (*vieux*)
5. C'est un père. (*bon*)
6. C'est un neveu. (*gentil*)

E. Modèle: Les enfants sont dans la salle à manger. (*beau*)
     Les beaux enfants sont dans la salle à manger.

1. Mes cousines viennent d'arriver. (*nouveau*)
2. Nos nièces sont au premier étage. (*gentil*)
3. Leurs oncles mangent déjà dans la cuisine. (*vieux*)
4. Tes amis arrivent de bonne heure. (*autre*)

NOTE DE GRAMMAIRE 27

Le verbe **prendre**

1. The verb **prendre** (*to take*) is irregular:

je **prends**	nous **prenons**
tu **prends**	vous **prenez**
il **prend**	ils **prennent**
elle **prend**	elles **prennent**
on **prend**	

IMPERATIF: **prends! prenons! prenez!**

Les Fourchet prennent leur deux chevaux.

The Fourchets take their deux chevaux.

Prenez le train de douze heures!

Take the noon train!

2. These other verbs are conjugated like **prendre**:

apprendre	*to learn*
comprendre	*to understand*
surprendre	*to surprise*

Je n'**apprends** pas les leçons difficiles.

*I **do** not **learn** the difficult lessons.*

Nous comprenons bien les exercices.

***We understand** the exercises well.*

Elle surprend toujours les étudiants.

***She** always **surprises** the students.*

Simples substitutions

A. *Members of the Fourchet household do different things.*

1. *Mme Fourchet prend la voiture.* (*Nous prenons, Vous prenez, Elles prennent, Tu prends, Je prends*)

2. *Robert apprend le français.* (*Vous apprenez, J'apprends, Tu apprends, Henry et Robert apprennent, Nous apprenons*)

3. *Nicole surprend ses amis.* (*Je surprends, Tu surprends, Ils surprennent, Nous surprenons, Vous surprenez*)

Exercice de transformation

B. **Modèle:** *On apprend vite.* (*Tu*)
   Tu apprends vite.

1. *On apprend vite.* (*Nous, Ils, Je, Vous, Elles*)
2. *Comprenez-vous le français?* (*il, Est-ce que je, on, nous, tu*)
3. *Robert ne prend pas la chaise.* (*Henry et Robert, Tu, Nous, Vous, Je*)

TRAVAUX PRATIQUES

A. *Faites des phrases logiques avec les mots suivants.*

1. vous/prendre/argent/et/vous/acheter/robe
2. apprendre/nous/français?
3. enfant/surprendre/frères et sœurs
4. on/comprendre/questions/mais/on/ne pas/comprendre/réponses

B. *You and four classmates each choose a verb. The first person mimes a verb and has classmates identify it. The second student repeats the verb of the first student and adds his or her own, and so on to the last student, who repeats and mimes all five verbs. Use the verbs* **voir, chuchoter, comprendre, répéter,** *and* **faire,** *or choose your own.*

After the class has identified the verbs, you and your group of four then make up a story using the verbs in a logical order.

Modèle: *Je vois un vieil ami et je chuchote un secret. Il ne me comprend pas. Je répète le secret et il ne comprend toujours pas. Alors, je fais des signes avec mes mains. J'abandonne.*

NOTE DE GRAMMAIRE 28

Changements orthographiques (verbes réguliers en **-er**)

1. Here are some of the verbs ending in **-er** that you have encountered so far:

acheter *to buy*	**geler** *to freeze*	**préférer** *to prefer*
appeler *to call*	**jeter** *to throw*	**répéter** *to repeat*
avancer *to advance*	**manger** *to eat*	**voyager** *to travel*
commencer (**à**) *to begin*		

2. Verbs ending in **-eler, -eter, -cer,** and **-ger** require minor spelling changes in some conjugated forms. These changes are made for phonetic reasons, to reflect the way the verb form sounds.

a. In verbs like **appeler** and **jeter,** the final consonant of the stem is doubled when followed by a mute **e:**

appeler

j'appelle	nous appelons
tu appelles	vous appelez
il appelle	ils appellent
elle appelle	elles appellent
on appelle	

jeter

je jette	nous jetons
tu jettes	vous jetez
il jette	ils jettent
elle jette	elles jettent
on jette	

b. In verbs like **acheter** and **geler,** an **accent grave** (ˋ) is added to the stem:

acheter

j'achète	nous achetons
tu achètes	vous achetez
il achète	ils achètent
elle achète	elles achètent
on achète	

c. In verbs like **préférer** and **répéter,** the **accent aigu** (ʹ) on the second **e** becomes an **accent grave**:

préférer

je préfère	nous préférons
tu préfères	vous préférez
il préfère	ils préfèrent
elle préfère	elles préfèrent
on préfère	

répéter

je répète	nous répétons
tu répètes	vous répétez
il répète	ils répètent
elle répète	elles répètent
on répète	

d. To keep the soft sound of the **g** in verbs like **manger,** an **e** is added to the stem if an **o** or an **a** follows it. Similarly, to keep the soft sound of the second **c** in verbs like **commencer,** a **ç** is used in the stem if an **o** or an **a** follows:

manger

je mange	nous mangeons
tu manges	vous mangez
il mange	ils mangent
elle mange	elles mangent
on mange	

commencer

je commence	nous commençons
tu commences	vous commencez
il commence	ils commencent
elle commence	elles commencent
on commence	

Exercice de transformation

A ride on a train.

Modèle: *On* achète des billets. (*Nous*)
Nous achetons des billets.

1. *On* achète des billets. (*Nous, Mme Fourchet, Tu, Je, Ils*)
2. *Ils* voyagent en France. (*Tu, Un groupe de camarades, Nous, Vous, Je*)
3. *Tu* appelles le vieux monsieur. (*Nicole, Vous, Nous, Je, Elles*)
4. *Nous* mangeons au wagon-restaurant. (*Tu, Jacqueline, Je, Vous, Ils*)
5. *Ils* commencent à parler français. (*Tu, Elle, Je, Nous, Vous*)
6. *Je* ne jette pas les billets. (*Tu, Vous, Elle, Les camarades, Nous*)

TRAVAUX PRATIQUES ⟜•

Fill in the blanks.

1. Nous (*manger*) _____ un bon repas et après nous (*appeler*) _____ nos amis au téléphone pour aller au cinéma.
2. On (*acheter*) _____ trois tickets et on ne (*jeter*) _____ pas les tickets.
3. Le temps change rapidement: il (*geler*) _____ maintenant et ils ne vont pas rentrer.
4. Ils (*préférer*) _____ aller au restaurant.
5. Là, on a l'occasion de parler du film et on (*répéter*) _____ le scénario.

Des pavillons
en banlieue

NOTE DE GRAMMAIRE 29

Les pronoms d'objet direct

1. A direct object pronoun replaces an object noun that follows the verb directly (that is, an object that is not preceded by a preposition). A direct object pronoun then agrees in gender and number with the noun it replaces:

| Tu vois **le lit.** | *You see **the bed**.* |
| Tu **le** vois. | *You see **it**.* |

These are the direct object pronouns:

FOR PERSONS		FOR PERSONS OR THINGS	
me	*me*	**le** *or* **l'**	*him, it*
te	*you*	**la** *or* **l'**	*her, it*
nous	*us*	**les**	*them*
vous	*you*		

2. A direct object pronoun is placed before the verb:

| Il regarde **la télévision.** | *He's watching **television**.* |
| Il **la** regarde. | *He's watching **it**.* |

| Ils préfèrent **les choses ordinaires.** | *They prefer **ordinary things**.* |
| Ils **les** préfèrent. | *They prefer **them**.* |

| Elle consulte **l'horaire.** | *She's consulting **the schedule**.* |
| Elle **le** consulte. | *She's consulting **it**.* |

Drop the **e** of **le** or the **a** of **la** before a verb beginning with a vowel or a mute **h.** The **e** of **me** and **te** behaves similarly:

| Henry aime-t-il **la radio**? | |
| Oui, Henry **l'**aime. | *Yes, Henry likes **it**.* |

| Identifie-t-elle **l'étudiante**? | |
| Oui, elle **l'**identifie. | *Yes, she is identifying **her**.* |

| Héberge-t-il **l'étudiant**? | |
| Oui, il **l'**héberge. | *Yes, he is lodging **him**.* |

| Achète-t-elle **la couverture**? | |
| Oui, elle **l'**achète. | *Yes, she's buying **it**.* |

Other examples:

Il **m'**aime.	*He likes **me**.*
Elle **t'**admire.	*She admires **you**.*
Tu **nous** appelles.	*You are calling **us**.*
Je **vous** présente.	*I'm introducing **you**.*

Attention! Certain French verbs take direct objects where their English counterparts would take indirect objects:

J'écoute **le professeur**.	*I listen **to the professor**.*
Je **l'**écoute.	

Il regarde **les enfants**.	*He looks **at the children**.*
Il **les** regarde.	

Elle cherche **l'hôtel**.	*She is looking **for the hotel**.*
Elle **le** cherche.	

Il demande **la photo**.	*He is asking **for the photo**.*
Il **la** demande.	

3. In a negative sentence, the object pronoun stands immediately before the conjugated verb:

   Vois-tu **l'auto**?   Non, je ne **la** vois pas.

In an interrogative sentence, the object pronoun also stands immediately before the conjugated verb:

   Ramassent-ils **les valises**?   **Les** ramassent-ils?

4. In the affirmative imperative, the object pronoun follows the verb and is attached to it by a hyphen:

   Ouvrez **vos livres**!   Ouvrez-**les**!

In the negative imperative, the object pronoun stands immediately before the verb:

   Donnez-**le** à Robert!   Ne **le** donnez pas à Robert!

In the affirmative imperative, the object pronouns **me** and **te** become **moi** and **toi** when last in the series:

Tu **me** crois.	Crois-**moi**!
Vous **m'**écoutez.	Ecoutez-**moi**!
Vous **me** regardez.	Regardez-**moi**!

5. In a construction where two verbs are used together, the object pronoun directly precedes the infinitive in most cases:

Je vais apporter **les écouteurs**.	*I am going to bring **the earphones**.*
Je vais **les** apporter.	*I am going to bring **them**.*

Simples substitutions

A. 1. Il *me voit*. (*te regarde, le choisit, nous comprend, vous cherche, les consulte*)
   2. Elle *la trouve*. (*te cherche, les regarde, vous comprend, nous consulte, le finit*)
   3. Nous *les choisissons*. (*le remplissons, la finissons, vous regardons, te cherchons, les ramassons*)

Exercices de transformation

B. *A summary of the meeting of Robert and his French family.*

Modèle: Elle conduit *le garçon* chez elle.
             Elle *le* conduit chez elle.

1. Elle présente *Robert* à son mari.
2. M. Fourchet reconnaît *l'étudiant*.
3. Il serre *la main de Robert*.
4. M. Fourchet présente *Nicole*.
5. Elle montre *la chambre* à Robert.
6. Il cherche *les W.-C.*

C. *Affirmative → negative.*

Modèle: Le chauffeur de taxi conduit *les étudiants* à la gare. (*ne... pas*)
             Le chauffeur de taxi ne les conduit pas à la gare.

1. Ils rencontrent *Marguerite* devant la grande horloge.
2. Ils cherchent *leurs bagages*.
3. Ils trouvent *leurs valises*.
4. Ils posent *leurs affaires* sur le caddie.
5. Ils enregistrent *leurs valises et le sac de couchage*.
6. Ils évitent *le wagon-fumeur*.

D. *Noun → pronoun object.*

Modèle: Remplit-elle *la carte de débarquement?*
             La remplit-elle?

1. Font-ils *la queue?*
2. Donne-t-elle *son passeport* au douanier?
3. Le douanier vérifie-t-il *les visas?*
4. Les touristes montrent-ils *leurs bagages?*
5. Comptent-ils *les bagages?*

E. *Place the direct object pronoun correctly.*

Modèle: Nous allons étudier *Voltaire*.
             Nous allons l'étudier.

1. Voltaire va écrire *ses pièces de théâtre*.
2. Il croit découvrir *la liberté de pensée*.
3. Vous n'allez pas étudier *ses tragédies*.
4. Robert ne croit pas comprendre *sa philosophie*.
5. Les étudiants vont-ils acheter *Candide?*

F. Modèle: Donnez *la couverture* à Robert!
                   Donnez-la à Robert!
                   Ne la donnez pas à Robert!

1. Ouvrez *l'armoire*!
2. Choisissez *les draps*!
3. Fermez *l'armoire*!

4. Faites *le lit*!
5. Posez *l'oreiller* sur le lit!

G. **Modèle:** Te regarde-t-il?
   Oui, il me regarde.
   Non, il ne me regarde pas.

1. M'écoutez-vous?
2. Nous vois-tu maintenant?
3. Vous consulte-t-il souvent?

4. Te croit-elle?
5. Me comprenez-vous quand je parle français?

TRAVAUX PRATIQUES

Replace the italicized nouns with appropriate pronouns.

Modèle: Où jettes-tu *les papiers*?
   Je les jette dans la corbeille à papier.

1. Où trouve-t-on *le buffet* chez vous?
2. Désires-tu *l'ordinateur* dans ta chambre?
3. Quand tu as froid, gardes-tu *les couvertures* sur ton lit?
4. Où placez-vous *les draps* chez vous?
5. Poses-tu *les livres* sur les étagères?

NOTE DE GRAMMAIRE 30

Les verbes **pouvoir**, **vouloir** et **savoir**

The verbs **pouvoir, vouloir,** and **savoir** are irregular. Note that there are some similarities between the present indicative conjugations of **pouvoir** and **vouloir**:

pouvoir *to be able*	**vouloir** *to want*	**savoir** *to know (how)*
je **peux**[2]	je **veux**	je **sais**
tu **peux**	tu **veux**	tu **sais**
il **peut**	il **veut**	il **sait**
elle **peut**	elle **veut**	elle **sait**
on **peut**	on **veut**	on **sait**
nous **pouvons**	nous **voulons**	nous **savons**
vous **pouvez**	vous **voulez**	vous **savez**
ils **peuvent**	ils **veulent**	ils **savent**
elles **peuvent**	elles **veulent**	elles **savent**

[2] The interrogative form of the first person singular is **Puis-je?** or **Est-ce que je peux?**, which may be translated as *May I? Can I?*

IMPERATIFS: **pouvoir**: none
vouloir: veuille! veuillons! veuillez!
savoir: sache! sachons! sachez!

Je peux faire marcher la voiture.	***I can*** *drive the car.*
Il veut acheter une calculatrice solaire.	***He wants*** *to buy a solar calculator.*
Nous ne **savons** pas combien coûte un baladeur.	***We*** *don't* ***know*** *how much a Walkman costs.*
Marguerite sait nager.	***Marguerite knows how*** *to swim.*

Note that **savoir** means *to know a fact* or *to know how to do something.*

Simples substitutions

Can you handle a **deux chevaux**?

1. *Je peux* monter dans la deux chevaux. (*Nous pouvons, Elle peut, Tu peux, Vous pouvez, Ils peuvent*)
2. *Pouvons-nous* conduire? (*Puis-je, Pouvez-vous, Marie peut-elle, Peuvent-ils, Peux-tu*)
3. *Il ne peut pas* le faire. (*Nous ne pouvons pas, ils ne peuvent pas, Je ne peux pas, Vous ne pouvez pas, Tu ne peux pas*)
4. *Voulez-vous* acheter une Peugeot? (*Est-ce que je veux, Veux-tu, Voulons-nous, Henry veut-il, Les parents veulent-ils*)
5. *Sais-tu* la conduire? (*Savons-nous, Savez-vous, Savent-ils, Jacques sait-il, Est-ce que je sais*)
6. *Vous ne savez pas* le faire. (*Tu ne sais pas, Elle ne sait pas, Ils ne savent pas, Nous ne savons pas, Je ne sais pas*)

TRAVAUX PRATIQUES ·•

A. *Ask your partner the following questions and have him or her ask similar ones of you.*

1. Que sais-tu de la politique en France? aux Etats-Unis?
2. Sais-tu qui est le Président de France maintenant? le Premier Ministre du Canada?
3. Peux-tu parler du TGV? d'un film?
4. Peut-on réussir si on n'étudie pas? si on ne travaille pas?
5. Que peux-tu faire quand tu as tort? quand tu as honte?
6. Veux-tu acheter une voiture américaine, française ou japonaise?
7. Que veux-tu faire ce soir? demain?

B. *Répondez aux questions générales.*

1. Pleut-il souvent par ici?
2. Portez-vous (*Do you wear*) un imper quand il pleut?

3. Chez vous, mangez-vous dans le garage? Où mangez-vous généralement?
4. Est-ce qu'un pont traverse votre salon?
5. Trouve-t-on un lit dans la cuisine?
6. Qu'est-ce qu'il y a généralement dans une chambre?
7. Savez-vous où se trouve la corbeille à papier?
8. Pouvez-vous expliquer où est le téléviseur chez vous?
9. Combien de chambres à coucher y a-t-il chez vous?
10. Y a-t-il une salle de bains à côté de votre chambre?

MICROLOGUE: Voltaire

Voltaire (François-Marie Arouet) représente **l'esprit du Siècle des Lumières**. Il est né en 1694. Il écrit des satires contre le gouvernement et on l'**emprisonne** pendant onze mois. Après sa libération il prend le nom de Voltaire. Il **écrit des pièces de**
5 **théâtre. A la suite d'une querelle** avec un noble il **part** pour l'Angleterre où il reste trois mois. A **Londres** il **découvre** la base de l'ordre anglais: la liberté de **pensée**. De retour en France il écrit des tragédies, des livres d'histoire, **des contes**, des poèmes et un dictionnaire philosophique. Il **combat** surtout le
10 fanatisme et il cherche à faire triompher la tolérance. **Il est mort** le 30 mai 1778.

the spirit of the Age of Enlightenment

imprisons

writes plays
Following an argument / leaves
London / discovers
thought

short stories

fights
He died

Buste de Voltaire

Questions

1. Que représente Voltaire?
2. Quand est-il né?
3. Pourquoi est-il emprisonné?
4. Pourquoi part-il pour l'Angleterre?
5. Combien de temps reste-t-il en Angleterre?
6. Que découvre-t-il à Londres?
7. De retour en France, qu'est-ce que Voltaire écrit?
8. Que combat-il surtout?
9. Que cherche-t-il à faire triompher?
10. Quelle est la date de sa mort?

LECTURE: **Première classe**

*Le professeur américain parle aux étudiants qui se trouvent dans
la salle de classe à Bourges. Ils viennent d'arriver en France.*

LE PROFESSEUR: Alors, mes amis, je vais continuer à vous parler
de ce que les Français **attendent de** vous. *expect from*

5 ROBERT: Comme vous avez dit: de la courtoisie, du tact, de la
compréhension, de la patience, de la discrétion, de la dispo-
nibilité, de la bonne humeur et savoir s'adapter!

LE PROFESSEUR: **En effet**, c'est **la clef** de tout dans cette ex- *Indeed / the key*
périence. Si vous faites toujours le plus grand effort possible

10 pour comprendre et respecter les habitudes de la vie française,
vous serez complètement satisfaits de votre séjour. *you will be*

HENRY: Vous avez parlé du « choc culturel ». Voulez-vous bien
ajouter un mot à ce sujet? *add a word*

LE PROFESSEUR: Le « choc culturel » est simplement **l'état** *the state of mind*

15 **d'esprit** de **quelqu'un** qui n'est pas **à son aise** dans une *someone / comfortable*
culture différente. Il y a **bien sûr** des différences de vie et de *of course*
mentalité entre les pays et quand on ne respecte pas ces *one makes a bad*
différences, on en souffre et **on se fait mal voir**. *impression*
That's what happened
JANE: **C'est ce qui m'est arrivé**. *to me.*

20 LE PROFESSEUR: Oui, **on se croit** détesté, humilié, écrasé, *one believes oneself*
battu et **on réagit mal**. *one reacts the wrong*
way
ROBERT: C'est vrai. Un chauffeur de taxi et un employé de la
gare nous ont intimidés, Henry, Marguerite et moi.

LE PROFESSEUR: Non. Ne sois pas paranoïaque! C'est un Fran- *who doesn't know you /*

25 çais **qui ne vous connaît pas**; il réagit **comme il le ferait** *as he would with*
avec n'importe qui dans les mêmes circonstances. *anyone*

Questions

Working with a partner, take turns asking and answering the following questions.

1. A qui le professeur parle-t-il?
2. Où se trouvent les étudiants?
3. Qu'est-ce que les Français attendent des Américains?
4. Quelle est la clef de tout dans cette expérience?
5. Pourquoi fait-on toujours le plus grand effort possible pour respecter les habitudes de la vie française?
6. Qu'est-ce que le « choc culturel »?
7. Y a-t-il des différences de vie et de mentalité entre les pays?
8. Qui a intimidé Robert, Marguerite et Henry?

Création et récréation

A. First match each expression in the left-hand column with the appropriate famous person in the right-hand column. Then create an original sentence for each pair.

Modèle: compter   Scrooge
Scrooge compte son argent et ne donne pas de pourboire.

couper	Magellan
vieillir	Pinocchio/nez
voler	l'oracle de Delphes
avoir de la patience	Jeanne d'Arc
être guillotinée	Dalila (*Delilah*)
grandir	Charles Lindbergh
faire un long voyage	Dorian Gray
prévoir le complexe d'Œdipe	Job
sauver la France	Marie-Antoinette

B. Continue your story of Monique and Pierre.

Modèle: *Monique et Pierre sont dans leurs familles américaines. La mère américaine présente Monique à sa famille. Après, elles montent au premier étage et la mère américaine décrit la chambre de Monique...*

Coup d'œil

_____ 26. Most French adjectives follow the noun they modify. A few simple, common adjectives usually precede the noun: _____

> Je désire un **autre** hôtel.
> Je désire un **bon** hôtel.

_____ 27. **Prendre** is an irregular verb: _____

je **prends**	nous **prenons**
tu **prends**	vous **prenez**
il **prend**	ils **prennent**
elle **prend**	elles **prennent**
on **prend**	

IMPERATIF: **prends! prenons! prenez!**

Verbs like **prendre** are **apprendre** (_to learn_), **comprendre** (_to understand_), and **surprendre** (_to surprise_).

_____ 28. Some regular verbs ending in **-er** undergo spelling changes in certain forms. _____

In verbs like **appeler** and **jeter**, the final consonant of the stem is doubled preceding a mute **e**:

j'appe**ll**e	nous appelons
tu appe**ll**es	vous appelez
il appe**ll**e	ils appe**ll**ent
elle appe**ll**e	elles appe**ll**ent
on appe**ll**e	

je je**tt**e	nous jetons
tu je**tt**es	vous jetez
il je**tt**e	ils je**tt**ent
elle je**tt**e	elles je**tt**ent
on je**tt**e	

Verbs like **acheter** add a grave accent to the stem:

j'ach**è**te	nous achetons
tu ach**è**tes	vous achetez
il ach**è**te	ils ach**è**tent
elle ach**è**te	elles ach**è**tent
on ach**è**te	

In verbs like **préférer**, the second acute accent becomes a grave accent:

je préf**è**re	nous préférons
tu préf**è**res	vous préférez
il préf**è**re	ils préf**è**rent
elle préf**è**re	elles préf**è**rent
on préf**è**re	

In verbs like **manger** and **commencer**, a spelling change is necessary to retain the soft sound of the **g** or **c**:

je mange	nous mang**e**ons
tu manges	vous mangez
il mange	ils mangent
elle mange	elles mangent
on mange	

je commence	nous commen**ç**ons
tu commences	vous commencez
il commence	ils commencent
elle commence	elles commencent
on commence	

29. Object pronouns usually precede the verb. The direct object pronouns are **me, te, le, la, nous, vous,** and **les. Me, te, le,** and **la** are reduced to **m', t',** or **l'** before a vowel or mute **h**:

Elle apporte **le livre**.	Elle apporte **les écouteurs**.
Elle **l'**apporte.	Elle **les** apporte.
L'apporte-t-elle?	**Les** apporte-t-elle?
Ne **l'**apportez pas!	Ne **les** apportez pas!

——— The direct object pronoun follows the verb only in the affirmative imperative:

> Fermez **la porte**!
> Fermez-**la**!

——— When two verbs are used together, the object pronoun directly precedes the infinitive in most cases:

> Nous allons prendre **la deux chevaux**.
> Nous allons **la** prendre.

——— 30. **Pouvoir, vouloir**, and **savoir** are irregular verbs. **Pouvoir** and **vouloir** share certain similarities of conjugation:

je **peux**	je **veux**	je **sais**
tu **peux**	tu **veux**	tu **sais**
il **peut**	il **veut**	il **sait**
elle **peut**	elle **veut**	elle **sait**
on **peut**	on **veut**	on **sait**
nous **pouvons**	nous **voulons**	nous **savons**
vous **pouvez**	vous **voulez**	vous **savez**
ils **peuvent**	ils **veulent**	ils **savent**
elles **peuvent**	elles **veulent**	elles **savent**

IMPERATIFS:
pouvoir: (*none*)
vouloir: veuille! veuillons! veuillez!
savoir: sache! sachons! sachez!

Note that **savoir** means both *to know a fact* and *to know how to do something*.

VOCABULAIRE

VERBES

entrer (dans)
pouvoir

verbes comme *prendre* (voir
     p 145)

savoir
vouloir

NOMS

à l'intérieur de la maison
     (voir p 140)

l'imper (*m.*)
l'imperméable (*m.*)

la réponse

ADVERBES

demain
ici

PREPOSITION

chez

EXPRESSIONS UTILES

apprendre par cœur
donner une poignée de main (à)
Puis-je
serrer la main de (à)

CHAPITRE 7

Au déjeuner

Itinéraire

Now it's time to discuss French foods and eating habits. You'll find out what a typical French family eats at their midday meal and what foods are available in French shops and supermarkets.

To help you enjoy discussing, eating, and buying French food, you'll learn how to use the partitive article, when to use **c'est** versus **il/elle est**, how to use the **passé composé** to tell about past events, and how to conjugate the verb **boire** (*to drink*).

Scénario •◦•

PREMIERE ETAPE

M. Fourchet rentre chez lui. Il va retourner travailler et il a faim. A table...

MME FOUCHET: Prenez du pain.
M. FOURCHET: On va porter un toast. A votre santé!
ROBERT: A la vôtre!
5   NICOLE: Aimes-tu le vin?
ROBERT: Oh, oui! (*Il avale le vin d'un trait.*)
NICOLE: Tu l'as bu comme de l'eau.
ROBERT: J'ai très soif.
MME FOURCHET: Voici un gigot. Après il y a du fromage.

DEUXIEME ETAPE

M. Fourchet rentre chez lui pour déjeuner. Il va retourner travailler dans deux heures et il a faim. A table, Mme Fourchet sert les hors-d'œuvre.[1]

MME FOURCHET: Aimez-vous les tomates et les concombres?
ROBERT: Oui, je les aime bien.
5   MME FOURCHET: Prenez du pain, aussi.
M. FOURCHET: Un instant. Nicole, donne-moi cette bouteille. On va porter un toast au succès de ce jeune homme. A votre santé!

Robert ne répond pas.

MME FOURCHET: Robert, vous répondez: « A la vôtre! »
10   ROBERT: A la vôtre!
NICOLE: Aimes-tu le vin blanc?
ROBERT: Oh, oui! (*Il boit le vin d'un trait.*)
NICOLE: Tu l'as bu comme de l'eau.
ROBERT: C'est vrai. J'ai très soif.

15   *Mme Fourchet a apporté le rôti.*

ROBERT: Ah, encore...
MME FOURCHET: Voici un gigot et des haricots. Après il y a du fromage: aujourd'hui c'est un camembert. Ensuite, nous allons te tutoyer.

TROISIEME ETAPE

M. Fourchet rentre chez lui pour déjeuner. Il va retourner travailler dans deux heures et il a faim.

[1] The word **hors-d'œuvre** is invariable in French; that is, it's spelled the same way in both the singular and the plural.

M. FOURCHET: (*à Robert*) Quel âge avez-vous?

MME FOURCHET: Tu le sais bien: il a dix-neuf ans. Pourquoi as-tu posé cette question?

5 M. FOURCHET: Mais c'est pour le faire parler.

MME FOURCHET: Il comprend déjà tout. C'est un bon étudiant.

A table, Mme Fourchet sert les hors-d'œuvre.

MME FOURCHET: Aimez-vous les tomates et les concombres?

ROBERT: Oui, je les aime bien.

10 MME FOURCHET: Prenez du pain, aussi.

M. FOURCHET: Un instant. Nicole, donne-moi cette bouteille. On va porter un toast au succès de ce jeune homme. A votre santé!

Robert ne répond pas.

MME FOURCHET: Robert, vous répondez: « A la vôtre! »

15 ROBERT: A la vôtre!

NICOLE: Aimes-tu le vin blanc?

ROBERT: Oh, oui! (*Il boit le vin d'un trait.*)

NICOLE: Tu l'as bu comme de l'eau.

ROBERT: C'est vrai. J'ai très soif.

20 *Mme Fourchet a apporté le rôti.*

ROBERT: Ah, encore...

MME FOURCHET: Oui. Voici un gigot, c'est de l'agneau, et nous avons des haricots comme légumes. Après il y a du fromage: aujourd'hui c'est un camembert. Et pour dessert, nous avons une mousse au chocolat. Ensuite, nous allons te tutoyer.

Questions sur le scénario

1. Où sont-ils peu après l'arrivée chez les Fourchet?
2. Quand M. Fourchet va-t-il retourner travailler?
3. Quel âge Robert a-t-il?
4. Pourquoi M. Fourchet pose-t-il des questions à Robert?
5. Qu'est-ce que Robert aime bien?
6. A quoi va-t-on porter un toast?
7. Quand on porte un toast, on vous dit: « A votre santé! » Que répondez-vous?
8. Comment Robert boit-il le vin?
9. Que vont-ils manger?
10. Que vont-ils faire ensuite?

COIN CULTUREL: Les repas

1. During the week, the French eat lunch more or less quickly depending on whether they are active or sedentary, male or female, alone or with their family. They eat less and less at home due to the increased popularity of the continuous workday,

which often prevents workers from returning home at lunchtime. Also, a larger proportion of women work and don't have time to return home or to prepare meals.

2. Everyday meals are less formal and more health-conscious than traditional "French cooking." Lunch is being eaten faster and faster. People are satisfied with a main course followed by cheese or dessert.

3. Sunday dinner and holiday meals are completely different. The French use the occasion to spend some pleasant hours with family or friends and to enjoy the atmosphere created by a good meal.

Traditionally, before the meal, an **apéritif** is served, to "open the appetite." It is usually a drink with just a little alcohol in it, such as Dubonnet or Pernod. At the table, the meal begins with **hors-d'œuvre** or a first course, followed by the main course, consisting of fish or meat and vegetables. Salad comes next (to "clean the palate," as the French say), then cheese, dessert, and fresh fruit. Wine and water are served during the meal, coffee only afterward.

4. Many French people are trying to eat a more balanced diet in an attempt to stay thin and healthy. Today they are eating less sugar and bread and more fish and yogurt. Another change for the French is an increasing reliance on frozen foods, consumption of which has more than doubled since 1980. This trend was accelerated by the arrival of the microwave oven as a complement to the freezer.

5. The French are still great drinkers of wine, but they also hold the world record for the consumption of mineral water.

Chez le boucher

6. French contains an astonishing number of idioms based on food:

Les carottes sont cuites (*cooked*).	*The jig is up.*
serré(s) comme des sardines	*crammed in like sardines*
haut comme trois pommes	*knee high to a grasshopper*
tomber dans les pommes	*to faint*
C'est un navet (*turnip*).	*It's a bad film.*
C'est une véritable nouille (*noodle*).	*What a wishy-washy person.*
Il est bon comme le pain.	*He's a very good person.*
mettre la main à la pâte (*dough*)	*to get involved*
un papa gâteau (*cake*)	*a sugar daddy*
recevoir un marron (*chestnut*)	*to get punched*

Gestes

1. French people fold their arms across their chest to indicate defiance and refusal to act. It's as good as saying « **Ça, jamais!** » or « **Pas question!** » or « **Non, mais alors!** », all of which mean *"No way!"*

2. The French lift one or both hands with palms outward, raise their eyebrows, and pout their lips to signal lack of knowledge about something: « **Où est Marguerite? —Ça!...** » accompanied by a sound projected through closed lips. (*"Where's Marguerite?" "No idea."*)

« Marguerite? —Ça, je ne sais pas! »

Proverbes

L'appétit vient en mangeant.	*The more one has, the more one wants.*
Le vin est tiré, il faut le boire.	*There's no turning back.*

VOCABULAIRE ILLUSTRE: L'alimentation

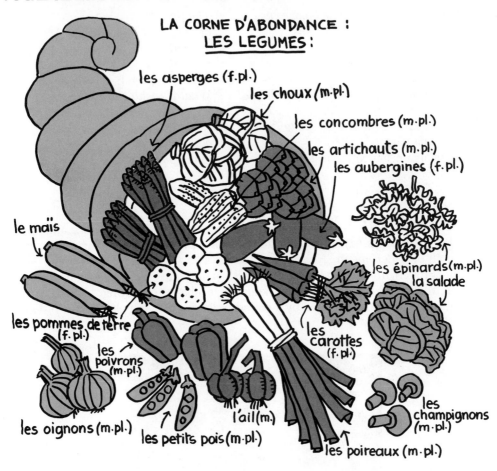

LA CORNE D'ABONDANCE :
LES LEGUMES :

les asperges (f.pl.)

les choux (m.pl.)

les concombres (m.pl.)

les artichauts (m.pl.)

les aubergines (f.pl.)

le maïs

les épinards (m.pl.)

la salade

les pommes de terre (f.pl.)

les poivrons (m.pl.)

les carottes (f.pl.)

les oignons (m.pl.)

les petits pois (m.pl.)

l'ail (m.)

les champignons (m.pl.)

les poireaux (m.pl.)

LES VIANDES : le porc   le cheval   le poulet   le veau   le bœuf

LES BOISSONS : la bière   le thé   le lait   l'eau   l'apéritif

Vocabulaire utile

1. Passe-moi **le sel**. Ma viande n'est pas salée.
   *Pass **the salt**. My meat is not salted.*

2. Passe-moi **le poivre**. Ma côtelette a besoin de poivre.
   *Pass **the pepper**. My chop needs pepper.*

3. Je désire **du sucre** dans mon café.
   *I want (**some**) **sugar** in my coffee.*

4. Je voudrais **de la moutarde** avec mon steak.
   *I would like my steak with **mustard**.*

5. Généralement on peut trouver des légumes dans **des boîtes de conserve.**
   *Generally, one can find vegetables in **cans**.*

6. Avec du porc, on peut faire **du pâté**.
   *With pork, one can make **pâté**.*

7. Les Français mangent **du saucisson** comme hors-d'œuvre.
   *The French eat **salami** as an hors d'oeuvre.*

8. **Une baguette** est un pain long et fin.
   *A **baguette** is a long, thin loaf of bread.*

9. **Les croissants** sont bons au petit déjeuner.
   ***Croissants** are good at breakfast.*

10. **Les biscottes** sont bonnes quand on fait un régime.
    ***Crackers** are good when you are dieting.*

11. Le pâtissier fait **des éclairs** et **des gâteaux**.
    *The pastry chef bakes **éclairs** and **cakes**.*

12. Avec du lait on fait **du beurre** et **de la crème**.
    *One makes **butter** and **cream** from milk.*

13. On peut choisir **une glace** au chocolat ou à la vanille.
    *You can choose chocolate or vanilla **ice cream**.*

14. La poule pond **des œufs**.
    *Chickens lay **eggs**.*

Attention!   One says **un œuf** [œf] but **des œufs** [ø]. The same is true for **un bœuf** [bœf], **des bœufs** [bø]:

Qui vole **un œuf** vole **un bœuf**.
He who steals a little may steal a lot.

On ne fait pas d'omelette sans casser **les œufs.**
*You can't make an omelette without cracking **eggs**.*

Allons plus loin: A l'Euromarché

Etudiez le vocabulaire.

la boucherie *butcher's shop*
le boucher/la bouchère *butcher*
la charcuterie *delicatessen*
le charcutier/la charcutière *pork butcher*
la tranche de jambon *slice of ham*
un morceau *a piece*
la saucisse *sausage*
la poissonnerie *fish market*
le poissonnier/la poissonnière *fishmonger*
les huîtres (*f. pl.*) *oysters*
les crevettes (*f. pl.*) *shrimp*
les escargots (*m. pl.*) *snails*
la boulangerie *bakery*
le boulanger/la boulangère *baker*

une brioche *brioche (breadlike pastry)*
la crémerie *dairy store*
le crémier/la crémière *dairy keeper*
la boîte de lait écrémé *container of skim milk*
l'épicerie (*f.*) *grocery store*
l'épicier/l'épicière *grocer*
l'huile (*f.*) *oil*
le vinaigre *vinegar*
le riz *rice*
les pâtes (*f. pl.*) *pasta*
la caisse *cashier, cash register*
il faut (*+ infinitive*) *it is necessary (to do something)*
payer *to pay*

TRAVAUX PRATIQUES ✦·✦

A. Lisez (*read*) et comprenez.

A l'Euromarché

Ce n'est pas un supermarché, c'est un hypermarché. Du côté de l'alimentation, on peut acheter de la viande à l'étalage de la boucherie. Le boucher va couper la viande comme vous la désirez: des côtelettes, un rôti ou de la viande hachée. A la charcuterie,[2] le charcutier prépare un rôti de porc, des tranches de jambon, un morceau de pâté, des saucisses ou du saucisson.

   A la poissonnerie, le poissonnier va choisir le poisson, les huîtres, les crevettes ou les escargots que vous désirez. A la boulangerie, le boulanger va vous donner du pain, des croissants, des brioches ou un paquet de biscottes. ☞

Un hypermarché: Faisons le marché!

---

[2] The preposition **à** + *definite article* + *place* indicates *to* or *at a place* or *place of business*:
   Je vais **à la boulangerie**.   *I am going **to the bakery**.*
   A l'épicerie on peut acheter du sel.   *You can buy salt **at the grocery store**.*
   Chez + *person (noun or pronoun)* indicates *to* or *at the person's home* or *place of business*:
   Je vais **chez mon frère**.   *I'm going **to my brother's house**.*
   Je vais **chez lui**.   *I'm going **to his place**.*
   Thus you may say « Je vais **chez le boulanger** » or « Je vais **à la boulangerie**. »

A la crémerie, le crémier peut vous donner une boîte de lait écrémé, un pot de crème, du fromage ou des pâtes. A son étalage, le marchand de légumes a un grand choix de légumes et de fruits de saison. Vous pouvez les acheter à la livre ou au kilo.

A l'épicerie, vous pouvez trouver du sel, du poivre, de la moutarde, de l'huile, du vinaigre, du café, du chocolat, du riz ou des boîtes de conserve.

Et maintenant, il faut passer à la caisse pour payer.

 B. Maintenant posez des questions à votre partenaire:

1. A quel étalage peut-on acheter de la viande?
2. Que pouvez-vous acheter à la charcuterie?
3. Que peut-on acheter à la poissonnerie?
4. Que peut vous donner le boulanger?
5. Que peut vous donner le crémier?
6. Qu'y a-t-il à l'étalage des légumes?
7. Que pouvez-vous trouver à l'épicerie?
8. Où faut-il passer pour payer?

C. *You are going to prepare a first-rate meal. The following stores contain some of the items you will need. Identify the store by using either* **chez** *or* **à la**.

Comme hors-d'œuvre je vais acheter du pâté et du saucisson chez _____. Comme viande je vais choisir du bœuf à la _____. J'aime les asperges et les pommes de terre et je vais les acheter chez _____. Je vais servir du fromage et je vais l'acheter à la _____. Comme dessert je préfère une tarte. Je vais choisir une bonne tarte chez _____.

NOTE DE GRAMMAIRE 31

L'article partitif

1. The partitive article expresses the notion of quantity. It is not always expressed in English, but it is always required in French. The partitive is formed by the preposition **de** plus a form of the definite article (**le**, **la**, or **les**). It agrees in gender and number with the noun it limits:

Je prends **du** pain.   Je voudrais **de la** saucisse.
Tu donnes **de l'**argent.   Elles mangent **des** tomates.

If the noun, regardless of gender, begins with a vowel or a mute **h**, use **de l'**:

J'ai **de l'**argent (*m.*).   Je bois **de l'**eau (*f.*).

2. The partitive limits the quantity to *some* or *a part* of a whole:

Prenez **du** pain!   *Take **some** bread.*
Voici **du** gigot.   *Here's **some** leg of lamb.*
C'est **de l'**agneau avec **des** haricots. *It's lamb with green beans.*
Nous avons **du** fromage.   *We have (**some**) cheese.*

3. The partitive, denoting *some*, may be contrasted with the definite article when it is used to mean *this item in general*:

PARTITIVE	GENERAL
Je bois **du** lait. (*some milk*)	J'aime **le** lait.[3] (*milk in general* or *this milk*)
Je bois **de l'**eau. (*some water*)	J'aime **l'**eau. (*water in general*)
J'ai **de l'**argent. (*some money*)	J'aime **l'**argent. (*money in general*)
Je désire **des** pommes. (*some apples*)	J'aime **les** pommes. (*apples in general*)
« Michelle, ma belle, sont **des** mots qui vont très bien ensemble. »	Oui, ce sont **les** plus beaux mots de la langue française.

4. The partitive allows the French speaker to convey precise meaning and to form subtle distinctions that are usually only implied in English. Note the following example:

Les chiens sont **des** animaux.

In this case the partitive expresses that there are other members of the animal kingdom:

(***All***) *dogs are* (***some***) *animals.*

5. After a negative expression, the partitive article becomes **de** or **d'**. It conveys the idea of *any*, although this word is sometimes omitted in English:

Je n'ai pas **d'**argent.	*I don't have (**any**) money.*
Je ne mange pas **de** pain.	*I don't eat bread.*

Veux-tu **du** pâté?
Oui, je veux **du** pâté.
Non, je ne veux pas **de** pâté.

Prenez-vous **des** huîtres?
Oui, je prends **des** huîtres.
Non, je ne prends pas **d'**huîtres.

Le garçon a-t-il **de la** bière?
Oui, il a **de la** bière.
Non, il n'a pas **de** bière.

6. Remember that **un** or **une** before a singular noun becomes **de** after a negative expression:

Voulez-vous **un** croissant?
Oui, je veux **un** croissant.
Non, je ne veux pas **de** croissant.   ☞

---

[3] The definite article is used with **aimer** because the verb implies a generalization. This is also true of the verbs **préférer**, **détester**, **adorer**, and similar terms:

Robert déteste **le** football, mais il adore **le** basket.   *Robert hates soccer, but he loves basketball.*

Donne-t-il **un** jus de pamplemousse?
Oui, il donne **un** jus de pamplemousse.
Non, il ne donne pas **de** jus de pamplemousse.

Simples substitutions

A. *Dogs are only one species of animal. Onions are only one type of vegetable.*

1. *Les chiens* sont des animaux. (*Les chats, Les vaches, Les chevaux, Les éléphants, Les lions, Les tigres*)
2. *Les oignons* sont des légumes. (*Les asperges, Les petits pois, Les pommes de terre, Les carottes, Les artichauts*)

Exercices de transformation

B. Modèle: Voulez-vous *du gigot?*
Oui, je veux du gigot.
Non, je ne veux pas de gigot.

(*des haricots, du fromage, de la salade, du porc, du veau, des légumes*)

C. Modèle: Désirez-vous des pommes frites?
Oui, je désire des pommes frites.
Non, je ne désire pas de pommes frites.

(*des cerises, des petits pois, de l'eau, de la viande, des citrons*)

D. *Imagine that you are in a restaurant where nothing you and your friends want is available.*

Modèle: Jean demande du bœuf.
Il n'y a pas de bœuf.

1. Henry veut des oignons.
2. Ma sœur désire de la bière.
3. La mère veut manger des fraises.
4. Mon oncle et ma tante prennent du veau.
5. On veut boire du vin.

TRAVAUX PRATIQUES •◦

*Working with several classmates, assume that you are a waiter (**un garçon**) or a waitress (**une serveuse**) in a restaurant. Take your classmates' orders. Take turns until each person has acted as server.*

NOTE DE GRAMMAIRE 32
Il est/C'est

1. **Il/Elle est** and **ils/elles sont** are used in the following situations:

   a. With an adjective:

Elle est belle.	***She is*** *beautiful.*
Ils sont nouveaux.	***They are*** *new.*

   b. With an unmodified profession, religion, or nationality. Note that the definite article is not used in these cases:

Il est pharmacien.	***He is*** *a pharmacist.*
Elles sont pharmaciennes.	***They are*** *pharmacists.*
Elle est catholique.	***She's*** *Catholic.*
Ils sont américains.	***They are*** *Americans.*

   c. With **être** followed by a preposition:

Ils sont dans un avion.	***They are*** *in an airplane.*
Elle est avec ses amis.	***She's*** *with her friends.*

2. **Ce + être** is used in the following situations:

   a. With a proper noun:

Ce sont les Fourchet.	***It's*** *the Fourchets.*
C'est Nicole.	***It's*** *Nicole.*

   b. With a tonic (stressed) pronoun:

C'est lui qui fait le travail.	***It is*** *he who does the work.*
Ce sont eux qui vont venir.	***It is*** *they who are going to come.*

   c. With a modified profession, religion, or nationality. Note that in these cases the indefinite article is used:

C'est une bonne étudiante.	***She's*** *a good student.*
C'est une femme sympathique.	***She's*** *a nice woman.*
Ce sont de jeunes Français.	***They're*** *young French people.*

   d. To refer to a previous statement:

Faire du ski en hiver, **c'est** amusant.	*Skiing in the winter **is** fun.*
Parler français, **ce n'est** pas difficile.	*Speaking French **is** not difficult.*

   e. With questions or negative expressions:

Est-ce Robert qui arrive en retard?	***Is it*** *Robert who arrives late?*
Non, **ce** n'**est** pas lui.	*No, **it is** not he.*
Qui **est-ce** alors?	*Then who **is** it?*

TRAVAUX PRATIQUES

*Complete the sentences with the correct pronoun—***il/elle** *ou* **ce**:

Marguerite va faire des courses. _____ est contente d'aller au supermarché. _____ est un grand supermarché. _____ est avec Mme Cornet. _____ est une personne très sympathique. Mme Cornet aide Marguerite à s'habituer à la vie française; _____ est son désir.

Le mari de Mme Cornet est dentiste. _____ est son infirmière et sa secrétaire. _____ sont les parents de Chantal et Daniel.

NOTE DE GRAMMAIRE 33

Le passé composé avec **avoir**

1. The **passé composé** is used to express an action completed in the past:

J'ai voyagé en France l'année dernière.	*I **traveled** in France last year.*
Tu as fini le chapitre six la semaine passée.	*You **finished** chapter six last week.*
Nous avons dîné chez les Fourchet hier.	*We **had dinner** at the Fourchets' yesterday.*
Elles ont vu Nicole il y a une heure.[4]	*They **saw** Nicole an hour ago.*

2. The **passé composé** consists of a conjugated form of the auxiliary verb **avoir** + a past participle.

3. The past participle of a regular verb is formed by adding the appropriate ending to the stem used to form the present indicative:

	STEM		ENDING		PAST PARTICIPLE
-er VERBS	parl-	+	**-é**	=	parlé
	regard-	+	**-é**	=	regardé
-ir VERBS	fin-	+	**-i**	=	fini
	réuss-	+	**-i**	=	réussi

4. The **passé composé** of **parler** and **finir** is formed as follows:

AUXILIARY VERB	+	PAST PARTICIPLE	AUXILIARY VERB	+	PAST PARTICIPLE
j'ai		parlé	j'ai		fini
tu as		parlé	tu as		fini
il a		parlé	il a		fini
elle a		parlé	elle a		fini
on a		parlé	on a		fini

[4] **Il y a** preceding an expression of time means *ago*.

AUXILIARY VERB	+	PAST PARTICIPLE	AUXILIARY VERB	+	PAST PARTICIPLE
nous avons		parlé	nous avons		fini
vous avez		parlé	vous avez		fini
ils ont		parlé	ils ont		fini
elles ont		parlé	elles ont		fini

This tense translates these ways in English:

J'ai parlé français.   *I* ***spoke*** *French./I* ***have spoken*** *French./I* ***did speak*** *French.*

J'ai fini le livre.   *I* ***finished*** *the book./I* ***have finished*** *the book./I* ***did finish*** *the book.*

5. Here are some verbs you know that take **avoir** as an auxiliary verb:

-er VERBS

acheter	consulter	garder	manger	remarquer
appeler	couper	héberger	oublier	répéter
apporter	décider	identifier	parler	serrer
chercher	déjeuner	intimider	préférer	trouver
chuchoter	écouter	jeter	ramasser	voler
compter	espérer	loger	regarder	voyager

-ir VERBS

agir	grandir	obéir	réussir
choisir	grossir	rajeunir	vieillir
finir	maigrir	remplir	

6. Some verbs have irregular past participles. Because these past participles do not follow a predictable pattern, they must be learned separately. It's easier to remember them by noticing similar tendencies:

INFINITIVE	PAST PARTICIPLE	INFINITIVE	PAST PARTICIPLE
appartenir	appartenu	pleuvoir	plu
maintenir	maintenu	pouvoir	pu
obtenir	obtenu	savoir	su
tenir	tenu	vouloir	voulu
apprendre	appris	avoir	eu
comprendre	compris	être	été
prendre	pris		
surprendre	surpris		
croire	cru		
prévoir	prévu		
voir	vu		

☞

Note that **avoir** and **être** take **avoir** as the auxiliary verb:

> **J'ai eu** le livre.
> **J'ai été** en retard.

7. Questions are formed as usual:

> **As-tu fini** le livre hier soir?
> **Est-ce que tu as fini** le livre hier soir? } ***Did you finish*** *the book last night?*
> **Tu as fini** le livre hier soir?

Negations are formed by adding **ne** before and **pas** after the auxiliary verb:

Non, **je n'ai pas fini** le livre.	No, ***I didn't finish*** *the book.*
Non, **elle n'a pas acheté** de nouvelle robe.	No, ***she didn't buy*** *a new dress.*

Simples substitutions

A. *Moving into a new home, one wants to settle in comfortably.*

1. *J'ai été* dans la chambre. (*Nous avons été, Vous avez été, Tu as été, Elle a été, Ils ont été*)
2. *Elle a décidé* de prendre une douche. (*Tu as décidé, Nous avons décidé, J'ai décidé, Vous avez décidé, Ils ont décidé*)
3. *Nous avons pris* une serviette. (*Tu as pris, Elle a pris, Ils ont pris, Vous avez pris, J'ai pris*)
4. *Vous avez eu* du shampooing. (*Tu as eu, Ils ont eu, Elle a eu, Nous avons eu, J'ai eu*)

A la charcuterie

Exercices de transformation

B. *Tell about a trip to France in the past tense.*

Modèle: Je suis à Paris.
J'ai été à Paris.

1. Nous sommes en France.
2. Les chauffeurs de taxi sont impatients.
3. Tu es content.
4. Vous êtes chez vous.
5. Robert est fatigué après le voyage.

C. *Describe a vacation.*

Modèle: Vous avez congé.
Vous avez eu congé.

1. Tu as de l'argent.
2. Vous achetez des billets.
3. Nous choisissons un itinéraire.
4. Vous voyagez par le train.
5. Vous visitez les châteaux de la Loire.

D. *Describe a meal in a restaurant.*

Modèle: Je trouve un autre restaurant.
J'ai trouvé un autre restaurant.

1. Nous cherchons une table.
2. Le garçon apporte le menu.
3. Nous choisissons le repas.
4. On remplit les verres.
5. On finit les dîners.

E. *Did this trip to the zoo take place?*

Modèle: Mme Fourchet et Marguerite ont été au zoo [zo].
Mme Fourchet et Marguerite n'ont pas été au zoo.

1. On a vu beaucoup de monde.
2. Le lion a mangé la viande.
3. Nous avons vu les éléphants.
4. On a surpris les tigres.
5. Elles ont oublié de regarder les serpents.

F. *It's gratifying to succeed in each of the following areas. Working with a partner, take turns asking the following questions and answering in the affirmative.*

Modèle: Ont-ils réussi à apprendre le français?
Oui, ils ont réussi à apprendre le français.

1. Avons-nous parlé français?
2. Est-ce que j'ai fini le chapitre?
3. Avez-vous compris les exercices?
4. Ont-ils obéi au professeur?
5. Avez-vous réussi à vos examens?

G. *Confirm and then deny the changes among family members.*

Modèle: L'enfant a-t-il grandi cette année?
    Oui, l'enfant a grandi cette année.
    Non, l'enfant n'a pas grandi cette année.

1. La mère a-t-elle rajeuni?
2. Le père a-t-il grossi?
3. Le grand-père a-t-il beaucoup vieilli?
4. L'oncle et la tante ont-ils maigri?
5. Les cheveux de la grand-mère ont-ils blanchi?

H. *Did you or didn't you? Answer accordingly.*

Modèle: Avez-vous pris du café après votre repas?
    Oui, j'ai pris du café.
    Non, je n'ai pas pris de café. J'ai pris du thé.

1. Avez-vous obtenu de bonnes notes au dernier examen?
2. Avez-vous prévu correctement le temps d'aujourd'hui?
3. Avez-vous pris des vitamines ce matin?
4. A quel âge avez-vous appris à conduire?
5. Avez-vous tenu toutes vos promesses jusqu'à ce jour?

NOTE DE GRAMMAIRE 34

Les pronoms d'objet direct et le passé composé

1. When the **passé composé** is formed with the auxiliary verb **avoir**, the past participle agrees in gender and number with any direct object that precedes it:

A-t-elle servi **le dessert**?	Oui, elle **l'**a servi.
As-tu vu **la voiture**?	Oui, je **l'**ai vu**e**.
Ont-ils mangé **les pommes**?	Oui, ils **les** ont mang**ées**.
As-tu fini **les devoirs**?	Oui, je **les** ai fini**s**.

2. In most cases, this agreement changes the written form but does not affect pronunciation:

As-tu monté **les valises**?   Oui, je **les** ai mont**ées**.

But when a past participle ends with a consonant, the addition of the feminine ending **-e** or **-es** will change the pronunciation of the participle. Contrast the following:

Le scénario? Il **l'**a compris.
Les chapitres? Il **les** a compris.
La leçon? Il **l'**a compris**e**.

Le repas? Il **l'**a fait.
La rencontre? Il **l'**a fait**e**.
Les rencontres? Il **les** a fait**es**.

3. In the negative and the interrogative, the direct object pronoun directly precedes the auxiliary **avoir**:

As-tu vu **la photo**?
Oui je **l'**ai vu**e**.
Non, je **ne l'**ai **pas** vu**e**.

Il a cherché **le billet**.
Est-ce qu'il **l'**a cherché?
L'a-t-il cherché?

4. When an infinitive follows a verb in the **passé composé**, the direct object pronoun usually precedes the infinitive, which it logically complements:

As-tu pu conduire **la voiture**?
Oui, j'ai pu **la** conduire.
Non, je n'ai pas pu **la** conduire.

Exercices de transformation

A. *M. Fourchet goes shopping.*

Modèle: Il a acheté *le savon.*
  Il l'a acheté.

1. Il a choisi *le fromage.*
2. Le crémier a donné *le lait.*
3. La boulangère a fait *le pain.*
4. Le boucher a coupé *le veau.*
5. M. Fourchet a acheté *le paquet de riz.*

B. Modèle: M. Fourchet a pris *la viande.*
  M. Fourchet l'a prise.

1. Il a vérifié *sa liste.*
2. Le charcutier a coupé *la saucisse.*
3. L'épicière a trouvé *l'eau minérale.*
4. M. Fourchet a vu *la baguette.*
5. Il a acheté *la moutarde.*

C. *Taking a trip.*

Modèle: Vous avez fait *les valises.*
  Vous les avez faites.

1. Nos parents ont acheté *nos billets.*
2. On a visité *les vieilles églises.*
3. Nous avons vu *les châteaux.*
4. Tu as regardé *les chevaux.*
5. Nous avons consulté *les horaires.*

Elle choisit une baguette.

D. *We did or did not have this meal. The service was not the best.*

Modèle: As-tu appelé *le garçon?*
          Oui, je l'ai appelé.
          Non, je ne l'ai pas appelé.

1. A-t-il apporté *le menu?*
2. Avez-vous fait *votre choix?*
3. A-t-elle commandé *le repas?*
4. A-t-il rempli *nos assiettes?*
5. Avons-nous choisi *nos boissons?*

E. *We did or did not see these things.*

Modèle: A-t-il regardé *le paysage?*
          Oui, il l'a regardé.
          Non, il ne l'a pas regardé.

1. Avons-nous vu *l'église?*
2. As-tu pris *la photo du pont?*
3. A-t-il regardé *les animaux?*
4. Avez-vous vu *les grands arbres?*
5. Nos amis ont-ils admiré *les fleurs?*

NOTE DE GRAMMAIRE 35

Le verbe **boire**

The verb **boire** (*to drink*) is irregular:

je **bois**	nous **buvons**
tu **bois**	vous **buvez**
il **boit**	ils **boivent**
elle **boit**	elles **boivent**
on **boit**	

IMPERATIF: **bois! buvons! buvez!**   PASSE COMPOSE: j'**ai bu**

Je bois souvent de l'eau parce que   *I often **drink** water because it's good for*
   c'est bon pour la santé.   *my health.*
Elle a bu du café ce matin.   ***She drank** coffee this morning.*

Simples substitutions

A. 1. *Je bois du lait. (Tu bois, Nous buvons, Ils boivent, On boit, Vous buvez)*
   2. *Tu ne bois pas de vin. (Nous ne buvons pas, Vous ne buvez pas, Elle ne boit pas,*
      Je ne bois pas, Ils ne boivent pas)
   3. *Nous avons bu du thé. (Elles ont bu, J'ai bu, Vous avez bu, Tu as bu, On a bu)*

Exercice de transformation

B. 1. Bois-*tu* souvent? (*Est-ce que je, nous, vous, elle, ils*)
    2. *Tu* n'as pas bu ton apéritif. (*Vous, Nous, On, Je, Les garçons*)

TRAVAUX PRATIQUES

 A. Passons à table.

1. A quelle heure avez-vous faim?
2. A quelle heure déjeunez-vous?
3. A quelle heure prenez-vous le dîner?
4. Que buvez-vous quand vous avez soif?
5. Boit-on du vin à table généralement chez vous?
6. Aimez-vous le fromage?
7. Quel dessert préférez-vous?
8. Généralement, en quelle saison mange-t-on des tomates?
9. Prenez-vous du sucre dans votre café?
10. Quelle viande préférez-vous?
11. Allez-vous souvent au restaurant?
12. Que commandez-vous généralement?
13. Etes-vous content(e) du prix des repas?
14. Qui fait la cuisine chez vous?
15. Chez vous, mangez-vous dans la cuisine ou dans la salle à manger?

 B. A vous maintenant!

1. Demande à ＿＿＿ de te parler de son repas favori.
2. Demande à ＿＿＿ quels sont ses légumes préférés.
3. Demande à ＿＿＿ ce qu'on peut acheter chez le charcutier.
4. Demande à ＿＿＿ quelle boisson il préfère avec ses repas. Et entre les repas?
5. Demande à ＿＿＿ quand on porte un toast.
6. Demande à ＿＿＿ s'il a déjà mangé de la viande de cheval.
7. Demande à ＿＿＿ où on peut acheter des boîtes de conserve.
8. Demande à ＿＿＿ s'il préfère les légumes frais ou en boîtes de conserve.
9. Demande à ＿＿＿ quels ingrédients sont nécessaires pour faire une salade.

 C. « Le message » de Jacques Prévert

Jacques Prévert est né à Neuilly-sur-Seine en 1900. En 1915 il
quitte l'école pour **gagner** sa vie. En 1925 il rencontre des poètes   *earn*
surréalistes et en 1930 il publie ses premiers textes. Ensuite il
écrit des scénarios de films et quelques-unes de ses chansons   *writes*
5 commencent à être connues. Il continue à écrire des poèmes, y
compris **le recueil** *Paroles* en 1946, **jusqu'à** sa mort en 1977.   *collection / until*

As a classmate reads the following poem, you and a partner should mime each action.
Use your dramatic skills.

La porte que **quelqu'un** a ouverte	*someone*
La porte que quelqu'un a refermée	
La chaise où quelqu'un **s'est assis**	*sat*
Le chat que quelqu'un a caressé	
5 Le fruit que quelqu'un **a mordu**	*has bitten*
La lettre que quelqu'un **a lue**	*has read*
La chaise que quelqu'un **a renversée**	*has knocked over*
La porte que quelqu'un a ouverte	
La route où quelqu'un **court** encore	*runs*
10 **Le bois** que quelqu'un traverse	*The woods*
La rivière où quelqu'un se jette	*The river*
L'hôpital où quelqu'un est mort.	

JACQUES PREVERT, *Paroles*
(Paris: Gallimard, 1949)

Questions

1. Qu'est-ce que quelqu'un a fait?
2. Où est-ce qu'on s'est assis?
3. Qu'est-ce qu'on a fait au chat?
4. Qu'est-ce qu'on a mordu?
5. Qu'est-ce qu'on a lu?
6. Qu'est-ce qu'on a renversé?
7. Qu'est-ce qu'on a ouvert?
8. Où court-on encore?
9. Qu'est-ce qu'on traverse?
10. Où se jette-t-on?
11. Où est-on mort?

MICROLOGUE: **Le petit déjeuner**

C'est le matin: **le réveil sonne** et Nicole **se lève**. Qu'est-ce qu'elle fait **tout d'abord**? Elle va dans la cuisine pour **faire chauffer** du lait pour le petit déjeuner. **Puis** elle **coupe quelques** tranches de pain, et si elle a le temps, elle les **fait griller** ou bien elle **met** simplement du beurre et de **la confiture** sur le pain. Dans le bol, elle **ajoute** du café ou du chocolat et elle a **un vrai festin**. Mais **il faut que Nicole se dépêche**, **sinon** elle va arriver en retard en classe.

the alarm clock rings / gets up
first of all / heat
Then / cuts
some / toasts
puts on / jam
adds
a real feast / Nicole has to hurry / if not

Un petit-déjeuner typiquement français

Questions

1. Que fait Nicole quand le réveil sonne?
2. Quand prend-elle le petit déjeuner?
3. Où va-t-elle pour le petit déjeuner?
4. Que fait-elle chauffer?
5. Que fait-elle avec le pain?
6. Si elle a le temps, que fait-elle?
7. Que met-elle sur le pain?
8. Qu'est-ce qu'elle peut ajouter au lait?
9. Pourquoi faut-il que Nicole se dépêche?

TRAVAUX PRATIQUES

Décrivez (*describe*) un petit déjeuner typiquement américain.

LECTURE: **La famille**

PETER: J'ai l'impression dans ma famille qu'on ne désire pas
me parler. On regarde toujours la télévision **pendant** le repas   *during*
du soir.
LE PROFESSEUR: **Tant mieux, tu peux apprendre beaucoup**   *So much the better,*
                                                                           you can learn a lot
5   de cette famille. Apprends à connaître tout de suite **les ha-**   *the habits*
bitudes de ta famille et même ses **manies**. Regarder la télé,   *idiosyncracies*
c'est une manie comme une autre. **Adapte-toi** complètement   *Adapt yourself*
à la vie de cette famille et **tout ira pour le mieux. Même si**   *all will be for the best /*
cela te paraît d'abord difficile, organise ta vie sur **l'horaire** de   *Even if / the schedule*
10   ta famille. Prends ton petit déjeuner et les autres repas avec
les membres de la famille, si possible.
ELEANOR: Pouvez-vous faire le portrait du Français moyen?
LE PROFESSEUR: Je vais essayer. **D'une part**, le Français aime   *On the one hand*
l'ordre, la précision, l'exactitude. **D'autre part**, il aime manger   *On the other hand*
15   la bonne cuisine et **goûter** le bon vin.   *taste*
JESSE: Il semble aimer la politique.
LE PROFESSEUR: Il adore la politique et la discussion, mais il
déteste les politiciens!

Questions

1. Qu'est-ce qu'on apprend à connaître tout de suite?
2. Comment un Américain organise-t-il sa vie en France?
3. Quelles qualités le Français moyen aime-t-il?
4. Aime-t-il la bonne cuisine?
5. Aime-t-il le bon vin?
6. Aime-t-il la politique?
7. Aime-t-il les politiciens?

Création et récréation

A. Choose a famous person from the past, someone everyone in your class has
probably heard of. Give clues to the person's identity without naming him or
her. Phrase the majority of your clues in the **passé composé** and use appropriate
adverbs.

Start with very general clues; then move to more specific ones. After each
clue, ask a different fellow student: **Qui suis-je?** If you give ten clues without
being correctly identified, your fellow students (and professor) must start asking
you questions (again, mostly in the **passé composé**). You may answer their
questions only with **oui** or **non**. Follow this example:

Voltaire (*based on the* **micrologue** *about Voltaire in* **Chapitre 6**)

Clues

1. Je suis français.
2. Pendant ma vie, j'ai beaucoup écrit.
3. J'ai toujours détesté l'intolérance.
4. Une fois, je suis parti pour l'Angleterre.
5. J'y ai appris certaines bases de la philosophie moderne.
6. Quand je suis rentré en France, j'ai commencé à écrire des satires contre le gouvernement.
7. Une fois, on m'a emprisonné et j'ai passé presque toute une année en prison.
8. Je suis né en seize cent quatre-vingt-quatorze.
9. Je suis mort en dix-sept cent soixante-dix-huit.
10. Pendant ma vie, j'ai représenté l'esprit du « Siècle des Lumières ».

Questions and Answers

1. Etes-vous Rousseau? Non.
2. Avez-vous écrit le conte *Candide*? Oui.
3. Etes-vous Voltaire? Oui.

B. Add a paragraph to your story of Monique and Pierre.

Modèle: *Monique est à table. Elle déjeune avec sa famille américaine et elle est surprise de ne pas voir là son père américain. Elle a une demi-heure pour déjeuner...*

Coup d'œil

OUI   **NON**

_____   31. The partitive construction must be used in French to express the notion of *some*:   _____

         Prenez **du** pain!   Nous buvons **de l'**eau.
         Je voudrais **de la**   La poule pond **des** œufs.
            moutarde.

_____   The French partitive conveys precise meaning and subtle distinctions that are usually only implied in English. For example, in the following sentence, the partitive expresses that dogs are not the only animals in the animal kingdom: _____

         Les chiens sont **des** animaux.   *Dogs are animals.*   ☞

After a negative expression, the partitive becomes **de** or **d'**:

Je ne prends pas **de** pain.	*I'm not having **any** bread.*
Je ne bois pas **d'**eau.	*I don't drink (**any**) water.*

32. Il/Elle est is used with an adjective; an unmodified profession, religion, or nationality; or a preposition:

Elle est belle.
Il est médecin.
Il est catholique.
Elle est américaine.
Elle est avec ses amis.

Ce + être is used with a proper noun; a stressed pronoun; or a modified profession, religion, or nationality. It is also used to refer to a previous statement and with questions or negative expressions:

C'est Nicole.
C'est lui.
C'est une bonne étudiante.
C'est un jeune Français.
Parler français, **c'est** facile.
Est-ce Robert? Non, **ce** n'est pas lui.

33. The **passé composé** is made up of a conjugated form of **avoir** + a past participle:

J'**ai parlé** au professeur.

The past participle of a regular verb is formed by adding the appropriate ending to the stem used to form the present tense. The past participle ending for **-er** verbs is **-é** and for **-ir** verbs is **-i**:

parl**er** → parl**é**
fin**ir** → fin**i**

Some verbs have irregular past participles that must be learned separately: **tenir → tenu, prendre → pris, croire → cru, savoir → su**, and so on.

34. When the **passé composé** is formed with **avoir**, the past participle agrees in gender and number with a preceding direct object:

> Les mères ont identifié **les étudiants**.
> Les mères **les** ont identifi**és**.
>
> Paul a surpris **sa sœur**.
> Paul **l'**a surpris**e**.
>
> Ont-ils fini **les devoirs**?
> Oui, ils **les** ont fini**s**.
>
> Avez-vous vu **les photos**?
> Oui, nous **les** avons **vues**.

In the negative and interrogative forms, the direct object pronoun directly precedes the auxiliary **avoir**:

> A-t-elle acheté **les billets**?
> **Les** a-t-elle achet**és**?
> Est-ce qu'elle **les** a achet**és**?
> Non, elle ne **les** a pas achet**és**.

35. The irregular verb **boire** (*to drink*) is conjugated this way:

je **bois**	nous **buvons**
tu **bois**	vous **buvez**
il **boit**	ils **boivent**
elle **boit**	elles **boivent**
on **boit**	

IMPERATIF: **bois! buvons! buvez!**
PASSE COMPOSE: j'**ai bu**

VOCABULAIRE

VERBE

boire

NOMS

les métiers (voir p 168)
la nourriture (voir pp 166–168)

la boisson
la bouteille
la mousse au chocolat
le vin rouge/blanc

l'aspirine (*f.*)
le dentifrice
le médicament

PRONOM

en

ADJECTIFS

| catholique | juif | protestant |

ADVERBES

| alors | immédiatement |
| encore | tout de suite |

CONJONCTION

mais

EXPRESSIONS UTILES

A votre santé!	par cœur	prendre une douche
A la votre!	par jour	un peu plus tard
mourir de faim	porter un toast	

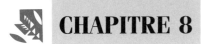

CHAPITRE 8

Robert s'installe

Itinéraire

In this chapter, you'll learn how to identify clothing, and you'll find many adjectives that you can use to describe both people and things. To advance your knowledge of the French language, you'll study more about the position and agreement of adjectives and practice regular **-re** verbs, verbs conjugated like **dormir**, and formation of the **passé composé** with **être**. Toward the end of the chapter, you'll read another poem by Jacques Prévert.

Scénario ....

PREMIERE ETAPE

Robert est dans sa chambre. Mme Fourchet l'aide à s'installer.

MME FOURCHET: J'ai placé tes affaires dans cette armoire.

ROBERT: J'ai cette grande valise, cette petite valise et ce sac de couchage que j'ai perdu et retrouvé finalement.

5 MME FOURCHET: J'ai placé tes chemises dans ce tiroir... tes slips et tes tee-shirts ici... tes mouchoirs et tes chaussettes là. Tu peux faire ta toilette ici.

M. FOURCHET: Robert, tu peux emprunter une de nos mobylettes durant ton séjour. Nicole, montre-lui surtout comment freiner.

ROBERT: Pourquoi insiste-t-il là-dessus?

DEUXIEME ETAPE

Robert est dans sa chambre. Mme Fourchet l'aide à s'installer et à vider ses valises.

MME FOURCHET: J'ai placé tes affaires dans cette armoire. Combien de valises as-tu? Est-ce tout?

ROBERT: Oui. J'ai cette grande valise grise, cette petite valise marron et ce sac de

5 couchage que j'ai perdu et retrouvé finalement.

MME FOURCHET: J'ai placé tes chemises dans ce tiroir... tes slips et tes tee-shirts ici... tes mouchoirs et tes chaussettes là... ton veston et ton imperméable dans la penderie. (*Elle regarde ses valises.*) Vraiment, tu as de jolies valises. Elle sont plus solides que mes valises.

10 ROBERT: Je les aime bien. Ma mère me les a données.

MME FOURCHET: Comme tu as vu, tu as un lavabo. Tu peux faire ta toilette ici et prendre tes douches dans cette salle de bains.

Mme Fourchet et Robert descendent au rez-de-chaussée.

M. FOURCHET: Je pars. Robert, tu peux emprunter une de nos mobylettes durant ton

15 séjour. Nicole va te montrer comment elle marche. Nicole, montre-lui surtout comment freiner.

ROBERT: Pourquoi insiste-t-il là-dessus?

NICOLE: Evidemment si on ne sait pas freiner on peut avoir des problèmes.

Les jeunes gens sortent.

20 MME FOURCHET: (*criant*) Nicole, passe par la boulangerie et achète une baguette, s'il te plaît!

TROISIEME ETAPE

Robert est dans sa chambre. Mme Fourchet l'aide à s'installer et à vider ses valises. Ils mettent sa chambre en ordre.[1]

MME FOURCHET: Tiens, regarde, j'ai placé tes affaires dans cette armoire. Combien de valises as-tu? Est-ce tout?

5   ROBERT: Oui. J'ai cette grande valise grise, cette valise marron et ce sac de couchage que j'ai perdu et retrouvé finalement.

MME FOURCHET: Comme tu vois, j'ai placé tes chemises dans ce tiroir... tes slips et tes tee-shirts ici... tes mouchoirs et tes chaussettes là. J'ai pendu ton veston et ton imperméable dans la penderie.

10   ROBERT: Merci, madame. Et mes cravates? Ah, je les place sur le porte-cravates derrière la porte et je mets cette paire de chaussures sous le lit.

MME FOURCHET: *(Elle regarde ses valises.)* Vraiment, tu as de jolies valises. Elle sont plus solides que mes valises.

ROBERT: Je les aime bien. Ma mère me les a données.

15   MME FOURCHET: Attends avant de descendre! Comme tu as vu, tu as un lavabo. Tu peux faire ta toilette ici et prendre tes douches dans cette salle de bains.

Mme Fourchet et Robert descendent au rez-de-chaussée.

M. FOURCHET: Il est l'heure de retourner à mon bureau. Je pars. Robert, tu peux emprunter une de nos mobylettes durant ton séjour. Nicole va te montrer comment
20   elle marche. Nicole, montre-lui surtout comment freiner.

ROBERT: Pourquoi insiste-t-il là-dessus?

NICOLE: Evidemment si on ne sait pas freiner on peut avoir des problèmes.

Les jeunes gens sortent.

MME FOURCHET: *(criant)* Ne rentrez pas trop tard! Robert a besoin de sommeil.
25   Nicole, passe par la boulangerie et achète une baguette bien cuite pour ce soir, s'il te plaît!

Questions sur le scénario

1. Combien de valises Robert a-t-il et de quelles couleurs sont-elles?
2. Où Mme Fourchet a-t-elle placé les affaires de Robert?
3. Qu'est-ce que Mme Fourchet a pendu dans la penderie?
4. Où Robert place-t-il ses cravates et ses chaussures?
5. Pourquoi Robert aime-t-il bien ses valises?
6. Où Robert peut-il faire sa toilette?
7. Pourquoi M. Fourchet part-il?

---

[1] The opposite is **mettre en désordre**.

8. Robert peut emprunter une mobylette. Qu'est-ce que Nicole va lui montrer?
9. Pourquoi Mme Fourchet crie-t-elle: « Ne rentrez pas trop tard! »?
10. Pourquoi faut-il que Nicole passe par la boulangerie?

COIN CULTUREL: Taille et pointure (*Clothing and shoe sizes*)

Compare clothing and shoe sizes in France and the United States.

VETEMENTS

F	36	38	40	42	44	46	48
USA	8	10	12	14	16	18	20

BAS ET COLLANTS

F	1	2	3	4	5
USA	$8\frac{1}{2}$	9	$9\frac{1}{2}$	10	$10\frac{1}{2}$

CHAUSSURES FEMMES

F	$35\frac{1}{2}$	36	$36\frac{1}{2}$	37	$37\frac{1}{2}$	38	39
USA	4	$4\frac{1}{2}$	5	$5\frac{1}{2}$	6	$6\frac{1}{2}$	$7\frac{1}{2}$

COSTUMES

F	36	38	40	42	44	46	48
USA	35	36	37	38	39	40	42

CHEMISES

F	36	37	38	39	40	41	42
USA	14	$14\frac{1}{2}$	15	$15\frac{1}{2}$	16	$16\frac{1}{2}$	17

CHAUSSURES HOMMES

F	39	40	41	42	43	44	45
USA	6	7	$7\frac{1}{2}$	$8\frac{1}{2}$	9	10	11

Gestes

1. The French express absolute denial with a back-and-forth movement of one or both hands, palms down, accompanied most likely by « **Non, pas du tout!** » or « **Mais non!** »

2. Also, brisk movement of the hand, palm down, is a sign to stop. The person may say: « **Alors, je ne dis plus rien!** »

« Alors, je ne dis plus rien! »

Proverbes

Des goûts et des couleurs il ne faut pas disputer. ⎱
Chacun à son goût. ⎰ *To each his own.*

VOCABULAIRE ILLUSTRE: Vêtements de femme

des lunettes de soleil

des gants

un foulard

une blouse

un bracelet

un sac

un tailleur { une veste
une jupe

un manteau

un collant

des bottes

une robe de soie *silk dress*	un cardigan *cardigan*
une robe de coton *cotton dress*	un chemisier *blouse*
une robe de nylon *nylon dress*	un soutien-gorge *bra*
des gants (*m. pl.*) de cuir *leather gloves*	un slip *panties*
des gants de laine *wool gloves*	une combinaison *slip*
un chandail *sweater*	des bas (*m. pl.*) *stockings*
un pull-over *pullover*	un collant *pantyhose*

VOCABULAIRE ILLUSTRE: Vêtements d'homme

un blazer   *blazer*
un gilet   *vest*
un jean   *jeans*
une ceinture   *belt*
des bretelles (*f. pl.*)   *suspenders*

un slip   *briefs*
un blouson en cuir   *leather jacket*
des sandales (*f. pl.*)   *sandals*
un pyjama   *pajamas*

Allons plus loin: Le sac de voyage de Marguerite

Etudiez le vocabulaire.

emporter *to take*	des tennis (*m. pl.*) *sneakers*
mignon *cute*	offrir *to offer*
un maillot de bain *bathing suit*	une trousse de toilette *toilet kit*
un deux pièces *a bikini*	des produits de soins solaires (*m. pl.*)
rayé *striped*	*suncare products*
imprimé fleurs *floral print*	un lait solaire *tanning lotion*
nager *to swim*	attraper un coup de soleil *to get a sunburn*
bronzer *to suntan*	bien sûr *of course*
un petit chemisier *campshirt*	un rouge à lèvres *lipstick*
un débardeur *tank top*	un vermis à ongles *nail polish*

TRAVAUX PRATIQUES ●•

Etudiez et comprenez.

Marguerite espère faire du sport en France. Dans son sac de voyage elle a emporté un deux pièces très mignon pour se bronzer et un maillot de bain pour nager. Elle a aussi plusieurs shorts: l'un est rayé, un autre est imprimé à fleurs et un troisième est pour faire du tennis. Elle peut les porter avec un petit chemisier ou des débardeurs de toutes les couleurs. Elle a plusieurs paires de socquettes de différentes couleurs et naturellement elle n'a pas oublié ses tennis. Son père vient de lui offrir une nouvelle raquette.

Dans sa trousse de toilette, elle a des produits de soins solaires: un lait solaire pour pouvoir s'exposer au soleil sans attraper de coup de soleil et une crème de soins après soleil. Bien sûr, elle a son rouge à lèvres, son mascara, son vernis à ongles et son eau de toilette favorite.

Maintenant, posez les questions suivantes à un(e) autre étudiant(e):

1. Qu'est-ce que Marguerite espère faire en France?
2. Qu'est-ce qu'elle a emporté pour se bronzer et nager?
3. Décrivez ses shorts.
4. Qu'est-ce que son père vient de lui offrir?
5. Qu'y a-t-il dans sa trousse de toilette?
6. Avant de s'exposer au soleil, que faut-il mettre sur son visage?
7. Et vous, qu'emportez-vous dans votre sac de voyage?

NOTE DE GRAMMAIRE 36

Position des adjectifs

1. You have already seen that certain common French adjectives precede the nouns they modify. However, most adjectives in French follow the noun. Most adjectives that follow the noun:

a. Describe colors:

Adam a mangé une pomme **rouge.**	*Adam ate a **red** apple.*
Le champion porte un maillot **jaune.**	*The champion is wearing a **yellow** T-shirt.*

b. Describe nationality:

La Porsche est une voiture **allemande.**	*The Porsche is a **German** car.*
Québec est une ville **canadienne.**	*Quebec is a **Canadian** city.*

c. Describe religion:

La France est un pays **catholique.**	*France is a **Catholic** country.*

d. Describe physical qualities such as shape:

Arthur est le roi des Chevaliers de la Table **Ronde.**	*Arthur is the king of the Knights of the **Round** Table.*
Quand on a froid, on boit du café **chaud.**	*When one is cold, one drinks **hot** coffee.*
Elle a les cheveux **frisés** et **courts.**	*She has **short, curly** hair.*
Il a les dents **pointues** et un visage **carré.**	*He has **pointy** teeth and a **square** face.*

e. Are longer than the noun they modify:

Nous étudions un livre **intéressant.**	*We are studying an **interesting** book.*

f. Are derived from past participles:

La présidente est une personne **distinguée.**	*The president is a **distinguished** person.*

2. The colors in French are as follows:[2]

rouge	*red*	blanc/blanche	*white*
orange	*orange*	noir(e)	*black*
jaune	*yellow*	brun(e)	*brown*
vert(e)	*green*	marron	*brown*
bleu(e)	*blue*	gris(e)	*gray*
violet(te)	*violet*	bordeaux	*maroon*

Hair colors include:

blond(e)	*blond(e)*
roux/rousse	*reddish brown*
châtain(e)	*chestnut brown*

---

[2] To form the plural, add **-s**: **des yeux bleus**, **trois maisons grises**. But note that colors named for objects (**orange**, **marron**) are invariable: **de jolies fleurs orange**.

Exercice de compréhension

Listen and understand.

1. Les feuilles (*leaves*) sont vertes en été. Elles sont rouges ou jaunes ou brunes en automne.
2. Le drapeau américain et le drapeau français ont les mêmes couleurs: bleu, blanc, rouge.
3. Marguerite est une grande jeune fille brune aux yeux marron.
4. Nicole est de taille moyenne. C'est une blonde frisée aux yeux bleus.
5. Robert est châtain clair aux yeux gris bleu.[3]

TRAVAUX PRATIQUES

A. *Rewrite the paragraph, putting the correct form of each adjective in the proper position.*

L'histoire du prince Charmant et de la Belle au bois dormant

Un jour (beau) un prince (charmant) se promène sur son cheval (blanc) dans une forêt (petit). Il a soif. Il voit un ruisseau (*stream*) (petit). Il descend de son cheval et marche vers le ruisseau. Là, il rencontre un étudiant (américain). L'étudiant étudie une carte (grand). C'est une carte (carré) qui semble (*seems*) très (intéressant). Le prince demande où se trouve la Belle au bois (dormant). L'étudiant dit qu'elle s'est réveillée il y a dix ans et qu'elle est maintenant la présidente (distingué) d'une compagnie (important) à Paris. Le prince est content. Il va aller à Paris pour lui demander sa main... et un job!

B. Complétez les phrases avec les mots appropriés.

1. L'arc-en-ciel (*rainbow*) contient toutes les couleurs: _____.
2. Avec du blanc et du noir, on fait du _____.
3. Avec du vert et du rouge, on fait du _____.

C. *Working with a partner, take turns pointing to various objects in the room and identifying them by color.*

Modèle: Student A points to a red hat.
STUDENT B: *C'est un chapeau rouge.*

NOTE DE GRAMMAIRE 37

Le féminin des adjectifs

As you learned in **Chapitre 5**, the feminine form of most French adjectives is created by adding **-e** to the masculine form. If the masculine adjective already ends in **-e**, the same form is used for the feminine:

[3] Compound colors are invariable: **une robe bleu clair**, **des jupes bleu vert**.

Henry porte un blazer **bleu** et une cravate **bleue**.
Nicole porte un chandail **rouge** et une jupe **rouge**.

Some adjectives follow different patterns, however.

1. Masculine adjectives ending in **x** have feminine forms ending in **se**:

heureux: A la fin Cendrillon est **heureuse**.	In the end Cinderella is **happy**.
sérieux: L'astrologie n'est pas une science **sérieuse**.	Astrology is not a **serious** science.

2. Many masculine adjectives ending in **n** double the final consonant and add **-e**:

moyen: Elle est de taille **moyenne**.	She's of **average** height.

3. Some adjectives have irregular endings in the feminine:

blanc: La neige est **blanche**.	Snow is **white**.
frais: De l'eau **fraîche** est agréable en été.	**Cool** water is pleasant in summer.
neuf: Elle achète une robe **neuve**.[4]	She is buying a **new** dress.

Others include **sec/sèche** (*dry*), **doux/douce** (*soft*), **faux/fausse** (*false*), **roux/rousse** (*reddish brown*), **cher/chère** (*dear, expensive*), **grec/grecque** (*Greek*), **juif/juive** (*Jewish*), and **sportif/sportive** (*athletic*).

4. The following colors are invariable—that is, the same form is used for masculine and feminine, singular and plural:

Elle a choisi **une jupe bordeaux**.	She chose **a maroon skirt**.
Ses chaussures sont **marron**.	**His shoes** are **brown**.
L'enfant a **des crayons orange**.	The child has **orange pencils**.

5. When two adjectives occur in the same sentence, each usually takes its normal position:

Voilà une **jolie petite** fille.	There is a **pretty little** girl.

Both **joli** and **petit** normally precede the noun.

Le Président habite dans une **grande** maison **blanche**.	The President lives in a **large white** house.

Grand normally precedes the noun and **blanc** usually follows. However, if both adjectives normally follow the noun, place them after the noun, joined by **et**:

Voilà une jupe **rouge et verte**.	There is a **red and green** skirt.

---

[4] **Neuf** is used to indicate that something is brand new and never used before:

Elle achète une robe **neuve**.   *She is buying a (**brand**) **new** dress.*

Nouveau is generally used to convey new in any other sense:

Il y a un **nouvel** étudiant dans la classe.   *There is a **new** student in the class.*

Simples substitutions

A. *You decide to take in a fashion show.*

1. Le mannequin porte une blouse *grise*. (*verte, blanche, bleue, neuve, chère*)
2. Elle est française. (*américaine, grecque, italienne, chinoise, russe*)
3. Elle a les cheveux blonds. (*roux, noirs, gris, blancs, châtains*)

Exercices de transformation

B. *Marguerite buys clothes and a new car and takes a trip.*

Modèle: C'est une fête. (*joyeux*)
          C'est une fête joyeuse.

1. Elle a un chapeau. (*joli*)
2. Elle a une robe. (*vert*)
3. Elle achète une auto. (*nouveau*)
4. C'est un chemin. (*long*)
5. Elle voit une église. (*beau*)

C. Modèle: Elle a acheté une maison. (*grand, vert*)
              Elle a acheté une grande maison verte.

1. La maison a un salon. (*petit, élégant*)
2. Le mari aime la cuisine. (*blanc, pratique*)
3. Ils ont deux voitures. (*gros, noir*)
4. Ils aiment leur chambre. (*confortable, bleu*)

TRAVAUX PRATIQUES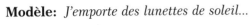

A. *Create your own fashion show. Have members of your group act as models while you identify their clothing and its colors. Use as many adjectives as you can.*

Modèle: *Suzanne porte un chemisier bleu, une jupe noire. Elle a aussi des gants de cuir élégants, des bottes marron et un foulard multicolore* (multicolored)...

B. Imaginez que vous allez à la plage. Qu'est-ce que vous emportez dans votre sac? Expliquez pourquoi vous avez choisi chaque objet.

Modèle: *J'emporte des lunettes de soleil...*

C. Imaginez maintenant que vous allez au pôle nord. Qu'est-ce que vous mettez (*put*) dans votre valise?

D. Imaginez maintenant que vous allez à la Martinique. Qu'est-ce que vous mettez dans votre valise?

NOTE DE GRAMMAIRE 38

Les verbes réguliers en **-re**

The third group of regular verbs has infinitives ending in **-re**, such as **vendre** (*to sell*):

je **vends**	nous **vendons**
tu **vends**	vous **vendez**
il **vend**	ils **vendent**
elle **vend**	elles **vendent**
on **vend**	

IMPERATIF: **vends! vendons! vendez!**
PASSE COMPOSE: j'**ai vendu**

These verbs are conjugated like **vendre**:

INFINITIVE		PAST PARTICIPLE
attendre	*to wait (for)*	attendu
descendre	*to descend, to go downstairs*	descendu
entendre	*to hear*	entendu
pendre	*to hang*	pendu
perdre	*to lose*	perdu
rendre	*to give back*	rendu
répondre (à)	*to answer*	répondu

Exercices de transformation

A. *Shopping for a dress.*

1. *Marguerite* attend la vendeuse. (*Tu, Nous, Vous, Ils, Je*)
2. La vendeuse parle et *Marguerite* l'entend. (*vous, ils, nous, je, tu*)
3. Répond-*elle* à la vendeuse? (*nous, vous, elles, tu, je*)
4. *La vendeuse* vend une robe à Marguerite. (*Je, Tu, Nous, Vous, Ils*)
5. Après, *elle* a rendu visite à une amie.[5] (*je, nous, elles, vous, il*)

B. *You may lose your bicycle but not your head.*

1. *Henry* a-t-*il* perdu sa bicyclette? (*tu, nous, vous, ils, je*)
2. *Nous* avons attendu l'arrivée de l'autobus. (*Vous, Tu, Ils, Je, Il*)
3. Avez-*vous* rendu le billet au chauffeur? (*elle, tu, ils, nous, il*)
4. *Il* a répondu aux questions du policier. (*Je, Tu, Elles, Nous, Vous*)

---

[5] **Rendre visite à** is used for visits with people, whereas **visiter** is reserved for visits to places:

Marguerite **rend visite à Nicole.**	*Marguerite **visits Nicole**.*
Elles vont **visiter le musée** cet après-midi.	*They are going **to visit the museum** this afternoon.*

TRAVAUX PRATIQUES

You and four classmates each choose a verb. The first student says the verb and mimes it. The next student repeats the preceding verb and mime and does the same with his or her verb, and so on until the last person, who acts out all five verbs.

Agree on a specific context (shopping, going for a ride) and create your own five-act drama. Warm up with the verbs **attendre, perdre, entendre, comprendre,** *and* **répondre** *and then choose some verbs of your own.*

NOTE DE GRAMMAIRE 39

Le verbe **dormir**

Six fairly common verbs are conjugated like **dormir** (*to sleep*). Note that the first, second, and third person plural forms use the infinitive stem in the present indicative:

dormir   *to sleep*

je **dors**	nous **dormons**
tu **dors**	vous **dormez**
il **dort**	ils **dorment**
elle **dort**	elles **dorment**
on **dort**	

IMPERATIF: **dors! dormons! dormez!**
PASSE COMPOSE: j'**ai dormi**

mentir   *to lie*

je **mens**	nous **mentons**
tu **mens**	vous **mentez**
il **ment**	ils **mentent**
elle **ment**	elles **mentent**
on **ment**	

IMPERATIF: **mens! mentons! mentez!**
PASSE COMPOSE: j'**ai menti**

servir   *to serve*

je **sers**	nous **servons**
tu **sers**	vous **servez**
il **sert**	ils **servent**
elle **sert**	elles **servent**
on **sert**	

IMPERATIF: **sers! servons! servez!**
PASSE COMPOSE: j'**ai servi**

sentir   *to smell, to feel*

je **sens**	nous **sentons**
tu **sens**	vous **sentez**
il **sent**	ils **sentent**
elle **sent**	elles **sentent**
on **sent**	

IMPERATIF: **sens! sentons! sentez!**
PASSE COMPOSE: j'**ai senti**

partir   *to leave*

je **pars**	nous **partons**
tu **pars**	vous **partez**
il **part**	ils **partent**
elle **part**	elles **partent**
on **part**	

IMPERATIF: **pars! partons! partez!**
PASSE COMPOSE: je **suis parti**[6]

sortir   *to go out*

je **sors**	nous **sortons**
tu **sors**	vous **sortez**
il **sort**	ils **sortent**
elle **sort**	elles **sortent**
on **sort**	

IMPERATIF: **sors! sortons! sortez!**
PASSE COMPOSE: je **suis sorti**

---

[6] The **passé composé** of **partir** and **sortir** will be discussed in **Note de grammaire 40**.

Note the distinctions between **partir, sortir,** and **quitter**:

> **partir** (**de**)   *to go away, to leave*
> **Je pars** tout de suite.   *I'm leaving immediately.*
> **Nous partons de** New York.   *We are leaving from New York.*
>
> **sortir** (**de**)   *to go out, to leave*
> **Je sors** avec mes amis.   *I'm going out with my friends.*
> **Elle sort de** sa classe à 17 h.   *She leaves her class at 5:00 p.m.*
>
> **quitter**   *to leave*
> **Elle quitte** la classe à 17 h.   *She leaves her class at 5:00 p.m.*
> **Je vais quitter** New York.   *I'm going to leave New York.*

Simples substitutions

A. *When sleep comes easily.*

La conscience tranquille, *je dors* bien. (*tu dors, nous dormons, vous dormez, ils dorment, elle dort*)

Une vitrine de vêtements

B. *When one does not want to sleep.*

Bien! La classe est intéressante: *tu ne dors pas. (nous ne dormons pas, vous ne dormez pas, ils ne dorment pas, je ne dors pas, elle ne dort pas)*

Exercices de transformation

C. 1. *Il* sert le dîner. (*Tu, Nous, Vous, Ils, Je*)
    2. *Nous* sortons après le dîner. (*Je, Vous, Ils, Elle, Tu*)

D. Modèle: Partez-vous de bonne heure?
             Oui, je pars de bonne heure.
             Non, je ne pars pas de bonne heure.

1. Sortez-vous avec vos amis?
2. Mentez-vous à vos amis?
3. Dormez-vous en classe?
4. Sens-tu les fleurs?
5. Sert-on le déjeuner à midi?

E. Modèle: Je sens le repas.
             J'ai senti le repas.

1. Nous sentons l'arôme du café.
2. Vous servez le dîner.
3. J'aime le repas: je ne mens pas.
4. Après, nous dormons bien.

F. Modèle: Nous entrons dans le restaurant.
             Entrons dans le restaurant!
             N'entrons pas dans le restaurant!

1. Vous demandez le menu.
2. Tu sers le déjeuner maintenant.
3. Nous mangeons bien.
4. Vous sentez le repas.
5. Vous partez sans payer.

TRAVAUX PRATIQUES ·•-•

Ask your partner to respond fully to the following questions. When done, he or she will ask the same of you.

1. Jusqu'à quelle heure avez-vous dormi ce matin?
2. Quel perfum aimez-vous sentir?
3. Si vous invitez vos amis, que leur servez-vous?
4. Est-ce qu'il y a des occasions où vous avez menti? Pour quelles raisons?
5. Quand vous partez de votre chambre, fermez-vous bien la porte à clef?

NOTE DE GRAMMAIRE 40

Le passé composé avec **être**

1. In **Chapitre 7,** you learned how to form the **passé composé** using the auxiliary verb **avoir**. However, some verbs use **être** as the auxiliary verb in the **passé composé**.

2. Verbs that take **être** as the auxiliary verb are intransitive (take no object) and indicate motion without stating how the motion was performed:

   Il est arrivé. (*intransitive with no indication of how action was performed*)

3. The following verbs use **être** to form the **passé composé**: **aller**, **arriver**, **décéder**, **descendre**, **devenir**, **entrer**, **monter**, **mourir**, **naître**, **partir**, **passer**, **rentrer**, **rester**, **retourner**, **revenir**, **sortir**, **tomber**, and **venir**. You can remember them by memorizing the house of Mme Etre:

Mme Etre vous invite à **venir** chez elle. Vous **arrivez** à l'heure et vous frappez à la porte. Vous **entrez** et vous **montez** au premier étage où il y a le salon. Vous **restez** là un moment et vous prenez un verre d'Orangina. Vous portez un toast à son enfant, **né** récemment. L'enfant s'appelle Intransitif. Il va **devenir** très important et très actif. Vous commencez à **descendre**, mais vous ne faites pas attention et vous **tombez**. Enfin vous **sortez** et vous **retournez** chez vous.

4. The past participle of a verb conjugated with **être** agrees with its subject in gender and number:

INFINITIF:	**arriver**	**aller**	**partir**	**venir**
PARTICIPE PASSE:	**arrivé**	**allé**	**parti**	**venu**

PASSE COMPOSE:	je suis arrivé(e)	allé(e)	parti(e)	venu(e)
	tu es arrivé(e)	allé(e)	parti(e)	venu(e)
	il est arrivé	allé	parti	venu
	elle est arrivée	allée	partie	venue
	on est arrivé	allé	parti	venu
	nous sommes arrivé(e)s	allé(e)s	parti(e)s	venu(e)s
	vous êtes arrivé(e)(s)	allé(e)(s)	parti(e)(s)	venu(e)(s)
	ils sont arrivés	allés	partis	venus
	elles sont arrivées	allées	parties	venues

Remember that the **passé composé** expresses action completed in the past:

Elle **a fini** le scénario **hier/l'année dernière/la semaine passée/il y a une heure**.

Elle **est arrivée hier/l'année dernière/la semaine passée/il y a une heure**.

Exercices de transformation

A. *A short visit.*

Modèle: Marguerite arrive chez les Fourchet.
Marguerite est arrivée chez les Fourchet.

1. Elle entre tout de suite.
2. Elles viennent voir Robert
3. Robert sort après le dîner.
4. Nous restons un peu à la maison.
5. Elle part après le café.

B. *Where did they go?*

Modèle: Ne sortent-ils pas ensemble?
Ne sont-ils pas sortis ensemble?

1. N'y allez-vous pas avec eux?
2. Ne passe-t-elle pas par le restaurant?
3. Ne venez-vous pas avec eux au cinéma?
4. Ne rentrent-ils pas ce soir?
5. Ne descendent-elles pas ce soir?

C. *Marguerite invites Henry and Robert to meet some of her new French friends.*

Modèle: Nous allons voir mes nouveaux amis.
   Nous sommes allés voir mes nouveaux amis.

1. Vous venez avec moi.
2. Nous sortons à quatre heures.
3. Ils partent en taxi.
4. Elle rentre chercher son argent.
5. Les deux garçons restent dans le taxi.

TRAVAUX PRATIQUES ●*●*●*●*●*●*●*●*●*●*●*●*●*●*●*●*●*●*

 A. *Retell the following story, putting the italicized verbs in the* **passé composé**.

Humpty Dumpty est un œuf. Il est seul. Il est fatigué. Il *voit* un mur et il *marche* vers le mur. Il *monte* sur le mur et il *reste* là un moment. Les hommes du roi *passent* devant lui et le *saluent*. Humpty Dumpty *prend* son sac de couchage pour dormir sur le mur. Il *a* le vertige et il *tombe*. Les hommes du roi *reviennent* tout de suite, mais ils *ne peuvent rien* faire. Ils *font* une omelette.

 B. *Demandez à un ami/une amie de parler de ses dernières vacances.*

1. Où êtes-vous allé(e)?
2. Avec qui y êtes-vous allé(e)?
3. Y êtes-vous arrivé(e) par le train ou par avion?
4. Avez-vous rencontré de nouveaux amis?
5. Avez-vous rendu visite à votre famille ou à de vieux amis?
6. Etes-vous sorti(e) avec eux? Où êtes-vous allé(e)?
7. Où êtes-vous resté(e)?
8. Voulez-vous y retourner?

 C. *You have come into an enormous inheritance and want to make some purchases. Develop the situation with a partner, and cut appropriate pictures from magazines. In your presentation, one of you should be the client and one the salesperson. The client should describe his or her ideal objects in as much detail as possible, and the salesperson should give similarly detailed descriptions of his or her merchandise, making sure to use correct forms of adjectives. Model your presentation along these lines.*

1. Your first purchase is an automobile. Describe your ideal car, using such adjectives as **gros**, **petit**, **beau**, **noir**, **cher**, **bleu**, **vieux**, **français**.

Modèle: LE CLIENT: *Je cherche une voiture neuve.*
   LE VENDEUR: *Oui, bien sûr, nous avons des voitures américaines, françaises, japonaises...*
   LE CLIENT: *Je veux acheter une voiture américaine.*
   LE VENDEUR: *Aimez-vous cette Buick?*

2. You then enter a clothing store, looking for a raincoat. Describe your ideal raincoat, using adjectives such as **beau**, **cher**, **élegant**, **autre**, **gris**, **marron**.

Modèle: LA VENDEUSE: *Voici un imperméable chaud.*
LA CLIENTE: *Je veux un bel imperméable.*
LA VENDEUSE: *Voulez-vous un imperméable noir?*

3. Finally, you want to buy a necktie or a skirt. Describe your ideal, using such adjectives as **long**, **court**, **rouge**, **nouveau**, **vieux**, **bleu**.

Modèle: LE VENDEUR: *Voici une belle cravate.*
LA CLIENTE: *Je veux une autre cravate.*
LE VENDEUR: *Voulez-vous une cravate verte?*

D. *As a classmate reads the following poem, you and a partner should mime each action. Use your dramatic skills. Then answer the questions that follow.*

Déjeuner du matin

Il a mis le café
Dans la tasse
Il a mis le lait
Dans la tasse de café
5   Il a mis le sucre
Dans le café au lait
Avec la petite cuiller[7]
Il a tourné
Il a bu le café au lait
10 Et il a reposé la tasse
Sans me parler
Il a allumé
Une cigarette
Il a fait des ronds
15 Avec la fumée
Il a mis les cendres
Dans le cendrier
Sans me parler
Sans me regarder
20 Il s'est levé
Il a mis
Son chapeau sur sa tête
Il a mis
Son manteau de pluie
25 Parce qu'il pleuvait

---

[7] Alternative spelling of **cuillère**.

Et il est parti
Sous la pluie
Sans une parole
Sans me regarder
30 Et moi j'ai pris
Ma tête dans ma main
Et j'ai pleuré.

JACQUES PREVERT, *Paroles*
(Paris: Gallimard, 1949)

Questions

1. Qu'est-ce qu'il a mis dans la tasse?
2. Qu'est-ce qu'il a fait avec la petite cuillère?
3. A-t-il bu le café?
4. Qu'est-ce qu'il a fait avec une cigarette?
5. Où a-t-il mis les cendres?
6. Qu'est-ce qu'il a fait quand il s'est levé?
7. Pourquoi a-t-il mis un manteau de pluie (un imperméable)?
8. Comment est-il parti sous la pluie?
9. Qu'est-ce que l'autre personne a fait?
10. Qui peuvent être ces personnes?

MICROLOGUE: **La mode**

La mode reflète les événements de chaque période. Par exemple, pendant la Révolution française (1789), tout le monde porte **une cocarde** tricolore: bleu et rouge pour la ville de Paris et blanc pour le roi. **Les citoyens ne mettent plus de farine** sur leurs 5 cheveux comme les aristocrates sur leurs **perruques** pour l'économiser. A partir de 1792, on appelle les révolutionnaires des « **sans-culottes** » parce qu'ils portent des pantalons courts. Pour la première fois ils mettent des bretelles et **une casquette** rouge qui devient le symbole de la liberté.

10 Par contre, au début du dix-neuvième siècle, la couleur de la robe indique les tendances politiques de la femme. Quand Napoléon est exilé à Elbe, la femme qui favorise le roi Louis XVIII porte la couleur blanche et sa jupe a dix-huit **plis**. Quand Napoléon revient (pendant les Cent-Jours), la femme qui le favorise 15 porte des violettes pour toutes les occasions, car c'est la fleur favorite de Napoléon.

an insignia

Citizens no longer put flour

wigs

trouserless

cap

pleats

Pour fêter le 14 juillet on se costume.

Questions

1. Qu'est-ce que tout le monde porte pendant la Révolution?
2. Que représentent les trois couleurs de la cocarde?
3. Pourquoi les citoyens ne mettent-ils plus de farine dans leurs cheveux?
4. Que portent les sans-culottes?
5. Qu'est-ce qui indique les tendances politiques de la femme du dix-neuvième siècle?
6. Que porte la femme qui favorise Louis XVIII?
7. Et pendant les Cent-Jours, que portent les femmes qui favorisent Napoléon? Pourquoi?

LECTURE: La famille (suite)

DAVID: Ma mère française m'a dit de ne pas **laisser couler** *to let run*
l'eau chaude **inutilement** et de toujours **éteindre l'électri-** *unnecessarily / turn*
cité quand je quitte une pièce. *off / the electricity*

LE PROFESSEUR: J'espère que cela ne te choque pas. Tu peux

5 faire **la même chose** chez toi aux Etats-Unis. Le Français est *the same*
frugal. Ecoutez, chers amis, j'espère que vous avez compris
que le portrait que nous **dressons** ensemble est un portrait *are making up*
général... et que dans les cas individuels c'est peut-être tout à
fait le contraire. Et maintenant, de quoi voulez-vous parler?

10 ANDREW: Parlez-nous des repas!

LE PROFESSEUR: Bon. Soyez exacts à chaque repas! Observez
surtout les bonnes manières, **les règles** de la politesse fran- *the rules*
çaise, **dont** beaucoup de détails sont différents de ceux de *of which*
chez nous. Posez des questions sur ce que vous ne comprenez

15 pas!

JESSE: J'ai remarqué qu'on garde toujours les deux mains sur
la table et non pas comme nous faisons chez nous.

ANDREW: Et aussi on tient la fourchette dans la main gauche...
ce qui est **au fond** plus pratique. *after all*

20 LE PROFESSEUR: D'accord. On vous servira des plats qui vous *unknown / brains /*
seront **inconnus**, mais toujours délicieux: **cervelles**, **cœurs**, *hearts*
rognons, **andouillettes**, par exemple. Mangez de tout! Pre- *kidneys / chitterling*
nez-en peu pour commencer et revenez-y! Ne **gaspillez** rien! *sausages*
Ne laissez rien sur votre assiette! Mangez tout votre pain! Le *waste*

25 pain — ou **le blé**, plus précisément — est une tradition sacrée *wheat*
chez les Français. Cela **remonte** à des siècles. Complimentez *goes back*
de temps en temps la maîtresse de maison sur sa cuisine! *from time to time*
Ce sera vrai et **cela lui fera plaisir**. *it will be / that will*
please her

Questions

1. En France, laisse-t-on couler l'eau chaude inutilement?
2. Que pouvez-vous faire chez vous aux Etats-Unis?
3. Est-ce que le Français est frugal?
4. Est-ce que le portrait qu'on dresse est un portrait général?
5. Dans quel cas le portrait peut-il être tout à fait le contraire?
6. De quoi va-t-on parler?
7. Quand arrive-t-on à chaque repas?
8. Qu'observez-vous surtout?
9. Pose-t-on des questions quand on ne comprend pas?
10. Où garde-t-on toujours les deux mains?
11. Dans quelle main tient-on la fourchette en France?

12. Quels plats vous seront peut-être inconnus?
13. Que laisse-t-on sur son assiette?
14. Quelle tradition est sacrée en France?
15. Est-ce qu'elle est récente?
16. Qui complimente-t-on de temps en temps?

 Création et récréation

A. Your goal is to describe the physical characteristics of people and what they are wearing. Bring in four very similar photos or drawings, or demonstrate with four classmates. Label the four items and then begin describing one, using as many parts of the body and adjectives as you can.

Be sure initially to describe characteristics common to all four items. Then describe characteristics that are specific to each. Pause after each clue to let your classmates mark down their choices.

Modèle: *Je vois une personne qui porte des chaussures marron. (Pause) Cette personne a des yeux bleus et un nez long. (Pause) Cette personne pose une main sur la hanche et on voit qu'elle porte un chapeau. (Pause) Evidemment, cette personne est très heureuse.*

B. Add a paragraph to your story of Monique and Pierre.

Modèle: *Monique s'installe dans sa chambre. Sa mère américaine est là pour l'aider. Le père entre plus tard et dit à Monique qu'elle peut emprunter une de leurs bicyclettes....*

 Coup d'œil

OUI   **NON**

____   36. In French, although some common or simple adjectives precede the nouns they modify, most adjectives follow the noun, especially: ____

____   Adjectives that describe color, nationality, religion, shape, and physical qualities: une maison **blanche**, un étudiant **grec**, une femme **catholique**, une table **carrée**.   ____

____   Adjectives that are longer than the noun they modify: un livre **intéressant**.   ____

Adjectives derived from past participles: une femme **distinguée**.

37. Masculine adjectives ending in **x** have feminine forms ending in **se**: heureu**x** → heureu**se**.

Many masculine adjectives ending in **n** or **l** double the final consonant and add **-e**: italie**n** → italie**nne**; rée**l** → rée**lle**.

Some adjectives have irregular endings in the feminine:

     blan**c** → blan**che**   dou**x** → dou**ce**
     frai**s** → fra**îche**   gre**c** → gre**cque**

38. The third group of regular verbs end in **-re** and are conjugated this way:

vendre   *to sell*

je **vends**	nous **vendons**
tu **vends**	vous **vendez**
il **vend**	ils **vendent**
elle **vend**	elles **vendent**
on **vend**	

IMPERATIF: **vends! vendons! vendez!**
PASSE COMPOSE: j'**ai vendu**

Other verbs conjugated like **vendre** are **attendre**, **descendre**, **entendre**, **pendre**, and **rendre**. The past participle of an **-re** verb ends in **u: vendu**.

39. Six common verbs are conjugated like **dormir**:

je **dors**	nous **dormons**
tu **dors**	vous **dormez**
il **dort**	ils **dorment**
elle **dort**	elles **dorment**
on **dort**	

IMPERATIF: **dors! dormons! dormez!**
PASSE COMPOSE: j'**ai dormi**

The other five verbs are **mentir**, **partir**, **sentir**, **servir**, and **sortir**. The past participles of these verbs end in **i: dormi**.

_____   **40.** Certain verbs that are intransitive (take no object)   _____
use **être** to form the **passé composé**. They include
**aller, arriver, décéder, descendre, devenir, entrer,
monter, mourir, naître, partir, passer, rentrer, rester, retourner, revenir, sortir, tomber,** and **venir.**

_____   The past participle of a verb conjugated with **être** agrees   _____
with its subject in gender and number:

Elle **est allée** avec Pierre au cinéma.
Nous **sommes arrivés** à l'heure.
Pierre et Alice **sont passés** devant la
cathédrale.

VOCABULAIRE

VERBES

verbes comme *dormir*   verbes comme *vendre*
  (voir p 202)   (voir p 201)

NOMS

les vêtements (*m. pl.*)   le placard   le tiroir
  (voir pp 194 et 195)   la pointure
la penderie   la taille

ADJECTIFS

adjectifs précédents le nom   adjectifs avec un féminin   les couleurs (*f. pl.*)
  (voir p 199)   irrégulier (voir p 199)   (voir p 197)

EXPRESSIONS UTILES

de bonne heure   De quelle couleur est... ?   faire sa toilette

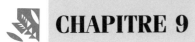
La mobylette

Itinéraire

Now you'll learn a bit about French rules of the road and how to discuss health and parts of the body. You'll also study indirect object pronouns, the pronouns **y** and **en**, ordinal numbers, and reflexive verbs.

Scénario .•◄

PREMIERE ETAPE

NICOLE: Voilà ta mob!
ROBERT: Et qu'est-ce que je fais?
NICOLE: Tu es déjà monté à bicyclette, non?
ROBERT: Bien sûr.
5 NICOLE: Eh bien, c'est le même principe. Ce moteur va t'aider. Vas-y!

Robert réussit.

NICOLE: Bravo! Tu n'es pas tombé. Nous allons nous promener en ville ensemble. Tu vas voir des choses intéressantes. Avant de partir, n'oublie pas qu'on a toujours la priorité à droite. Ne perds jamais la tête! Attention aux piétons, il y en a beaucoup.

DEUXIEME ETAPE

NICOLE: Voilà ta mob! Il est nécessaire d'en prendre soin. On met de l'essence dans le réservoir, et hop!
ROBERT: Et qu'est-ce que je fais après?
NICOLE: Tu es déjà monté à bicyclette, non?
5 ROBERT: Bien sûr, je suis monté à bicyclette.
NICOLE: Eh bien, c'est le même principe. La différence c'est que ce moteur va t'aider. Vas-y!

Robert réussit.

NICOLE: Bravo! Ça y est! Tu as bien commencé ta première leçon. Tu n'es pas tombé.
10   Attends, j'ai une idée: je vais prendre ma mob aussi et nous allons nous promener en ville ensemble. Tu vas voir des choses intéressantes.
ROBERT: J'en ai déjà beaucoup vu, tu sais.
NICOLE: Bon, bon! Avant de partir, n'oublie pas qu'on a toujours la priorité à droite. Ne perds jamais le tête! Et surtout, attention aux piétons, il y en a beaucoup. Tu
15   leur laisses le passage. Comme mon père t'a dit, il faut savoir freiner. Ne t'aventure pas dans les rues sans avoir tous les papiers nécessaires au cas où tu es arrêté par un flic.

TROISIEME ETAPE

NICOLE: Voilà ta mob. Je vais te montrer comment t'en servir. Tu vois qu'elle est en bon état. Il est nécessaire d'en prendre soin. On met de l'essence dans le réservoir, et hop!
ROBERT: Oui, et qu'est-ce que je fais après? Je ne saurai pas la conduire.
5 NICOLE: Tu es déjà monté à bicyclette, non?

ROBERT: Bien sûr, je suis monté à bicyclette. J'ai eu ma première bicyclette à l'âge de cinq ans.

NICOLE: Eh bien, c'est le même principe. La différence c'est que ce moteur va t'aider. Vas-y! Ecoute, mon vieux, n'aie pas peur!

10 *Robert réussit.*

NICOLE: Bravo! Ça y est! Tu as bien commencé ta première leçon. Tu n'es pas tombé. Attends, j'ai une idée: je vais prendre ma mob aussi et nous allons nous promener en ville ensemble. Tu vas voir des choses intéressantes et une ville de province typiquement française.

15 ROBERT: N'exagère pas! J'en ai déjà beaucoup vu, tu sais.

NICOLE: Bon, bon! Avant de partir, n'oublie pas qu'on a toujours la priorité à droite. Ne perds jamais la tête! Et surtout, attention aux piétons, il y en a beaucoup.

ROBERT: Qu'est-ce que c'est qu'un piéton?

NICOLE: D'après Sacha Guitry,[1] un piéton est un animal plus grand qu'un microbe

20 qui a la fâcheuse habitude d'entrer dans les artères et d'étrangler la circulation.

ROBERT: Je n'y comprends rien.

NICOLE: Ecoute! Tu leur laisses le passage. Comme mon père t'a dit, il faut savoir freiner. Aussi ne t'aventure pas dans les rues sans avoir tous les papiers nécessaires au cas où tu es arrêté par un flic.

Questions sur le scénario

1. Où met-on l'essence?
2. Robert est-il déjà monté à bicyclette?
3. A quel âge Robert a-t-il eu sa première bicyclette?
4. Robert réussit-il ou est-il tombé?
5. Quelle est l'idée de Nicole? Pourquoi?
6. Qu'est-ce qu'il ne faut pas oublier avant de partir avec la mobylette?
7. Qu'est-ce que c'est qu'un piéton?
8. Pourquoi faut-il savoir freiner?
9. Pourquoi faut-il avoir tous les papiers nécessaires?

COIN CULTUREL: Le langage des animaux

Animals, too, speak a different language from country to country. Here are the sounds some common animals make in France:

un âne (*a donkey*): **Hi-han!**

un canard (*a duck*): **Coin-coin!**

un chat (*a cat*): **Miaou!**

un chien (*a dog*): **Ouah! Ouah!**

un coq (*a rooster*): **Cocorico!**

une poule (*a chicken*): **Cot-cot-codec!**

un crapaud (*a toad*): **Croa croa!**

un agneau (*a sheep*): **Bêêêê...**

une vache (*a cow*): **Meuh!**

[1] Sacha Guitry (1885–1957), acteur et auteur de comédies et de films.

TRAVAUX PRATIQUES

Now test a partner by making the French sound associated with each animal and having the other person identify it.

Gestes

1. To indicate that you're bored as the French would, rub one cheek in an up-and-down motion several times with the back of your hand, as though you were shaving a beard—rather recklessly, it would appear. The expression in French is « **C'est rasoir!** » or, stronger still, « **La barbe!** »

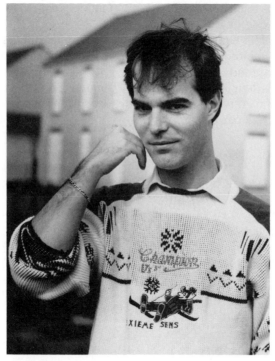

« La barbe! »

2. Tossing your hand over your shoulder expresses rejection of a proposition, say, to participate in something. The gesture constitutes a negative and ironical answer. It is usually accompanied by expressions such as « **Tant pis!** » or « **Des clous!** »

Proverbe

Œil pour œil, dent pour dent.   *An eye for an eye, a tooth for a tooth.*

VOCABULAIRE ILLUSTRE: Signalisation routière

virage à gauche dangereux
(dangerous left turn)

passage pour piétons
(pedestrian crossing)

passage à niveau
(railroad crossing)

chaussée glissante
(slippery road)

virages dangereux
(dangerous curves)

travaux
(work zone)

chaussée rétrécie
(road narrows)

interdiction de dépasser
(no passing)

interdiction de faire demi-tour
(no "U" turn)

sens interdit
(no entry)

interdiction de tourner
à droite *(no right turn)*

accès interdit aux cyclistes
(bicycles forbidden)

TRAVAUX PRATIQUES

Working with a partner, take turns asking and answering the following questions.

Modèle: Que faites-vous quand vous voyez le panneau (indicateur) « virage à gauche dangereux» ?
Quand je vois le panneau « virage à gauche dangereux », je fais attention et je ralentis.

1. Que faites-vous quand vous voyez le panneau « interdiction de tourner à droite »?
2. Que faites-vous quand vous voyez le panneau « sens interdit »?
3. Que faites-vous quand vous voyez le panneau « passage à niveau »?
4. Que faites-vous quand vous voyez le panneau « stop »?

VOCABULAIRE ILLUSTRE: Le corps humain

la tête

le cou

la poitrine

l'épaule (*f.*)

le bras

le ventre

le coude

la hanche

la main

les doigts (*m.*)

la cuisse
le genou

le mollet

la jambe

la cheville
le pied

La princesse Stéphanie de Monaco

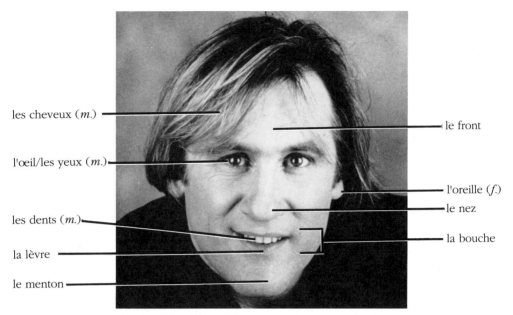

les cheveux (*m.*)

l'œil/les yeux (*m.*)

les dents (*m.*)

la lèvre

le menton

le front

l'oreille (*f.*)

le nez

la bouche

L'acteur Gérard Depardieu

D'AUTRES MOTS ET EXPRESSIONS UTILES

les dents (*f. pl.*) *teeth*	le palais *palate*
le ventre *abdomen*	la peau *skin*
la langue *tongue*	le poing *fist*
les orteils (*m. pl.*) *toes*	une poignée de main *a handshake*

Quand j'ai mal aux dents, je vais chez le dentiste.
Quand j'ai mal à la tête, je vais à la pharmacie acheter de l'aspirine.
Quand j'ai mal au dos, je vais chez le médecin.

LES CINQ SENS

le goût *taste*	le toucher *touch*
l'odorat (*m.*) *smell*	la vue *sight*
l'ouïe (*f.*) *hearing*	

Questions

1. Quelles sont les principales parties de la tête?
2. Quelles sont les principales parties du corps?
3. Quelles sont les principales parties de la jambe?
4. Avec quoi écoute-t-on?
5. Avec quoi sent-on?
6. Avec quoi voit-on?

7. Avec quoi goûte-t-on?
8. Avec quoi touche-t-on?
9. Qu'est-ce que vous aimez entendre?
10. Qu'est-ce que vous aimez sentir?
11. Qu'est-ce que vous aimez regarder?
12. Qu'est-ce que vous aimez goûter?
13. Qu'est-ce que vous aimez toucher?

TRAVAUX PRATIQUES

Let's complete the drawings we began in **Chapitre 5**.

Two students go to the board and stand so that they cannot see each other. The remaining students take turns calling out parts of the head and physical characteristics. As each body part or characteristic is named, the students at the board must draw it and label its order (1, 2, 3, etc.). When the drawings are complete, the class should describe and compare them.

Allons plus loin: Robert tombe malade

Etudiez le vocabulaire.

se sentir	*to feel*	le nez qui coule	*runny nose*
éternuer	*to sneeze*	la fièvre	*fever*
les poumons (*m. pl.*)	*lungs*	le cœur	*heart*
tousser	*to cough*	attraper	*to catch*
un rhume	*a cold*	un comprimé	*tablet*
quatre fois	*four times*	trois fois	*three times*
la toux	*cough*	la tisane	*herbal tea*
		prescrire	*to prescribe*

TRAVAUX PRATIQUES

A. Lisez et comprenez.

Robert ne se sent pas bien. Il a l'air fatigué. Il éternue, il a le nez qui coule et il a de la fièvre. Mme Fourchet le fait se coucher et téléphone au médecin de passer le voir. Quand le docteur Grimaud est là, il pose des questions à Robert.

DR GRIMAUD: Avez-vous mal à la gorge?
ROBERT: Oui, docteur.
DR GRIMAUD: Ouvrez la bouche, s'il vous plaît!
ROBERT: Oui, docteur.
5   DR GRIMAUD: Laissez-moi écouter vos poumons et votre cœur! (*Le docteur sort son stéthoscope et l'applique contre la poitrine de Robert.*) Toussez très fort!

Robert a attrapé un bon rhume. Le docteur lui prescrit des comprimés d'aspirine quatre fois par jour pour faire tomber la fièvre et une cuillère à café de sirop pour la toux trois fois par jour. Le docteur dit aussi à Mme Fourchet de lui faire boire beaucoup de jus de fruits et de la tisane.

 B. Maintenant, posez des questions à votre partenaire.

1. Comment Robert se sent-il?
2. Décrivez Robert.
3. Qu'a fait Mme Fourchet?
4. Quelles questions le docteur Grimaud a-t-il posées à Robert?
5. Qu'est-ce que Robert a attrapé?
6. Qu'est-ce que le docteur a prescrit?
7. Que peut-il boire?
8. Comment vous sentez-vous quand vous avez un rhume?
9. Que faites-vous?
10. Prenez-vous du bouillon de légumes?

Où voulez-vous aller?

C. *You and four classmates each choose a verb from* **Allons plus loin**. *Say the verb and mime it. The next student repeats your verb, adds his or hers to the list, and so on, until the last person, who acts out all five verbs.*

1. Act out a sequence about catching a cold, using the following verbs: **attraper un rhume, se sentir malade, éternuer, tousser, avoir de la fièvre**.
2. Describe a visit to the doctor, putting the following vocabulary to work: **le stéthoscope, tousser, des comprimés, le jus de fruits, se coucher**.

NOTE DE GRAMMAIRE 41

Les pronoms compléments d'objet indirect

1. An indirect object pronoun replaces an indirect object noun. The action of the verb is transmitted indirectly to the object noun via the preposition **à**:

INDIRECT OBJECT NOUN:	Je parle **à l'homme**.	*I speak **to the man**.*
INDIRECT OBJECT PRONOUN:	Je **lui** parle.	*I speak **to him**.*
INDIRECT OBJECT NOUN:	Je parle **à la femme**.	*I speak **to the woman**.*
INDIRECT OBJECT PRONOUN:	Je **lui** parle.	*I speak **to her**.*

2. The indirect object pronouns are:

me	*to me*	**nous**	*to us*
te	*to you*	**vous**	*to you*
lui	*to him, to her*	**leur**	*to them*

3. Like the direct object pronoun, the indirect object pronoun is placed before the verb. When a conjugated verb and an infinitive are used together, the indirect object pronoun (again, like the direct object pronoun) is placed before the infinitive:

Je vais **leur** donner les livres.   *I'm going to give **them** the books.*

4. In the **passé composé**, the indirect object pronoun also precedes the auxiliary verb:

As-tu répondu **à ton frère**?
Oui, je **lui** ai répondu.
Non, je ne **lui** ai pas répondu.

Note that there is never agreement with an indirect object:

Nicole a-t-elle obéi **à sa mère**?
Oui, elle **lui** a obéi.
Non, elle ne **lui** a pas obéi.

Remember that there is agreement only with preceding direct objects:

Robert a-t-il commencé **sa première leçon**?
Oui, il **l'**a commenc**ée**.
Non, il ne **l'**a pas commenc**ée**.

5. Certain verbs always take indirect object pronouns:

obéir à *to obey*	Le chien **obéit à son maître.**
	Le chien **lui obéit.**
répondre à *to answer*	Nous **répondons au professeur.**
	Nous **lui répondons.**
demander à quelqu'un de faire quelque chose *to ask someone to do something*	Je **demande à Paul** de lire le poème.
	Je **lui demande** de lire le poème.
permettre à quelqu'un de faire quelque chose *to permit someone to do something*	Il **permet à Robert** de prendre la mobylette.
	Il **lui permet** de prendre la mobylette.
téléphoner à quelqu'un *to telephone someone*	Henry **téléphone** souvent **à sa mère.**
	Henry **lui téléphone** souvent.

Simples substitutions

A. *Robert has trouble understanding M. Fourchet. When he succeeds, he is rewarded.*

1. M. Fourchet *lui* demande cela. (*te, vous, nous, leur, me*)
2. Robert ne *lui* répond pas. (*te, vous, leur, me, nous*)
3. Mme Fourchet *lui* donne la réponse. (*leur, vous, nous, me, te*)
4. Il *lui* obéit. (*me, nous, vous, leur, te*)
5. On va *lui* porter un toast. (*leur, me, nous, vous, te*)

Exercices de transformation

B. *The Fourchets go to various stores to shop.*

Modèle: Le pharmacien donne les médicaments *aux Fourchet.*
           Le pharmacien leur donne les médicaments.

1. L'épicier donne les asperges *à M. Fourchet.*
2. Le crémier apporte une bouteille de lait *à mon ami.*
3. La boulangère donne une baguette *à Nicole.*
4. La bouchère montre la viande *aux Fourchet.*
5. La charcutière vend le pâté *à Mme Fourchet.*

C. *Which of these do you think M. Fourchet did after shopping?*

Modèle: M. Fourchet a-t-il montré ses achats *à Mme Fourchet?*
           Oui, il lui a montré achats. ou: *Non, il ne lui a pas montré ses achats.*

1. A-t-il parlé de ses achats *à sa famille?*
2. A-t-il décrit ses chemises *aux enfants?*
3. A-t-il donné une cravate *à Robert?*
4. A-t-il porté un toast *aux membres de sa famille?*

D. *People are suddenly in a contrary mood.*

Modèle: Avez-vous parlé *à Marguerite?*
Non, je ne lui ai pas parlé.

1. Avez-vous présenté vos amis *à votre mère?*
2. A-t-il montré ses achats *aux enfants?*
3. As-tu donné un cadeau *à ton ami?*
4. Avez-vous apporté le journal *à votre père?*
5. As-tu téléphoné *aux copains?*
6. As-tu donné une bise *à ton copain?*
7. A-t-elle montré ses devoirs *à sa sœur?*

E. *Make up your own wish list.*

Modèle: Que vas-tu donner *à tes amis?*
Je vais leur donner des livres.

1. Que peux-tu donner *à ton ami?*
2. Qu'allons-nous donner *à tes amis?*
3. Que désires-tu donner *à tes amis?*
4. Que pouvons-nous donner *à son ami?*
5. Que peuvent-ils donner *à leurs amis?*
6. Que pouvez-vous donner *à votre mère?*
7. Que peux-tu donner *à ton frère?*

TRAVAUX PRATIQUES ·····················

Working with a partner, take turns asking and answering the following questions. Wherever possible, use indirect object pronouns in your answers. Feel free to ask more personal questions.

Modèles: Me permettrez-vous de vous appeler par votre surnom?
Oui, je vous permets de m'appeler par mon surnom.
ou:
Non, je ne vous permets pas de m'appeler par mon surnom.

1. Obéissez-vous toujours à vos parents?
2. Leur dites-vous toujours la vérité?
3. Si vous ne comprenez pas une explication, posez-vous des questions à vos profs?
4. Qu'est-ce que vous ne comprenez pas dans cette leçon?
5. Demandez à votre voisin (*neighbor*) de droite de l'expliquer.
6. Maintenant, à quelle occasion téléphonez-vous à vos parents?
7. M'avez-vous téléphoné hier soir?
8. Me présentez-vous à vos nouveaux amis?
9. Me donnez-vous un cadeau pour mon anniversaire?

NOTE DE GRAMMAIRE 42

Y et en

1. The pronoun **y** replaces a prepositional phrase referring to a location. Such phrases typically begin with **à**, **dans**, **chez**, **derrière**, **devant**, **en**, **sous**, and **sur**:

   Nous allons **à Paris**.
   Nous **y** allons.   *We're are going **there**.*

   Je vais **en France**.
   J'**y** vais.   *I'm going **there**.*

   L'hôtesse monte **dans l'avion**.
   Elle **y** monte.   *She enters **it**.*

   Y may also replace a thing or an idea preceded by **à**. It never refers to a person, and it never shows agreement with a past participle:

   Je pense **à mes vacances**.
   J'**y** pense.   *I'm thinking **about them**.*

   On répond **à sa lettre**.
   On **y** répond.   *They answer **it**.*

   Nous avons participé **à la discussion.**
   Nous **y** avons participé.   *We took part **in it**.*

2. The pronoun **en** replaces a prepositional phrase beginning with **de**:

   Je parle **de votre départ**.
   J'**en** parle.   *I'm speaking **about it**.*

   Tu discutes **du livre**.
   Tu **en** discutes.   *You are discussing **it**.*

   Avez-vous parlé **du film**?
   En avez-vous parlé?   *Did you speak **about it**?*

3. In the following sentences, **en** means *from* (*a place*):

   Elle vient **de France**.
   Elle **en** vient.   *She comes **from there**.*

   Nous sortons **de l'édifice**.
   Nous **en** sortons.   *We are coming **out of it**.*

4. **En** may also mean *some* or *any* when it replaces a partitive expression referring to a person or a thing. Like **y**, **en** never shows agreement with a past participle:

   Tu as mangé **de la salade**.
   Tu **en** as mangé.   *You ate **some** (**of it**).*

Elle n'a pas **de frères**.
Elle n'**en** a pas.   *She doesn't have **any** (**of them**).*

5. Like other object pronouns, **y** and **en** precede the verb, except in the affirmative imperative, when they follow the verb:

Vas-**y**!   Allons-**y**!   Allez-**y**!
Achètes-**en**!   Achetons-**en**!   Achetez-**en**!
Parles-**en**!   Parlons-**en**!   Parlez-**en**!

Remember, however, that **y** and **en** precede the verb in the negative imperative:

N'**en** parle pas!   N'**en** achetons pas!   N'**y** allez pas!

Simples substitutions

A.
1. J'y *suis*. (*déjeune, loge, réussis, obéis, pense*)
2. Y *est-il*? (*va-t-il, déjeune-t-il, voit-il, réussit-il, obéit-il*)
3. Nous n'y *sommes* pas. (*allons, logeons, réussissons, obéissons, pensons*)
4. Tu en *achètes*. (*as, apportes, fais, comptes, consultes*)
5. En *achète-t-il*? (*a-t-il, apporte-t-il, fait-il, trouve-t-il, mange-t-il*)
6. N'en *achetez-vous* pas? (*avez-vous, apportez-vous, faites-vous, trouvez-vous, choisissez-vous*)

Exercices de transformation

B. *Looking for a place to eat.*

Modèle: Je vais *au restaurant.*
              J'y vais.

1. Il va *près de la gare.*
2. Il cherche *dans le quartier.*
3. Il passe *devant la bibliothèque.*
4. Tu retournes *à la maison.*
5. Vous déjeunez *chez vous.*

C. *People can't decide whether to go or not.*

Modèle: Vas-tu *à la pharmacie?*
              Oui, j'y vais.
              Non, je n'y vais pas.

1. Allez-vous *à l'épicerie?*
2. Allons-nous *au gymnase?*
3. Passe-t-il *devant l'église?*
4. Passons-nous *par Paris?*
5. Vas-tu *chez le dentiste?*

D. *What have you got?*

Modèle: As-tu beaucoup *d'argent?*
Oui, j'en ai beaucoup.
Non, je n'en ai pas beaucoup.

1. Avez-vous *de nouveaux vêtements?*
2. Achète-t-on *des chemises?*
3. Veulent-elles *des foulards?*
4. Avez-vous acheté *des chaussures?*
5. As-tu beaucoup *de chapeaux?*

E. *Nicole sends Robert on various errands.*

Modèle: Achète *des tomates!*
Achètes-en!

1. Apporte *des vêtements!*
2. Pends *des serviettes!*
3. Choisis *des fruits!*
4. Remplis *des verres!*
5. Prends *du pain!*

F. *Now she changes her mind.*

Modèle: N'achète pas *de tomates!*
N'en achète pas!

1. N'apporte pas *de vêtements!*
2. Ne prends pas *de serviettes!*
3. Ne choisis pas *de fruits!*
4. Ne remplis pas *de verres!*
5. Ne prends pas *de pain!*

Chez Gibert Jeune

G. *She invites him to go with her.*

Modèle: Allons *à l'église!*
Allons-y!

1. Marchons *jusqu'au musée!*
2. Entrons *dans le cinéma!*
3. Passons *devant le château!*
4. Montons *en haut de la tour Eiffel!*
5. Mangeons *au restaurant de la tour Eiffel!*

H. *Robert changes his mind.*

Modèle: N'allons pas *à l'église!*
N'y allons pas!

1. Ne marchons pas *jusqu'au musée!*
2. N'entrons pas *dans le cinéma!*
3. Ne passons pas *devant le château!*
4. Ne montons pas *en haut de la tour Eiffel!*
5. Ne mangeons pas *au restaurant de la tour Eiffel!*

TRAVAUX PRATIQUES •◦•◦•◦•◦•◦•◦•◦•◦•◦•◦•◦•◦•◦•◦•◦•◦•◦•◦•

*Here's a mystery within a mystery. Underline the nine expressions that could be changed to **y** or **en**. Then rewrite the entire passage accordingly.*

L'inspecteur Klutzo est au commissariat de police. Il reçoit un coup de téléphone. On lui parle d'un crime. Le vol (*theft*) a eu lieu (*took place*) dans une bijouterie (*jewelry store*). Il y a foule devant la boutique. On a pris des diamants et il y a un message sur le comptoir (*counter*). Klutzo monte dans sa deux chevaux jaune et va rapidement à la boutique. Le bijoutier est bouleversé et désorienté et pense seulement à son vol. Klutzo lui pose des questions et le bijoutier parle d'une panthère rose.

Klutzo sourit (*smiles*). « Où est le message? »

Le bijoutier lui donne le message. Klutzo l'étudie. Il voit ceci: « Y en, y en ». C'est tout. Le bijoutier ne comprend rien au message. Il croit que le criminel est la Panthère rose.

Klutzo explique le mystère. « Non, ce n'est pas la Panthère rose. C'est un âne déguisé en panthère rose.[2] Quand l'âne braie, on entend toujours « y en, y en » et toujours, toujours, toujours dans cet ordre-là! »[3]

NOTE DE GRAMMAIRE 43

Les nombres ordinaux

1. Ordinal numbers define the order of items in a series: first, second, third, etc.

2. Most ordinal numbers are formed simply by adding **-ième** to the last consonant of the cardinal number:

deuxième	vingtième	cinquantième
troisième	vingt et unième	soixantième
quatrième	vingt-deuxième	
cinquième		soixante-dixième
sixième	trentième	
septième	trente et unième	quatre-vingtième
huitième[4]		
neuvième	quarantième	quatre-vingt-dixième
dixième	quarante et unième	centième
onzième		

---

[2] The donkey's bray, **hi-han**, is pronounced the same as **y en**.

[3] The rules of French grammar prescribe that when **y** and **en** are used together, **y** always precedes **en**:

On voit **des statues dans la cathédrale**.   On **y en** voit.

[4] As with **huit** and **onze**, elision does not occur with **huitième** or **onzième**:

le huit avril   le huitième jour
le onze novembre   le onzième jour

Note that a mute **e** at the end of the cardinal number is dropped before adding **-ième**. Two numbers change their spelling in other ways:

cinq → cin**qu**ième   neuf → neu**v**ième

3. Two numbers do not follow the usual pattern:

un/une → **premier/première**   deux → **second/seconde**[5]

4. When cardinal and ordinal numbers occur together, the cardinal precedes the ordinal:

nos **deux premières** étudiantes   our *first two* students

5. Ordinal numbers may also be abbreviated as follows:

1er/1ère, 2e, 3e, 4e...

Exercices de manipulation

Modèle: Le premier jour de la semaine est lundi. (*Le deuxième jour*)
Le deuxième jour de la semaine est mardi.

1. Le premier jour de la semaine est lundi. (*Le deuxième jour, Le troisième jour, Le quatrième jour, Le cinquième jour, Le sixième jour, Le septième jour*)
2. Le premier mois de l'année est janvier. (*Le deuxième mois, Le troisième mois, Le quatrième mois, Le cinquième mois, Le sixième mois, Le septième mois, Le huitième mois, Le neuvième mois, Le dixième mois, Le onzième mois, Le douzième mois*)

---

[5] **Second**(e) is used to refer to the second of two persons or things. **Deuxième** is used when more than two persons or things are involved:

J'aime la première jupe, mais tu préfères la **seconde**.	*I like the first dress, but you prefer the **second**.*
Le **deuxième** chapitre a été facile, mais le troisième sera difficile.	*The **second** chapter was easy, but the third will be difficult.*

TRAVAUX PRATIQUES ·•◦•◦•◦•◦•◦•◦•◦•◦•◦•◦•◦•◦•◦•◦•◦•◦•◦•◦•

Working with a partner, practice using ordinal numbers in a variety of contexts. Take turns asking and answering questions such as these.

1. Quels sont les deux premiers jours de la semaine?
2. Quels sont les deux premiers mois de l'année?
3. Quels sont les deux premiers mois de l'été?
4. Quels sont les deux derniers mois de l'hiver?[6]
5. Comment s'appellent les deux premiers présidents des Etats-Unis?
6. Comment s'appellent les deux derniers présidents des Etats-Unis?

NOTE DE GRAMMAIRE 44

Les verbes pronominaux

1. As you have already seen, a verb in French may be preceded by an object pronoun:

   Je **lui** parle.   *I speak **to him**.*
   Je **l'**ai regardé.   *I saw **him**.*

2. In some cases, both the subject of a verb and its object are the same person or thing. Verbs of this kind are called pronominal, and they may demonstrate either reflexive or reciprocal action:

   REFLEXIVE: **Je me** lave.   *I am washing **myself.***
   RECIPROCAL: **Nous nous** parlons.   *We speak **to each other**.*

   The pronominal construction occurs much more frequently in French than in English.

3. A pronominal construction consists of a subject pronoun, a reflexive pronoun, and an appropriate verb form. The reflexive pronoun always stands just before the conjugated part of the verb (except in the imperative form):

   je **me** lave   nous **nous** lavons
   tu **te** laves   vous **vous** lavez
   il **se** lave   ils **se** lavent
   elle **se** lave   elles **se** lavent
   on **se** lave

   The pronouns **me**, **te**, and **se** drop the **-e** before a verb beginning with a vowel or a mute **h**:

   Je **m'**excuse.   Tu **t'**habilles.

---

[6] Usually, **dernier/dernière** (*last*) precedes the noun, but it does not in the following expressions:

l'année dernière	*last year*	la semaine dernière	*last week*
le mois dernier	*last month*	samedi dernier	*last Saturday*

4. There are two types of pronominal verbs:

    a. Some verbs are always pronominal:

s'absenter *to absent oneself*	**Il s'absente** toujours de l'école.
s'en aller *to go away*	Fâchée, **elle s'en va**.
s'écrier *to exclaim*	**On s'écrie** de joie.
se souvenir de *to remember*	**Je me souviens de** ce vieux professeur.

    b. Other verbs may be made pronominal by adding a reflexive pronoun:

laver *to wash*	**Je lave** la voiture.
se laver *to wash oneself*	**Je me lave**.
parler *to speak*	**Je parle** à l'homme.
se parler *to speak to oneself;*	**Je me parle**.
to speak to each other	**Nous nous parlons**.

5. Note the differences in each pair of sentences:

J'appelle Paul.	*I call Paul.*
Je m'appelle Paul.	*My name is Paul.*
Il promène son chien.[7]	*He walks his dog.*
Il se promène dans les bois.	*He goes for a walk in the woods.*
J'arrête la voiture.	*I stop the car.*
Je m'arrête devant la boulangerie.	*I stop in front of the bakery.*
Je trouve la voiture.	*I find the car.*
Je me trouve dans la voiture.	*I am in the car.*
Je demande un conseil à mon ami.	*I ask my friend for advice.*
Je me demande pourquoi il le dit.	*I wonder why he says it.*

Here are some commonly used pronominal verbs:

se baigner *to bathe*	**s'habiller** *to dress*
se brosser *to brush (one's hair, teeth)*	**se lever** *to get up*
	se maquiller *to put on makeup*
se coucher *to go to bed*	**se marier** (**avec**) *to get married (to marry)*
se couper *to cut oneself*	
se dépêcher *to hurry*	**se peigner** *to comb one's hair*
se déshabiller *to undress*	**se raser** *to shave*
se doucher *to take a shower*	**se reposer** *to rest*
s'énerver *to become irritated*	**se tromper** (**de**) *to be mistaken (about)*
s'ennuyer *to be bored*	

---

[7] **Promener** undergoes the same spelling changes as **acheter**.

6. In a negation, **ne** precedes the reflexive pronoun and **pas** follows the verb:

AFFIRMATIVE: L'employé se dépêche.
NEGATIVE: L'employé **ne** se dépêche **pas**.

7. In a question formed by inversion, the reflexive pronoun precedes the verb and the subject follows the verb:

Se lave-t-**elle**?   L'employé **se** dépêche-t-**il**?

Use **est-ce que** to form a question with **je**:

Est-ce que je me lève trop tôt?

8. When a pronominal verb is used in the infinitive form, the reflexive pronoun reflects the subject of the conjugated verb:

Je vais **me** promener dans les bois.
Il aime **se** coucher tard.
Nous voulons **nous** reposer à la campagne.

Simples substitutions

A. *My daily routine.*

1. *Je me lève* à sept heures du matin. (*Tu te lèves, Nous nous levons, Vous vous levez, On se lève, Elles se lèvent*)
2. *Je me baigne* tout de suite après. (*Les garçons se baignent, Nous nous baignons, Elle se baigne, Tu te baignes, Vous vous baignez*)
3. *Je me brosse* les dents. (*Tu te brosses, Ils se brossent, Vous vous brossez, Nous nous brossons, Il se brosse*)
4. *Je m'habille.* (*Tu t'habilles, Elle s'habille, Nous nous habillons, Vous vous habillez, Ils s'habillent*)

Exercices de transformation

B. *The weekend rush.*

1. *Tu te réveilles de bonne heure.* (*Elle, Nous, Je, Vous, Les femmes*)
2. *Nous nous habillons tout de suite.* (*Ils, Je, Vous, Tu, On*)
3. *Je me dépêche pour prendre le train.* (*Ils, Vous, Nous, Tu, On*)
4. *Je m'absente le week-end* (*Nous, Ils, Tu, Elle, Vous*)

C. Modèle: On se dépêche pour aller à l'école.
    On ne se dépêche pas pour aller à l'école.

1. Vous vous demandez où elle est.
2. On s'arrête à l'école.
3. Nous nous sentons malades.

4. Elle se promène un peu.
5. Je me décide à entrer.

D. *A teacher reacts.*

1. *L'étudiant* ne se souvient pas de la réponse. (*Vous, Nous, On, Tu, Je*)
2. *Le professeur* ne s'écrie pas de joie. (*Les parents, On, Tu, Vous, Je*)

E. *Sudden recall.*

Modèle: Vous vous promenez lentement.
                Vous promenez-vous lentement?

1. Elle s'arrête en route.
2. Tu t'arrêtes.
3. Il se repose.
4. Je me rappelle un rendez-vous
5. Nous nous dépêchons.

F.
1. *Tu* vas te coucher de bonne heure. (*Nous, Vous, Ils, Elle, Je*)
2. *Nous* aimons nous réveiller tôt. (*Vous, Je, Elle, Tu, Ils*)

TRAVAUX PRATIQUES

A. *Describe your morning routine, using the pictures on this page and pronominal verbs such as* **se doucher**, **s'habiller**, **se peigner**, **s'en aller**, *and* **se dépêcher**.

Modèle: *Je me réveille à sept heures du matin. Je me lève et je me lave avec du savon Lux. Je me brosse les dents avec du Crest...*

un réveil   du savon   du shampooing   la douche   une jupe   une robe

un peigne   une brosse à dents   du dentifrice

une brosse à cheveux   du rouge à lèvres   un rasoir   de la crème à raser

B. A la fin de la journée (*At the end of the day*), que faites-vous? *Place some of your classmates in a row to reflect the order of your personal routine. As you mention each activity, the appropriate student will mime it. Add as many details as you like as you go along.*

C. *Complete each sentence using an appropriate pronominal verb.*

Modèle: Quand on est en retard pour un rendez-vous...
>   *Quand on est en retard pour un rendez-vous, on se dépêche.*

1. Quand on ne fait pas attention avec un couteau, on risque de...
2. Quand j'ai sommeil, je peux...
3. Quand vous trouvez une conférence (*lecture*) rasoir (*boring*), vous...
4. On cherche ses vêtements pour...
5. Pour éliminer une barbe, un homme...
6. Avec du rouge à lèvres et du mascara, une femme...
7. Devant un feu rouge, je...
8. Quand vos cheveux sont en désordre, vous...
9. Quand j'oublie le nom d'un ami, j'essaie de...
10. Quand je suis sale (*dirty*), je...
11. Quand j'entends sonner mon réveil-matin, je...
12. Comme exercice je vais à la campagne où j'aime...
13. Quand deux personnes s'aiment à la folie (*madly*), ils...

NOTE DE GRAMMAIRE 45

Le passé composé des verbes pronominaux

1. Pronominal verbs always take **être** as the auxiliary verb in the **passé composé**:

Je me **suis** habillé(e).	Nous nous **sommes** habillé(e)s.
Tu t'**es** habillé(e).	Vous vous **êtes** habillé(e)(s).
Il s'**est** habillé.	Ils se **sont** habillés.
Elle s'**est** habillée.	Elles se **sont** habillées.
On s'**est** habillé.	

2. The past participle of a pronominal verb agrees with the reflexive pronoun when the pronoun is a direct object, just as the past participle of a verb conjugated with **avoir** agrees with a preceding direct object:

    Elle **s**'est levé**e** tôt.   Ils **se** sont ennuyé**s**.

3. The past participle shows no agreement in the following cases:

    a. When a verb that does not take a direct object is used pronominally, as in **se parler** (à), **se téléphoner** (à), and **se rendre visite** (à):

Les amis **se sont téléphoné** et **se sont parlé**.	*The friends **phoned** and **spoke to** each other*.

Nicole et Chantal **se sont rendu visite**.

*Nicole and Chantal **visited each other**.*

b. When a pronominal verb is used with a part of the body, the part of the body is the direct object and the reflexive pronoun is the indirect object:

Elle s'est brossé **les cheveux**. *She brushed **her hair**.*
Nicole s'est coupé **les ongles**. *Nicole cut **her fingernails**.*

4. Questions in the **passé composé** are formed in the usual fashion:

Je me suis levé(e) tôt. **Est-ce que je me suis levé(e)** tôt?
Henry s'est couché tard. **Henry s'est-il couché** tard?
Elle s'est brossé les cheveux. **S'est-elle brossé** les cheveux?

Negations are formed by surrounding the conjugated part of the verb with **ne** and **pas**:

Elle **ne** s'est **pas** absentée hier.

Negative questions are formed as follows:

Henry **ne** s'est-il **pas** couché tard?

Exercices de transformation

A. *A rendezvous that ends well.*

Modèle: Elle se dépêche pour arriver au rendez-vous.
Elle s'est dépêchée pour arriver au rendez-vous.

1. Ils se voient.
2. Ils se parlent.
3. Ils s'étudient.
4. Ils se comprennent.
5. Ils s'aiment.

B. *A rendezvous that doesn't end well.*

Modèle: Il s'est précipité pour arriver au rendez-vous.
S'est-il précipité pour arriver au rendez-vous?

1. Ils se sont regardés.
2. Ils se sont promenés dans les bois.
3. Ils se sont arrêtés.
4. Ils se sont disputés.
5. Ils s'en sont allés.

C. *The teacher gives a difficult assignment.*

Modèle: Marguerite s'est acheté un ordinateur (*computer*).
Marguerite s'est-elle acheté un ordinateur?

1. Henry s'est servi de l'ordinateur aussi.
2. A la dernière minute, Robert s'est souvenu du devoir (*homework*).
3. Nicole s'est rappelé les réponses.
4. Le professeur s'est écrié de joie.

D. *A trying walk.*

Modèle: Nous sommes-nous promenés toute la soirée?
Oui, nous nous sommes promenés toute la soirée.
Non, nous ne nous sommes pas promenés toute la soirée.

1. S'est-on aventuré dans les rues?
2. Se sont-ils vus en face de la gare?
3. Deux hommes se sont-ils battus devant eux?
4. Vous êtes-vous dépêchés pour rentrer chez vous?

TRAVAUX PRATIQUES ．．．．．．．．．．．．．．．．．．．．．．．．．

A. *Using the following verbs, tell a story in the* **passé composé**. *Use* **nous** *as the subject throughout.*

Modèle: *Nous nous sommes réveillé(e)s à huit heures du matin. Nous nous sommes levé(e)s toujours fatigué(e)s...*

se réveiller, se lever, prendre le petit déjeuner, se doucher, se brosser les dents, se maquiller/se raser, choisir des vêtements, s'habiller, sortir, aller en classe, écouter, sortir, rencontrer des amis, dîner

B. Répondez aux questions générales.

1. Savez-vous conduire une auto?
2. Avez-vous votre permis de conduire (*driver's license*)?
3. Avez-vous appris le code de la route (*rules of the road*)?
4. Aimez-vous conduire?
5. Vous absentez-vous souvent de la classe?
6. A quelle heure vous levez-vous le matin?
7. A quelle heure vous couchez-vous le soir?
8. Décrivez l'invité idéal.
9. Comment aimez-vous vous habiller?
10. A quelle heure êtes-vous venu(e) en classe aujourd'hui?
11. Quand êtes-vous rentré(e) chez vous hier soir?
12. Etes-vous sorti(e) samedi soir?
13. Qu'est-ce que c'est qu'un étudiant? un pharmacien? un boulanger?
14. Est-ce que le lait est bon pour la santé (*health*)?
15. Est-ce que le calcium est bon si on veut devenir fort?
16. Buvez-vous du lait? Pourquoi?

Exercice de manipulation

A vous maintenant!

1. Dis à _____ de te parler des aéroports à Paris.
2. Dis à _____ de te parler du métro à Paris.

3. Demande à _____ de te dire la différence entre une mobylette et une bicyclette.
4. Demande à _____ si la priorité à droite existe aux Etats-Unis.
5. Demande à _____ de te donner une définition d'un piéton.
6. Demande à _____ ce qu'il est nécessaire de connaître (*to know*) pour passer (*to take the test for*) le permis de conduire aux Etats-Unis.

MICROLOGUE: Le Quartier latin

Paris est le centre universitaire de la France. A Paris on trouve beaucoup d'étudiants au Quartier latin dans le cinquième et le sixième arrondissements. Le nom vient du Moyen Age, quand le langage des étudiants était le latin.

5   Robert de Sorbon **a fondé** la première université de Paris, la Sorbonne, en 1257. Elle **a été construite** dans le Quartier latin pour **faciliter les études théologiques aux étudiants pauvres.** Aujourd'hui la Sorbonne **ne suffit plus pour recevoir** le grand nombre d'étudiants. **On a créé** plusieurs centres
10   universitaires dans Paris et en banlieue.

founded
was built
to make it easier for poor students to study theology
can no longer accommodate
have been created

Le jardin du Luxembourg

Questions

1. Quel est le centre universitaire de la France?
2. Où peut-on trouver des étudiants à Paris?
3. D'où est venu le nom « Quartier latin »?
4. Qui a fondé la première université de Paris?
5. En quelle année a-t-elle été construite?
6. Pourquoi et pour qui a-t-elle été construite?
7. La Sorbonne suffit-elle aujourd'hui pour recevoir tous les étudiants?
8. Où a-t-on créé plusieurs centres universitaires?

LECTURE: **La famille (suite)**

PETER: Pouvons-nous demander un petit déjeuner plus **con-sistant**?   *substantial*

LE PROFESSEUR: **Surtout pas!** Ne demandez pas de choses   *Absolutely not!*
qu'on n'a pas l'habitude de servir. En général, les adultes ne
5   boivent pas de lait. Au petit déjeuner on prend rarement du
jus d'orange et souvent les enfants mangent des céréales. En
principe personne ne mange d'œufs le matin.

ANDREW: Qu'est-ce que vous pouvez nous dire au sujet du vin?

LE PROFESSEUR: Buvez-en raisonnablement avec les repas, sans
10   **dépasser** un quart de litre ou deux verres **environ** par repas,   *going beyond / approxi-*
c'est-à-dire, au déjeuner et au dîner. Si vous êtes **sensible**   *mately*
aux effets de l'alcool, buvez-en moins et n'ayez jamais honte   *sensitive*
de boire de l'eau. **D'ailleurs**, tous les Français ne boivent pas   *Besides*
le vin pur. Surtout en famille, on peut mettre de l'eau dans
15   son vin.

Je vous ai dit que nous **finirions** aujourd'hui le portrait de   *would finish*
l'Américain en France. Au sujet de votre **comportement** gé-   *behavior*
néral, habillez-vous correctement. **Que vos jeans et vos vête-**   *Your jeans and your*
ments soient propres et non déchirés! Evitez le dé-   *clothing should be*
20   **braillé!** Ne soyez pas **bruyants**, **vulgaires** ou **mal élevés**.   *clean and not torn!*
Avoid untidiness!

ANDREW: Pourriez-vous nous donner un exemple?   *noisy / ill-bred / ill-*
mannered

LE PROFESSEUR: Ne mettez jamais les pieds sur un meuble, par
exemple. Enfin, soyez compréhensifs, patients et courtois avec
tout le monde et gardez toujours votre sens de l'humour.

Questions

1. Si on veut un petit déjeuner plus consistant, que peut-on faire?
2. Sais-tu le demander correctement? Vas-y!
3. Avec quel repas ne prend-on pas d'œufs en France?
4. Quand boit-on du vin?

5. Si on est sensible aux effets de l'alcool, que fait-on?
6. Est-ce que tous les Français boivent toujours du vin pur?
7. Qu'est-ce qu'on évite?
8. Donnez un exemple pour montrer qu'on manque d'éducation.

Création et récréation

A. You have just taken a drive in your car. Where did you go? What happened to you? What did you see? Refer to five road signs in describing your real or imaginary drive.

B. Add to your story of Monique and Pierre.

Modèle: *Un des frères américains de Monique essaie de lui montrer comment se servir d'une bicyclette. Il lui parle du code de la route...*

Coup d'œil

OUI   **NON**

_____   41. The indirect object pronouns are: _____

me	*to me*	**nous**	*to us*
te	*to you*	**vous**	*to you*
lui	*to him/her*	**leur**	*to them*

_____   Like the direct object pronoun, the indirect object pro-   _____
noun is placed before the verb:

Je **lui** parle.

_____   The indirect object pronoun also stands before a conju-   _____
gated verb followed by an infinitive:

Je vais **leur** donner les livres.

_____   Certain verbs always take an indirect object: _____

J'obéis à ma mère.
Il **répond à la question.**

_____   In the **passé composé** the indirect object pronoun precedes the auxiliary verb:

Nous **lui** avons répondu.   ☞

Also remember that the past participle never agrees with a preceding indirect object pronoun:

A-t-il obéi à sa mère?
Oui, il **lui** a obéi.

42. **Y** replaces a prepositional phrase referring to location:

Nous allons **à Paris**.   Nous **y** allons.
On monte **dans l'avion**.   On **y** monte.

Y also replaces a thing or an idea introduced by **à**. It never refers to a person.

Nous avons participé   Nous **y** avons participé.
à la discussion.

En replaces a prepositional phrase introduced by **de**:

Je parle **de vos vacances**.   J'**en** parle.

En may also mean *some* or *any* when it replaces a partitive expression:

Tu as mangé **de la salade**.   Tu **en** as mangé.
Elle n'a pas **de frères**.   Elle n'**en** a pas.

Y and **en** both precede the verb, except in the affirmative imperative:

Allez-**y**!   Achetons-**en**!

Both precede the verb in the negative imperative:

N'**y** allez pas!   N'**en** achetons pas!

43. Ordinal numbers indicate order in a series. With a few exceptions, they are formed by adding **-ième** to the cardinal number (omitting a mute final **e**):

deux → deux**ième**   trente → trent**ième**

These are the exceptions:

un/une → **premier/première**
deux → **second/seconde**
cinq → cinq**u**ième
neuf → neu**v**ième

_____ Cardinals precede ordinals in French:

> Nos **deux premiers**   *Our **first two** students.*
> étudiants.

_____ 44. In a pronominal construction, the subject and the reflexive pronoun refer to the same person or thing:

> **Je me** lave.
> **Nous nous** regardons.
> **Elle se** lève de bonne heure.

_____ In a negation, **ne** precedes the reflexive pronoun and **pas** follows the verb:

> Il **ne** se repose **pas**.
> Elles **ne** s'écrient **pas**.

_____ In a question, the reflexive pronoun precedes the verb:

> **Se** réveille-t-elle?
> **Vous** souvenez-vous de cette personne?
> Henry **se** dépêche-t-il?

_____ 45. The past tense of a pronominal verb is formed with **être** as the auxiliary verb:

> Je me **suis** habillé(e).
> Nous nous **sommes** ennuyé(e)s.

_____ The past participle agrees with a reflexive pronoun that serves as a direct object:

> Elle **s'**est bien reposé**e**.
> Ils **se** sont absenté**s** hier.
> Les femmes **se** sont regardé**es**.

_____ However, there is no agreement if the verb does not take a direct object:

> Elles **se** sont **téléphoné** hier.

_____ Nor is there agreement when a reflexive verb is used with a part of the body:

> Nicole **s'**est **brossé** les dents.

VOCABULAIRE

VERBES

verbes comme *se laver* (voir
pp 232 et 233)

NOMS

les cinq sens (*m. pl.*)
(voir p 221)
le corps (voir pp 220 et 221)
la signalisation routière (voir
p 219)

le code de la route
l'essence (*f.*)
le flic
l'huile (*f.*)

la mobylette/la mob
le moteur
le permis de conduire
le piéton

PREPOSITIONS

avant de

d'abord

d'après

EXPRESSIONS UTILES

Bien sûr!

Pas de panique!

prendre soin de

CHAPITRE 10

Devant la cathédrale

Itinéraire

In this chapter, you'll visit the cathedral in Bourges, which Aldous Huxley described as the most beautiful building in Europe. You'll also learn how to express two kinds of actions: those that began in the past and continue in the present and those that will take place in the future. And you'll learn how to talk about cities, countries, and other geographical locations.

To help you do these things, you'll study **depuis** and **il y a**, the future tense, prepositions with geographical locations, and the irregular verbs **dire**, **lire**, and **conduire**.

245

Scénario .▪-▪-◦-▪-◦-▪-◦-▪-◦-▪-◦-▪-◦-▪-◦-▪-◦-▪-◦-▪-◦-▪-◦-▪-◦-▪-◦-▪-◦-▪-◦-▪-◦-▪▪

PREMIERE ETAPE

ROBERT: Quel grand bâtiment! Il est immense, énorme, gigantesque!

NICOLE: C'est la cathédrale Saint-Etienne. Elle est gothique.

ROBERT: Je me demande si c'est le plus beau bâtiment de la ville.

NICOLE: C'est le plus important.

5 ROBERT: Parle plus lentement, je te prie.

NICOLE: D'accord. Entrons!

ROBERT: J'ai acheté ce livre qui décrit la cathédrale.

NICOLE: Pourquoi? Je suis là. Tu n'en as pas besoin maintenant. Donne-le-moi!

ROBERT: Tiens, prends-le! Mais n'oublie pas de me le rendre.

DEUXIEME ETAPE

ROBERT: Quel grand bâtiment! Il est immense, énorme, gigantesque!

NICOLE: Tu t'es écrié comme moi la première fois que je l'ai vue. Te souviens-tu de
son histoire?

ROBERT: Non!

5 NICOLE: C'est la cathédrale Saint-Etienne qui date du douzième et du treizième
siècles. Te rends-tu compte? Elle est là depuis presque huit siècles. Elle est gothique
et c'est la seule cathédrale avec cinq portails.

ROBERT: Je me demande si c'est le plus beau bâtiment de la ville.

NICOLE: C'est surtout le plus important. Elle contient aussi le plus grand nombre de
10 vitraux de toutes les cathédrales.

ROBERT: Parle plus lentement, je te prie.

NICOLE: D'accord. Entrons! Tu y verras de véritables merveilles de la civilisation
française.

ROBERT: Oui, je sais, j'ai acheté ce livre qui décrit la cathédrale.

15 NICOLE: Pourquoi? Je suis là. Tu n'en as pas besoin maintenant. Donne-le-moi! Je
t'apprendrai à l'apprécier. Tu l'as dit: je suis ton guide.

ROBERT: Tiens, prends-le! Mais n'oublie pas de me le rendre.

TROISIEME ETAPE

ROBERT: Mon Dieu! C'est incroyable! Quel grand bâtiment! Il est immense, énorme,
gigantesque!

NICOLE: Tu t'es écrié comme moi la première fois que je l'ai vue. Te souviens-tu de
son histoire?

5 ROBERT: Moi? Eh bien, non!

NICOLE: C'est la cathédrale Saint-Etienne qui date du douzième et du treizième
siècles. Te rends-tu compte? Elle est là depuis presque huit siècles. Elle est gothique
et c'est la seule cathédrale avec cinq portails.

ROBERT: Je me demande si c'est le plus beau bâtiment de la ville. Qu'en penses-tu?
10 NICOLE: C'est surtout le plus important. Elle contient aussi le plus grand nombre de vitraux de toutes les cathédrales, aussi bien que la plus grande nef.
ROBERT: Tu parles comme un guide, mais parle plus lentement, je te prie.
NICOLE: D'accord. Entrons! Tu y verras de véritables merveilles de la civilisation française.
15 ROBERT: Oui, je sais.

On entend la musique de l'orgue.

ROBERT: C'est impressionnant! Regarde! J'ai acheté ce livre qui décrit la cathédrale.
NICOLE: Pourquoi? Je suis là. Tu n'en as pas besoin maintenant. Donne-le-moi! Je t'apprendrai à l'apprécier. Tu l'as dit: je suis ton guide.
20 ROBERT: Tiens, prends-le! Mais n'oublie pas de me le rendre.
NICOLE: (*devant un vitrail*) Ici nous avons le plus vieux vitrail...

Questions sur le scénario

1. Comment la cathédrale est-elle?
2. De quels siècles date-t-elle?
3. Combien de portails a-t-elle?
4. Est-ce le plus beau bâtiment de la ville ou le plus important?
5. Que contient-elle?
6. Que demande Robert à Nicole?
7. Pourquoi Robert a-t-il acheté ce livre?
8. A-t-il besoin de ce livre? Pourquoi?
9. Qu'est-ce que Robert désire?
10. Qu'est-ce que Robert et Nicole regardent?

COIN CULTUREL: Les religions de la France

1. The majority of French people—85 percent—are Catholic. France is often called "the eldest daughter of the Catholic church." Indeed, Catholicism is the official religion, but not the state religion. State and church were separated in 1905.

2. To be married, a couple must first have an official ceremony performed at city hall. Afterward, if they so desire, they have the choice of having a religious wedding. Divorce has been officially sanctioned in France since 1884.

3. There are about 950,000 Protestants in France, most of them living in central and eastern France.

4. French Jews number approximately 740,000 and live primarily in Paris and eastern France. There are 80 rabbis in France. The French Jewish community is the largest in western Europe and the fourth largest in the world.

5. There are also about 3.5 million Moslems in France, of whom approximately half come from North Africa. There are 400 mosques, or Moslem places of worship, in France, with the Moslem spiritual leader located at the mosque in Paris. Islam has become the second largest religion in France.

Un synagogue

La cathédrale de Bourges

Un mosque

Gestes

1. The expression *"I'm fed up!"* (« **J'en ai ras le bol!** » or « **J'en ai jusque là!** ») is indicated by passing the flat of the hand above the head several times. (« **J'en ai jusque là!** » is very close to *"I've had it up to here!"*) This gesture could be accompanied by a sneer or by letting the breath out quickly.

« J'en ai ras le bol! »

2. Helplessness may be indicated by raising and lowering the shoulders, hands, and eyebrows simultaneously. The hands are extended, palms facing each other. This gesture may be accompanied by a remark such as « **Qu'est-ce que vous voulez!** » or « **Moi, je n'y peux rien!** » (*"It's beyond me!"*).

Proverbes

Paris ne s'est pas fait en un jour.   *Rome was not built in a day.*
Qui vivra verra.   *He who laughs last laughs best.*

VOCABULAIRE ILLUSTRE: Un peu de géographie

Exercice de transformation

Modèle: Le Portugal est à l'ouest de _____.
Le Portugal est à l'ouest de l'Espagne.

1. La Suisse est au nord de _____.
2. La France est au nord de _____.
3. La Grèce est au sud de _____.

4. L'Allemagne est entre _____ et _____.
5. La Russie est au sud de _____.
6. Le Danemark est au nord de _____.
7. La Suède est à côté de _____.
8. Le Luxembourg est entre _____, _____ et _____.
9. L'Ecosse est au nord de _____.
10. Le Maroc, l'Algérie et la Tunisie sont au sud de _____.

Allons plus loin: Les vacances

Etudiez le vocabulaire.

libre *free*	avoir du mal à *to find it difficult to*
hors du travail *outside of work*	au bord de la mer *at the seashore*
la plupart de *most (of)*	un adepte *an adherent*
le reste *the remainder*	encombré *crowded*
un vacancier *a vacationer*	avoir de la chance *to be lucky*
nombreux *numerous*	

TRAVAUX PRATIQUES

A. Lisez et comprenez.

Robert entend souvent les expressions « loisirs », « vacances » et « congés payés », ce qui semble des réalités importantes pour les Français. Comme Mme Fourchet est libre, Robert en profite pour lui poser des questions.

ROBERT: « Loisirs », qu'est-ce que cela veut dire?

5 MME FOURCHET: « Loisirs », c'est tout le temps libre hors du travail. Les vacances, appelées aussi « congés payés », font partie des loisirs. Elles sont devenues obligatoires pendant le régime socialiste de Léon Blum en 1936, quand les Français ont obtenu deux semaines de congés payés. Ce nombre a été progressivement augmenté. Depuis 1982 les congés payés sont de cinq semaines.

10 ROBERT: Mais que font les Français pendant cinq semaines de vacances?

MME FOURCHET: Eh bien, la plupart des Français partent. Environ un sur quatre va aux sports d'hiver pendant une quinzaine de jours et prend le reste en été. Les professions libérales et les cadres supérieurs prennent le plus de vacances et les agriculteurs le moins.

15 ROBERT: A quel moment prend-on ces vacances?

MME FOURCHET: Ça, c'est un grand problème. En été, beaucoup de gens partent en juillet, mais le pire est le mois d'août, quand de nombreuses entreprises ferment leurs portes. En août, les vacanciers ont du mal à trouver des logements libres, surtout au bord de la mer.

20 ROBERT: Au bord de la mer?

MME FOURCHET: Oui, le premier choix est la mer, ensuite la campagne, puis les pays étrangers. Le Club Méditerranée et d'autres clubs touristiques ont beaucoup d'adeptes. C'est le même problème en février quand les stations de ski deviennent encombrées. Ces périodes de vacances correspondent aux vacances scolaires. Alors, le Ministère de l'éducation nationale a divisé la France en zones de vacances qui partent à tour de rôle.

ROBERT: Les Français ont vraiment de la chance. Nous, les Américains, n'avons que quinze jours de vacances normalement.

 B. Posez les questions suivantes à un(e) autre étudiant(e).

1. Qu'est-ce qui semble des réalités importantes pour les Français?
2. Qu'est-ce que les Français entendent par « loisirs »?
3. Depuis quand les congés payés sont-ils obligatoires?
4. Qu'est-ce qui s'est passé en 1982?
5. Y a-t-il des congés payés aux Etats-Unis? Combien de temps?
6. Que font les Français pendant cinq semaines?
7. A quels moments y a-t-il un grand problème?
8. Les Américains ont-ils les mêmes problèmes? A quels moments?
9. Quel est le problème des stations de ski en février?
10. Qu'est-ce que le Ministère de l'éducation a fait?
11. Que pense Robert? Pour quelle raison?

NOTE DE GRAMMAIRE 46

Emploi du présent avec **depuis** et **il y a**

1. An action that began in the past and continues into the present is expressed by *present tense* + **depuis** + *indication of time*:

Je conduis **depuis** dix ans.   *I've been driving **for** ten years (and I'm still driving).*

J'étudie le français **depuis** dix se-   *I've been studying French **for** ten weeks maines.   (and I'm still studying).*

2. Another way of expressing such action is to use **il y a** + *indication of time* + **que** + *present tense*:

Il y a dix ans **que** je conduis.
Il y a dix semaines **que** j'étudie le français.

3. To ask a question, use **depuis quand** or **depuis combien de temps**:

Depuis quand êtes-vous ici?   *How long (**Since when**) have you been here?*

Je suis ici **depuis** le 16 mars.   *I've been here **since** March 16.*

Depuis combien de temps êtes-   *How long (**For how long**) have you vous ici?   been here?*

Je suis ici **depuis** dix semaines.   *I've been here **for** ten weeks.*

Recognize the distinction between these two expressions. **Depuis quand** asks when an action began. It inquires about clock or calendar time. **Depuis combien de temps** asks for the duration of an action. It inquires about a span of time.

4. Notice the distinction between **depuis** and **il y a... que**:

Je suis ici **depuis** une heure.   *I've been here **since** 1 o'clock.*
Il y a une heure **que** je suis ici.   *I've been here **for** one hour.*

Depuis is a reference to clock or calendar time; **il y a... que** specifies the span of time that has passed.

Simples substitutions

A. *Time could pass quickly.*

1. Marguerite est en France *depuis un mois.* (*depuis deux ans, depuis hier, depuis trois semaines, depuis une semaine, depuis trois jours*)
2. *Il y a quatre semaines* qu'elle étudie le français. (*Il y a un an, Il y a deux jours, Il y a deux ans, Il y a six mois, Il y a quinze jours*)

Exercices de transformation

B. *Let's be more specific.*

Modèle: Depuis quand regardez-vous la télévision? (*une heure du matin*)
       Je regarde la télévision depuis une heure du matin.

1. Depuis quand parlez-vous avec votre ami? (*deux heures de l'après-midi*)
2. Depuis quand travaille-t-il? (*quatre heures du matin*)
3. Depuis quand écoutez-vous la radio? (*une heure et demie de l'après-midi*)
4. Depuis quand avez-vous mal à la tête? (*hier soir*)

Modèle: Depuis combien de temps êtes-vous ici? (*deux heures*)
       Il y a deux heures que je suis ici.

5. Depuis combien de temps regardent-ils la télévision? (*une heure*)
6. Depuis combien de temps visitez-vous la cathédrale? (*deux heures*)
7. Depuis combien de temps mangez-vous? (*une heure et demie*)
8. Depuis combien de temps sont-ils au café? (*trois heures*)

Modèle: Depuis combien de temps apprenez-vous le français? (*deux ans*)
       J'apprends le français depuis deux ans.   ou:
       Il y a deux ans que j'apprends le français.

9. Depuis quand cherches-tu ta sœur? (*hier*)
10. Depuis quand maigris-tu? (*l'été*)
11. Depuis combien de temps es-tu malade? (*une semaine*)

12. Depuis combien de temps étudiez-vous le français? (*une semaine*)
13. Depuis combien de temps grossis-tu? (*un mois*)
14. Depuis quand m'attendez-vous? (*six heures du soir*)

C. *Répondez aux questions générales.*

1. Depuis quand êtes-vous ici?
2. Depuis combien de temps étudiez-vous le français?
3. D'où venez-vous? Depuis quand habitez-vous cette ville?
4. Mon amie est arrivée hier. Depuis combien de temps est-elle ici?
5. La ville de Lutèce a pris le nom de Paris en 360. Depuis quand la ville de Paris s'appelle-t-elle Paris?
6. L'Amérique a gagné son indépendance en 1776. Depuis quand ce pays est-il indépendant?
7. Pierre de Coubertin a organisé les Jeux olympiques modernes en 1894. Depuis quand les Jeux olympiques modernes existent-ils?

Aux sports d'hiver

NOTE DE GRAMMAIRE 47

Le futur

1. The future tense of most verbs is formed by adding the future tense endings to the infinitive. When an infinitive ends in **e**, like **vendre**, drop the **e** before adding the endings. The future tense endings are **-ai, -as, -a, -ons, -ez, -ont**:

parler	**finir**	**vendre**
je parler**ai**	je finir**ai**	je vendr**ai**
tu parler**as**	tu finir**as**	tu vendr**as**
il parler**a**	il finir**a**	il vendr**a**
elle parler**a**	elle finir**a**	elle vendr**a**
on parler**a**	on finir**a**	on vendr**a**
nous parler**ons**	nous finir**ons**	nous vendr**ons**
vous parler**ez**	vous finir**ez**	vous vendr**ez**
ils parler**ont**	ils finir**ont**	ils vendr**ont**
elles parler**ont**	elles finir**ont**	elles vendr**ont**

Je parlerai à mes parents. — *I will speak to my parents.*
Elle finira ses devoirs demain. — *She will finish her homework tomorrow.*
Ils vendront leurs mobylettes. — *They'll sell their mopeds.*

Note that the future tense stem always ends in **r**.

2. Some verbs have an irregular future stem. The future endings, however, remain the same:

aller	**ir-**	**Nous irons** à l'école dans une semaine.
avoir	**aur-**	**J'aurai** le billet dans une heure.
être	**ser-**	**Tu seras** fatigué demain.
faire	**fer-**	**Elle fera** le tour de la ville samedi.
venir	**viendr-**	**Vous viendrez** chez nous ce soir.
voir	**verr-**	**Je verrai** le film après-demain (*the day after tomorrow*).
pouvoir	**pourr-**	**Elle pourra** y aller vendredi.
savoir	**saur-**	**Nous saurons** le faire un jour.
vouloir	**voudr-**	**Ils voudront** le faire dans une semaine.

3. The future stem of a stem-changing verb contains the same spelling change as the **je** form of the present tense:

j'appelle → j'**appeller**ai   je me lève → elle se **lèver**a
je jette → tu **jetter**as   j'achète → nous **achèter**ons

Note: Verbs like **préférer** do not have a stem change in the future tense:

préférer: vous **préférer**ez   répéter: ils **répéter**ont   espérer: j'**espérer**ai

4. In general, French usage of the future tense is like English usage in that it expresses something that is going to happen:

Je la **verrai** demain.   *I shall (**will, am going to**) see her tomorrow.*

Unlike English, however, the future tense is also used in French when an action in the future is *implied*:

Je lui parlerai **quand elle arrivera.**   *I will speak to her **when she arrives**.*

In this example, the woman has not yet arrived, but it is implied that she will arrive at some time in the future. After the following conjunctions, the future tense is used when future action is expressed or implied:

quand
lorsque } *when, whenever*

dès que
aussitôt que } *as soon as*

J'écouterai **quand il parlera.**   *I shall listen **when he speaks**.*
Lorsqu'ils arriveront, nous man-   ***When they arrive,** we shall eat.*
   gerons.
Je la verrai **dès que je pourrai.**   *I will see her **as soon as I can**.*
Aussitôt que je lui demanderai, il   ***As soon as I ask him,** he will do it.*
   le fera.

Simples substitutions

A. *A fun class.*

1. *Le professeur posera des questions. (Vous poserez, Tu poseras, Elles poseront, Nous poserons, Je poserai)*
2. *Je répondrai à la question. (Ils répondront, Vous répondrez, Tu répondras, L'étudiante répondra, Nous répondrons)*
3. *Nous nous amuserons dans la classe. (Je m'amuserai, Tu t'amuseras, Ils s'amuseront, Vous vous amuserez, Il s'amusera)*
4. *Le prof sortira avec nous. (Vous sortirez, Tu sortiras, Il sortira, Je sortirai, Elles sortiront)*
5. *Nous verrons la ville. (Je verrai, Vous verrez, Tu verras, Le piéton verra, Les jeunes gens verront)*

Exercices de transformation

B. *Taking a bicycle trip.*

Modèle: *Je roulerai à bicyclette. (Nicole)*
        Nicole roulera à bicyclette.

1. *Je* roulerai à bicyclette. (*Vous, Nous, Les agents de police, Tu, Les filles*)
2. Sauras-*tu* la conduire? (*Est-ce que je, on, nous, Les parents, vous*)
3. *Tu* n'oublieras pas la priorité à droite. (*Henry, Les chauffeurs, Je, Nous, Vous*)
4. *Nous* admirerons les bâtiments de la ville. (*Vous, Les filles, On, Je, Tu*)

C. **Présent → futur.**

Modèle: Je ne vous appelle pas.
  Je ne vous appellerai pas.

1. Je ne répète pas votre nom.
2. Ils préfèrent rester ici.
3. Vous ne m'entendez pas.
4. On ne se voit pas.
5. Nous ne perdons pas notre temps.

D. *Reasons to ride a moped: Near future → future.*

Modèle: Ce moteur va t'aider.
  Ce moteur t'aidera.

1. Tu vas essayer la mobylette.
2. Vous allez apprendre.
3. Après nous allons voir la ville.
4. Ils vont passer devant la librairie.
5. Nous allons nous arrêter.

E. *Henry buys a painting:* **Présent → futur.**

Modèle: Il étudie les peintures.
  Il étudiera les peintures.

1. Il les admire.
2. Il comprend la peinture.
3. Il apprend beaucoup.
4. Il demande le prix.
5. Il en achète une.

TRAVAUX PRATIQUES

A. Composez des phrases logiques au futur en utilisant les mots dans chaque groupe.

Modèle: quand/je/apprendre/français/je/en/être content
  Quand j'apprendrai le français, j'en serai content.

1. dès que/nous/voir/le miracle/nous/le/croire
2. aussitôt que/il/comprendre/il/le/expliquer
3. lorsque/tu/le/entendre/tu/le/répéter

En vacances sur la plage

Modèle: prof/parler/parents/de mes notes
Le prof parlera à mes parents de mes notes.

4. ils/ne pas être heureux de/venir/école
5. je/ne pas savoir/expliquer/raison
6. prof/voir/parents/et/pouvoir/répondre/leurs/questions
7. parents/être mécontents/et/revenir/un autre jour

 B. *Interview a classmate privately. Ask as many questions as possible about how he or she sees himself or herself in 20 years. The next day tell the class that you, a well-known swami (**un savant/une savante**), will talk about one of them as he or she will be in 20 years. As you describe your classmate in the future tense, the class will try to figure out who it is. A turban and crystal ball might help.*

Modèle:

QUESTION: Comment vous voyez-vous dans vingt ans?

REPONSE: Je me vois architecte. Je suis plus riche, plus célèbre, plus puissante que Frank Lloyd Wright. Je dessine les bâtiments les plus importants du monde. Je me vois mariée avec un bel homme. J'ai trois enfants, deux chiens, trois chevaux et une Jaguar. Je parle français et je voyage souvent en France. Je mange dans les meilleurs restaurants. Sur mon épitaphe on verra: « Ci-gît (*Here lies*) une femme qui a cru au futur... »

The next day, as swami, you might say: « Je consulte ma boule de cristal et je vois une personne dans cette salle de classe. Dans vingt ans cette personne sera un architecte très riche. Cette personne sera très célèbre et plus puissante que Frank Lloyd Wright. Elle sera mariée avec... » *And finally*: « Alors, qui est cette personne? »

NOTE DE GRAMMAIRE 48

Les prépositions avec les noms de lieux

To choose the correct French preposition to express *in, to, at, into,* or *from* a geographical location, you must consider the gender of the place.

1. To express *in, to, at,* or *into*:

   a. Use the preposition **en** before continents:

      Je vais **en** Asie cet été.
      En Australie il y a des kangourous.
      Il va **en** Europe cet automne.
      En Afrique du Nord on parle français et arabe.
      L'Argentine est **en** Amérique du Sud.

   b. Use **en** with countries of feminine gender:

      Ils vont passer l'année **en** France.
                               en Angleterre.
                               en Italie.
                               en Chine.
                               en Grèce.
                               en Russie.
                               en Allemagne.
                               en Espagne.

   Note: Most countries that end in **e** in French are considered feminine. Exceptions are **le Mexique, le Zaïre,** and **le Cambodge**.

   c. Use **au** with countries of masculine gender in the singular:

      Au Mexique on parle espagnol.
      Au Brésil et **au** Portugal on parle portugais.
      Au Japon on parle japonais.
      Au Maroc on parle français et arabe.
      Au Canada on parle français et anglais.
      Au Danemark on parle danois.

   d. Use **en** with masculine countries beginning with a vowel or a mute **h**:

      en Uruguay   **en** Israël   **en** Irak

e. Use **aux** before countries in the plural, regardless of gender:

aux Etats-Unis (*m.*)   **aux** Antilles (*f.*)   **aux** Pays-Bas (*m.*)

f. Use **à** with cities and most island countries:

On a vu beaucoup de musées **à** Rome.   **à** Washington.
                                 à Paris.   **à** Moscou.
                                 à Athènes.   **à** Madrid.
                                 à Londres.   **à** Haïti.
                                 à Pékin.   **à** Cuba.

Note: If a city has a definite article in its name, the article is retained. Contraction occurs with the preposition **à** in the case of a masculine definite article:

au Caire   **au** Havre   **à la** Nouvelle-Orléans

g. Similarly, **en** is used with feminine states:

en Californie   **en** Lousisiane
en Géorgie   **en** Floride
en Caroline du Nord   **en** Caroline du Sud
en Louisiane   **en** Pennsylvanie
en Virginie   **en** Virginie de l'Ouest

But **dans le** is usually used with masculine states:

dans le Connecticut   **dans le** Maine
dans l'Ohio   **dans le** New Hampshire

Two exceptions are:

au Kansas   **au** Texas

2. Unless movement *in, to,* or *into* is indicated, use the definite article before a location:

J'aime **la** France.   *I like France.*
J'habite **la** Suisse.   *I live in Switzerland.*

3. If possession is indicated, use the appropriate form of **de** + *definite article*:

Dakar est la capitale **du** Sénégal.   *Dakar is the capital **of** Senegal.*

4. To express **from**:

a. Use **de** with continents:

Il vient **d'**Afrique.

b. Use **de** with countries and states of feminine gender:

Elle vient **d'**Italie.
Il vient **de** Floride.

or with masculine countries beginning with a vowel or a mute **h**:

Ils viennent **d'**Israël.
Elles viennent **d'**Iran.

c. Use **du** with countries or states of masculine gender:

Je viens **du** Mexique.
Nous venons **du** Vermont.
but: Il vient **de l'**Ohio.

d. Use **des** with countries in the plural:

Il vient **des** Etats-Unis.

e. Use **de** before all cities:

Il vient **de** Pékin.

Note: When the name of a city contains a definite article, the definite article is retained and contraction with the masculine article occurs:

Vous venez **du** Caire.
Elle vient **du** Havre.
Il vient **de la** Nouvelle-Orléans.

Exercices de manipulation

A. **Modèle:** Rome se trouve...
Rome se trouve en Italie.

1. Washington se trouve...
2. Londres se trouve...
3. Berlin se trouve...
4. Tokyo se trouve...
5. Paris se trouve...
6. Moscou se trouve...
7. Pékin se trouve...
8. Ottawa se trouve...

B. *Use the cues to tell where you come from and where you're going. If possible, point to the countries on a map as you call them out.*

Modèle: Je viens _____ et j'irai _____. (*la France, l'Espagne*)
Je viens de France et j'irai en Espagne.

1. le Portugal, le Mexique
2. l'Algérie, le Zaïre
3. l'Egypte, la Jordanie
4. la Syrie, la Grèce
5. la Turquie, l'Italie
6. la Suisse, la Tchécoslovaquie
7. l'Autriche, la Pologne
8. la Hongrie, la Russie

C. **Modèle:** Je suis né(e) à Londres.
    Je viens d'Angleterre.

1. Je suis né(e) à Los Angeles.
2. Je suis né(e) à Athènes.
3. Je suis né(e) à Moscou.
4. Je suis né(e) à Rio de Janeiro.
5. Je suis né(e) à Berlin.
6. Je suis né(e) à Tel Aviv.
7. Je suis né(e) à Madrid.
8. Je suis né(e) à Genève.
9. Je suis né(e) à Paris.
10. Je suis né(e) à Venise.

Ils font de la planche à voile.

TRAVAUX PRATIQUES

A. *Study the map on the inside back cover and identify as many francophone countries as you can. Also identify the capital of each country. (There are 37 francophone countries.) Try quizzing one of your classmates by dropping hints, such as location or continent.*

B. *Toss a globe (lightweight, please) to your partner. When your partner catches the globe, he or she must immediately (and without looking) place a finger on a country, identify the country, and mention the countries that surround it. If the person points to a body of water, he or she must try again.*

C. *Each member of the class represents a country at a committee meeting at the United Nations. Each person stands, introduces himself or herself, and names the country he or she represents, its capital, its principal language, the continent on which it is located, its population, and its general climate.*

Modèle: *Je m'appelle Kenichi Takasaki. Je viens de Tokyo, la capitale du Japon. On y parle japonais. Le Japon est en Asie. Le Japon a une population d'environ 121 millions d'habitants et le climat varie comme ici aux Etats-Unis.*

In addition to the countries listed in the **Vocabulaire illustré***, others may represent* **le Brésil, le Burkina Faso, le Cambodge, le Canada, la Chine, l'Egypte, l'état d'Israël, le Mexique, le Sénégal,** *and* **le Zaïre***.*

NOTE DE GRAMMAIRE 49

L'infinitif après une préposition

In French, a verb usually takes the infinitive form when it directly follows a preposition:

Avant de partir, n'oublie pas de me téléphoner.	*Before leaving*, *don't forget to telephone me.*
Sans parler, il est parti.	*Without speaking*, *he left.*
Pour réussir, on étudie toujours.	*In order to succeed*, *one always studies.*
Je commence **à parler**.	*I am beginning to speak.*
Je finis **de faire** mes devoirs.	*I finish doing my homework.*

Note that the verb after the preposition is sometimes equivalent to an English verb form ending in *-ing* and sometimes to *to + verb*. The only exceptions to this rule are the prepositions **après** and **en**, which we will discuss in **Chapitre 18**.

Simples substitutions

1. Avant de *l'acheter*, regarde-le! (*le vendre, le prendre, l'étudier, le croire, le choisir*)
2. J'ai commencé à *crier*. (*croire, voir, écouter, comprendre, monter*)
3. Ils finissent de *voyager*. (*boire, dormir, répondre, manger, servir*)
4. Il faut *manger* pour vivre et non pas vivre pour *manger*. (*dormir, boire, travailler, chanter, réussir*)

NOTE DE GRAMMAIRE 50

Les verbes **dire, lire** et **conduire**

The irregular verbs **dire** (*to say, to tell*), **lire** (*to read*), and **conduire** (*to drive*) have much in common in the present tense, the imperative, and the future tense:

dire	lire	conduire
je **dis**	je **lis**	je **conduis**
tu **dis**	tu **lis**	tu **conduis**
il **dit**	il **lit**	il **conduit**
elle **dit**	elle **lit**	elle **conduit**
on **dit**	on **lit**	on **conduit**
nous **disons**	nous **lisons**	nous **conduisons**
vous **dites**[1]	vous **lisez**	vous **conduisez**
ils **disent**	ils **lisent**	ils **conduisent**
elles **disent**	elles **lisent**	elles **conduisent**

☞

[1] Note that the conjugation follows a predictable pattern, except in the second person plural. **Faire** and **être** are the other two verbs with second person plurals that differ from the rest of their conjugations (**vous faites, vous êtes**).

IMPERATIF:
dis! disons! dites!   **lis! lisons! lisez!**   **conduis! conduisons! conduisez!**

FUTUR:
je **dirai**   je **lirai**   je **conduirai**

But note the differences in their past participles:

j'ai **dit**   j'ai **lu**   j'ai **conduit**

Simples substitutions

1. *Tu lui dis l'histoire de la cathédrale. (Le guide dit, Le prêtre dit, Vous dites, Nous disons, Ils disent, Je dis)*
2. *Il lui dira de parler plus lentement. (Nous vous dirons, Vous leur direz, Tu me diras, Ils nous diront, Je vous dirai)*
3. *Mme Fourchet leur a dit d'acheter une baguette. (Mes grands-parents m'ont dit, Je lui ai dit, Nous leur avons dit, Tu m'as dit, Vous lui avez dit)*
4. *M. Fourchet lit le journal. (Je lis, Nous lisons, Vous lisez, Tu lis, Elles lisent)*
5. *Il l'a lu après le dîner. (Elles l'ont lu, Je l'ai lu, Nous l'avons lu, Vous l'avez lu, Tu l'as lu)*
6. *Mme Fourchet l'a conduit à la maison. (Je l'ai conduit, Tu l'as conduit, Nous l'avons conduit, Vous l'avez conduit, Ils l'ont conduit)*

TRAVAUX PRATIQUES

Répondez aux questions générales.

1. Décrivez votre ville: quels sont les bâtiments principaux?
2. Quel âge a le plus vieux bâtiment de votre ville?
3. Demandez à votre voisin(e) (*neighbor*) de vous décrire l'école où vous êtes.
4. Quelle est votre ville favorite? Pourquoi? Pour y vivre (*to live*) ou pour visiter seulement?
5. Achetez-vous un guide avant de visiter une ville?
6. Que faites-vous quand vous retrouvez un(e) ami(e) que vous n'avez pas vu(e) depuis longtemps?
7. Demandez à votre voisin(e) de vous dire où il/elle espère être dans dix ans.

MICROLOGUE: La cathédrale de Bourges

La cathédrale de Bourges n'est pas aussi célèbre que d'autres:
par exemple, comme la cathédrale de Chartres elle n'a pas été
sur le chemin de nombreux **pélerins** du Moyen Age en route   *pilgrims*
pour Saint-Jacques-de-Compostelle en Espagne. La cathédrale

5 de Reims a vu le couronnement du roi Louis VII et Notre-Dame
de Paris a été associée aux grands **événements** de la capitale. *events*

Mais au quinzième siècle, pendant l'occupation anglaise, le
roi Charles VII est venu se réfugier à Bourges où on l'appelle
toujours « le petit roi de Bourges ». C'est aussi dans cette cathé-
10 drale que Jeanne d'Arc et ses courageux capitaines sont venus
prier avant d'aller reconquérir et sauver la France des Anglais.
C'est là que le futur roi Louis XI a été baptisé en 1423 et quelques
années plus tard, sa fille, une autre Jeanne, est venue prier pour
les erreurs et les fautes de sa famille. Elle est devenue sainte
15 Jeanne de France.

Questions

1. Pourquoi la cathédrale de Chartres est-elle célèbre?
2. Où Louis VII a-t-il été sacré roi?
3. En quel siècle a été l'occupation anglaise?
4. Quel roi s'est réfugié à Bourges?
5. Pourquoi Jeanne d'Arc et ses capitaines sont-ils venus prier dans cette cathédrale?
6. Quel roi y a été baptisé?
7. Qui est sainte Jeanne de France?

LECTURE: La famille (suite)

LE PROFESSEUR: Ne soyez pas trop **méfiants**, **sinon** vous vous *distrustful / otherwise*
empoisonnerez l'existence: les **commerçants** n'exploitent ni *shopkeepers*
tous les touristes ni les **étrangers** en leur demandant des prix *foreigners*
exorbitants. **Il vaut mieux risquer** d'être victime **une ou** *It is better to risk /*
5 **deux fois**. **Les prix sont plus élevés** en France qu'aux *once or twice /*
Etats-Unis, mais il est rare qu'on essaie de profiter de **la** *Prices are higher*
bonne foi des étrangers. *the good faith*

ANDREW: Monsieur, qu'est-ce que les Français pensent de
nous?

10 LE PROFESSEUR: Ah, là... je vous **dresserai** le portrait d'un *will sketch*
jeune Américain vu par nos amis français.

JESSE: Je sais: ils croient que nous sommes « **décontractés** », *"laid back," relaxed*
du moins c'est toujours ce que ma mère française me dit. *at least*

LE PROFESSEUR: D'accord. Décontracté, franc, honnête, désor-
15 ganisé, grand enfant, innocent ou naïf. **Un type** qui n'éteint *A guy*
jamais l'électricité, modeste, pas compliqué, intelligent —
mais affreusement ignorant de la vie française. Quelqu'un qui
mange trop et qui ne sait pas boire de vin. Mais les Français
l'aiment bien, **bien qu'il soit** un paradoxe. *despite his being*

20 ANDREW: **Tout comme le Français l'est pour nous**. *Just as the French are*
for us!

Questions

1. Pourquoi ne faut-il pas être trop méfiant?
2. Où les prix sont-ils plus élevés, en France ou aux Etats-Unis?
3. Que vaut-il mieux risquer?
4. Qu'est-ce que les Français pensent de nous?
5. Est-ce que l'Américain est un paradoxe?
6. Quels conseils peut-on donner à un Français ou à une Française qui habitera votre maison pour dix semaines?
7. Qu'ajouterez-vous au portrait du jeune Américain?
8. Que peut-on dire des stéréotypes en général?

 Création et récréation

A. Learn the pictorial equivalent of each symbol shown here. Then make up full sentences using each verb in the persons and tenses indicated.

Modèle: *Je:* 1A
Je bois du lait avec mes repas.

1. *Je:* I A, II B, III B, IV B
2. *Robert:* II A, II B, III D, IV D
3. *Nous:* I B, II A, III C, IV A
4. *Nicole et Marguerite:* I B, II D, III B, IV D
5. *Tu:* III A, II B, III B, I D
6. *Vous:* I A, II C, III A, IV C

B. Go one step further and make each statement in Activity A negative or turn it into a question.

C. Add to your story of Monique and Pierre.

Modèle: *Monique visite une église américaine. Son frère américain lui sert de guide. Il décrit l'église...*

Coup d'œil

OUI   NON

_____ 46. **Depuis** and **il y a... que** + *verb in the present tense* _____
express an action that began in the past and continues
into the present:

J'étudie le français **depuis** dix semaines.
Il y a dix semaines **que** j'étudie le français.

_____ To ask when an action began, use **depuis quand**. To _____
ask how long an action has lasted, use **depuis combien
de temps**:

Depuis quand êtes-vous ici?	*How long (**Since when**) have you been here?*
Je suis ici **depuis** le 16 mars.	*I've been here **since** March 16.*
Depuis combien de temps êtes-vous ici?	*How long (**For how long**) have you been here?*
Je suis ici **depuis** dix semaines.	*I've been here **for** ten weeks.*

_____ 47. The future tense expresses an action that will hap- _____
pen in the future. The future stem always ends in **r**.
Note the future tense of the three regular classes of
verbs:

parler	**finir**	**vendre**
je parler**ai**	je finir**ai**	je vendr**ai**
tu parler**as**	tu finir**as**	tu vendr**as**
il parler**a**	il finir**a**	il vendr**a**
elle parler**a**	elle finir**a**	elle vendr**a**
on parler**a**	on finir**a**	on vendr**a**
nous parler**ons**	nous finir**ons**	nous vendr**ons**
vous parler**ez**	vous finir**ez**	vous vendr**ez**
ils parler**ont**	ils finir**ont**	ils vendr**ont**
elles parler**ont**	elles finir**ont**	elles vendr**ont**

_____ Some verbs have an irregular future stem: _____

aller → ir-   **avoir → aur-**   **être → ser-**

The future tense is used after **quand**, **lorsque**, **dès que**, and **aussitôt que** when the future tense is used or implied:

Je la verrai **quand elle**   *I'll see her **when she**
    arrivera.   *arrives*.

48. To choose the correct French preposition to express *in, to, at, into,* or *from* a geographical location, you must consider the gender of the place.

To express *in, to, at* or *into*:

Use **en** before continents, singular countries of feminine gender, and singular countries beginning with a vowel:

en Asie   **en** Grèce

Use **au** with masculine singular countries:

au Mexique   **au** Canada

Use **aux** with all countries with plural names, regardless of gender:

aux Etats-Unis (*m.*)   **aux** Antilles (*f.*)

To express *from*:

Use **de** with continents, feminine singular countries, and singular countries beginning with a vowel:

d'Afrique   **de** France

Use **du** with masculine singular countries:

du Japon   **du** Portugal

Use **des** with countries with plural names:

des Etats-Unis   **des** Pays-Bas

49. A French verb usually takes the infinitive form when it directly follows a preposition:

Sans parler, il est parti.
Pour réussir, on étudie toujours.
Elle commence **à manger**.

50. The irregular verbs **dire**, **lire**, and **conduire** are conjugated as follows:

dire	lire	conduire
je **dis**	je **lis**	je **conduis**
tu **dis**	tu **lis**	tu **conduis**
il **dit**	il **lit**	il **conduit**
elle **dit**	elle **lit**	elle **conduit**
on **dit**	on **lit**	on **conduit**
nous **disons**	nous **lisons**	nous **conduisons**
vous **dites**	vous **lisez**	vous **conduisez**
ils **disent**	ils **lisent**	ils **conduisent**
elles **disent**	elles **lisent**	elles **conduisent**

IMPERATIF:

dis!	**lis!**	**conduis!**
disons!	**lisons!**	**conduisons!**
dites!	**lisez!**	**conduisez!**

PASSE COMPOSE:

j'**ai dit**	j'**ai lu**	j'**ai conduit**

FUTUR:

je **dirai**	je **lirai**	je **conduirai**

VOCABULAIRE

VERBES

conduire	dire	lire

NOMS

les noms de pays (voir p 250)	la civilisation	le prêtre
le bateau	le guide	le prix
le bâtiment	l'histoire (*f.*)	la radio
la cathédrale	la musique	le siècle
	la phrase	le voisin

ADJECTIFS

capable	étonnant	immense
considérable	fantastique	important
décontracté	gigantesque	incroyable
énorme	gothique	véritable

ADVERBES

lentement   presque

PREPOSITION

depuis

CONJONCTIONS

aussitôt que   dès que   lorsque

EXPRESSIONS UTILES

Depuis combien de   deux fois   je te prie
   temps... ?   Eh bien!   Tiens!
Depuis quand... ?   en tout cas

CHAPITRE 11

Un accident

Itinéraire

In this chapter, you'll learn about French driving habits, how to express anger, and some new ways of making a sentence negative. You'll also study the partitive **de**, the differences between the verbs **savoir** (*to know*) and **connaître** (*to be acquainted with*), uses of tonic pronouns, and the interrogative pronoun **quel**. Finally, you'll read a humorous passage about driving by contemporary French writer Pierre Daninos.

271

Scénario •–•

PREMIERE ETAPE

Nicole et Robert roulent en mobylette. Tout d'un coup, ils voient deux voitures qui se tamponnent.

PREMIER CHAUFFEUR: (*Il saute de sa voiture, tout en gesticulant.*) Espèce d'imbécile, tu ne peux pas regarder où tu vas?

5   DEUXIEME CHAUFFEUR: (*même jeu*) C'est toi, crétin, qui es aveugle. Tu ne vois pas clair?

Un agent de police arrive sur la scène.

AGENT DE POLICE: Montrez-moi vos papiers et expliquez-moi votre histoire!

NICOLE: S'ils n'ont pas de papiers, il va les amener au commissariat de police et ils

10   vont perdre des heures.

ROBERT: Regarde! Ils ont peur du flic. Maintenant ils ne se disputent plus. Les Français sont plus difficiles à comprendre que les Américains.

DEUXIEME ETAPE

Nicole et Robert roulent en mobylette. Nicole veut lui faire connaître la ville. Tout d'un coup, ils voient deux voitures qui se tamponnent.

PREMIER CHAUFFEUR: (*Il saute de sa voiture, tout en gesticulant.*) Espèce d'imbécile, tu ne peux pas regarder où tu vas? Où as-tu trouvé ton permis de conduire? Dans

5   une pochette-surprise?

DEUXIEME CHAUFFEUR: (*même jeu*) C'est toi, crétin, qui es aveugle. Tu ne vois pas clair? Tu as brûlé un feu! Tu as enfoncé ma porte!

Un agent de police arrive sur la scène.

AGENT DE POLICE: Ça suffit! Montrez-moi vos papiers et cessez de hurler comme des

10   fous! Expliquez-moi vos dégâts et votre histoire!

NICOLE: S'ils n'ont pas de papiers, il va les amener au commissariat de police et ils vont perdre des heures.

ROBERT: Regarde! Ils ont peur du flic. Maintenant ils ne se disputent plus.

AGENT DE POLICE: Cherchez vos constats à l'amiable!

15   ROBERT: (*chuchotant à Nicole*) Amiable? Tout à l'heure ils étaient sur le point de se couper la gorge. Les Français sont plus difficiles à comprendre que les Américains.

NICOLE: Attends! Tu ne nous connais pas encore!

TROISIEME ETAPE

Nicole et Robert roulent en mobylette. Nicole veut lui faire connaître la ville. Tout d'un coup, ils voient deux voitures qui se tamponnent à un feu rouge.

Un accident à Paris

PREMIER CHAUFFEUR: (*Il saute de sa voiture, tout en gesticulant.*) Espèce d'imbécile, tu ne peux pas regarder où tu vas? Où as-tu trouvé ton permis de conduire? Dans
5   une pochette-surprise?

DEUXIEME CHAUFFEUR: (*même jeu*) C'est toi, crétin, qui es aveugle. Tu ne vois pas clair? Porte donc des lunettes! Tu as brûlé un feu! On fait attention, tout de même! Si on ne sait pas conduire, on reste chez soi! Tiens, regarde, tu as enfoncé ma porte!

10 *Des badauds s'arrêtent et s'attroupent. Un agent de police arrive sur la scène.*

AGENT DE POLICE: Allez, allez! Circulez! Si vous n'êtes pas témoins, écartez-vous! (*s'adressant aux chauffeurs*) Et vous, ça suffit! Montrez-moi vos papiers et cessez de hurler comme des fous! Expliquez-moi vos dégâts et votre histoire!

NICOLE S'ils n'ont pas de papiers, il va les amener au commissariat de police et ils
15   vont perdre des heures.

ROBERT: Regarde! Ils ont peur du flic. Maintenant ils ne se disputent plus.

AGENT DE POLICE: Cherchez vos constats à l'amiable!

ROBERT: (*chuchotant à Nicole*) Amiable? Tout à l'heure ils étaient sur le point de se couper la gorge. Les Français sont plus difficiles à comprendre que les Américains.

20 NICOLE: Attends! Tu ne nous connais pas encore!

Questions sur le scénario

1. Que voient Robert et Nicole pendant qu'ils roulent en mobylette?
2. Que fait le premier chauffeur?
3. Que dit-il?
4. Que répond le deuxième chauffeur?
5. Qui arrive sur la scène de l'accident?

☞

273

6. Que dit l'agent aux badauds?
7. Que demande-t-il aux deux chauffeurs?
8. Qu'est-ce qui leur arrivera s'ils n'ont pas leurs papiers?
9. Pourquoi les chauffeurs ne se disputent-ils plus?
10. Qu'est-ce que c'est qu'un constat à l'amiable?

COIN CULTUREL: L'auto-stop et un rapport à l'amiable

1. **Faire de l'auto-stop** (*to hitchhike*) est assez commun en France. Pour faire de l'auto-stop on emploie le même geste qu'aux Etats-Unis, le pouce en l'air, le poing fermé en faisant le geste dans la direction du trafic. Au Canada on ne dit pas **faire de l'auto-stop**, on dit **faire du pouce**.

Il n'est pas recommandé de faire de l'auto-stop en France, comme aux Etats-Unis. Cela peut être dangereux.

2. **A l'amiable** (*out of court, privately*): Le mot **amiable** signifie un accord amical. Par exemple, dans le cas d'un accident qui n'est pas grave, chaque chauffeur remplit des papiers fournis par sa compagnie d'assurances sans la nécessité d'avoir un agent de police présent.

3. After an accident, you may say of the two drivers: « **Ils jurent comme des charretiers** » (*"They swear like troopers"*—literally, *cart drivers*). You can also say that both drivers « **sont dans le pétrin** » (*"are up the creek without a paddle"*).

Gestes

1. « **Tu es dingue!** » (*"You're nuts!"*) is said with one finger twisting at the temple.
2. To indicate that you do not intend to add anything to a discussion or to give anything, flick your front teeth quickly with your thumbnail. Expressions used with this gesture include « **Je ne dis plus rien!** », « **Pas un sou!** », and « **Rien du tout!** »

« Tu n'auras rien du tout! Pas un sou! »

Proverbes

A chaque jour suffit sa peine. *Sufficient unto the day is the evil thereof.*
De la discussion jaillit la lumière. *Discussion generates wisdom.*

VOCABULAIRE ILLUSTRE: Au secours!

Police

Numéro d'urgence: 17 *Emergency phone number: 17*
la CRS (Compagnie Républicaine de Sécurité) *SWAT squad*
un commissaire de police *police commissioner*

un inspecteur de police *inspector*	un vol *theft*
un détective *detective*	un voleur/une voleuse *thief*
un criminel *criminal*	un coup de filet *dragnet*
un cambrioleur *burglar*	une prison *prison*
un cambriolage *burglary*	une empreinte digitale *fingerprint*

Incendie   *Fire*

Numéro d'urgence: 18   *Emergency phone number: 18*

une caserne de pompiers   *firehouse*

un extincteur   *fire extinguisher*

un système d'alarme   *fire alarm*

Hôpital

Numéro d'urgence: 15   *Emergency phone number: 15*

le S.A.M.U. (Service d'aide médicale urgente)   *Emergency Medical Service*

un docteur   *doctor*

une infirmière   *nurse*

un pharmacien/une pharmacienne   *pharmacist*

une clinique   *private hospital*

Questions

1. Quand il s'agit d'un vol, qui appelle-t-on?
2. Quand il s'agit d'un incendie, qui appelle-t-on?
3. Quand on tombe sérieusement malade, qui appelle-t-on?

TRAVAUX PRATIQUES

 Employez le **Vocabulaire illustré** dans les situations suivantes.

1. Une banque vient d'être attaquée. Qu'est-ce qui se passe?

   Modèle: *Un employé fait le numéro d'urgence 17. Immédiatement le commissaire de police va envoyer...*

2. Vous êtes dans la rue. En passant devant une maison, vous voyez de la fumée. Qu'est-ce qui se passe?

   Modèle: *Je forme le numéro d'urgence 18. A la caserne des pompiers...*

3. Vous êtes témoin d'un accident très grave. Que faites-vous?

Allons plus loin: Des projets

Etudiez le vocabulaire.

se retrouver   *to meet*
jouer   *to play*
une pièce   *play*
cela leur plaît   *that pleases them*
puisque   *since*
un demi de bière   *a glass of beer*

quelques instants   *a little while*
se rendre   *to go*
roder   *to break in, to run in*
chez soi   *(at, to) home*
s'éloigner   *to go away*

TRAVAUX PRATIQUES

A. Lisez et comprenez.

Marguerite a téléphoné à Henry et Robert pour se retrouver à la terrasse du café de la Gare. M. Cornet vient de lui donner quatre billets pour le théâtre de la Huchette à Paris pour le samedi suivant. On y joue *La Cantatrice chauve*, suivie de *La Leçon*. Cela leur plaît parce qu'ils ont déjà lu ces pièces d'Ionesco. Ils sont réunis pour faire des projets.

D'abord, puisqu'ils ont quatre billets, Marguerite propose d'inviter Nicole à se joindre à eux. Elle lui téléphone. Nicole accepte avec joie et les rejoint à la terrasse du café.

Un garçon s'approche et demande: « Que désirez-vous prendre? »

Marguerite commande un Orangina, Nicole un Perrier au citron, Robert un Coca et Henry un demi de bière. Quelques instants après le garçon apporte les boissons commandées.

A la terrasse du café « Les Deux Magots »

Les jeunes gens discutent de plusieurs possibilités pour se rendre à Paris. Soudain Nicole dit: « Ma mère attend une Peugeot 405. Je vais lui demander si elle veut nous mener à Paris. Je sais qu'elle a besoin d'y aller. Ainsi elle pourra roder sa nouvelle voiture. » Ils sont enthousiasmés.

Il est l'heure de rentrer chez soi, aussi Robert fait signe au garçon qui vient à leur table. « Cela fait combien? » demande Robert. Le garçon leur donne le ticket et dit: « Cela fait soixante-quinze francs. » Henry questionne: « Le service est-il compris? » « Oui, Monsieur » répond le garçon.

Après que Robert a payé, le garçon déchire le ticket par moitié, le laisse sur la table et s'éloigne.

 B. Maintenant, posez les questions suivantes à un(e) autre étudiant(e).

1. Pourquoi Marguerite et Henry se retrouvent-ils à la terrasse du café de la Gare?
2. Que joue-t-on au théâtre de la Huchette à Paris?
3. Pourquoi sont-ils réunis?
4. Comment Nicole accepte-t-elle?
5. Qu'est-ce que les jeunes gens désirent prendre?
6. Que propose Nicole?
7. Quand on possède une nouvelle voiture, que faut-il faire?
8. Pourquoi Robert fait-il signe au garçon?
9. Après que Robert a payé, que fait le garçon?

C. Vous désirez aller voir une pièce de théâtre dans une autre ville que la vôtre (*yours*). Comment irez-vous? Seul? Par quel moyen (*means*) de locomotion? Faites vos projets!

 D. Vous êtes assis(e) à la terrasse d'un café en France. Avec un ou deux autres étudiants, faites un scénario entre vous et le garçon, jusqu'au moment où vous quittez le café.

NOTE DE GRAMMAIRE 51

Le partitif **de**

1. In **Chapitre 7**, we discussed the use of the partitive forms **du**, **de la**, **de l'**, and **des**, which specify quantity:

Je bois **du** café.	*I am drinking (**some**) coffee.*
Donnez-moi **de la monnaie**!	*Give me (**some**) **change**!*
J'ai **de l'argent**.	*I have (**some**) **money**.*
J'ai acheté **des livres**.	*I bought (**some**) **books**.*

2. In four cases, the simple partitive **de** (**d'**) is used before nouns:

   a. In negations:

   Il **ne** porte **pas de** lunettes.   Tu **n'**as **pas de** chance.

   b. Before plural adjectives preceding plural nouns:

   Elle a **de** bons amis.

   c. After expressions of quantity containing nouns:

   J'achète **une bouteille d'**eau minérale.

   d. After expressions of quantity containing adverbs:

assez de	*enough*	**pas mal de**	*quite a lot of*
autant de	*as much, as many*	**peu de**	*little, few*
beaucoup de	*a lot of*	**plus de**	*more*
moins de	*less*	**trop de**	*too much, too many*

J'ai **assez d'**argent.	*I have **enough** money.*
Tu as **autant d'**argent que moi.	*You have **as much** money as I.*
Elle a **beaucoup d'**amis.	*She has **a lot of** friends.*
Il a **moins d'**amis qu'elle.	*He has **fewer** friends than she.*
Ils ont **pas mal de** voitures.	*They have **quite a few** cars.*
Nous avons eu **peu d'**accidents jusqu'à maintenant.	*We had **few** accidents till now.*
Tu as eu **plus d'**accidents que moi.	*You had **more** accidents than I.*
Elle étudie **trop de** matières.	*She studies **too many** subjects.*

3. **De** (**d'**) + *noun* may be replaced by the pronoun **en**:

Il ne porte pas **de lunettes**.	Il n'**en** porte pas.
Elle a **de bons amis**.	Elle **en** a.
J'achète **une bouteille d'eau minérale**.	J'**en** achète une.[1]
J'ai assez **d'argent**.	J'**en** ai assez.

Simples substitutions

A.

1. Le banquier compte *des francs français*. (*des pesetas espagnoles, des pesos mexicains, des yens japonais, des drachmas grecques, des livres anglaises, des liras italiennes*)
2. Nous avons *beaucoup d'*argent. (*trop de, peu de, moins de, plus de, assez de*)

Exercices de transformation

B. Henry va à la banque changer des dollars.

Modèle: Je veux des dollars américains.
Je ne veux pas de dollars américains.

1. Il veut des francs français.
2. Le banquier lui donne des francs suisses.
3. Il demande des francs français.
4. Le banquier lui donne des marks allemands.
5. Henry quitte la banque avec des francs français.

C. On est témoin d'un accident.

Modèle: Vous avez de la chance.
Vous n'avez pas de chance.

1. Le chauffeur porte des lunettes.
2. Ils ont des papiers.
3. Tu as une carte d'identité.
4. Les chauffeurs ont fait une déclaration d'accident.
5. L'agent remplit des rapports.

D. Robert range ses vêtements.

Modèle: J'ai vu des choses. (*joli*)
J'ai vu de jolies choses.

---

[1] Note that a number or an adverb of quantity is retained when **en** is used.

1. Il a acheté des valises. (*grand*)
2. Vous avez compté des cravates. (*beau*)
3. Elle m'a montré des armoires. (*grand*)
4. Tu as placé des chemises dans le tiroir. (*vieux*)
5. Elle a sorti des jeans bleus. (*beau*)

E. M. Fourchet prépare un bon repas.

Modèle: Il a consulté des livres de cuisine. (*nouveau*)
      Il a consulté de nouveaux livres de cuisine.

1. Il a acheté des légumes. (*autre*)
2. On a coupé des asperges. (*petit*)
3. Il a choisi des carottes. (*beau*)
4. Il a servi des pommes de terre. (*gros*)
5. Nous avons goûté des morceaux de viande. (*bon*)

F. Nicole cherche dans le placard.

Modèle: Elle désire du lait. (*une bouteille*)
      Elle désire une bouteille de lait.

1. Elle cherche du sucre. (*une livre*)
2. Elle veut du vin. (*un litre*)
3. Nous avons besoin de sel. (*un kilo*)
4. Ils trouvent de la crème. (*un pot*)
5. Vous prenez du thé. (*un paquet*)

G. De tout un peu.

Modèle: Nous avons mangé du fromage. (*beaucoup*)
      Nous avons mangé beaucoup de fromage.

1. Vous avez mangé des tomates. (*trop*)
2. Tu as bu du vin. (*plus*)
3. Elle a goûté des asperges. (*trop*)
4. Elle a demandé des légumes. (*peu*)
5. Elle achète des chocolats. (*moins*)

H. On mange bien ici.

Modèle: Nous avons mangé beaucoup de fromage.
      Nous en avons mangé beaucoup.

1. Vous avez mangé trop de tomates.
2. Tu as bu plus de vin.
3. Elle a goûté trop d'asperges.
4. Elle a demandé peu de légumes.
5. Elle achète moins de chocolats.

TRAVAUX PRATIQUES ❀◦❀◦❀◦❀◦❀◦❀◦❀◦❀◦❀◦❀◦❀◦❀◦❀◦❀◦❀◦❀

La voiture A tamponne la voiture B. B a brûlé un feu. Il y a des témoins. Vous êtes l'agent de police qui interroge les chauffeurs et les témoins. Le chauffeur de B proteste de son innocence. Ecrivez votre rapport en utilisant les mots suivants.

1. chauffeur/gros/voiture/rouler/vite
2. chauffeur/enfoncer/voiture/et/hurler
3. badauds/regarder/dégâts/accident
4. agent/amener/chauffeurs/commissariat de police
5. Français/aimer/conduire/vite[2]

NOTE DE GRAMMAIRE 52

Autres expressions négatives

1. Negative expressions in French are made up of two parts: **ne** and an adverb or pronoun.

2. **Ne** is always used in negations in standard French. The second part of the negative expression conveys a more precise meaning. Four common negative expressions are:

ne... pas *not*	Je **ne** veux **pas** le faire.
	Je **n'**ai **pas** voulu le faire.
	Je **ne** vais **pas** vouloir le faire.
ne... jamais *never*	Je **ne** veux **jamais** le faire.
	Je **n'**ai **jamais** voulu le faire.
	Je **ne** vais **jamais** vouloir le faire.
ne... rien *nothing*	Je **ne** veux **rien**.
	Je **n'**ai **rien** voulu.
	Je **ne** vais **rien** vouloir.
ne... plus *no more, no longer*	Je **ne** veux **plus** le voir.
	Je **n'**ai **plus** voulu le voir.
	Je **ne** vais **plus** vouloir le voir.

Note that these four negative expressions surround the verb in simple tenses and surround the auxiliary verb in compound tenses.

---

[2] **Vite** is an adverb. It means *quickly* or *fast*:

   Il conduit **vite**.   *He drives **fast**.*

   It cannot be used as an adjective:

   Le train est **rapide**.   *The train is **fast**.*

Exercices de transformation

A. Opposition.

Modèle: Elle voudra l'aider. (*ne... pas*)
Elle ne voudra pas l'aider.

1. Il veut le faire. (*ne... pas*)
2. Elles sauront lui dire la vérité. (*ne... pas*)
3. Ils raconteront des histoires. (*ne... jamais*)
4. Je pourrai le convaincre. (*ne... plus*)
5. Elle fera tout pour lui. (*ne... rien*)

B. Refus.

Modèle: Je l'ai fait. (*ne... pas*)
Je ne l'ai pas fait.

1. On lui a dit quelque chose. (*ne... rien*)
2. C'est de ma faute. (*ne... pas*)
3. Elles sont coupables. (*ne... plus*)
4. On t'a vu le faire. (*ne... pas*)
5. Ils se sont disputés. (*ne... jamais*)

C. Une visite au musée sans conséquence.

Modèle: Voulez-vous aller au musée? (*Non, ne... pas*)
Non, je ne veux pas aller au musée.

1. Avez-vous vu des statues grecques? (*Non, ne... jamais*)
2. Aimez-vous contempler le sourire de *La Joconde (Mona Lisa)*? (*Non, ne... pas*)
3. Achèterez-vous quelque chose au musée? (*Non, ne... rien*)
4. Avez-vous visité la librairie du musée? (*Non, ne... jamais*)
5. As-tu toujours le billet d'entrée? (*Non, ne... plus*)

TRAVAUX PRATIQUES

D'abord, lisez le texte sans faire attention aux expressions négatives entre parenthèses. Ensuite, relisez l'histoire avec les mots entre parenthèses et vous verrez une nouvelle fin (*end*) à une vieille fable. Dans la version négative, qui arrive le premier au but?

Le lièvre et la tortue décident de faire une course (*race*). Le lièvre (ne...pas) s'inquiète. La tortue (ne...pas) hésite; elle (ne...plus) est timide; elle (ne...pas) est lente. La course commence. La tortue marche. Elle (ne...jamais) s'arrête. Le lièvre prend son temps: il sait qu'il est plus rapide que la tortue; il (ne...pas) court (*runs*) vite. Le lièvre dort. La tortue (ne...jamais) se repose et marche toujours.

NOTE DE GRAMMAIRE 53

Le verbe **connaître**

1. The irregular verb **connaître** means *to know* or *to be acquainted with a person, place, or thing.* It is conjugated this way:

je **connais**	nous **connaissons**
tu **connais**	vous **connaissez**
il **connaît**	ils **connaissent**
elle **connaît**	elles **connaissent**
on **connaît**	

IMPERATIF: **connais! connaissons! connaissez!**
PASSE COMPOSE: j'**ai connu**
FUTUR: je **connaîtrai**

Note the circumflex in the third person singular of the present tense and in all of the future forms.

2. Two verbs conjugated like **connaître** are **paraître** (*to appear*) and **reconnaître** (*to recognize*).

3. In **Chapitre 6**, you learned the verb **savoir**. The difference between **savoir** and **connaître** is that **savoir** refers to knowing *facts* or *specific things*, whereas **connaître** refers to *people, places,* or *things* with which one may be familiar:

Je sais son nom.   *I **know** his name.*
Elle sait son numéro de téléphone.   *She **knows** his phone number.*

Nous connaissons ce quartier.   *We **know** this neighborhood.*
Elle connaît ce livre.   *She **knows** this book.*

Also, **connaître** can never be followed by **que** and a relative clause. **Savoir** is always used in that context:

Je sais que tu as faim.   *I **know that** you are hungry.*

4. Finally, as you learned in **Chapitre 6, savoir** + *infinitive* is the equivalent of *to know how to do something*:

On sait parler français.   **Ils savent conduire**.

Connaître cannot be used in this way.

Simples substitutions

A. Des gens qu'on arrive à connaître dans une ville.

1. Je connais *ce poète. (ce peintre, cet artiste, ce sculpteur, ce photographe, ce philosophe)*

2. Le criminel a connu *cet agent de police.* (*cet inspecteur, ce détective, ce policier, ce commissaire, ce gendarme*)

B. On est intelligent.
1. Savent-ils *nager?* (*chanter, danser, compter, lire, conduire*)
2. Je sais *son nom.* (*son adresse, son numéro de téléphone, l'heure de l'arrivée, l'heure du dîner, l'heure de la classe*)
3. Sais-tu *l'heure du train?* (*l'heure du départ, le temps qu'il fera, quand il viendra, quand elle partira, quand elle arrivera*)
4. Je sais *qu'il n'arrivera pas à temps.* (*qu'il est parti en retard, qu'il a peur dans le train, qu'elle a eu des difficultés, qu'elle n'est pas contente, qu'il ne le fera plus jamais*)

Exercice de transformation

C. On réussit.

1. *Il* connaît le scénario. (*Nous, Je, Vous, Elles, Tu*)
2. Reconnais-*tu* cette actrice? (*vous, elle, Est-ce que je, nous, ils*)
3. *Elle* a paru dans le film. (*Nous, Vous, Elles, Tu, Je*)
4. *On* paraîtra surpris. (*Ils, Nous, Tu, Je, Vous*)

TRAVAUX PRATIQUES

A vous maintenant! Posez la question à un(e) autre étudiant(e) et répondez suivant les modèles.

Modèles: Le nom de la ville...   Ce professeur...
              Le nom de la ville? Je le sais.   *Ce professeur? Je le connais.*

1. Cette jeune fille...
2. Cette région...
3. L'Angleterre...
4. Il fait froid...
5. La réponse correcte...
6. L'heure du train...
7. Cette espèce d'imbécile...
8. Tu as brûlé le feu...
9. Les badauds...
10. On va perdre des heures...

NOTE DE GRAMMAIRE 54

Les pronoms personnels toniques

1. You have already studied the subject pronouns **je, tu,** etc., and the object pronouns **me, te,** etc. These are known as conjunctive pronouns because they are used together with verbs:

SUBJECT PRONOUN: **Je** suis ici.   OBJECT PRONOUN: Je **vous** donne le constat.

2. Another group of pronouns consists of the disjunctive, stressed, or tonic pronouns, which are used apart from the verb. They are:

moi	nous
toi	vous
lui	eux
elle	elles

a. Disjunctive pronouns may be used alone:

Qui veut y aller? **Moi**!   *Who wants to go there?* **I** *(do)!*

b. They may be used for emphasis:

Moi, je vous le dis!   *I am telling you so!*

c. They are used after the expression **c'est** to mean *it is*:

Qui est là?	C'est **moi**.	*Who's there?*	*It's **I**.*
	C'est **toi**.		*It's **you**.*
	C'est **lui**.		*It's **he**.*
	C'est **elle**.		*It's **she**.*
	C'est **nous**.		*It's **we**.*
	C'est **vous**.		*It's **you**.*
but:	Ce sont **elles**.		*It's **they**.*
	Ce sont **eux**.		*It's **they**.*

d. They are used in a compound subject, that is, when more than one person is the subject:

Lui et moi le ferons.   **Lui et moi**, nous le ferons.
Lui et son ami vont partir.   **Toi et elle**, vous irez à l'épicerie.[3]

e. They are used after a preposition:

J'irai avec **lui**.
Nous le ferons sans **elle**.

f. They are used in a comparison after **que** (*than*):

Il est plus grand que **toi**.   *He's taller than **you**.*
Je danse mieux qu'**elle**.   *I dance better than **she**.*

g. They are used with **-même** and **-mêmes** for further emphasis:

Je le fais **moi-même**.   *I do it **myself**.*
Tu le fais **toi-même**.   *You do it **yourself**.*
Ils le font **eux-mêmes**.   *They do it **themselves**.*

---

[3] With **moi**, **toi**, and **vous**, the subject pronouns are added:

Moi, je le ferai.   **Toi et Michelle, vous** irez au marché.
Toi, tu le feras.   **Vous, vous** irez au marché pendant que **moi, je** prépare le dîner.

h. They are used with **être à** (*to belong to*) to indicate possession and with **penser à** (*to think of* [*someone*]):

Ce livre **est à moi**.	This book **is mine**.
Pensez-vous souvent **à Guillaume**?	Do you often **think of Guillaume**?
Oui, je **pense** souvent **à lui**.	Yes, I often **think of him**.

Exercices de transformation

A. Marguerite va danser.

Modèle: Elle y va avec son ami. (*lui*)
          Elle y va avec lui.

1. Elle est avec ses copines. (*elles*)
2. Henry et Robert arrivent avec Nicole. (*elle*)
3. Ils veulent parler avec Nicole? (*elle*)
4. Elle veut danser avec ses camarades. (*eux*)
5. Nicole bavarde avec Henry et Marguerite. (*eux*)

B. Qui va avec qui?

Modèle: Vas-tu sortir avec moi?
          Oui, je vais sortir avec toi.

1. Est-elle sortie avec François?
2. Est-ce que Henry est arrivé avec son amie?
3. Veux-tu y aller avec moi?
4. Voulez-vous y aller avec François et Guillaume?
5. Faut-il y aller avec Nicole et Marguerite?

C. Où êtes-vous?

Modèle: Etes-vous près de lui?
          Non, je ne suis pas près de lui.

1. Habites-tu chez eux?
2. Est-ce que tu peux y rester sans nous?
3. Irez-vous au cinéma sans moi?
4. Vas-tu rentrer tard avec elle?
5. Veux-tu venir avec nous?

D. Remplacez les mots en italique par des pronoms appropriés.

Modèle: *Marie et Pierre* sont des témoins.
          Elle et lui sont des témoins.

1. Cette voiture appartient à *Christophe*.
2. Qui frappe à la porte? *Les enfants*.
3. Le père pense souvent à *ses filles*.
4. Qui a vu l'accident? *Je* l'ai vu!

TRAVAUX PRATIQUES

Lisez le passage suivant en mettant de l'emphase sur les mots en italique.

Modèle: J'ai vu un cambriolage. *J'ai téléphoné à la police...*
> *J'ai vu un cambriolage. Moi-même, j'ai téléphoné...*

Le commissaire est venu. Il m'a posé des questions et *tu* es arrivé pour m'aider. Toi et moi, *nous* avons donné des détails. *Les inspecteurs et les détectives* nous ont aussi interrogés. Enfin *le criminel* a pu être attrapé.

NOTE DE GRAMMAIRE 55

L'adjectif interrogatif **quel**

1. An interrogative adjective asks either *What + noun?* or *Which + noun?* You have already used an interrogative adjective when asking the question **Quelle heure est-il?** Like all adjectives an interrogative adjective shows agreement with the noun it modifies:

MASCULINE SINGULAR:	**Quel jour** sommes-nous?
MASCULINE PLURAL:	**Quels livres** étudiez-vous?
FEMININE SINGULAR:	**Quelle cravate** avez-vous choisie?
FEMININE PLURAL:	**Quelles fleurs** avez-vous achetées?

2. Note the placement of the preposition before the interrogative adjective:

   Par quelles portes passez-vous?   ***Through which** doors do you pass?*
   De quelle couleur sont tes yeux?   ***What** color are your eyes?*

3. An interrogative adjective may also be used to indicate a strong emotional reaction to something, as rendered in English by the expression *What a... !*

   Quelle surprise!   ***What a** surprise!*

Note that the French do not use an indefinite article in this form and that an adjective appears in its appropriate place:

   Quel accident **stupide**!   ***What a stupid** accident!*
   Quelle grosse voiture!   ***What a big** car!*

Exercices de transformation

A. Henry meuble (*equips*) son bureau.

Modèle: Il demande ce bureau marron.
> *Quel bureau demande-t-il?*

1. Il regarde un nouvel ordinateur.
2. Il achète une calculatrice solaire.

3. Nous voyons une machine à écrire électrique.
4. Il cherche une corbeille carrée.
5. Il a trouvé un nouveau calendrier.

B. **Modèle:**   C'est une belle chambre.
    Quelle belle chambre!

1. C'est un visage intéressant.
2. Ce sont de bons étudiants.
3. Ce sont de vieilles églises.
4. C'est une pièce moderne.
5. Le palais est immense.

C.   Henry rend visite à Marguerite chez les Cornet.

Modèle: C'est une belle maison.
    Quelle belle maison!

1. C'est un salon superbe.
2. C'est une cuisine moderne.
3. C'est une entrée spacieuse.
4. C'est une cave pratique.
5. C'est un bureau clair.

TRAVAUX PRATIQUES

A. Jouez le rôle d'un journaliste. Vous interrogez un(e) autre étudiant(e) sur l'accident. Employez surtout l'adjectif interrogatif **quel** dans votre interrogation.

Il est dix heures du soir. Deux voitures, une bleue et une verte, se sont tamponnées au coin de la rue Dupont-des-Loges et de l'avenue Rapp dans le 7e arrondissement. Les deux chauffeurs se disputent: l'homme a quarante ans, la femme en a trente. L'homme porte un veston noir, un pantalon gris, une chemise bleue et une cravate bordeaux. La femme porte un tailleur noir, une blouse blanche, des souliers noirs et un foulard. L'homme est bouleversé, la femme est calme. Un agent de police arrive à dix heures et quart. Lui aussi leur pose des questions. Chacun déclare que c'est la faute de l'autre. Il est patient. Les deux chauffeurs échangent leurs constats à l'amiable. Ils partent à dix heures et demie.

Modèle: Alors, à quelle heure l'accident a-t-il eu lieu?
    L'accident a eu lieu a dix heures du soir.

1. Les voitures sont de quelles couleurs?
2. Au coin de quelles rues l'accident a-t-il eu lieu?
3. Dans quel arrondissement?

Continuez à poser des questions sur leurs vêtements, les couleurs des vêtements, l'attitude de chaque personne et les déclarations des conducteurs.

B. Employez chaque mot dans une phrase complète.

1. train/avion/mobylette/auto/bicyclette
2. marcher/danser/sauter/chanter/faire une promenade
3. Espagne/Italie/Grèce/France/Angleterre
4. aller/venir/partir/finir/monter

Puis éliminez le mot qui à votre avis n'appartient pas au groupe. Défendez votre choix. Faites attention! Ici il y a deux possibilités. Par exemple: (1) On peut dire que le mot **avion** n'appartient pas au premier groupe. C'est le seul moyen de transport qui quitte la terre. (2) On peut aussi dire que le mot **bicyclette** n'y appartient pas. La bicyclette n'a pas de moteur; son opération dépend du pouvoir humain.

 C. Répondez aux questions générales.

1. Avez-vous jamais fait de l'auto-stop? Pour aller où?
2. Quelle sorte d'expérience avez-vous eue?
3. Avez-vous jamais eu un accident de voiture?
4. Dans quelles circonstances?
5. Qu'avez-vous fait?
6. Y a-t-il eu des témoins? Un agent de police est-il venu?
7. Où trouve-t-on souvent des badauds?
8. Avez-vous un extincteur dans votre chambre? Savez-vous vous en servir? Expliquez-nous comment vous faites.
9. Savez-vous contacter la police en cas d'urgence? Comment?
10. Et que faites-vous pour appeler les pompiers? une ambulance?

MICROLOGUE: Une pharmacie française

Il est généralement facile **d'apercevoir de loin** une pharmacie en France. Elle a normalement un emblème qui l'annonce: une croix verte sur fond blanc. *notice from afar*

5 Dans une pharmacie française, on vend **soit** des médicaments **sur ordonnance** d'un médecin, **soit** des produits plus ordinaires comme l'aspirine. Les seuls **bonbons** qu'on **puisse** y acheter sont des **pastilles** pour la gorge ou pour **la toux**. On peut aussi y acheter des produits pour l'hygiène: des brosses à dents, à cheveux, à ongles, des **limes à ongles**, de la pâte 10 dentifrice, des shampooings et des **bombes de crème à raser**. Il y a également quelques produits de beauté, des produits de soins pour bébés et des petits pots d'aliments pour bébés. *either...* / *by prescription / ...or* / *candy / might* / *lozenges / a cough* / *nail files* / *cans of shaving cream*

Le Français **a confiance dans** son pharmacien. Il lui demandera **conseil** dans les cas peu graves pour éviter une visite chez 15 le docteur. *trusts* / *advice*

Chez la pharmacienne

Questions

1. Comment peut-on reconnaître une pharmacie française?
2. Peut-on y acheter tous les médicaments sans ordonnance d'un médecin?
3. Quels bonbons peut-on y trouver?
4. Citez quelques produits que l'on[4] y vend pour l'hygiène.
5. Quels autres produits y vend-on aussi?
6. Dans quels cas le Français demandera-t-il conseil à son pharmacien? Pourquoi?

LECTURE: « La France au volant » de Pierre Daninos

Pierre Daninos est né à Paris en 1913. Il est devenu journaliste dès 1931. Il est l'auteur de nombreux livres et a reçu des prix. C'est en 1954 qu'il a publié Les Carnets du Major Thompson, *un des plus grands succès de son temps avec plus de deux millions d'exemplaires en France et vingt-huit traductions. Depuis il n'a pas cessé de publier. D'une façon humoristique, il saisit le ridicule de ses contemporains, leur mesquinerie* (pettiness) *et leur snobisme, tout en nous faisant rire.*

Il faut **se méfier** des Français en général, mais sur la route en particulier. (...) Les Anglais conduisent **plutôt** mal, mais **prudemment**. Les Français conduisent plutôt bien, mais **follement**. La proportion des accidents est à peu près la même dans
5   les deux pays. Mais je me sens plus tranquille avec des gens qui font mal des choses bien **qu'avec ceux qui** font bien de mauvaises choses.

Les Anglais (et les Américains) sont depuis longtemps **convaincus** que la voiture va moins vite que l'avion. Les Français
10 (et **la plupart des** Latins) **semblent** encore vouloir prouver le contraire.

(...) Le citoyen **paisible** qui vous a **obligeamment** invité à prendre place dans sa voiture peut **se métamorphoser** sous vos yeux en pilote démoniaque. (...) Ce bon père de famille, qui
15 **n'écraserait pas une mouche contre une vitre**, est **tout prêt** à écraser un piéton au kilomètre **pourvu qu'**il se sente dans son droit. Au signal vert, il voit rouge. Rien ne l'arrête plus, pas même le jaune. Sur la route, cet homme, qui passe pour **rangé**, ne **se range** pas du tout. **Ce n'est qu'**à bout de ressources et
20 après avoir subi **une klaxonnade nourrie** qu'il consentira, de mauvaise grâce, à abandonner le milieu de la chaussée. (Les

distrust

rather / cautiously

recklessly

than with those who

convinced

most / seem

peaceful / obligingly

transform

wouldn't squash a fly against a window / quite willing

provided that

orderly

get out of the way / It's only

continuous honking

---

[4] The definite article **l'** is often inserted between the relative pronoun **que** and the personal pronoun **on** to produce a smoother sound.

Anglais tiennent leur gauche. La plupart des peuples leur droite.
Les Français, eux, sont pour le milieu qui, cette fois, n'est pas
le juste.)

25   Le seul fait d'être **dépassé** rend [le Français] d'une **humeur**   *passed / mood*
exécrable. Il ne recouvre sa sérénité qu'en **doublant** un nouveau   *passing*
rival. (...) En effet, les Français ont une façon de tenir leur
dextre en glissant toujours vers la gauche qui rappelle étrange-   *right-hand side*
ment leur penchant en politique où **les pires** conservateurs ne   *the worst*
30   veulent à aucun prix être dits « de droite ». C'est pourquoi un
automobiliste anglais arrivant en France a parfois quelque peine
à savoir où rouler.

PIERRE DANINOS, *Les Carnets du Major Thompson*
(Paris: Hachette, 1954)

Questions

1. Comment les Anglais conduisent-ils? Et les Français, comment sont-ils au volant (*at the wheel*)?
2. Où l'auteur se sent-il plus tranquille?
3. Qui croit que la voiture va moins vite que l'avion?
4. Qui désire prouver le contraire?
5. Qu'est-ce qui arrive au citoyen paisible?
6. Qu'est-ce qu'il fait au signal vert?
7. Quand consentira-t-il à abandonner le milieu de la chaussée?
8. Qu'est-ce qui le rend d'une humeur exécrable?
9. Comment recouvre-t-il sa sérénité?
10. Qu'est-ce qu'un automobiliste anglais a de la peine à faire?

Création et récréation

A. What risks does one take in going through a red light?

B. Check your local newspaper for an accident report and translate it into French.

C. Have some of your classmates stand. Blindfold them and assign each a role to play—pedestrian, automobile driver, bicycle rider, someone on horseback, and so on. Each person is to act out his or her role, providing appropriate sound effects. Then play the role of a police officer who directs the traffic to a designated spot in the room. Give specific directions, and try to avoid having people collide!

D. *Monique prend un taxi et raconte à sa famille comment les chauffeurs de taxi américains conduisent.*

Coup d'œil

_____ 51. The partitive article (**du**, **de la**, **de l'**, **des**) becomes
de (**d'**) after a negative expression, in an expression of
quantity, and when a plural adjective precedes a plural
noun: _____

> Je n'ai pas **de** livres.
> J'ai assez **de** livres.
> J'ai **de** bons livres.

_____ 52. A negative expression is made up of two parts: **ne**
+ an adverb or a pronoun: _____

> **ne... pas**   **ne... rien**
> **ne... jamais**   **ne... plus**

> Elle **n'**a **pas** la carte.
> Je **ne** lui parle **jamais**.

Note that the object pronoun and the verb are surrounded by the negative expression.

_____ In the **passé composé**, the negative expression sur-
rounds the auxiliary verb and any direct object(s):   _____

> Elle **n'**a **pas** eu la carte.
> Je **ne** lui ai **jamais** parlé.

_____ 53. **Connaître** denotes acquaintance with a person,
place, or thing. Its forms are: _____

je **connais**	nous **connaissons**
tu **connais**	vous **connaissez**
il **connaît**	ils **connaissent**
elle **connaît**	elles **connaissent**
on **connaît**	

IMPERATIF: **connais! connaissons! connaissez!**
PASSE COMPOSE: j'**ai connu**
FUTUR: je **connaîtrai**

Savoir indicates knowledge of facts or how to do something. Note the difference in meaning between **connaître** and **savoir**:

> Je **connais** cet homme.   *I **know** this man.*
> Je **sais** conduire.   *I **know how** to drive.*

54. Disjunctive pronouns (**moi, toi, lui/elle, nous, vous, eux/elles**) are used in a variety of circumstances:

a. Alone:

> Qui est là? **Moi.**

b. For emphasis:

> **Moi**, je vous le dis!
> **Lui** aussi leur pose des questions.

c. After the expression **c'est** to mean *it is*:

> Qui est là? C'est **moi.**

d. In a compound subject:

> **Lui** et son ami vont partir.
> **Elle** et Jean le feront.

e. After prepositions:

> Je danserai avec **elle.**

f. With **-même** or **-mêmes** for further emphasis:

> Elle le fait **elle-même.**
> Ils le disent **eux-mêmes.**

55. The interrogative adjective **quel** asks the question *what* when followed by a noun and is also used to express surprise. It agrees in gender and number with the noun it modifies:

> **Quel** jour sommes-nous aujourd'hui?
> **Quelle** heure est-il?
> **Quelles** chambres magnifiques!

VOCABULAIRE

VERBES

(s') arrêter
brûler
circuler
connaître
(se) disputer

expliquer
paraître
reconnaître
(se) rencontrer
rouler

sauter
(se) tamponner

NOMS

au secours! (voir pp 275 et 276)
l'accident (*m.*)
l'agent (*m.*) de police
l'aveugle (*m./f.*)

le badaud
le commissariat de police
la conciliation
la déclaration
les dégâts (*m. pl.*)

le dessin
le geste
le permis de conduire
le rapport

ADJECTIFS

fou/folle
curieux/curieuse

ADVERBES

adverbes de quantité
(voir p 279)

ne... jamais
ne... plus

ne... rien

EXPRESSIONS UTILES

brûler un feu
Ça suffit!

faire de l'auto-stop
un feu rouge

tout d'un coup
tout à l'heure

CHAPITRE 12

En famille

Itinéraire •••

Now you'll tune in the news on television and plan a trip to a historic location. You'll also study verbs like **mettre** (*to put, to place, to put on*), the position and sequence of object pronouns, the formation and placement of adverbs, and verbs like **envoyer** (*to send*) and **payer** (*to pay*). Finally, you'll read an excerpt from Ionesco's humorous play, *La Cantatrice chauve*.

297

Scénario ••

PREMIERE ETAPE

M. Fourchet est de retour. Nicole et Robert mettent la table.

M. FOURCHET: Tu aimes la télé, Robert?

ROBERT: Moi, je la regarde de temps en temps chez nous.

M. FOURCHET: Il est huit heures. C'est l'heure des informations.

5   *M. Fourchet regarde le journal parlé. Mme Fourchet parle aux enfants.*

MME FOURCHET: Qu'avez-vous fait aujourd'hui? Qu'avez-vous vu?

ROBERT: Nous sommes passés par le palais Jacques-Cœur.

NICOLE: Je lui ai servi de guide.

ROBERT: Tiens, tu as oublié de me rendre mon livre. Rends-le-moi, s'il te plaît!

10   NICOLE: Je l'ai mis sur la table. Le voici.

DEUXIEME ETAPE

M. Fourchet est de retour. Nicole et Robert mettent la table.

M. FOURCHET: On va voir les nouvelles. Tu aimes la télé, Robert?

ROBERT: Moi, je la regarde de temps en temps chez nous.

M. FOURCHET: Des six chaînes que nous avons ici en France, c'est la première que
5   je préfère. Il est huit heures. C'est maintenant l'heure des informations.

M. Fourchet regarde le journal parlé. Mme Fourchet parle aux enfants.

MME FOURCHET: Qu'avez-vous fait aujourd'hui?

ROBERT: Nous sommes passés par le palais Jacques-Cœur. Ensuite nous sommes
allés à la cathédrale.

10   NICOLE: Oui, et là, nous avons vu un accident.

MME FOURCHET: Pas grave, j'espère.

NICOLE: Non, mais Robert a pu voir les Français en action. Après, je lui ai servi de
guide dans la cathédrale.

ROBERT: Tiens, tu as oublié de me rendre mon livre. Rends-le-moi, s'il te plaît!

15   NICOLE: Je ne te l'ai pas rendu? Ah, non, je l'ai mis sur la table. Le voici.

M. FOURCHET: (*Il se tourne vers sa famille.*) Regardez! On parle de Chambord. J'ai
une bonne idée. Je vous y conduirai tous[1] dimanche. Robert verra le spectacle son
et lumière à Chambord.

---

[1] When **tous** is used as a pronoun, the final **s** is pronounced.

TROISIEME ETAPE

M. Fourchet est de retour. Nicole et Robert mettent la table.

M. FOURCHET: On va voir les nouvelles. Tu aimes la télévision, Robert?

ROBERT: Moi, je l'aime bien et je la regarde de temps en temps chez nous.

M. FOURCHET: Des six chaînes que nous avons ici en France, c'est la première que
5 je préfère.

MME FOURCHET: Combien de chaînes de télé avez-vous aux Etats-Unis?

ROBERT: Cela dépend où on habite. Chez moi à New York, nous en avons une dizaine,
plus les chaînes à péage. Ce qui me plaît[2] en France, c'est que les émissions ne
sont pas interrompues par de la publicité. Je préfère cela aux constantes intermis-
10 sions qui coupent les programmes aux Etats-Unis.

M. FOURCHET: Chut! Il est huit heures. C'est maintenant l'heure des informations.
S'il vous plaît, baissez le ton de votre conversation.

M. Fourchet regarde le journal parlé. Mme Fourchet parle aux enfants.

MME FOURCHET: Alors, qu'avez-vous fait aujourd'hui? Qu'avez-vous vu?

15 ROBERT: Nous sommes passés par le palais Jacques-Cœur, ensuite nous sommes
allés à la cathédrale. Le palais est plus petit et moins beau que la cathédrale.

NICOLE: Oui, ce sont les choses grandioses qui impressionnent Robert le plus. Et là,
devant la cathédrale, nous avons vu un accident.

MME FOURCHET: Pas grave, j'espère.

20 NICOLE: Non, mais Robert a pu voir les Français en action. Après, je lui ai servi de
guide dans la cathédrale.

ROBERT: Tiens, tu as oublié de me rendre mon livre. Rends-le-moi, s'il te plaît!

NICOLE: Je ne te l'ai pas rendu? Ah, non, je l'ai mis sur la table. Le voici.

M. FOURCHET: (*Il se tourne vers sa famille.*) Regardez! On parle de Chambord. J'ai
25 une bonne idée. Si nous allions voir le château? Je vous y conduirai tous dimanche.
Robert verra le son et lumière à Chambord.

Questions sur le scénario

1. Qui est de retour chez les Fourchet?
2. Robert regarde-t-il la télé chez lui?
3. Combien de chaînes de télé y a-t-il en France?
4. Pourquoi Robert apprécie-t-il la télévision française?
5. Qu'est-ce qu'il n'aime pas aux Etats-Unis?
6. Pourquoi M. Fourchet demande-t-il à tous de baisser le ton de leur conversation?
7. Qu'est-ce que Robert a vu aujourd'hui?
8. Comment était l'accident que Robert et Nicole ont vu devant la cathédrale?
9. Nicole a-t-elle rendu son livre à Robert?
10. Qu'est-ce que M. Fourchet propose de faire dimanche?

[2] The verb **plaire** (*to please*) is discussed in the **Chapitre facultatif**.

COIN CULTUREL: Jacques Cœur et Chambord

1. Jacques Cœur, riche commerçant né à Bourges (1395–1456), est devenu argentier de Charles VII et a été chargé de missions diplomatiques. Il a développé le commerce avec le Moyen-Orient. Il a aidé au raffermissement (*strengthening*) de la monnaie et a créé une armée nationale. Accusé d'extortion en 1451, il est jeté en prison d'où il réussit à s'enfuir. Louis XI l'a réhabilité.

2. Chambord a été bâti par le roi François Ier en 1519. C'est un des chefs-d'œuvre de la Renaissance française.

3. Les spectacles son et lumière sont des spectacles nocturnes, ayant généralement pour cadre un édifice ancien et historique.

4. En France, la publicité est offerte aux spectateurs de télévision avant de commencer les programmes. Cela permet d'avoir des émissions ininterrompues sur certaines chaînes.

Gestes

1. To indicate that someone has missed out on something, the French move the index finger quickly under the nose, often while making a whistling sound. This gesture expresses « **passer sous le nez** », as in « **Tout le monde a reçu un cadeau** (*gift*), **mais moi**, **rien. Ça m'est passé sous le nez!** »

2. « **Bouche cousue!** » is said while pinching the lips with the index finger and thumb to request that a secret be kept.

« Bouche cousue! »

Proverbes

Chose promise, chose due!   *Promises made must be kept!*

Ne remets pas au lendemain ce que tu peux faire le jour même!   *Don't put off till tomorrow what you can do today!*

VOCABULAIRE ILLUSTRE: Le téléguide

LUNDI 27 NOVEMBRE

6.00 SANTA BARBARA
Feuilleton américain Reprise

6.25 JOURNAL
MÉTÉO

6.30 LES AMOURS DES ANNÉES GRISES
LA FONTAINE DES INNOCENTS

6.58 MÉTÉO

7.00 JOURNAL

7.10
JEUNES DESSINS ANIMÉS

8.13 MÉTÉO

8.15 JOURNAL
REVUE DE PRESSE
LES CINQ PREMIÈRES MINUTES

8.30 TÉLÉ SHOPPING

9.00 HAINE ET PASSIONS
Feuilleton américain.

9.40 LA LUMIÈRE DES JUSTES
Feuilleton en quatorze épisodes.
Treizième épisode.
Avec **Chantal Nobel, Michel Robbe.**
Léparsky permet aux prisonniers quelques
soirées en ville mais doit bientôt démis-
sionner pour des raisons de santé.

10.35 INTRIGUES
UNE BALLE DANS LE CANON

11.05 EN CAS DE BONHEUR
Feuilleton français.

11.30 JEOPARDY !

12.00 TOURNEZ... MANÈGE

12.30 LE JUSTE PRIX

13.00 JOURNAL

13.30 MÉTÉO

13.35 LES FEUX DE L'AMOUR
Feuilleton américain.
Avec **Lauralee Bell, Eric Braeden.**
Lauren annonce à sa mère la proposition
de Danny.

14.25 LE GRAND AMOUR DU DUC DE WINDSOR
Feuilleton en cinq épisodes
de Warris Hussein. Premier épisode.
Avec **Edward Fox, Cynthia Harris.**
Dans les années 1920, Edward, prince de
Galles est acclamé sur la scène internatio-
nale. En 1928, il rencontre Lady Furness.
Un feuilleton mélodramatique qui re-
trace l'une des plus belles histoires
d'amour du XXe siècle.

15.30 TRIBUNAL
LE DERNIER VERRE

16.00 LA CHANCE AUX CHANSONS
♫♫♫ INTERLUDE :
LE PETIT TRAIN DE LA MÉMOIRE
Sur le thème des voyages et des trains,
Pascal Sevran provoque la rencontre mu-
sicale entre les **Rita Mitsouko** et **André**
Claveau.
Invités : **Les Trois Julots, Nina Corot,**
André Claveau, Rita Mitsouko, Prudy,
Stéphane Chomont, Annie Philippe,
Tony Marlowe, Blue Five, Monique
Tarbès.

16.45 CLUB DOROTHÉE
JEUNES DESSINS ANIMÉS
Et les rubriques habituelles.

17.55 HAWAII POLICE D'ÉTAT
Série américaine.
UNE BOMBE BIEN CURIEUSE
Le président d'une importante commission d'enquête reçoit une lettre de mena-
ces. L'analyse graphologique révèle que
l'assassin souffre d'un dédoublement de la
personnalité.

18.50 AVIS DE RECHERCHE
Présentation : Patrick Sabatier.
Invité : **Yves Rénier.**

18.55 SANTA BARBARA
Feuilleton américain.
Avec **A. Martinez, Lane Davis.**
Julia refuse d'assurer la défense de Mark.

19.25 LA ROUE DE LA FORTUNE

19.50 LE BÉBÊTE SHOW
Emission proposée par Stéphane Collaro,
Jean Roucas et Jean Amadou.
Voir mardi.

20.00 JOURNAL

20.25 MÉTÉO

20.30 TAPIS VERT

20.35 BONNE ESPÉRANCE
Feuilleton en sept épisodes
de Philippe Monnier et Pierre Lary.
Quatrième épisode.
Avec **Jean-Pierre Bouvier, Xavier Deluc,**
Agnès Soral, Trish Downing.

Six années ont passé et Charles refuse
toujours de revoir Clara, sa femme. Pendant ce temps, Clara s'occupe de Geoffroy
dont elle veut faire l'héritier de Bonne
Espérance, et délaisse Jack, son autre fils.
Suzanne et Thys vivent dans une mission
mais ce dernier doit partir pour le Trans-
vaal où sa famille souffre du malaria.

KIPA

Jack (Xavier Deluc), délaissé par sa mère.

22.25

ÉMISSION PROPOSÉE PAR FRANÇOIS DE CLOSETS, RICHARD MICHEL ET JEAN-MARIE PERTHUIS

SPÉCIAL MÉDIATIONS

TF1

« Dopé,
c'est pas
jouer »

Jean-Marie Perthuis,
Roger Zabel,
François de Closets
et Richard Michel
réunis autour
de la photo
de Ben Johnson,
le grand témoin
de cette émission
sur le dopage,
qui se déroulera
à l'Aquaboulevard.
(Voir page 10).

L'équipe de « Médiations » va
tenter de briser le mur du
silence qui entoure ce « can-
cer du sport » qu'est le dopage. En exclusivité européenne, le témoignage de la
super star mondiale du sprint,
Ben Johnson, ex-champion
olympique du 100 mètres, dé-
chu après avoir été déclaré
positif. Parmi les invités :
– Sportifs : **Alain Prost, Ser-**
guel Bubka, Bruno Marie-
Rose, **William Motti, Chris-**
telle Guinard, Stéphane Ca-
ron, Serge Blanco, Pierre
Berbizier, Cathy Arnaud,
Joël Bouzou, Philippe
Boyer...
– Institutionnels : **Prince**
Alexandre, de Merode, président de la commission médicale du C.I.O., **Nelson Paillou.**
– Médecine : **Gérard Saillant,**
Philippe Restout, François
Bellocq (un défenseur du
« rééquilibrage hormonal »).
– Dirigeants : **Youri Vlassov,**
ex-haltérophile, député au so-
viet suprême, ainsi que les
présidents des fédérations
françaises d'athlétisme (**Ro-**
bert Bobin), d'haltérophilie
(**André Coret),** de cyclisme
(**François Alaphilippe).**
– Entraîneurs : **Daniel Her-**
rero (rugby), **Jean-Luc Rougé**
(judo), **Robert Herbin** (football).

0.35 JOURNAL

0.50 MÉTÉO

0.55 C'EST DÉJÀ DEMAIN
Série.

1.15 TF1 NUIT
QUESTIONS DE REPORTAGES

2.15 INFO REVUE

3.05 FIN

TRAVAUX PRATIQUES ....•◦•◦•◦•◦•◦•◦•◦•◦•◦•◦•◦•◦•◦•◦•◦•◦•◦•

Etudiez bien le **Vocabulaire illustré** de ce chapitre et répondez aux questions suivantes.

1. Combien d'émissions américaines pouvez-vous identifier?
2. Reconnaissez-vous les titres de ces programmes en anglais?
3. Savez-vous si on les passe actuellement pour la première fois aux Etats-Unis ou s'ils sont plutôt repris sur d'autres chaînes?
4. Vous avez l'occasion de créer un programme d'émissions idéales pour une soirée. Quelles émissions y mettrez-vous?
5. Ecrivez et jouez, avec l'aide d'un partenaire, une scène courte d'un feuilleton (*soap opera*) ou d'une série policière comme « L'homme de fer » (*"Ironside"*) ou « Arabesque » (*"Murder, She Wrote"*) ou « Deux flics à Miami » (*"Miami Vice"*).

Allons plus loin: Allons acheter un disque

Etudiez ce vocabulaire.

ce qu'elle *what she*	faire plaisir *to please*
toutes sortes de *all kinds of*	donc *therefore*
un magnétoscope *VCR*	s'adresser à *to ask*
un magnétophone *tape recorder*	coûter *to cost*
un caméscope *camcorder*	la liste des meilleures ventes *best-seller list*
un appareil photo *camera*	
une caméra *movie camera*	celui-ci *this one*
un lecteur de cassettes *cassette player*	faire un tabac *to be a great success*
sa bourse *her purse*	passer un disque *to put on a record*
un baladeur *Walkman*	en effet *indeed*
marcher *to work*	de tels objets *such items*
faire cadeau *give*	cela fait *that comes to*
un lecteur laser *compact disc player*	

TRAVAUX PRATIQUES ....•◦•◦•◦•◦•◦•◦•◦•◦•◦•◦•◦•◦•◦•◦•◦•◦•◦•

A. Lisez et comprenez.

Ce soir on va fêter l'anniversaire de Chantal chez les Cornet. Marguerite se demande ce qu'elle va lui offrir. Elle se décide à entrer dans cette boutique qui se spécialise en toutes sortes d'appareils audiovisuels.

On y trouve des chaînes stéréo, des téléviseurs, des radios, des magnétoscopes, des
5 magnétophones et même des caméscopes dans le coin des appareils photos et des caméras. Tout cela est trop important pour sa bourse. Elle se tourne du côté des disques ou plutôt des disques compacts. Le baladeur de Chantal ne marche plus et pour le remplacer ses parents vont lui faire cadeau d'un lecteur laser. Donc Chantal n'a plus besoin de cassettes et certainement un disque compact lui fera plaisir.
10 Marguerite s'adresse à un jeune employé pour l'aider à en choisir un.

MARGUERITE: Monsieur, je voudrais savoir combien coûte un disque compact.

L'EMPLOYE: Ces disques coûtent 120 F. Ce sont ceux qui sont sur la liste des meilleures ventes de la semaine. Tenez, mademoiselle, celui-ci est le numéro un depuis plusieurs semaines. Il est formidable. Il fait un tabac. Voulez-vous l'entendre? Je
15 vais vous le passer et vous jugerez.

Il passe quelques parties du disque et en effet, Marguerite est enthousiasmée. Elle va l'acheter.

MARGUERITE: Bien, merci, je vais le prendre. Y a-t-il des taxes en plus à payer?

L'EMPLOYE: Non, mademoiselle. Ici, en France, il n'y a pas de taxes sur de tels objets.
20 Cela fait 120 F exactement.

MARGUERITE: Voici un billet de 100 F and deux pièces de 10 F. Merci.

L'EMPLOYE: Au revoir, mademoiselle.

B. Posez ces questions à un(e) autre étudiant(e).

1. Que va-t-on fêter ce soir chez les Cornet?
2. En quoi (*what*) se spécialise la boutique où Marguerite est entrée?
3. Que trouve-t-on dans cette boutique?
4. De quel côté se tourne-t-elle?
5. Comment est le baladeur de Chantal?
6. Possédez-vous (*Do you own*) un baladeur?
7. Qu'est-ce qui fera plaisir à Chantal?
8. Aimez-vous faire des cadeaux?
9. Ou bien, préférez-vous recevoir des cadeaux?
10. Etes-vous au courant (*up to date*) des best-sellers?

NOTE DE GRAMMAIRE 56

Le verbe **mettre**

The irregular verb **mettre** means *to put, to place,* or *to put on* (*clothes*):

Je mets mon pull-over.	*I **put on** my pullover.*
Il met l'assiette sur la table.	*He **puts** the plate on the table.*
Ils mettent la table.	*They **set** the table.*

je **mets**	nous **mettons**
tu **mets**	vous **mettez**
il **met**	ils **mettent**
elle **met**	elles **mettent**
on **met**	

IMPERATIF: **mets! mettons! mettez!**

PASSE COMPOSE: j'**ai mis**

FUTUR: je **mettrai**

The following verbs are conjugated like **mettre**:

admettre *to admit*	**Il admet** ses fautes.
commettre *to commit*	**Il commettra** un crime.
omettre (**de**) *to omit*	**Elle a omis** de le faire.
permettre (**à quelqu'un de faire quelque chose**) *to permit (someone to do something)*[3]	**Son père** lui **a permis** de voyager.
promettre (**de**) *to promise*	**Elle promet** d'étudier la leçon.
remettre *to postpone, to hand in*	**Il remettra** son devoir.
se mettre à *to begin*	**Le bébé s'est mis à** pleurer.
soumettre *to submit*	**Elle a soumis** le rapport au professeur.

Simples substitutions

A.
1. *Il met le sac dans le coffre.* (*Nous mettons, Tu mets, On met, Vous mettez, Les enfants mettent*)
2. *Le père a permis au garçon de prendre la voiture.* (*Les parents ont permis, Tu as permis, Nous avons permis, J'ai permis, Vous avez permis*)

Exercice de transformation

B. L'agent de police lui parle.

Modèle: On admet ses fautes.
      On a admis ses fautes.

1. Il remet son permis de conduire dans sa poche.
2. Il promet de ne jamais faire de vitesse.
3. L'agent de police lui permet de partir.
4. Henry admet sa responsabilité.
5. L'agent omet d'écrire son rapport.

TRAVAUX PRATIQUES

Cinq étudiants participent à ce jeu pour créer une série de phrases avec les verbes **mettre**, **commettre**, **admettre**, **permettre** et **promettre**. Un étudiant mime le premier verbe et l'emploie dans une phrase courte. Le deuxième étudiant répète la première phrase, reproduit la mime, et y ajoute son verbe et sa mime. Ainsi de suite jusqu'au cinquième étudiant.

---

[3] **Permettre** and **promettre** take an indirect object and **de** before a following infinitive.

NOTE DE GRAMMAIRE 57

Position des pronoms compléments d'objet

1. You already know the rules for the placement of a single object pronoun. Except in an affirmative command, the object pronoun directly precedes the verb:

Je **te** donne le livre.   **Me** vois-tu?   Montrez-**moi** la nef!

2. Two object pronouns may appear in the same sentence:

Robert donne **le livre à Nicole.**
Robert   **le   lui**   donne.

When there are two object pronouns before the verb, the order of pronouns is as follows:

SUBJECT	INDIRECT OBJECT PRONOUN	DIRECT OBJECT PRONOUN	INDIRECT OBJECT PRONOUN	Y	EN	VERB
Robert	**me (m')** **te (t')** **se (s')** **nous** **vous** **se (s')**	**le (l')** **la (l')** **les**	**lui** **leur**	**y**	**en**	donne.

Thus:

Robert **me le** donne.	*Robert gives **it to me**.*
Robert **te le** donne.	*Robert gives **it to you**.*
Robert **nous le** donne.	*Robert gives **it to us**.*
Robert **vous le** donne.	*Robert gives **it to you**.*
Robert **le lui** donne.	*Robert gives **it to him/her**.*
Robert **nous l'**a donné.	*Robert gave **it to us**.*
Elle **l'y** mettra.	*She will put **it there**.*
Elle **y en** a acheté.	*She bought **some there**.*
Se lave-t-il les mains?	*Is he washing his hands?*
Oui, il **se les** lave.	*Yes, he is washing **them**.*

Remember:

SUBJECT	FIRST AND SECOND PERSON OBJECT PRONOUNS	PRECEDE	THIRD PERSON DIRECT OBJECT PRONOUNS	VERB
Robert	**me** **te** **nous** **vous**	*PRECEDE*	**le** **la** **les**	donne.

But remember the sequence when there are two third person object pronouns:

DIRECT OBJECT PRONOUNS	PRECEDE	INDIRECT OBJECT PRONOUNS	
Robert **le** **la** **les**		**lui** **leur**	donne.

3. In a sentence, two object pronouns take the same position as one object pronoun. That is, they directly precede the verb in all but affirmative commands. In compound tenses, they precede the auxiliary verb:

Je **le lui** ai donné.

In a negation, **ne** precedes the pronouns and **pas** follows the verb or auxiliary:

Je **ne le lui** donne **pas**.   Je **ne le lui** ai **pas** donné.

In an infinitive construction, the object pronouns directly precede the infinitive, as long as the pronoun logically belongs to the infinitive:

Il va **me le donner**.   Elle veut **le lui rendre**.

Simples substitutions

A. 1. Il *me le* donne. (*me la, me les, te le, te la, te les, nous le, nous la, nous les, vous le, vous la, vous les*)
   2. Il *le lui* donne. (*la lui, le leur, la leur, les leur*)
   3. Il *m'y* voit. (*t'y, nous y, vous y, l'y, les y*)
   4. Ils *lui en* envoient. (*m'en, t'en, nous en, vous en, leur en*)

Exercices de transformation

B. De retour, on parle en famille.

Modèle: Robert demande le livre à Nicole.
        Robert le lui demande.

1. Elle redonne le livre à Robert.
2. Nicole remet le livre à Robert.
3. Ils décrivent la route aux Fourchet.
4. Robert rend la mobylette à M. Fourchet.
5. M. Fourchet montre la télé à Robert.

C. **Modèle:** Vous mettrez vos affaires dans ce placard.
         Vous les y mettrez.

1. On placera tes chemises dans ce tiroir.
2. Tu mettras tes chaussures sous le lit.
3. Ils descendront les valises dans la cave.

4. Tu rangeras la mobylette dans le garage.
5. Il mettra ses lunettes sur la table.

D. Modèle: Mme Fourchet va donner du pain à Robert.
Mme Fourchet va lui en donner.

1. Nicole va demander du gigot à sa mère.
2. Mme Fourchet va offrir du vin à Robert.
3. M. Fourchet va servir du gigot à Nicole.
4. Robert va mettre de l'eau dans son verre.
5. Nicole va placer des fruits sur la table.

E. Modèle: Robert a montré le billet au steward.
Robert le lui a montré.

1. Elle a donné les écouteurs aux deux amis.
2. Ils ont donné les couvertures aux passagers.
3. Le steward a apporté l'oreiller à Henry.
4. Henry a passé l'oreiller à Robert.
5. Le steward a pris le tableau aux deux amis.

F. Modèle: Il a apporté des croissants à la table.
Il y en a apporté.

1. Le garçon a servi de la bière au bar.
2. On n'a pas servi de repas au café.
3. Elles n'ont pas trouvé de boîtes de conserve à l'épicerie.
4. Il n'a pas acheté de cheval à la boucherie.
5. Nous laissons de l'argent sur la table.

NOTE DE GRAMMAIRE 58

Les pronoms compléments avec l'impératif

1. In the affirmative imperative, the object pronouns follow the verb in a sequence parallel to English usage and are connected with hyphens. In this case, the direct object pronouns **le**, **la**, and **les** precede the other object pronouns. Thus:

	me (m'), moi		
le (l')	**te (t'), toi**		
la (l')	**lui**		
les	**leur**	**y**	**en**
	nous		
	vous		

Note that when **me** or **te** is the final pronoun in a sequence, **me** becomes **moi** and **te** becomes **toi**:

Donnez-**le-moi**! *Give **it to me**!*

Note also that **en** occurs only as the last pronoun in the affirmative imperative:

Donnez-**m'en**!   *Give **me some**!*
Apportons-**leur-en**!   *Let's bring **them some**!*

2. In the negative imperative, however, the object pronouns precede the verb:

Ne **me le** donnez pas!   Ne **les lui** présente pas!
Ne **m'en** donnez pas!   Ne **leur en** apportons pas!

Exercices de transformation

A. Réglons l'affaire!

Modèle: Vous montrez les papiers à l'agent.
Vous les lui montrez.
Montrez-les-lui!
Ne les lui montrez pas!

1. Tu apportes ton permis de conduire à l'agent de police.
2. Vous donnez les constats à l'amiable à l'homme.
3. Nous parlons de l'attitude du chauffeur aux badauds.
4. Vous montrez les dégâts aux témoins.
5. Tu conduis la voiture chez le mécanicien.

B. **Modèle:** Nous apportons les enveloppes à l'étudiant.
Nous les lui apportons.
Apportons-les-lui!
Ne les lui apportons pas!

1. Nous présentons les lettres aux amis.
2. Vous demandez les timbres aux amis.
3. Vous lisez les lettres aux enfants.

4. Tu mets sa réponse à la poste.
5. Tu dis la vérité au professeur.

TRAVAUX PRATIQUES

*One student plays the role of a TV viewer while another student acts as a TV narrator. Each time the viewer changes channels and suggests a new topic, the narrator must change story lines, using, as naturally as possible, the grammatical points covered so far in this chapter (in addition to **mettre** and verbs like it and the position and sequence of object pronouns).*

Modèle: SPECTATEUR: Hmmm! L'histoire de l'accident m'intéresse.
Il appuie sur un bouton de la télécommande (remote control).
NARRATEUR: Deux voitures se tamponnent à l'angle de la rue des Platanes et de l'avenue des Tilleuls. Deux chauffeurs irrités, furieux, fâchés sautent de leurs voitures. Ils n'admettent pas leurs fautes. L'agent de police

leur permet de parler. Chaque chauffeur soumettra son constat à l'amiable à l'autre...

SPECTATEUR: Ça va, ça va. Je change de chaîne. Ah, voici un épisode qui se passe dans un train.

NARRATEUR: Le train commence à rouler. Un vieux monsieur fatigué entre dans le compartiment où il y a trois étudiants américains. La valise du vieux monsieur tombe par terre. La jeune fille la ramasse et la lui donne. Elle lui pose des questions. Il y répond. Les autres passagers les regardent...

NOTE DE GRAMMAIRE 59

Les adverbes

1. Adverbs modify verbs, adjectives, or other adverbs:

Il parle **bien** le français.	*He speaks French **well**.*
Chambord est un **très** vieux château.	*Chambord is a **very** old castle.*
Elle parle **trop** lentement.	*She speaks **too** slowly.*

2. An adverb may appear in several places in a sentence.

   a. An adverb is usually placed immediately after the verb in a simple tense. In a compound tense, a short adverb follows the auxiliary, whereas a longer adverb follows the past participle:

   Elle parle **vite**.
   Elle l'a **vite** fait.
   but: Elle l'a fait **rapidement**.

   b. Sometimes an adverb may appear at the beginning of a sentence, especially when it is emphasized:

   Malheureusement, il n'a pas compris.   ***Unfortunately**, he did not understand.*

   c. An adverb of time or place may either begin or end a sentence:

Hier, ils ont eu un accident.	***Yesterday**, they had an accident.*
Ils ont eu un accident **hier**.	*They had an accident **yesterday**.*

3. Many adjectives can be made into adverbs.

   a. If the masculine singular form of an adjective ends in a vowel, simply add the ending **-ment**:

absolu	**absolument**	*absolutely*
vrai	**vraiment**	*truly*
libre	**librement**	*freely*
autre	**autrement**	*otherwise*

b. If the masculine singular form ends in a consonant, add the ending **-ment** to the feminine singular form:

certain	**certainement**	*certainly*
premier	**premièrement**	*first*
actif	**activement**	*actively*
lent	**lentement**	*slowly*
sec	**sèchement**	*drily*
frais	**fraîchement**	*freshly*

c. If the masculine singular form of an adjective ends in **-ant** or **-ent**, replace **-ant** with **-amment** and **-ent** with **-emment**:

constant	**constamment**	*constantly*
méchant	**méchamment**	*mean-spiritedly*
prudent	**prudemment**	*prudently*
patient	**patiemment**	*patiently*

d. The formation of some adverbs is irregular:

gentil	**gentiment**	*nicely*
précis	**précisément**	*precisely*
énorme	**énormément**	*enormously*
aveugle	**aveuglément**	*blindly*

4. You have already seen many common adverbs, such as **aujourd'hui**, **déjà**, **toujours**, **maintenant**, and **ici**. Here are some other common and useful adverbs:

ADVERBS OF TIME

bientôt *soon*
depuis *since*
autrefois *formerly*
quelquefois *sometimes*
tard *late*
tôt *early*
demain *tomorrow*
hier *yesterday*
longtemps *a long time*

ADVERBS OF PLACE

là, là-bas *there*
loin *far*
près *near*

ADVERBS OF QUANTITY

assez *enough*
autant *as much*
peu *little*
tant *so much, so many*
trop *too much, too many*

ADVERBS OF DEGREE

aussi *as*
presque *almost*
davantage *more, even more*
très *very*

ADVERBS OF MANNER

vite *quickly*
sans doute *probably*
volontiers *willingly*
peut-être *perhaps*
mieux *better*

Attention! The rules for the position of adverbs are not rigorous. As you use French more and more, you will develop a natural feeling for the placement of adverbs.

Le château de Chambord

Simples substitutions

A. Episode à la cathédrale.

1. Ils verront *certainement* les merveilles de la cathédrale. (*encore, heureusement, sûrement, peut-être, vraiment*)
2. Robert lui demande de parler plus *lentement*. (*sérieusement, vite, correctement, simplement, facilement*)
3. Il écoute *toujours*. (*souvent, sérieusement, bien, volontiers, généralement*)
4. En fais-tu *autant*? (*beaucoup, aussi, davantage, moins, plus*)

Exercices de transformation

B. Modèle: Elle lui parle. (*sérieusement*) (*longtemps*)
Elle lui a parlé sérieusement.
Elle lui a longtemps parlé.

1. Elle y réussit. (*vraiment*) (*quelquefois*)
2. Il lui répond. (*correctement*) (*déjà*)
3. Elle répète. (*plus lentement*) (*mieux*)
4. Ils comprennent. (*bien*) (*aujourd'hui*)
5. Ils s'en vont. (*vite*) (*ensemble*)
6. On vient. (*tôt*) (*souvent*)

C. *Adjective → adverb.*

Modèle: Cela nous amuse. (*énorme*)
            Cela nous amuse énormément.

1. Il est triste. (*profond*)
2. Elles sont heureuses. (*évident*)
3. Ils attendent son retour. (*patient*)
4. Tout le monde pense à elle. (*constant*)
5. Vous faites cela. (*méchant*)
6. Il lui a répondu. (*sec*)

D. Changez l'abverbe et trouvez le sens opposé de la phrase.

Modèle: Aujourd'hui, je suis triste.
            Demain, je serai heureux.

1. Il est onze heures du soir. Il est tard.
2. Mes amis habitent loin d'ici.
3. Elle conduit lentement.
4. Nous avons peu d'argent.
5. Vous allez mal ce soir.

TRAVAUX PRATIQUES

Deux étudiants: l'un est le piéton et l'autre est l'agent de police. L'agent de police donne des directions à l'autre pour marcher.

Modèle: *Marche vite!... lentement!... correctement!... énergiquement!... rigidement!...*
            prudemment!... légèrement!... gracieusement!...

NOTE DE GRAMMAIRE 60

Le verbe **envoyer**

1. The stem of the verb **envoyer** (*to send*) changes its spelling when it is followed by a syllable containing a mute **e**:

j'**envoie**	nous **envoyons**
tu **envoies**	vous **envoyez**
il **envoie**	ils **envoient**
elle **envoie**	elles **envoient**
on **envoie**	

IMPERATIF: **envoie! envoyons! envoyez!**
PASSE COMPOSE: j'**ai envoyé**
FUTUR: j'**enverrai**

In every way, the verb **renvoyer** (*to send away; to dismiss*) is conjugated like **envoyer**: **je renvoie, j'ai renvoyé, je renverrai**, etc.

The following verbs follow the pattern of **envoyer** except for their future stems:

employer	*to employ*	**j'emploierai**
ennuyer	*to bother (someone)*	**j'ennuierai**
s'ennuyer	*to get bored*	**je m'ennuierai**
essuyer	*to wipe*	**j'essuierai**
nettoyer	*to clean*	**je nettoierai**
tutoyer	*to use the familiar form of address*	**je (te) tutoierai**
vouvoyer	*to use the formal form of address*	**je (vous) vouvoierai**

2. The verb **payer** (*to pay*) is conjugated similarly:

je **paie**	nous **payons**
tu **paies**	vous **payez**
il **paie**	ils **paient**
elle **paie**	elles **paient**
on **paie**	

IMPERATIF: **paie! payons! payez!**
PASSE COMPOSE: j'**ai payé**
FUTUR: je **paierai**

Other verbs that end in **-ayer**, such as **essayer** (*to try*) and **balayer** (*to sweep*), follow the same pattern.

Exercice de transformation

1. *Nous* envoyons des lettres à nos parents. (*Je, Tu, Vous, Elle, Ils*)
2. *Je* paierai les billets. (*On, Vous, Ils, Tu, Nous*)
3. *Il* ne renverra pas le chauffeur de taxi. (*Nous, Tu, Vous, Elles, Je*)
4. Avez-*vous* envoyé le télégramme? (*tu, ils, nous, Est-ce que je, elle*)
5. Souvent *Robert* nettoie l'auto de son père. (*tu, Chantal, nous, je, vous*)

TRAVAUX PRATIQUES

A. Cinq étudiants participent à ce jeu pour créer une série de phrases avec les verbes **employer, essuyer, nettoyer, s'ennuyer** et **envoyer**. Un étudiant mime la première phrase et l'emploie dans une phrase courte. Le deuxième étudiant répète le premier verbe, reproduit la mime, et y ajoute son verbe et sa mime. Ainsi de suite jusqu'au cinquième étudiant.

B. Répondez aux questions générales.

1. Envoyez-vous beaucoup de lettres à vos amis?
2. Qui paie les repas quand vous sortez avec un ami/une amie?
3. Gardez-vous les lettres qu'on vous a envoyées ou est-ce que vous les jetez?

4. Quand vous êtes seul(e), vous ennuyez-vous?
5. Que faites-vous pour ne pas vous ennuyer?
6. Nettoyez-vous souvent votre chambre?
7. Quand tutoie-t-on quelqu'un?
8. Essayez-vous toujours de parler français?

MICROLOGUE: Une pharmacie française (suite)

Au contraire d'une pharmacie américaine, on ne peut pas y trouver de films, de cigarettes, **de cartes de vœux**, de crayons, **de friandises**, de téléphone, de journaux. **Tout de même**, il y a des bouteilles d'eau minérale et **une balance** sur laquelle on peut **se peser**. *greeting cards* / *sweets / Even so* / *scale* / *weigh oneself*

Dans les grandes villes, il est quelquefois possible de trouver une pharmacie ouverte toute la nuit. Généralement, elles sont ouvertes à tour de rôle. Il en est de même des docteurs. Ils sont **de garde** à tour de rôle, c'est-à-dire qu'ils **doivent** répondre aux urgences ces nuits-là. C'est le commissariat de police ou **la Mairie** qui a la liste des pharmacies et des docteurs de garde. *on call / must* / *City Hall*

Questions

1. Que ne peut-on pas acheter dans une pharmacie française?
2. Quelle boisson y trouve-t-on?
3. Est-il possible de s'y peser? Comment?
4. Les pharmacies sont-elles ouvertes toutes les nuits? Sinon, quand?
5. Est-ce la même chose pour les docteurs?
6. Qui a la liste des pharmacies et des docteurs de garde?

LECTURE: *La Cantatrice chauve* d'Eugène Ionesco

*Ionesco est né en Roumanie en 1912, d'un père roumain et d'une mère française. Il a vécu en France jusqu'à l'âge de treize ans et est reparti avec sa famille en Roumanie. A l'université de Bucarest, il a passé sa **licence ès lettres** en littérature française et a commencé à enseigner le français dans un lycée. Quelques années plus tard, après s'être marié, il a reçu une bourse pour aller en France. Il y est retourné avec joie. Là, il a gagné sa vie en travaillant pour une maison d'édition.* *M.A.*

En 1948, Ionesco a commencé à étudier l'anglais et c'est en copiant et répétant les phrases de son livre d'anglais qu'il a eu l'idée d'écrire sa première pièce, La Cantatrice chauve (The Bald Soprano). *Il s'est aperçu que nous essayons de communiquer avec des phrases mécaniques, si mécaniques que ces platitudes, seule-*

Le théâtre de la Huchette dans le Quartier latin

ment des sons, passent souvent pour un dialogue. Dans ses Notes
et contre-notes, *Ionesco a écrit:* « Le plus souvent mes personnages disent des choses très plates parce que la banalité est le
symptôme de la non-communication. Derrière ses clichés,
l'homme se cache. » *Voici la première scène:*

*Intérieur bourgeois anglais, avec des fauteuils anglais. Soirée an-
glaise. M. Smith, Anglais, dans son fauteuil anglais et ses* **pan-
toufles** *anglaises, fume sa pipe anglaise et lit un journal anglais,
près d'un feu anglais. Il a des lunettes anglaises, une petite mous-*
5 *tache grise, anglaise. A côté de lui, dans un autre fauteuil anglais,
Mme Smith, Anglaise,* **raccommode** *des chaussettes anglaises.
Un long moment de silence anglais. La pendule anglaise frappe
dix-sept coups anglais.*

slippers

mends

MME SMITH: Tiens, il est neuf heures. Nous avons mangé de
10 la soupe, du poisson, des pommes de terre **au lard**, de la
salade anglaise. Les enfants ont bu de l'eau anglaise. Nous

with bacon

avons bien mangé, ce soir. C'est parce que nous habitons dans
les **environs** de Londres et que notre nom est Smith.   *outskirts*

(*M. Smith, continuant sa lecture, **fait claquer** sa langue.*)   *clucks*

15 MME SMITH: Les pommes de terre sont très bonnes avec le lard,
l'huile de la salade n'était pas **rance**. L'huile de l'épicier du   *rancid*
coin est de bien meilleure qualité que l'huile de l'épicier d'en
face, elle est même meilleure que l'huile de l'épicier **du bas**   *down the hill*
de la côte. Mais je ne veux pas dire que leur huile à eux **soit**   *is*
20 mauvaise.

(*M. Smith, continuant sa lecture, fait claquer sa langue.*)

MME SMITH: **Pourtant**, c'est toujours l'huile de l'épicier du coin   *However*
qui est la meilleure...

(*M. Smith, continuant sa lecture, fait claquer sa langue.*)

25 MME SMITH: Mary a bien cuit les pommes de terre, **cette fois-**   *this time*
ci. La dernière fois elle ne les avait pas bien **fait cuire**. Je ne   *cooked*
les aime que lorsqu'elles sont bien cuites.

(*M. Smith, continuant sa lecture, fait claquer sa langue.*)

MME SMITH: Le poisson était frais. **Je m'en suis léché les**   *I licked my chops.*
30 **babines**. J'en ai pris deux fois. Non, trois fois. **Ça me fait**   *That makes me go to*
aller aux cabinets. Toi aussi, tu en as pris trois fois. **Cepen-**   *the bathroom. /*
dant la troisième fois, tu en as pris moins que les deux pre-   *However*
mières fois, **tandis que** moi, j'en ai pris beaucoup plus. J'ai   *whereas*
mieux mangé que toi, ce soir. Comment ça se fait? D'habitude,
35 c'est toi qui manges le plus. **Ce n'est pas l'appétit qui te**   *You have a good appe-*
manque.   *tite.*

EUGENE IONESCO, *La Cantatrice chauve*, Scène 1
(Paris: Gallimard, 1954)

Questions

1. Décrivez M. Smith.
2. Que fait Mme Smith après le dîner?
3. Qu'est-ce qui frappe?
4. Combien de coups la pendule frappe-t-elle?
5. Décrivez le repas des Smith.
6. Comment M. Smith répond-il à sa femme?
7. Où habitent les Smith?
8. Qui a la meilleure qualité d'huile?
9. Comment Mme Smith aime-t-elle ses pommes de terre?
10. Comment trouve-t-elle le poisson?
11. Combien de fois a-t-elle pris du poisson?
12. D'habitude, qui mange le plus?
13. La conversation de Mme Smith est-elle intéressante? Pourquoi?

14. Cette conversation ressemble-t-elle à beaucoup de conversations tenues par des gens que vous connaissez?
15. Trouvez des adjectifs pour décrire la conversation de Mme Smith.

Création et récréation

A. Prepare a newscast of yesterday's major events.

B. On the same newscast, interview American students (some of your classmates) about their reactions to a real or imagined stay in France.

C. Based on Ionesco's notion that people do not listen to what others say, create a dialogue in which sentences from our text are strung together haphazardly but are delivered in the appropriate tones.

Modèle: LE VIEUX MONSIEUR: (*avec courtoisie*) Vous permettez?

ROBERT: Il va faire beau demain et j'aime bien les tomates et les concombres.

HENRY: (*avec un air inquiet*) Il est neuf heures moins le quart.

M. FOURCHET: (*avec excitation*) Montre-lui comment freiner!

D. *Monique parle avec sa famille de la télévision aux Etats-Unis...*

Coup d'œil

OUI   NON

_____ 56. **Mettre** means *to put, to place, to put on*. It is conjugated as follows: _____

je **mets**	nous **mettons**
tu **mets**	vous **mettez**
il **met**	ils **mettent**
elle **met**	elles **mettent**
on **met**	

IMPERATIF: **mets! mettons! mettez!**
PASSE COMPOSE: j'**ai mis**
FUTUR: je **mettrai**

_____ These verbs are conjugated like **mettre**: **admettre, commettre, omettre, permettre, promettre, remettre, se mettre (à), soumettre.** _____

57. Object pronouns precede the verb, except in the affirmative imperative. When two object pronouns appear in the same sentence, they follow a specified order:

me (m')	le	lui	y	en
te (t')	la	leur		
se (s')	les			
nous				
vous				
se (s')				

Remember that the object pronouns precede the auxiliary verb in past tenses:

Il **me le** donne.

Nous **les leur** avons donnés.

Elle **l'y** mettra.

Elles **y en** ont acheté.

Ne **me le** donnez pas!

Robert **se les** lave.

58. In the affirmative imperative, object pronouns follow the verb and are connected with hyphens. Direct object pronouns **le**, **la**, and **les** precede the other pronouns:

Donnez-**le-moi**!

In the negative imperative, object pronouns precede the verb and follow their usual order:

Ne **me le** donnez pas!

59. Adverbs modify verbs, adjectives, or other adverbs:

Elle parle **vite**.

Chambord est un **très** vieux château.

Il conduit **trop** vite.

An adverb may appear in several places in a sentence:

a. Immediately after the verb in a simple tense:

Elle conduit **lentement**.

Elle conduit **bien**.

b. In a compound tense, a short adverb follows the auxiliary:

Elle l'a **vite** fait.

c. A longer adverb follows the past participle:

Elle l'a fait **rapidement**.

d. For emphasis, an adverb may appear at the beginning of a sentence:

Heureusement, elle a compris.

e. An adverb of time or place may either begin or end a sentence:

Hier, ils ont visité le musée.
Ils ont visité le musée **hier**.

Adverbs are formed in several ways:

a. When the masculine singular form of an adjective ends in a vowel, simply add the ending **-ment**:

vrai + **-ment** = **vraiment**

b. When the masculine singular form of an adjective ends in a consonant, add **-ment** to the feminine form:

certain → certaine + **-ment** = **certainement**

c. Others are formed irregularly:

gentil = **gentiment**

There are many varieties of adverbs:

a. Adverbs of time: **aujourd'hui, déjà**
b. Adverbs of place: **ici, là**
c. Adverbs of quantity: **assez, trop**
d. Adverbs of degree: **aussi, moins**
e. Adverbs of manner: **bien, ensemble**

60. The irregular verb **envoyer** undergoes some spelling changes:

j'**envoie**	nous **envoyons**
tu **envoies**	vous **envoyez**
il **envoie**	ils **envoient**
elle **envoie**	elles **envoient**
on **envoie**	

IMPERATIF: **envoie! envoyons! envoyez!**
PASSE COMPOSE: j'**ai envoyé**
FUTUR: j'**enverrai**

Some verbs follow the pattern of **envoyer** except for their future stems:

employer	j'**emploier**ai
ennuyer	j'**ennuier**ai
essuyer	j'**essuier**ai
nettoyer	je **nettoier**ai
tutoyer	je **tutoier**ai
vouvoyer	je **vouvoier**ai
payer	je **paier**ai
essayer	j'**essaier**ai
balayer	je **balaier**ai

VOCABULAIRE

VERBES

verbes comme *mettre* (voir p 304)
verbes comme *envoyer* et *payer* (voir p 313)

accuser
couper
dépendre (de)
développer

(s') enfuir
habiter
interrompre

NOMS

les actualités (*f. pl.*)
la chaîne
le château
le choix
l'émission (*f.*)
l'idée (*f.*)

les informations (*f. pl.*)
l'intermission (*f.*)
la lumière
les nouvelles (*f. pl.*)
le programme
la publicité

la soirée
la télécommande

le commerçant
le commerce

ADJECTIFS

amusant
ancien
certain

grave
historique
national

sérieux

ADVERBES (voir pp 309 et 310)

finalement
fort

habituellement
malheureusement

pas du tout
plutôt

EXPRESSIONS UTILES

une chaîne à péage
de temps à autre

CHAPITRE 13

Une lettre: choses à écrire

Itinéraire

In this chapter, you'll learn about the French approach to writing both friendly and business letters, and you'll read excerpts from two letters by George Sand, a woman who relentlessly challenged nineteenth-century French conventions.

To help you write better letters in French, you'll study how to use the imperfect tense to describe the past, how to make comparisons, and how to conjugate the verb **écrire** (*to write*).

Scénario .•—•••—•—•—•••—•—•—•—•—•—•—•—•—•—•—•—•—•—•—•—•—

PREMIERE ETAPE

NICOLE: Je vois que la lettre que tu as écrite à ta mère est toujours là sur ton bureau. Qu'est-ce que tu lui racontes?

ROBERT: Eh bien, je lui ai dit que ton père nous a conduits à la campagne, que tu étais la plus jolie de toutes les filles que j'ai rencontrées en France, malheureuse-
5   ment que tu parlais trop vite, que...

NICOLE: Oh, là, là! Il n'y a rien d'intéressant[1] là-dedans.

ROBERT: Si tu sais mieux que moi tout ce qu'il faut dire, veux-tu l'écrire pour moi?

DEUXIEME ETAPE

NICOLE: Je vois que la lettre que tu as écrite à ta mère est toujours là sur ton bureau. Dis donc, Robert, qu'est-ce que tu lui racontes?

ROBERT: Eh bien, je lui ai dit que ton père nous a conduits à la campagne dimanche dernier, que tu étais la plus jolie de toutes les filles que j'ai rencontrées en France,
5   malheureusement que tu parlais trop vite, que...

NICOLE: Oh, là, là! Il n'y a rien d'intéressant là-dedans. Ta lettre est vraiment rasoir. Si tu lui parlais plutôt de la cuisine française? Tu peux lui dire que tu aimes mieux le veau que le boudin et que tu aimes moins la tête de veau que le pâté et que tu as refusé de manger du cheval et du lapin.

10   MME FOURCHET: Dis-lui aussi que tout le monde ici te félicite parce que[2] tu fais des progrès remarquables en français.

NICOLE: Oui, et mets-lui une de ces belles photos de la cathédrale que tu aimes tant. Ou parle-lui de l'accident que nous avons vu.

ROBERT: Si tu sais mieux que moi tout ce qu'il faut dire, veux-tu écrire cette lettre
15   pour moi? Tu m'embêtes!

NICOLE: Ne te fâche pas! Je voulais t'aider. Après ceci, n'attends plus pour la finir et la mettre à la boîte.

---

[1] Note the use of **de** in **rien de** + *adjective*: **rien d'intéressant** = *nothing interesting.*

[2] **Parce que** (*because*) is a conjunction and is followed by a verbal construction with a subject and a predicate:

Je ne le ferai pas **parce que** je suis malade.   *I won't do it **because** I am sick.*

A cause de (*because of*) is a prepositional phrase and is followed by a noun phrase:

A cause du mauvais temps, nous resterons chez nous.   ***Because of** the bad weather, we will stay at home.*

Je ne le verrai pas **à cause de** son attitude.   *I won't see him **because of** his attitude.*

TROISIEME ETAPE

NICOLE: Je vois que la lettre que tu as écrite à ta mère est toujours là sur ton bureau.
Dis donc, Robert, qu'est-ce que tu lui racontes de beau?

ROBERT: Eh bien, je lui ai dit que ton père nous a conduits à la campagne dimanche
dernier, que nous avions vu ce formidable spectacle son et lumière à Chambord,
5   que tu étais la plus jolie de toutes les filles que j'ai rencontrées en France, malheureusement que tu parlais trop vite, que...

NICOLE: Oh, là, là! Il n'y a rien d'intéressant là-dedans. Ta lettre est vraiment rasoir.
Si tu lui parlais plutôt de toutes les bonnes choses de la cuisine française? Tu peux
lui dire que tu aimes mieux le veau que le boudin et que tu aimes moins la tête de
10   veau que le pâté et que tu as refusé de manger du cheval et du lapin.

MME FOURCHET: Dis-lui aussi que tout le monde ici te félicite parce que tu fais des
progrès remarquables en français.

NICOLE: Oui, et mets-lui une de ces belles photos de la cathédrale que tu aimes tant.
Ou encore parle-lui de l'accident que nous avons vu et des réactions des chauffeurs
15   français.

ROBERT: Ecoute, si tu sais mieux que moi tout ce qu'il faut dire, veux-tu écrire cette
lettre pour moi? Tu m'embêtes à la fin!

NICOLE: Ne monte pas sur tes grands chevaux! Ne te fâche pas! Je voulais seulement
t'aider. Tout de même, après ceci, n'attends plus pour la finir et la mettre à la boîte.

Questions sur le scénario

1. Qu'est-ce qui est toujours sur le bureau?
2. Qu'est-ce que Robert raconte dans sa lettre?
3. D'après Nicole, la lettre est-elle intéressante?
4. De quoi Nicole lui dit-elle de parler?
5. Dans la cuisine française, qu'est-ce que Robert aime le mieux?
6. Qu'est-ce qu'il aime le moins?
7. Que refuse-t-il de manger?
8. Qu'est-ce que Mme Fourchet suggère?
9. Robert est-il content? Comment répond-il à Nicole?
10. Que lui répond Nicole?

COIN CULTUREL: Les femmes en France

Voici quelques dates qui montrent l'évolution de la femme dans la société contempo-
raine française.

1945: La Française obtient le droit de vote (aux Etats-Unis en 1920).

1949: La parution du *Deuxième sexe* de Simone de Beauvoir a provoqué une manière différente de voir la femme dans le monde entier.

Jean-Paul Sartre et Simone de Beauvoir

1965: La loi établit l'égalité entre l'homme et la femme.

1967: La contraception est légalisée.

1970: Les époux partagent l'autorité parentale. Le M.L.F. (Mouvement de la libération de la femme) lutte pour la promotion de la femme.

1972: Egalité de salaire et d'emploi entre l'homme et la femme. La première femme entre à l'Ecole Polytechnique.

1974: Le Président Valéry Giscard d'Estaing nomme Simone Veil ministre de la Santé publique et trois femmes Secrétaires d'Etat.

1975: Légalisation de l'I.V.G. (interruption volontaire de grossesses) (*voluntary abortion*) avant la dixième semaine. Divorce par consentement mutuel.

1978: La première femme entre à Saint-Cyr (*the equivalent of West Point*).

1980: L'Académie française ouvre ses portes à Marguerite Yourcenar. Remboursement de l'I.V.G. par la sécurité sociale. Loi sur l'égalité professionnelle entre hommes et femmes.

1981: Le Président François Mitterand nomme six femmes ministres.

1985: Les biens familiaux peuvent être administrés conjointement (*jointly*).

Les femmes ont obtenu la possibilité d'accéder à tous les métiers et aux postes de cadre, mais le taux de chômage (*unemployment rate*) des femmes est toujours supérieur à celui des hommes. L'égalité reste toujours théorique, surtout pour les salaires. Les lois qui ont été votées pour protéger les femmes contre la discrimination ont seulement tendance à éliminer certaines inégalités.

Gestes

1. « **On te donne ça et tu prends ça!** » (*"I give you an inch and you take a mile!"*) is translated into action by showing one finger and then passing the other hand from the finger to the shoulder.

2. « **Ils sont comme les deux doigts de la main!** » (*"They're as thick as thieves!"*) is demonstrated by bringing the index and middle finger together.

« On te donne ça et tu prends ça! »

Proverbes

Plus on est de fous, plus on rit.   *The more the merrier.*
Comparaison n'est pas raison.   *A comparison doesn't prove a thing.*

VOCABULAIRE ILLUSTRE: La Peugeot 405

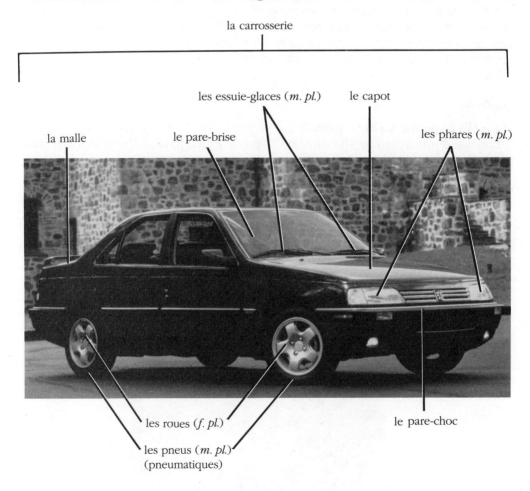

la carrosserie

les essuie-glaces (*m. pl.*)   le capot

la malle   le pare-brise   les phares (*m. pl.*)

les roues (*f. pl.*)   le pare-choc

les pneus (*m. pl.*)
(pneumatiques)

Allons plus loin: L'auto de Mme Fourchet

Etudiez le vocabulaire.

le volant *steering wheel*
se servir de *to use*
à sa portée *within reach*
le tableau de bord *dashboard*
le niveau *level*
le débrayage *clutch*
le changement de vitesses *gear shift*

la boîte de vitesses *gearbox*
le rétroviseur *rear-view mirror*
boucler *to buckle (up)*
s'asseoir *to sit down*
tomber en panne *to have a breakdown*
avoir un pneu à plat *to have a flat tire*

TRAVAUX PRATIQUES

A. Lisez et comprenez.

La Peugeot de Mme Fourchet est prête au garage. Robert va avec elle chercher la nouvelle voiture et l'examiner pour être sûr qu'elle est en parfaite condition.

Elle a quatre roues et les pneus sont bons. La carrosserie est rouge. Sous le capot, le moteur tourne régulièrement. A l'arrière, il y a la malle où l'on peut mettre les valises et les sacs, et aussi la roue de secours. Les pare-chocs se trouvent à l'avant et à l'arrière. C'est une voiture à quatre portes.

Le conducteur s'assied à gauche, se servant du volant pour diriger son véhicule. A sa portée, il y des boutons pour contrôler les phares, les essuie-glaces, la radio, etc. Devant le conducteur, au tableau de bord, se trouvent les indicateurs de vitesse et les niveaux d'essence et d'huile. Le compartiment à gants se trouve du côté droit. A la main droite du conducteur, il y a le frein à main et le changement de vitesses; aux pieds, il y a les pédales: l'accélérateur, le frein et le débrayage. Cette dernière pédale est nécessaire si la voiture n'a pas de boîte de vitesses automatique. Pour voir le trafic derrière la voiture, le conducteur se sert du rétroviseur à l'intérieur et des deux rétroviseurs à l'extérieur, un de chaque côté.

Maintenant qu'ils ont fait le tour du véhicule, Mme Fourchet n'a plus qu'à s'y asseoir, boucler sa ceinture de sécurité et tourner la clef pour mettre le moteur en marche. Mais avant de faire un long voyage, il ne faut pas oublier de faire vérifier l'essence, l'huile, l'eau et la pression des pneus. Elle ne veut pas tomber en panne ni avoir un pneu à plat.

B. Maintenant, posez des questions à votre partenaire.

1. Pourquoi Mme Fourchet et Robert vont-ils chercher la voiture au garage?
2. Comment les pneus sont-ils?
3. Où le moteur tourne-t-il?
4. Qu'est-ce qui protège l'avant et l'arrière de votre voiture?
5. Comment le conducteur peut-il diriger son véhicule?
6. Quels boutons le conducteur trouve-t-il à sa portée?
7. Pour nettoyer le pare-brise, que faites-vous marcher?
8. Quels appareils de contrôle y a-t-il sur le tableau de bord?
9. Que mettez-vous dans votre compartiment à gants?
10. Quelles pédales y a-t-il aux pieds du conducteur?
11. Dans votre voiture avez-vous un changement de vitesses ou une boîte automatique?
12. Qu'est-ce qui vous permet de voir les véhicules derrière vous?
13. Quand vous êtes sûr(e) que la voiture est en bon état, que vous faut-il faire avant de tourner la clef?
14. Et que faut-il faire vérifier avant de faire un long voyage pour éviter une panne?

NOTE DE GRAMMAIRE 61

L'imparfait

1. The stem of the imperfect tense is found by dropping the **-ons** from the **nous** form of the present tense, whether the verb is regular or irregular:

parler	**parl-**	faire	**fais-**
finir	**finiss-**	savoir	**sav-**
vendre	**vend-**	boire	**buv-**
aller	**all-**	avoir	**av-**

2. To the stem is added the ending **-ais**, **-ais**, **ait**, **-ions**, **-iez**, **-aient**:

je parl**ais**	nous parl**ions**
tu parl**ais**	vous parl**iez**
il parl**ait**	ils parl**aient**
elle parl**ait**	elles parl**aient**
on parl**ait**	

je finiss**ais**	nous finiss**ions**
tu finiss**ais**	vous finiss**iez**
il finiss**ait**	ils finiss**aient**
elle finiss**ait**	elles finiss**aient**
on finiss**ait**	

je vend**ais**	nous vend**ions**
tu vend**ais**	vous vend**iez**
il vend**ait**	ils vend**aient**
elle vend**ait**	elles vend**aient**
on vend**ait**	

3. The only verb whose imperfect stem does not follow the usual rule for formation is **être**. Its stem is **ét-: j'étais, tu étais**, etc.[3]

Emploi de l'imparfait

The imperfect tense is used to describe the past. It conveys a number of meanings and is used in a number of ways.

4. The imperfect is used to express a customary or habitual action in the past:

J'allais au cinéma **tous les jours**.   *I used to go to the movies every day.*

---

[3] The **nous** and **vous** forms of **-ger** and **-cer** verbs do not follow the usual formation either:

je mang**e**ais *but:* nous mang**i**ons
je commen**ç**ais *but:* nous commenc**i**ons

These modifications are made to preserve the soft sound of the **g** and the **c**.

This use of the imperfect may be represented schematically as follows:

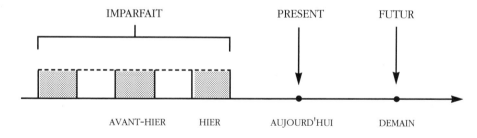

5. The imperfect also describes two actions that occurred simultaneously and continued indefinitely:

Elle parlait pendant que **je travaillais**.

She was speaking while *I was working*.

Elle chantait pendant que **je jouais** du piano.

She was singing while *I was playing the piano*.

Pendant que is the most common way of connecting two actions happening at the same time.

6. The imperfect is used to describe conditions in the past:

Il faisait beau.

It was nice out.

Toutes **les boutiques étaient** fermées.

All ***the stores were*** *closed*.

or to describe a past state of mind or health:

Je le **pensais**.

I thought so.

Je ne savais pas qu'elle avait peur de moi.

I didn't know that she was afraid of me.

J'étais malade.

I was sick.

J'avais mal à la tête.

I had a headache.

or to set a scene:

Il pleuvait à verse et tous **les animaux avaient** peur. Brusquement, Noé leur a dit: « Du calme, les petits! »

It was pouring and all ***the animals were*** frightened. Suddenly, Noah told them: "Be calm, little ones!"

7. A question that contains **si** plus the imperfect is equivalent to the English notion of *what if, suppose,* or *how about?*

Si nous allions au cinéma?

{ *Suppose we go* to the movies.
  How about going to the movies? }

Exercices de transformation

A. Visites fréquentes chez le médecin.

Modèle: Souvent, *Robert* avait mal à la tête. (*nous*)
          Souvent, nous avions mal à la tête.

1. Souvent, *il* avait mal à la tête. (*nous, tu, vous, je, ils*)
2. *Il* croyait que tout allait mal. (*Nicole, Je, On, Nous, Ils*)
3. *Il* prenait l'autobus tous les jours. (*On, Nous, Tu, Vous, Elles*)
4. *Il* allait quelquefois chez le médecin. (*Tu, Elles, Vous, Je, Nous*)
5. *Il* était robuste. (*Nous, Tu, Je, Vous, Ils*)
6. *M. Fourchet* voyait tout sans rien dire. (*Je, Nous, Tu, Vous, Elles*)

B. Rendez-vous.

Modèle: Ils se rencontrent tous les jours au restaurant.
          Ils se rencontraient tous les jours au restaurant.

1. Il y va souvent en mobylette.
2. Elle s'y rend parfois en voiture.
3. Il lui apporte toujours des fleurs.
4. Ils mangent bien généralement.
5. Elle paie souvent le repas.

C. La fête continue.

Modèle: Il l'a invitée chez lui hier. (*autrefois*)
          Il l'invitait chez lui autrefois.

1. Ils ont regardé la télé hier. (*souvent*)
2. Nous avons bu un apéritif hier. (*quelquefois*)
3. Il a mis la table hier. (*fréquemment*)
4. Elle a parlé de la vie en général la semaine dernière. (*tous les jours*)
5. Elles sont rentrées tard hier. (*d'habitude*)

D. Restons en forme!

Modèle: Vous nagerez à la piscine demain. (*toujours*)
          Vous nagiez toujours à la piscine.

1. Tu marcheras deux kilomètres demain. (*tous les soirs*)
2. Tu sauteras pendant une heure demain. (*généralement*)
3. Ils danseront toute la soirée. (*tout le temps*)
4. Vous monterez toujours les escaliers. (*fréquemment*)
5. Je me servirai de la bicyclette dans un moment. (*tous les matins*)

E. *Faisons des sports!*

Modèle: Les Français aiment faire de la bicyclette. (*Je croyais que*)
          Je croyais que les Français aimaient faire de la bicyclette.

1. Elle aime faire du ski. (*Il croyait que*)
2. Les étudiants aiment jouer au tennis. (*Nous croyions que*)
3. Il fait de l'athlétisme. (*Tu croyais que*)
4. Tu aimes faire de la natation. (*Elle croyait que*)
5. Elles font du cheval. (*Je croyais que*)

F. Robert nettoie la maison.

Modèle: Il balaie sa chambre. (*Je ne savais pas que*)
　　　　　Je ne savais pas qu'il balayait sa chambre.

1. Il fait les lits tous les matins. (*Elle ne savait pas que*)
2. Il descend les valises à la cave. (*Tu ne savais pas que*)
3. Il range ses vêtements dans le placard. (*Nous ne savions pas que*)
4. Il fait la cuisine le dimanche. (*Vous ne saviez pas que*)
5. Il nettoie les tiroirs de son bureau. (*Ils ne savaient pas que*)

NOTE DE GRAMMAIRE 62

L'imparfait ou le passé composé?

1. The imperfect is typically used to express an incompleted action or one without a definite time restriction. Note that the imperfect differs from the **passé composé**:

Je suis allé au cinéma **hier soir**. 　　*I **went** to the movies **last night**.*
J'allais au cinéma hier soir quand 　　*I **was going** to the movies last night*
　l'accident est arrivé. 　　　　　　　*when **the accident occurred**.*

The **passé composé** indicates an action that has been completed in the past. It suggests that the action was completed at a specific moment in the past.

The schematic representation of **Je suis allé au cinéma hier soir** would look like this:

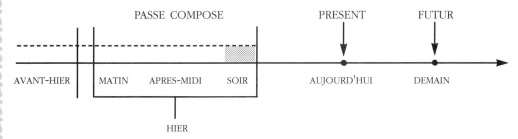

2. The imperfect may be used in conjunction with the **passé composé** to indicate what was happening when some other thing happened:

J'étudiais quand elle a frappé à la 　　*I **was studying when she***
　porte. 　　　　　　　　　　　　　　　***knocked** on the door.*

Je montais l'escalier **lorsque l'hôtesse m'a appelé.**

I was climbing the staircase *when the hostess called* me.

Elle écrivait une lettre **quand son ami est arrivé.**

She was writing a letter *when her friend arrived*.

- The imperfect shows *what was happening*. The **passé composé** shows *what happened*.
- The imperfect is an *incomplete* action. The **passé composé** is a *completed* action.

Quand or **lorsque** usually serves to connect both clauses. Both translate as *when*.

Simples substitutions

A. *Il neigeait* lorsque nous sommes entrés. (*Il faisait froid, Il faisait du soleil, Il gelait, Il faisait du vent, Le ciel était couvert, Il pleuvait à verse, Il faisait un temps de chien*)

Exercices de transformation

B. Imparfait et passé composé.

Modèle: Il gelait quand *nous* sommes sortis. (*je*)
  Il gelait quand je suis sorti.

1. Il gelait quand *nous* sommes sortis. (*je, tu, vous, ils, on*)
2. Il faisait beau quand *je* vous ai vu. (*il, on, Mme, Fourchet, tu, elles*)

C. Que faisiez-vous à ce moment-là?

Modèle: Que faisiez-vous quand je suis entré? (*parler*)
  Je parlais quand vous êtes entré.

Que faisiez-vous quand je suis entré? (*se dépêcher, se lever, descendre mes affaires, mettre la table, boire, étudier, travailler, discuter*)

D. Actions simultanées et contraires.

Modèle: Je me lève pendant que tu te couches.
  Je me levais pendant que tu te couchais.

1. Je reste chez moi pendant que tu te promènes.
2. Ils montent l'escalier pendant que vous descendez les valises.
3. Nous mangeons pendant qu'ils boivent.
4. Vous choisissez des fleurs pendant que nous achetons des vases.
5. Je commence à manger pendant que vous quittez la table.

E. Passé composé ou imparfait?

Modèle: Nous finissons le travail. (*hier*)
                   Hier nous avons fini le travail.

1. Je pense à elle. (*tous les jours*)
2. J'écris des lettres. (*généralement*)
3. Je téléphone à mon amie. (*le mois dernier*)
4. Elle répond à mes lettres. (*déjà*)
5. Je veux la voir. (*autrefois*)

F. Quelques suppositions.

Modèle: Nous voyageons ensemble.
                   Si nous voyagions ensemble?

1. Nous visitons le musée.
2. Tu me parles de la cathédrale.
3. Vous passez devant le palais.
4. Vous achetez des souvenirs.
5. Je fais un tour de la ville.

TRAVAUX PRATIQUES

Adaptez les verbes au temps convenable: passé composé ou imparfait?

Je _____ (*quitter*) la maison à minuit. Il _____ (*faire*) beau et je _____ (*décider*) de me promener dans le parc près de chez moi. Un objet (une personne? une ombre?) _____ (*bouger*) devant moi rapidement. Je _____ (*essayer*) de le suivre, mais il _____ (*aller*) trop vite. Je _____ (*monter*) dans ma voiture et je _____ (*conduire*) aussi vite que possible. Je _____ (*ne pas pouvoir*) le trouver ou l'attraper. Découragé, je _____ (*descendre*) de ma voiture. Je _____ (*aller*) dans la forêt. Seul, je _____ (*marcher*) sous les arbres. Il _____ (*faire*) du vent. Je _____ (*avoir*) peur. La lune _____ (*briller*). Il _____ (*commencer*) à faire froid. Des animaux _____ (*hurler*). Tout d'un coup un ours _____ (*sauter*) sur moi. Heureusement ce _____ (*être*) un ours en peluche. Je _____ (*être*) en train de rêver.

NOTE DE GRAMMAIRE 63

Le comparatif et le superlatif des adjectifs

1. Adjectives may be compared by using the forms **aussi... que**, **plus... que**, and **moins... que**:

aussi... que	Jean est **aussi intelligent que** Marcel.	*John is **as intelligent as** Marcel.*

☞

plus... que	Sandrine est **plus intelligente que** lui.	*Sandrine is **more intelligent than** he.*
moins... que	Frédéric est **moins intelligent qu'**elle.	*Frédéric is **less intelligent than** she.*

Note that the disjunctive pronoun is used in comparisons.

2. To form the superlative of an adjective, use:

le (la, les) plus... de	Sylvie est **la plus intelligente de la** classe.	*Sylvie is **the most intelligent in the** class.*
le (la, les) moins... de	Pierre est **le moins aimable du** groupe.	*Pierre is **the least likable in the** group.*
	Ces enfants sont **les moins bavards de** l'école.	*These children are **the least talkative in the** school.*

Note that in this construction, **de** is used to mean *in.*

3. In a superlative construction, the adjective remains in its usual position, either before or after the noun:

Voilà une **belle** cathédrale.	*There is a **beautiful** cathedral.*
Voilà **la plus belle** cathédrale **de** France.	*There is **the most beautiful** cathedral **in** France.*
Le Figaro est un journal **intéressant.**	*Le Figaro is an **interesting** newspaper.*
Le Monde est le journal **le plus intéressant de** France.	*Le Monde is **the most interesting** newspaper **in** France.*

4. Some adjectives have irregular comparative and superlative forms:

bon   *good*
meilleur(e)(s)... que   *better than*
le meilleur/la meilleure/les meilleur(e)s... de   *best of/in*

Like all adjectives, these forms agree in gender and number with the noun or pronoun they modify:

C'est un **bon** plat.	*It's a **good** dish.*
La saucisse est **meilleure que** le pâté.	*The sausage is **better than** the pâté.*
Ce restaurant a **le meilleur** cuisinier **de** tous les restaurants.	*This restaurant has **the best** chef **of** all restaurants.*

5. **Mauvais** has the two following comparative and superlative forms:

Ce poisson est **mauvais.**	*This fish is **bad.***
Cette glace est **plus mauvaise que** l'autre./Cette glace est **pire** que l'autre.	*This ice cream is **worse than** the other.*

Cette boulangerie est **la plus mauvaise de** la ville./Cette boulangerie est **la pire** de la ville.

*This bakery is **the worst in** the city.*

Simples substitutions

A. 1. Jeanne est aussi *charmante* que Suzanne. (*belle, brusque, grande, blonde, impatiente*)
2. Paul est plus *bouleversé* que lui. (*intimidé, fatigué, irrité, grand, fort*)
3. Nicole est moins *heureuse* qu'elle. (*jolie, grosse, petite, vieille, exaspérée*)
4. Suzanne est la plus *intelligente* de la classe. (*bavarde, jeune, fâchée, brusque*)

Exercices de transformation

B. **Modèle:** C'est une bonne étudiante.
    C'est une meilleure étudiante que l'autre.

1. C'est un mauvais chauffeur.
2. C'est un bon employé.
3. C'est une mauvaise actrice.
4. C'est un bon médecin.
5. C'est un mauvais dentiste.

C. **Modèle:** Jacques a 15 ans. Jean en a 20. (*âgé*)
    Jean est plus âgé que Jacques.

1. Suzanne est capable. Jeanne est moins capable. (*capable*)
2. Georges a une Rolls-Royce. Paul a une Chevrolet. (*riche*)
3. Hélène reçoit toujours de bonnes notes. Marc en reçoit moins. (*intelligent*)
4. Elise a perdu tout son argent. Marie a perdu un crayon. (*fâché*)
5. Le chauffeur de taxi n'est pas irrité. L'employé de la gare leur dit de se dépêcher. (*patient*)
6. Nicole a 19 ans. Sophie en a 23. (*jeune*)
7. Alice mange toujours. Suzanne mange peu. (*gros*)
8. Jules est calme. Jim est calme aussi. (*décontracté*)
9. Cet hôtel-ci est chic. Cet hôtel-là est ordinaire. (*bon*)
10. Ces légumes-ci sont trop vieux. Ces légumes-là sont frais. (*mauvais*)

D. Comparez les deux mots.

Modèle: l'avion/le train (*rapide*)
    L'avion est plus rapide que le train.

1. le *New York Times*/ le *National Enquirer* (*sérieux*)
2. Picasso/Rembrandt (*classique*)
3. le calcul/l'arithmétique (*difficile*)
4. la Bible/la Constitution française (*ancien*)
5. les comédies/les tragédies (*drôle*)

E. Créez des phrases logiques au superlatif.

Modèle: Paris/grand/ville/France
         Paris est la plus grande ville de France.

1. Le T.G.V./train/rapide/monde
2. Gérard Depardieu/acteur/célèbre/France
3. Maxim's/restaurant/cher/Paris
4. La tour Eiffel/construction/haut/France
5. La Loire/long/rivière/France

NOTE DE GRAMMAIRE 64

Le comparatif et le superlatif des adverbes et des quantités

1. Comparisons of adverbs follow the same pattern as comparisons of adjectives:

aussi... que	Martine écrit **aussi souvent que** Nicole.	*Martine writes **as often as** Nicole.*
plus... que	Marguerite écrit **plus souvent que** Bernadette.	*Marguerite writes **more often than** Bernadette.*
moins... que	Michel écrit **moins souvent que** Charles.	*Michel writes **less often than** Charles.*

2. The superlative of an adverb is formed in the same way as the superlative of an adjective, except that only the masculine definite article **le** is used:

le plus... de	Jacqueline écrit **le plus mal de** la classe.	*Jacqueline writes **the worst in** the class.*
le moins... de	Suzanne et Marguerite écrivent **le moins mal de** la classe.	*Suzanne and Marguerite write **the least badly in** the class.*

3. The adverb **bien** has irregular forms of comparison:

bien	Maurice conduit **bien**.	*Maurice drives **well**.*
mieux... que	Maurice conduit **mieux que** Bernard.	*Maurice drives **better than** Bernard.*
le mieux... de	Maurice conduit **le mieux de** la famille.	*Maurice drives **the best of** the family.*

4. Note these two frequently used idiomatic expressions:

tant mieux	Il fait beau aujourd'hui. Je pourrai aller faire du jogging. **Tant mieux**.	*It's a nice day today. I will be able to go jogging. **Good!***
tant pis	Mon billet de loterie n'a rien gagné. **Tant pis**.	*My lottery ticket didn't win anything. **Too bad!***

5. The forms **plus de**, **moins de**, and **autant de** are used to compare quantities:

J'ai **plus d'argent que** vous.	*I have **more money than** you.*
J'ai **moins d'argent que** vous.	*I have **less money than** you.*
J'ai **autant d'argent que** vous.	*I have **as much money as** you.*

These forms may also be used to contrast ideas:

Il a **plus d'argent que de** bon sens.	*He has **more money than** common sense.*

Note that the preposition **de** must be repeated to maintain parallel structure.

Simples substitutions

A. *Elle parle* aussi bien que lui. (*Elle conduit, Elle comprend, Elle nage, Elle chante, Elle travaille*)

Exercices de transformation

B. **Modèle:** Comment parle-t-il? (*mieux que moi*)
      Il parle mieux que moi.

1. Comment apprend-elle? (*mieux que moi*)
2. Comment nage-t-il? (*mieux que toi*)
3. Comment étudient-ils? (*mieux que nous*)
4. Comment répondons-nous? (*mieux qu'eux*)
5. Comment conduit-il? (*mieux qu'elle*)

C. **Modèle:** Elle conduit mieux que vous.
      Elle conduit plus mal que vous.

1. Ils dansent mieux que vous.
2. Nous écoutons mieux que vous.
3. Ils travaillent mieux que vous.
4. Elle étudie mieux que vous.
5. Il chante mieux que vous.

D. **Modèle:** Ces garçons travaillent mieux que toi.
      Ces garçons travaillent le mieux de tout le groupe.

1. Elle nage mieux que toi.
2. Il conduit plus mal que toi.
3. C'est une plus mauvaise actrice que toi.
4. Paul est un meilleur médecin que toi.
5. Il comprend mieux que toi.

E. **Modèle:** Elle a plus de frères que de sœurs. (*moins*) (*autant*)
           Elle a moins de frères que de sœurs.
           Elle a autant de frères que de sœurs.

1. Elle a autant de chaussures que moi. (*plus*) (*moins*)
2. Tu achètes moins de valises que ton frère. (*plus*) (*autant*)
3. Ils font autant de voyages que les autres. (*moins*) (*plus*)
4. Nous avons mangé plus de légumes que de viande. (*moins*) (*autant*)
5. Vous avez bu plus de vin que d'eau. (*moins*) (*autant*)

TRAVAUX PRATIQUES ·•·-·•·-·•·-·•·-·•·-·•·-·•·-·•·-·•·-·•·-·•·-·•·-·•·-·•·-·•·-·•·-·•·-·•·

MACROLOGUE

*Your instructor will give you a piece of realia from a francophone country. Your
assignment is to learn about the item and be able to state some facts about it. You may
ask questions of others or consult encyclopedias, but do not query your instructor. You
are not expected to complete this assignment in one class. It is an ongoing enterprise
that may take several weeks. Each student should be prepared to make a short presentation when called on.*

   *If your item is, say, a postage stamp (***un timbre***), try to answer questions of this
sort:*

1. Est-il carré, rectangulaire, ovale, triangulaire, rond, etc.?
2. Est-il petit, grand?
3. Quelles couleurs voit-on desssus?
4. Quelle image y trouve-t-on? Est-ce une personne? Qui est-ce?
5. Est-ce un objet? Quel objet?

Thus, if you have a 20-franc stamp featuring the Concorde, you might give the
following information:

Modèle: *J'ai un timbre de 20 francs. Le timbre est rectangulaire. Il est grand. Il y a
       l'image d'un avion dessus. L'avion s'appelle le Concorde. Il est très rapide et
       vole à 2400 kilomètres à l'heure. On y voit aussi deux têtes d'homme: Saint-
       Exupéry et Mermoz, deux aviateurs français célèbres...*

NOTE DE GRAMMAIRE 65

Le verbe **écrire**

The irregular verb **écrire** (*to write*) is conjugated as follows:

j'**écris**	nous **écrivons**
tu **écris**	vous **écrivez**
il **écrit**	ils **écrivent**
elle **écrit**	elles **écrivent**
on **écrit**	

IMPERATIF: **écris! écrivons! écrivez!**
PASSE COMPOSE: j'**ai écrit**
FUTUR: j'**écrirai**
IMPARFAIT: j'**écrivais**

Décrire (*to describe*) is conjugated like **écrire**.

Simples substitutions

A. *J'écris* toujours à ma mère. (*Tu écris, Nous écrivons, Il écrit, Ils écrivent, Vous écrivez*)

Exercice de transformation

B. **Modèle:** Ecrivez-*vous* des lettres? (*elles*)
Ecrivent-elles des lettres?

1. Ecrivez-*vous* des lettres? (*elle, nous, on, tu, Est-ce que je*)
2. *Tu* n'écris jamais. (*Nous, Ils, On, Je, Vous*)
3. *Henry* décrira la Peugeot à ses amis. (*Tu, Nous, Vous, Ils, Je*)
4. *Ils* décrivaient le paysage à l'artiste. (*Vous, Il, Nous, Tu, Je*)

TRAVAUX PRATIQUES

Répondez aux questions générales.

1. Ecrivez-vous souvent des lettres?
2. Quand tu seras en vacances, écriras-tu des cartes postales?
3. Pour donner de tes nouvelles, préfères-tu téléphoner ou écrire?
4. As-tu écrit à tes amis récemment?
5. En France, on écrit des cartes pour le jour de l'an. Aux Etats-Unis, quand écrit-on des cartes?
6. Dans quel cours écrit-on des compositions?
7. Quand tu écris une composition, l'écris-tu à la main ou emploies-tu l'ordinateur?

MICROLOGUE: L'Académie française

Des écrivains, des poètes **se réunissaient** entre eux pour lire   *met*
des vers, commenter leurs œuvres, discuter de la littérature,
jusqu'au jour où Richelieu **a entendu parler de** ces réunions.   *heard about*
Il s'y est intéressé et a voulu **tirer parti** des activités de ce   *profit*
5 groupe pour le **rayonnement** intellectuel de la France. Il leur   *influence*
a proposé sa protection et en 1635, l'Académie française est
fondée.

   Dès ce moment-là, elle comprendra 40 membres, appelés des   *from*
Immortels parce qu'ils sont **élus à vie**. Pour être académicien   *elected for life*
10 aucon diplôme n'est **requis**. Il n'y a pas de limite d'âge non plus.   *required*

   Le rôle des académiciens est essentiellement de travailler au
dictionnaire ou plus exactement de le réviser. La prochaine édition n'est pas prévue avant l'an 2000.

   Pour les séances publiques les 40 portent l'habit vert, **orné**   *decorated*
15 de **broderies** vertes. Cet habit coûte une petite fortune. L'habit   *embroidery*
est complété d'une **épée**. Celle-ci est individuelle. Elle est géné-   *sword*

La première académicienne Marguerite Yourcenar

ralement offerte par des amis qui créent un comité de l'épée. Le
pommeau de cette épée est orné de symboles qui racontent la   *hilt*
vie et l'œuvre de l'académicien.

20   En 1980, la première femme a été élue: Marguerite Yourcenar.
Elle est morte 7 ans plus tard. Jacqueline de Romilly a été la
deuxième femme élue, la troisième est Hélène Carrère d'En-
causse.

L'Académie est logée à l'Institut Mazarin, en face du Louvre
25   de l'autre côté de la Seine.

Questions

1. Au dix-septième siècle, un groupe d'écrivains se réunissait. Que faisaient-ils pendant ces réunions?
2. Qui s'est intéressé à ce groupe?
3. Que propose-t-il?
4. Quand l'Académie a-t-elle été fondée?
5. Combien de membres l'Académie comprend-elle?
6. Pourquoi appelle-t-on les académiciens des Immortels?
7. Est-il nécessaire d'avoir des diplômes pour être élu?
8. Y a-t-il une limite d'âge?
9. Quel est le rôle des académiciens?
10. Pour quand leur prochain dictionnaire est-il prévu?
11. Décrivez l'habit des académiciens.
12. Que raconte le pommeau de leur épée?
13. Quand la première femme a-t-elle été élue?
14. Où l'Académie est-elle logée?

LECTURE 1: Une lettre de George Sand à un ami, le 5 juillet 1868

*Aurore Dupin, née en 1804 à Nohant (au centre de la France), a
épousé le baron Dudevant. Elle l'a quitté après huit ans de mariage
et s'est installée à Paris où elle a commencé à écrire sous le nom
de George Sand. Sa vie et son œuvre ont évolué **au gré** de ses*   *depending on*
*passions (Sandeau, Musset, Chopin...). Elle a touché le public de
son temps par son imagination, sa sensibilité et son idéalisme.*

    Elevant** seule ses enfants à Paris, elle a revendiqué des **droits   *Raising / rights*
*pour les femmes et a **lutté** contre les conventions mondaines, les*   *fought*
*préjugés sociaux et les règles traditionnelles de la morale. Elle a
été une des premières femmes à fumer la pipe et à porter un
pantalon. Vers 1845, elle est retournée à Nohant où elle a continué
à écrire jusqu' à sa mort en 1876.*

George Sand

J'ai aujourd'hui soixante-quatre printemps. Je n'ai pas encore
senti **le poids** des ans. Je marche autant, je travaille autant, je   *weight*
dors aussi bien. Ma vue est fatiguée; aussi je mets depuis si
longtemps des lunettes que **c'est une question de numéro**,   *it's just a number*
5 voilà tout. Quand je ne pourrai plus agir, j'espère que j'aurai
perdu la volonté d'agir. Et puis on **s'effraie** de l'âge avancé   *fears*
comme si on était sûr d'y arriver. On ne pense pas à **la tuile**   *tile*
qui peut tomber du **toit**. Le mieux est de se tenir toujours **prêt**   *roof / ready*
et de **jouir** des vieilles années mieux qu'on a su jouir des jeunes.   *enjoy*
10 On perd tant de temps et on **gaspille** tant la vie à vingt ans!   *wastes*
Nos jours d'hiver comptent double; voilà notre compensation...

GEORGE SAND, *Correspondance,* t. 5, p 267
(Paris: Calmann-Lévy, 1882–1894)

LECTURE 2: Une lettre de George Sand à Gustave Flaubert, 1872

*Gustave Flaubert est né à Rouen en Normandie en 1821. Sa vie
s'est passée presque sans histoire. Dès sa jeunesse il a écrit. En
1843, il **est atteint d'**une maladie nerveuse et il a dû abandonner* — was stricken with
*toute vie active. Il s'est retiré près de Rouen où il a vécu dans
l'isolement, **à part** quelques séjours à Paris.* — except for

   *Il a laissé une grande correspondance du plus haut intérêt qui
révèle sa personnalité **fougueuse**. Son roman le plus célèbre, Ma-* — energetic
*dame Bovary, a été écrit d'après un **fait divers**: la femme d'un* — news story
*médecin normand qui s'est empoisonnée. Après avoir mis 53 mois
pour l'écrire, il l'a publié dans la Revue de Paris en 1856. Cette
publication provoque un scandale. Il est **poursuivi** et acquitté **de*** — sued / barely
***justesse**. Ces polémiques ont assuré le succès de son roman. Il
est mort en 1880.*

Faut pas être malade, faut pas être **grognon**, mon vieux trou- — a grouch
badour. Il faut **tousser, moucher, guérir**, dire que la France — cough / blow your nose /
est folle, l'humanité **bête**, et que nous sommes des animaux — recover
stupid
mal finis; il faut s'aimer quand même, **soi, son espèce**, ses amis — oneself / one's own kind
5   surtout.

   ...Après ça, peut-être que cette indignation chronique est un
besoin de ton organisation; moi, elle me **tuerait**... Peut-on vivre — would kill
paisible, diras-tu, quand le genre humain est si absurde? Je me — peaceably
soumets, en me disant que je suis peut-être aussi absurde que
10   lui et qu'il est temps d'aviser à me corriger...

Correspondance, t. 6, pp 296–297
(Paris: Calmann-Lévy, 1882–1894)

Gustave Flaubert

Questions

1. Qui est George Sand?
2. Au moment où George Sand écrit la lettre à son ami, quel âge a-t-elle?
3. Que peut-elle toujours faire?
4. Porte-t-elle des lunettes depuis longtemps? Pourquoi?
5. Que veut dire « c'est une question de numéro »?
6. Faut-il s'effrayer de l'âge avancé?
7. Qu'est-ce qu'il est mieux de faire?
8. Que fait-on à vingt ans?
9. Quelle est la compensation des personnes âgées?
10. Qui est Gustave Flaubert?
11. Quels conseils George Sand donne-t-elle à Flaubert?
12. Comment voit-elle l'humanité?
13. Que faut-il faire surtout?
14. Quelle solution trouve-t-elle?

TRAVAUX PRATIQUES •◦•◦•◦•◦•◦•◦•◦•◦•◦•◦•◦•◦•◦•◦•◦•◦•◦•

A. 1. Dans sa lettre à un ami, George Sand a écrit: « On perd tant de temps et on gaspille tant la vie a vingt ans! » Etes-vous d'accord avec elle, ou non? Donnez vos raisons!

   2. Dans sa lettre à Flaubert, elle a écrit: « Peut-on vivre paisible... quand le genre humain est si absurde? » Répondez à cette question. Si votre réponse est non, que peut-on faire pour remédier à la situation?

B. Cinq étudiants participent à ce jeu pour créer une série de phrases avec les verbes **attraper un rhume, éternuer**, **tousser**, **se moucher** et **guérir**. Un étudiant mime le premier verbe et l'emploie dans une phrase courte. Le deuxième étudiant répète la première phrase, reproduit la mime et y ajoute son verbe et sa mime. Ils procèdent ainsi de suite jusqu'au cinquième étudiant.

🌿 *Création et récréation*

> 1. To begin a letter in French to a friend, the usual formulas are:
>
> **Chère Martine,**   **Ma chère Martine,**   **Chère amie,**
> **Cher Pierre,**   **Mon cher Pierre,**   **Cher ami,**
>
> You would use **Ma chère** or **Mon cher** with a first name if you know the person well. Otherwise, **Chère** or **Cher** is appropriate.
>
> The French always use a comma after the salutation, never a colon.

2. In writing to family, the following are common openings:

Mes chers parents,
Mon cher oncle,   **Cher oncle**,
Ma chère grandmère,   **Chère grand-mère**,

3. To close a letter to a friend or a family member, write:

FRIEND
Bien amicalement,
Bon souvenir,/Meilleur souvenir,
Amical souvenir,/Affectueux souvenir,
Bien affectueusement,
Amitié,
Bons baisers (*kisses*), **Mille baisers**,
Bises (*kisses*), **Grosses bises**,

FAMILY
Je vous embrasse (*kiss*),/**Je t'embrasse affectueusement**,
Je t'embrasse,/Je t'embrasse bien fort,
Bons baisers,
Grosses bises,

4. The standard greeting in a French business letter is:

Monsieur,   **Madame**,   **Mademoiselle**,

If the person to whom you are writing has a title, use it:

Monsieur le Directeur,   **Madame la Présidente**,

Do not use an abbreviation (**M.**, **Mme**, **Mlle**) in the salutation, and do not use the person's family name.

5. In closing the letter, use the same title as in the salutation:

Veuillez agréer, Monsieur/Madame/Mademoiselle, l'expression de mes sentiments distingués.

If you have an ongoing relationship with your correspondent, you may use the following form:

Veuillez agréer, cher Monsieur/chère Madame/chère Mademoiselle, l'expression de mes sentiments les meilleurs.

Certain variations are also permitted:

Veuillez accepter...   **Agréez...**   **Acceptez...**
Recevez...   **Je vous prie d'agréer...**

All of these closings are roughly equivalent to *Sincerely yours* or *Very truly yours*.

TRAVAUX PRATIQUES

A. *Write a formal letter inquiring about a job. Try to present yourself in the best light possible. Study the following example.*

New York, le 10 janvier 1992

Mlle Juliette Jones
471 East 74th Street
New York, NY 10022

Monsieur le Directeur
Hôtel Morisette
7, rue de l'Arrivée
75002 PARIS

Monsieur le Directeur,

J'ai lu dans les « Petites annonces » du *Figaro* que vous cherchiez un jeune étudiant intelligent, parlant français et anglais pour vous aider à traduire et à répondre à des lettres faciles. Je m'appelle Juliette Jones. J'ai vingt et un ans et je suis américaine. Je viens de terminer mes études universitaires et j'ai déjà fait un stage à Bourges. Je serai à Paris à partir du premier juin et je désire travailler. Voulez-vous être assez aimable pour me donner une réponse par retour du courrier?

Dans l'attente de vous lire (*While waiting for your reply*), je vous prie d'agréer, Monsieur le Directeur, l'assurance de mes sentiments distingués.

Mlle Juliette Jones

B. Ecrivez un mot (*a note*) à votre grand-père pour le remercier du cadeau de Noël qu'il vous a envoyé.

C. Ecrivez une lettre à un ami/une amie pour lui expliquer comment vous avez passé le week-end ou les grandes vacances (*summer vacation*).

D. Ecrivez une lettre à vos parents pour décrire votre professeur favori.

E. Ecrivez une lettre à quelqu'un que vous admirez et dites-lui pourquoi.

F. Ecrivez une lettre à un hôtel pour réserver une chambre et demandez les conditions de paiement.

G. *Monique écrit une lettre à ses parents pour leur demander la permission de faire un voyage avec une de ses camarades.*

Coup d'œil

____   **61.** The stem of the imperfect is found by dropping the **-ons** from the **nous** form of the present tense. To this stem, add the following endings: ____

      -ais, -ais, -ait, -ions, -iez, -aient

The only verb with an irregular stem is **être**, whose stem is **ét-**.

____   The imperfect is used to describe a customary or habitual action in the past: ____

J'allais à l'école tous les jours.	*I **used to go** to school every day.*

____   It is used to describe two past actions that occurred and continued simultaneously: ____

Je mangeais pendant qu'**elle téléphonait**.	*I **was eating** while **she was telephoning**.*

____   It is used to describe conditions in the past: ____

Toutes les banques **étaient fermées**.	*All the banks **were closed**.*

____   or a past state of mind or health: ____

Je le **pensais**.	*I **thought** so.*
J'avais mal à la tête.	*I **had** a headache.*

____   or to set a scene: ____

Il tonnait et **j'avais** très peur.	*It **was thundering** and **I was** very afraid.*

____   or with **si** to express the notion *what if, suppose,* or *how about?*   ____

Si nous étudiions maintenant?	*How about studying now?*

62. The imperfect typically expresses an incomplete past action or a past action without a definite time restriction. In contrast, the **passé composé** expresses a completed past action:

> **Nous allions** au cinéma tous les jours.
>
> *We used to go to the movies every day.*
>
> **Nous sommes allés** au cinéma hier.
>
> *We went to the movies yesterday.*

The imperfect is used with the **passé composé** to indicate what was happening when some other action took place:

> **Je dormais** quand **quelqu'un a frappé** à la porte.
>
> *I was sleeping when someone knocked on the door.*
>
> **Il neigeait** lorsque **nous sommes sortis**.
>
> *It was snowing when we went out.*

63. Adjectives are compared by using **aussi... que**, **plus... que**, or **moins... que**:

> Jean est **aussi** intelligent **que** Marie.
> Yvette est **plus** intelligente **que** lui.
> Pierre est **moins** intelligent **que** Paul.

The superlative is formed with the definite article and **plus... de** or **moins... de**:

> Nicole est **la plus** intelligente **de** la classe.
> Pierre est **le moins** intelligent **de** la classe.

The irregular forms are:

> **bon/meilleur/le meilleur**
> **mauvais/plus mauvais** *or* **pire/le plus mauvais**
>   *or* **le pire**

64. Comparisons of adverbs follow the same pattern as comparisons with adjectives:

> Henry parle **aussi** vite **que** Nicole.
> Robert parle **plus** vite **que** Pierre.
> Pierre parle **moins** vite **que** Robert.

The superlative is formed with the definite article and **plus... de** or **moins... de**:

Jacqueline parle **le plus** vite **de** toutes.

The irregular forms are:

bien/mieux/le mieux

Plus de, **moins de**, and **autant de** are used to express degrees of quantity:

J'ai **plus de** livres que vous.
J'ai **moins d'**argent que vous.
J'ai **autant d'**amis que vous.

65. The verb **écrire** is conjugated as follows:

j'**écris**	nous **écrivons**
tu **écris**	vous **écrivez**
il **écrit**	ils **écrivent**
elle **écrit**	elles **écrivent**
on **écrit**	

IMPERATIF: **écris! écrivons! écrivez!**
PASSE COMPOSE: j'**ai écrit**
FUTUR: j'**écrirai**
IMPARFAIT: j'**écrivais**

Décrire is conjugated the same way.

VOCABULAIRE

VERBES

accepter	écrire	refuser
agréer	embrasser	suggérer
(s')amuser	féliciter	tonner
décrire	raconter	

NOMS

la voiture (voir p 326)	la lettre	le boudin
l'amitié (f.)	la quinzaine	le lapin
le baiser	le souvenir	la tête de veau
la bise	le timbre	
la huitaine		

ADJECTIFS

affectueux	ennuyeux	rond
amical	formidable	triangulaire
capable	meilleur/le meilleur	
carré	pire/le pire	

ADVERBES

amicalement	affectueusement

EXPRESSIONS UTILES

à cause de	faire des progrès	tant mieux
à la fin	là-dedans	tant pis
c'est rasoir	mettre à la boîte (aux lettres)	tout le monde
environ	se mettre en colère	

CHAPITRE 14

A l'hôtel

Itinéraire

In this chapter, you'll visit Paris, find out a bit about the city, and discover how to check into a French hotel. In addition, you'll learn about the French educational system, from primary school through university.

You'll also study how to use relative pronouns to link two clauses, how to express indefinite quantities, and how to conjugate the verbs **vivre** (*to live*) and **suivre** (*to follow*).

Scénario .•.—.•.—.•.—.•.—.•.—.•.—.•.—.•.—.•.—.•.—.•.—.•.—.•.—.•.—.•.—.

PREMIERE ETAPE

Les quatre jeunes gens sortent du théâtre où ils ont vu La Cantatrice chauve. *Ils sont enthousiasmés.*

HENRY: Nous avons eu de la chance d'avoir lu un passage de cette pièce.
ROBERT: Oui, c'est vrai. Ah! Voilà notre hôtel. Entrons!

5 *A la réception...*

LA PATRONNE: Bonsoir, messieurs dames. Vous désirez?
NICOLE: Nous avons deux chambres réservées.
LA PATRONNE: Oui. A quel nom, s'il vous plaît?
NICOLE: Fourchet. Olivier Fourchet. C'est lui qui a fait la réservation.
10 LA PATRONNE: Attendez un instant. (*Elle regarde dans son registre.*) Oui. C'est ça, deux chambres pour quatre personnes, pour une nuit, avec douches. Voici les clefs. Bonsoir, messieurs dames.

Arrivés au quatrième étage, les jeunes gens se séparent et se disent bonne nuit.

MARGUERITE: Nicole, as-tu pris une serviette?
15 NICOLE: Non, je défais mon sac de voyage. Pourquoi?
MARGUERITE: Je n'en trouve qu'une.
NICOLE: Je vais téléphoner pour qu'on nous en apporte une autre.

DEUXIEME ETAPE

Les quatre jeunes gens sortent du théâtre où ils ont vu La Cantatrice chauve. *Ils sont enthousiasmés. Ils se dirigent vers leur hôtel.*

HENRY: Nous avons eu de la chance d'avoir lu un passage de cette pièce. Cela nous a aidés à mieux comprendre la pensée d'Ionesco.
5 ROBERT: Oui, c'est vrai. J'ai pu comprendre le dialogue qu'il a écrit et la raison pour les pièces qu'il a faites. On ne pense pas quand on parle et on n'écoute pas les autres. Ah! Voilà notre hôtel. Entrons!

A la réception...

LA PATRONNE: Bonsoir, messieurs dames. Vous désirez?
10 NICOLE: Nous avons deux chambres réservées.
LA PATRONNE: Oui. A quel nom, s'il vous plaît?
NICOLE: Fourchet. Olivier Fourchet. C'est lui qui a fait la réservation.
LA PATRONNE: Attendez un instant. (*Elle regarde dans son registre.*) Oui. C'est ça, deux chambres pour quatre personnes, pour une nuit, avec douches. Les toilettes
15   sont sur le parlier. Cela fera 250 francs par chambre. Le petit déjeuner est compris. Vous avez les chambres 42 et 44. Voici les clefs. Bonsoir, messieurs dames.

Arrivés au quatrième étage, les jeunes gens se séparent et se disent bonne nuit.

MARGUERITE: Nicole, as-tu pris une serviette?

NICOLE: Non, je défais mon sac de voyage. Pourquoi?

20 MARGUERITE: Je n'en trouve qu'une.

NICOLE: Je vais téléphoner pour qu'on nous en apporte une autre. (*Elle fait le numéro.*) Allô, madame. Je suis dans la chambre numéro 42. Il nous manque une serviette. Serait-il possible d'en avoir une autre? Merci d'avance. Bonsoir, madame. (*A Marguerite*) C'est fait. On va nous en monter une tout de suite.

TROISIEME ETAPE

Les quatre jeunes gens sortent du théâtre où ils ont vu La Cantatrice chauve. *Ils sont enthousiasmés. Ils se dirigent vers leur hôtel.*

HENRY: Nous avons eu de la chance d'avoir lu un passage de cette pièce. Cela nous a aidés à mieux comprendre la pensée d'Ionesco.

5 ROBERT: C'est vrai. J'ai compris le dialogue qu'il a écrit et la raison pour les pièces qu'il a faites. On ne pense pas quand on parle et on n'écoute pas les autres.

MARGUERITE: Ionesco critique le manque de communication et de compréhension dans notre société. Il est évident que les paroles peuvent nous mener loin. Très loin. Quelquefois jusqu'à la folie...

10 ROBERT: Ah! nous voilà arrivés à notre hôtel. Entrons!

A la réception...

LA PATRONNE: Bonsoir, messieurs dames. Vous désirez?

NICOLE: Nous avons deux chambres réservées.

LA PATRONNE: Oui. A quel nom, s'il vous plaît?

15 NICOLE: Fourchet. Olivier Fourchet. C'est lui qui a fait la réservation par téléphone.

LA PATRONNE: Attendez un instant. (*Elle regarde dans son registre.*) Oui. C'est ça, deux chambres pour quatre personnes, pour une nuit, avec douches. Les toilettes sont sur le palier. Cela fera 250 francs par chambre. Le petit déjeuner est compris. Vous avez les chambres 42 et 44. Voici les clefs. L'ascenseur est à votre droite.

20 Bonsoir, messieurs dames.

Arrivés au quatrième étage, les jeunes gens se séparent et se disent bonne nuit. Dans leur chambre, les garçons cherchent où brancher leur rasoir. De leur côté, les filles ne trouvent qu'une serviette de toilette.

MARGUERITE: Nicole, as-tu pris une serviette?

25 NICOLE: Non, je défais mon sac de voyage. Pourquoi? Il en manque une?

MARGUERITE: Oui, je n'en trouve qu'une.

NICOLE: Ne t'inquiète pas! Je vais téléphoner pour qu'on nous en apporte une autre. (*Elle fait le numéro.*) Allô, madame. Je suis dans la chambre numéro 42. Il nous manque une serviette. Serait-il possible d'en avoir une autre? Merci d'avance.

30 Bonsoir, madame. (*A Marguerite*) C'est fait. On va nous en monter une tout de suite.

Questions sur le scénario

1. D'où les quatre jeunes gens sortent-ils?
2. Où se dirigent-ils?
3. Pourquoi ont-ils eu de la chance d'avoir lu un passage de cette pièce?
4. Pourquoi Ionesco a-t-il écrit ses pièces?
5. Qu'est-ce qu'Ionesco critique?
6. Où les paroles peuvent-elles nous mener?
7. Qui est à la réception de l'hôtel?
8. Quelle a été la réservation de M. Fourchet?
9. Comment M. Fourchet a-t-il fait la réservation?
10. Combien la chambre coûte-t-elle?
11. Quelles indications la patronne leur donne-t-elle?
12. Que font les jeunes gens arrivés au quatrième étage?
13. Que cherchent les garçons?
14. Qu'est-ce qui manque dans la chambre des filles?
15. Que fait Nicole pour avoir une autre serviette?
16. Citez les expressions qui montrent la politesse de Nicole.

COIN CULTUREL: Théâtre, hôtels, restaurants

1. Souvent le théâtre en France sert à critiquer les mœurs (*mores*) populaires que les dramaturges estiment néfastes (*harmful*) à la société. Molière, par exemple, se moquaient des prétentieux et des parvenus (*newly rich*) dans *Le Bourgeois gentilhomme*, des hypocrites dans *Tartuffe* et des médecins qui abusent de la confiance de leurs clients dans *Le Malade imaginaire*. Ionesco continue cette tradition dans ses propres œuvres.

Vue aérienne de Paris, (Notre-Dame de Paris et Sacré Cœur)

2. Une série de coups rapides suivi de trois grands coups annonce l'ouverture d'une pièce de théâtre. Le rideau se lève alors et la pièce commence.

3. Au théâtre, si le public aime la pièce, il applaudit et peut crier « bis! bis! » pour rappeler les acteurs. S'il n'aime pas la pièce, le public peut siffler (*whistle*).

4. Dans tous les guides de France (*Guide rouge, Michelin, Guide vert,* etc.) les hôtels sont évalués par un système particulier, indiquant leur niveau de confort et de luxe. On peut toujours trouver un peu partout en France de bons hôtels qui sont propres et pas trop chers. Le Quartier latin en a plusieurs.

A Paris il y a aussi, dans le 14ᵉ arrondissement, la Cité universitaire où les étudiants des universités de Paris peuvent habiter. La Fondation des Etats-Unis (résidence universitaire) se trouve boulevard Jourdain.

5. Dans la plupart des restaurants ou cafés, le pourboire est compris dans l'addition. Sinon, vous verrez « Service non compris » sur la note. Si vous avez un doute, posez la question « Est-ce que le service est compris? »

Gestes

1. « **Les doigts me démangent!** » (*"You're getting on my nerves!"*) is said nervously, impatiently, palm up, fingers closing in and moving out as though trying to grasp something. The gesture indicates that one is truly exasperated.

« Les doigts me démangent! »

2. « **Au poil!** » (*"Perfect!" "Super!" "Great!"*) is said with thumb and forefinger joined in the popular "high sign."

Proverbes

Dis-moi qui tu hantes, je te dirai qui tu es.   *You are judged by the company you keep.*

Tout ce qui brille n'est pas or.   *All that glitters is not gold.*

VOCABULAIRE ILLUSTRE: Guides touristiques

Popular French guide books (*Guide rouge, Michelin*, etc.) use a system of symbols to rate hotels.

TRAVAUX PRATIQUES

Etudiez la liste d'hôtels et de signes conventionnels ci-dessus sous les rubriques « le confort », « l'agrément », « la table » et « l'installation ». Choisissez un bon hôtel — pas trop cher, tout de même, dans le 6ᵉ arrondissement. Posez des questions à votre partenaire qui joue le rôle d'un agent de voyages. Demandez-lui, par exemple, de vous aider à trouver l'hôtel qui vous offre le confort que vous désirez: Est-ce que l'hôtel a un ascenseur? La salle de bains est-elle avec des W.-C.? Y a-t-il des W.-C. privés? une TV dans la chambre? Y a-t-il un restaurant? Y a-t-il l'air conditionné? Est-ce que les chambres sont accessibles aux handicapés? Enfin, n'oubliez pas de demander le prix. Est-ce que tout vous satisfait? Sinon, expliquez pourquoi.

Allons plus loin: Paris

Etudiez le vocabulaire.

un marécage	*swamp*	soit	*which is*
envahit	*invades*	des demeures (*f. pl.*)	*residences*
au fur et à mesure	*little by little*	hors de	*outside*
des fiacres (*m. pl.*)	*coaches*	le marbre	*marble*

TRAVAUX PRATIQUES

A. Lisez et comprenez.

Trois siècles avant Jésus-Christ, les Celtes Parisii occupent la future île de la Cité. Elle est à la croisée des chemins entre la Manche et la Méditerranée, l'Allemagne et l'Espagne. Cette cité prend le nom de Lutèce qui signifie « marécage ». Entre le premier et le deuxième siècles après J.-C., elle aura 15 000 habitants. Ceux-ci vivent dans l'île, mais cultivent leurs champs hors de l'île. Jules César envahit la Gaule et au quatrième siècle, l'empereur romain Julien installe son palais dans « sa chère Lutèce ». Son nom devient Lutèce des Parisiens, puis Paris tout court. En 508, le roi des francs, Clovis, fait de Paris la capitale du royaume.

Au fur et à mesure des années, Paris s'est aggrandi; le peuple parisien a construit ses rues, ses monuments, ses églises. Chaque roi participe à sa transformation. Mais c'est au dix-neuvième siècle avec Napoléon III, assisté de son préfet, le Baron Hauss-mann, que Paris a trouvé son visage moderne. De grands boulevards sont ouverts pour les nombreux fiacres et voitures à cheval qui passent devant les nouvelles grandes terrasses des cafés.

Il y a quatre-vingt-dix musées à Paris. Les plus importants sont certainement le Louvre, soit six musées en un seul: antiquités gréco-romaines, égyptiennes, orientales, beaux-arts français, italiens, flamands et d'autres encore. Le plus récent des grands musées parisiens est le musée d'Orsay, où se trouve la peinture impressionniste et des sculptures du dix-neuvième siècle. Le Centre Georges Pompidou (Beaubourg), tubulaire et multicolore, est le Musée National d'Art Moderne de l'après-impression-nisme, avec des expositions temporaires, des concerts, des ballets et une ciné-mathèque.

L'île de la Cité est toujours le cœur géographique et historique de Paris. Là, la cathédrale de Notre-Dame a été construite en deux siècles de travaux (1163–1345). C'est à partir de là que tous les kilométrages de France sont mesurés. Avec l'île Saint-Louis, elles offrent de magnifiques demeures du dix-septième siècle.

Parmi les bâtiments modernes, il faut citer la tour la plus haute, Montparnasse, avec soixante étages, construite il y a environ vingt ans. Elle a été tellement critiquée que la construction des tours dans Paris même a été interdite. Depuis c'est hors de Paris, à la Défense, qu'un groupe de hautes tours commerciales ultramodernes s'est construit. L'une des plus spectaculaires est la grande Arche, inaugurée pour le bicen-tenaire de la Révolution française, le 14 juillet 1989. Elle fait trente-cinq étages, tout en marbre blanc, soit 110 mètres de haut sur 106 mètres de large. L'entrée fait face à la perspective royale qui part du Louvre et passe par l'arc de Triomphe. Devant le musée du Louvre se trouve la très controversée pyramide en verre, dessinée par l'architecte I. M. Pei, qui couvre de nouvelles entrées au musée.

B. Maintenant, posez des questions à votre partenaire.

1. Trois sièles avant Jésus-Christ, qui occupe la future île de la Cité?
2. Que signifie le nom Lutèce?
3. En quel siècle Jules César a-t-il envahi la Gaule?
4. Quand et qui a fait sa capitale de Paris?
5. Quand et avec qui la ville de Paris a-t-elle trouvé son visage moderne?
6. Où est la peinture impressionniste?
7. Quel genre de musée est le Centre Georges Pompidou?
8. D'où tous les kilométrages de France sont-ils mesurés?
9. Quelle est la tour la plus haute de Paris?
10. Où sont maintenant les hautes tours commerciales?
11. Pourquoi la grande Arche de la Défense est-elle spectaculaire?
12. A quoi l'entrée de l'Arche fait-elle face?
13. Qui a dessiné la pyramide de verre du Louvre?

NOTE DE GRAMMAIRE 66

Les pronoms relatifs **qui**, **que** et **où**

A relative pronoun relates a clause to a noun or a pronoun that precedes it.

1. The relative pronoun **qui** acts as the subject of a verb in a relative clause. Consider the following two separate but related thoughts:

   J'ai une sœur. Elle est très belle.

To make them into one sentence, the relative pronoun **qui** may be used to change the second sentence into a relative clause:

J'ai une sœur **qui** est très belle.   *I have a sister **who** is very beautiful.*

The pronoun **qui** replaces the subject of the second sentence (**elle**) and directly follows its antecedent (**une sœur**). Here is another example:

L'étudiant admire la cathédrale. Il est là. →
L'étudiant **qui** est là admire la cathé-   *The student **who** is there is admiring*
drale.   *the cathedral.*

Note that there can be no other pronoun or noun in the relative clause with **qui**.

2. The relative pronoun **que** replaces the direct object in a relative clause:

L'étudiant admire la cathédrale. Vous le connaissez. →
L'étudiant **que** vous connaissez ad-   *The student **whom** you know is admir-*
mire la cathédrale.   *ing the cathedral.*

La chambre est belle. Vous voyez la chambre. →
La chambre **que** vous voyez est belle.   *The room **that** you see is beautiful.*

Both **qui** and **que** may refer to either persons or things. The key difference is that **qui** is the subject of the relative clause:

ANTECEDENT	RELATIVE CLAUSE	MAIN CLAUSE
La femme	**qui** arrive	est ma mère.

whereas **que** is the object of the relative clause:

ANTECEDENT	RELATIVE CLAUSE	MAIN CLAUSE
La femme	**que** vous voyez	est ma mère.

3. The relative pronoun **où** refers to a place or time:

Je ne sais pas **où** ils sont partis.   *I don't know **where** they went.*
C'est le supermarché **où** je fais mes   *It's the supermarket **where** I buy my*
provisions.   *supplies.*
L'été est la saison **où** les tomates mu-   *Summer is the season **when** tomatoes*
rissent.   *get ripe.*
Le théâtre de la Huchette **d'où** nous   *The Huchette Theater, **from which** we*
venons est petit.   *are coming, is small.*

Simples substitutions

A. 1. La femme *qui arrive* est ma mère. (*qui parle, qui vient, qui travaille, qui mange*)
    2. Le garçon *qui étudie le livre* est très jeune. (*qui ramasse les valises, qui parle au chauffeur, qui compte l'argent, qui choisit la cravate, qui écoute le professeur*)

3. La chemise *que vous voyez* est très belle. (*que vous achetez, que vous regardez, que vous prenez, que vous mettez, que vous montrez*)
4. L'agent de police *que vous consultez* est aimable. (*que vous écoutez, que vous regardez, que vous voyez, que vous irritez, que vous intimidez*)

Exercices de transformation

B. Visite à la cathédrale.

Modèle: L'homme arrivera. Il est mon père.
L'homme qui arrivera est mon père.

1. La cathédrale date du douzième siècle. Elle est énorme.
2. Nicole décrit la cathédrale. Elle sert de guide.
3. L'étudiant admire la cathédrale. Il est américain.
4. Des visiteurs ont leurs caméras. Ils entrent dans la cathédrale.
5. Le prêtre est vieux. Il salue les visiteurs.

C. Allons au théâtre!

Modèle: Les tickets coûtent cher. Je les achète.
Les tickets que j'achète coûtent cher.

1. La pièce est compliquée. Nous la lisons.
2. Les acteurs sont professionels. Nous les admirons.
3. Ionesco offre des idées solides. Nous le comprenons.
4. Les jeunes gens sont enthousiastes. Nous les connaissons.
5. Les journaux font des critiques de la pièce. Nous les étudions.

D. Scènes de *La Leçon* d'Ionesco.

Modèles: Le vieux prof est fou. Il entre dans la pièce.
Le vieux prof qui entre dans la pièce est fou.

La maison du prof est à droite. On la cherche.
La maison du prof qu'on cherche est à droite.

1. L'étudiante viendra. Elle est jeune.
2. Elle veut réussir à ses examens. Elle étudie toujours.
3. Les tables de mathématiques sont dures. Elle les apprend par cœur.
4. La bonne est curieuse. Elle interrompt toujours.
5. La pièce est sérieuse. Nous allons la relire.

E. Une visite à Notre-Dame.

Modèle: Notre-Dame est devant nous. Elle est imposante.
Notre-Dame qui est imposante est devant nous.

1. Le bâtiment est gigantesque. Vous l'aimez.
2. La nef est grande. Vous l'admirez.

La rosace de
Notre-Dame

3. Les vitraux sont très vieux. Vous voulez les voir.
4. La cathédrale est populaire. Beaucoup de touristes la visitent.
5. La cathédrale domine le square. Elle a trois portails.

NOTE DE GRAMMAIRE 67

Les pronoms relatifs **dont** et **à qui**

The relative pronouns **dont** (equivalent to **de qui**) and **à qui** act as the object of a preposition in a relative clause. **A qui** always refers to persons, but **dont** may refer to either persons or things:

ANTECEDENT	RELATIVE CLAUSE	MAIN CLAUSE
L'étudiant	**dont** vous parlez	est mon ami.
The student	*of **whom** you are speaking*	*is my friend.*
L'étudiante	**à qui** vous parlez	est mon amie.
The student	*to **whom** you are speaking*	*is my friend.*

The relative pronoun **dont** is also used to express possession:

Le professeur est fantastique. J'ai lu son livre. →

Le professeur **dont** j'ai lu le livre est fantastique.

*The teacher **whose** book I read is fantastic.*

Other prepositions always precede the relative pronoun, in the pattern of **à qui**:

L'étudiant **avec qui** je vais au cinéma est mon ami.

*The student **with whom** I am going to the movies is my friend.*

L'étudiante **pour qui** je le fais est mon amie.

*The student **for whom** I am doing it is my friend.*

Exercices de transformation

A. D'autres scènes de *La Leçon*.

Modèle: Le professeur est arrivé. Vous avez parlé de lui.
Le professeur dont vous avez parlé est arrivé.

1. Le professeur est sérieux. Elle a peur de lui.
2. L'étudiante a mal aux dents. Ils discutent d'elle.
3. Le dentiste habite près d'ici. Elle aura besoin de lui.
4. Le professeur est intimidé. Nous ne sommes pas contents de lui.
5. Le professeur crie comme un fou. Nous avons honte de lui.

B. Personnages de *La Cantatrice chauve*, parlant à la manière d'Ionesco.

Modèle: L'hôtesse s'appelle Mme Watson. Vous pensez à elle.
L'hôtesse à qui vous pensez s'appelle Mme Watson.

1. Le mari est gentil. Nous lui avons demandé du pain.
2. Les Smith sont bavards. Nous leur obéissons.
3. Le mari est irrité. Il faut lui répondre.
4. La bonne s'appelle Sherlock Holmes. Je lui apprends à conduire.
5. Les Smith sont mariés. On leur permet de partir.

C. Il y en a encore d'autres.

Modèle: Les spectateurs rient. Ils sont dans le théâtre avec nous.
Les spectateurs avec qui nous sommes dans le théâtre rient.

1. Le pharmacien du coin est là aussi. David travaille pour lui.
2. Les Fourchet sont si aimables. Je ferai tout pour eux.
3. Mme Aubry est très généreuse. On peut compter sur elle.
4. Le chauffeur est toujours impatient. Nous avons discuté avec lui.
5. M. Cornet nous a donné les billets. Nous allons chez lui.

D. Professions.

Modèle: Le professeur est fantastique. J'ai lu ses livres.
Le professeur dont j'ai lu les livres est fantastique.

1. La boulangère est très occupée. J'adore son pain.
2. Cette femme est pharmacienne. J'écoute ses conseils.
3. Ce chauffeur conduit vite. Je connais son frère.
4. Cet homme est chef d'orchestre. Vous connaissez sa musique.
5. La chirurgienne est très spécialisée. Vous la consultez souvent.

NOTE DE GRAMMAIRE 68

Le pronom relatif **lequel**

Lequel is another relative pronoun used to join two sentences. It is always preceded by a preposition. It most often refers to things or animals and shows agreement with the noun it represents. It may also be used with persons, but in such cases **qui** is preferred:

Le cahier **sur lequel** j'écris est bleu.

> The notebook **on which** I am writing is blue.

La boutique **devant laquelle** nous passons est ouverte le dimanche.

> The shop **in front of which** we are passing is open on Sundays.

Les boîtes **dans lesquelles** (*or* **où**) elle met les cadeaux sont jolies.

> The boxes **in which** she places the gifts are pretty.

Lequel and its forms contract with **à** or **de**:

		MASCULINE SINGULAR	FEMININE SINGULAR	MASCULINE PLURAL	FEMININE PLURAL
SUBJECT OR DIRECT OBJECT		lequel	laquelle	lesquels	lesquelles
OBJECT OF PREPOSITION	**à**	auquel	à laquelle	auxquels	auxquelles
	de	duquel	de laquelle	desquels	desquelles

L'examen **auquel** je pense m'inquiète.

> The test **about which** I'm thinking worries me.

La peinture **à laquelle** je m'intéresse coûte cher.

> The painting **in which** I'm interested is expensive.

Le quartier **près duquel** j'habite est chic.

> The neighborhood **near which** I live is fancy.

L'usine **à côté de laquelle** nous passons fabrique des pneus.

> The factory **beside which** we are passing makes tires.

Exercices de transformation

A. Pour écrire.

Modèle: Le crayon est jaune. J'écris avec ce crayon.
> *Le crayon avec lequel j'écris est jaune.*

1. Le papier est bleu. J'écris sur le papier.
2. L'enveloppe est grande. J'y mets la lettre.
3. L'enveloppe est rectangulaire. Je mets le timbre sur l'enveloppe.
4. Le facteur arrive. Je pensais à lui.

B. Une visite au zoo.

Modèle: Le tigre est féroce. Tu lui donnes à manger.
> *Le tigre auquel tu donnes à manger est féroce.*

1. Le gardien est de retour. Tu pensais à lui.
2. L'assiette est dans la cage. Il faut remplir l'assiette.
3. Un touriste regarde les lions. Il est curieux.
4. Il travaille dans une boutique. On peut y acheter des souvenirs.

TRAVAUX PRATIQUES ━━━━━━━━━━━━━━━━━━━━━━━━━━━━━━━━━

 A. Remplissez les blancs par la forme convenable de **lequel**. Choisissez parmi les prépositions suivantes: **sur**, **dans**, **devant**, **à côté de**, **par**.

1. La maison _____ passe Goldilocks est grande.
2. C'est la maison _____ habitent trois ours.
3. La table _____ il y a des bols est ronde.
4. Le lit _____ elle se couche est dur.
5. La petite chaise _____ il y a un buffet est confortable.
6. La porte _____ elle se sauve (*escapes*) n'est pas fermée à clef.

 B. Composez des phrases complètes et logiques.

1. M. Fourchet/qui/admirer/cathédrale/travailler/usine
2. elle/avoir/frère/que/connaître
3. actrice/dont/admirer/voix/chanter/ce soir
4. Mme Smith/à qui/parler/pompier/bizarre
5. chien/auquel/apprendre à/obéir/être/gentil

La Tour de Montparnasse

NOTE DE GRAMMAIRE 69

Tout et d'autres expressions indéfinies de quantité

1. When used as an adjective, **tout** agrees in gender and number with the noun it modifies. It can be followed by a definite article, a possessive adjective, or a demonstrative adjective:

Il a lu **tout** ce journal.	*He read this **entire** newspaper.*
Tu as bu **toute** la bouteille d'Orangina.	*You drank the **whole** bottle of Orangina.*
Tous les hommes sont mortels.	***All** men are mortal.*
Nous avons rangé **toutes** nos affaires.	*We put away **all** our things.*

2. As a pronoun, **tout** means *everything* or *all*:

Est-ce que **tout** s'est bien passé?	*Did **everything** go well?*
Tout est pour le mieux dans le meilleur des mondes.	***All** is for the best in the best of worlds.*

When **tous** is used as a pronoun, the final **s** is pronounced:

Ils sont **tous** mortels.	*They are **all** mortal.*

3. Here are some other expressions with **tout**:

Tout le monde est arrivé tôt.	***Everyone** arrived early.*
J'ai **tout à fait** oublié de lui parler.	*I **completely** forgot to talk to him.*
Tout de suite les badauds se sont approchés.	***Immediately,** all the gawkers approached.*
Pendant que le conférencier parlait, Gilles baillait **tout le temps**.	***The whole time** the lecturer was speaking, Gilles was yawning.*
Tous ensemble, ils ont chanté « La Marseillaise ».	*They sang "La Marseillaise" **in unison**.*
Je lirai le poème **tout à l'heure**.	*I'll read the poem **in a little while**.*
J'ai parlé avec lui **tout à l'heure**.	*I spoke with him **a little while ago**.*
Aimes-tu manger les escargots? Non, **pas du tout**.	*Do you like to eat snails? No, **not at all**.*

4. Here are some other indefinite expressions of quantity:

Plusieurs pays sont en guerre.	***Several** countries are at war.*
Il faut mettre **chaque** livre à sa place.	*It is necessary to put **every** book in its place.*
Certains examens sont faciles.	***Some** tests are easy.*
Nous avons **quelques** amis en Amérique.	*We have **a few** friends in America.*
Il y a **de nombreux** musées à Paris.	*There are **many** museums in Paris.*
Cherches-tu **quelque chose de** beau?	*Are you looking for **something** beautiful?*

Simples substitutions

A. 1. Nous avons vu *ces* dessins animés. (*certains, des, quelques, les, plusieurs*)
2. Mon frère a pensé à *ses* amies. (*quelques, des, ces, certaines*)
3. *Tous* y sont arrivés. (*Plusieurs, Certains, Toutes*)

Exercices de transformation

B. Les sportifs et les sports.

Modèle: Les joueurs ont soif.
Tous les joueurs ont soif.

1. J'ai visité la station de ski.
2. Les règles sont difficiles.
3. Aimerais-tu connaître les membres de l'équipe?
4. Les Parisiens font du footing le dimanche.
5. Aux Etats-Unis le sport est populaire.

C. On veut savoir.

Modèle: Qui a-t-il intimidé? (*tout le public*)
Il a intimidé tout le public.

1. De qui parliez-vous? (*tous les athlètes*)
2. Qu'est-ce qu'on regardait? (*tout le jeu*)
3. De qui a-t-on besoin? (*toute l'équipe*)
4. Qu'est-ce que tu a laissé au terrain de sport? (*tous les ballons*)
5. Qu'est-ce que nous allons ajuster? (*tous les skis*)

D. On s'amuse.

Modèle: A-t-elle acheté un disque? (*plusieurs*)
Elle a acheté plusieurs disques.

1. Voulez-vous voir la photo? (*chaque*)
2. Avez-vous de bons disques? (*certains*)
3. Nous aimons aller au théâtre. (*on*)
4. Au cinéma, Francine demande-t-elle des paquets de bonbons? (*quelques*)
5. J'ai vu des films français. (*de nombreux*)

TRAVAUX PRATIQUES ❀❀❀❀❀❀❀❀❀❀❀❀❀❀❀❀❀❀❀❀❀❀❀

Remplissez les blancs avec l'expression indéfinie appropriée.

Un jour la mère du petit Chaperon Rouge lui a demandé de rendre visite à sa grand-mère anglaise. Elle lui a donné un panier plein de fruits et de petits gâteaux. Elle lui a dit de se dépêcher parce que _____ fruits risquaient de se gâter. Le petit

Chaperon Rouge y a ajouté _____ fleurs. Elle a cueilli (*gathered*) _____ fleurs très soigneusement parce qu'elle aimait sa grand-mère anglaise. Elle voulait lui offrir _____ de spécial. Elle arrive chez sa grand-mère et elle y voit _____ de suspect. Elle a remarqué _____ de bizarre dans le visage de cette personne. Elle a crié _____ fois. La personne a sauté du lit. Tout d'un coup la grand-mère a enfoncé la porte, a tiré un revolver de la poche de son tablier et s'est écriée en anglais: « *Make my day!*[1] »

NOTE DE GRAMMAIRE 70

Les verbes **vivre** et **suivre**

The irregular verbs **vivre** (*to live*) and **suivre** (*to follow, to take a course*) share similarities. Note the first person plural forms of these verbs:

vivre		suivre	
je **vis**	nous **vivons**	je **suis**	nous **suivons**
tu **vis**	vous **vivez**	tu **suis**	vous **suivez**
il **vit**	ils **vivent**	il **suit**	ils **suivent**
elle **vit**	elles **vivent**	elle **suit**	elles **suivent**
on **vit**		on **suit**	

IMPERATIF: **vis! vivons! vivez!**   **suis! suivons! suivez!**
PASSE COMPOSE: j'**ai vécu**   j'**ai suivi**
FUTUR: je **vivrai**   je **suivrai**
IMPARFAIT: je **vivais**   je **suivais**

Note that in the first, second, and third persons singular of these two verbs, the stem consonant is lacking.

Simples substitutions

A. 1. *Il vit* seul. (*Nous vivons, Vous vivez, Ils vivent, Je vis*)
  2. *Il suit* la Loire jusqu'à Blois. (*Je suis, Nous suivons, Vous suivez, Elles suivent, Tu suis*)

Exercices de transformation

B. 1. Je n'y vivrai pas sans argent. (*Tu, On, Nous, Elles, Vous*)
  2. J'y ai vécu longtemps. (*Nous, Elle, Vous, Ils, Tu*)
  3. Ne le suiviez-vous pas? (*nous, tu, ils, elle, Est-ce que je*)
  4. Y suivrez-vous le chien? (*tu, Est-ce que je, nous, elles, on*)
  5. Je vivais avec des amis à Paris. (*Tu, Nous, Vous, Ils, Il*)

[1] Cherchez une bonne traduction de cette phrase.

TRAVAUX PRATIQUES ~~~~~~~~~~~~~~~~~~~~~~~~~~~~~~

 A. Choisissez un des proverbes déjà vus et créez une version originale que vous jouerez avec votre partenaire. La classe essaiera de l'identifier.

Modèle: *On se promène dans une rue et on est vite attiré par un objet qui brille. On le ramasse et le met dans sa poche. On court (runs) chez soi, tout en souriant (while smiling). On rêve à ce qu'on pourra s'acheter. On se ferme dans sa chambre et on admire l'objet. Finalement, on découvre que ce n'est qu'un morceau de verre, sans valeur.*
Réponse: *Tout ce qui brille n'est pas or.*

 B. MACROLOGUE (suite). *Continue to work on your macrologue. Look again at your realia. Single out one feature and expand on it. Building on the stamp example from **Chapitre 13**, you might choose the airplane. Then you would try to tell all you can about airplanes:*

Modèle: *Je vois un avion sur le timbre. Quand on prend un avion, on peut voyager partout dans le monde entier. L'avion est rapide. Je peux aller des Etats-Unis en France en six heures et quand j'aurai beaucoup d'argent je prendrai le Concorde. Avec le Concorde je pourrai aller en France en trois heures...*

 C. Répondez aux questions générales.

1. Aimez-vous le théâtre? Pourquoi?
2. Quelle(s) pièce(s) avez-vous vue(s) récemment?
3. Connaissez-vous le théâtre de Molière?
4. Y a-t-il un dramaturge que vous admirez en particulier?
5. Que pensez-vous du passage dramatique que vous avez lu d'Ionesco?
6. Avez-vous jamais entendu des gens parler comme les personnages d'Ionesco? dans quelles circonstances?
7. Le théâtre s'ouvre en France par une série de coups, plus trois coups réguliers. Comment s'ouvre-t-il aux Etats-Unis?
8. Y a-t-il un système équivalent au système français pour évaluer les hôtels aux Etats-Unis?
9. Y a-t-il des avantages quand le service est compris dans un restaurant? Commentez!

MICROLOGUE: **Un professeur français**

Il y a encore quelques années au **lycée** Henri IV, comme dans tous les grands lycées parisiens, des coutumes strictes étaient observées: lorsqu'un professeur entrait dans la salle de classe les élèves **devaient** se lever pour le saluer. Mais ce **genre** de politesse a disparu depuis mai 1968. Une fois entré, le professeur se dirigeait vers son **estrade** et s'installait à son bureau. Il faisait

public high school

had to / kind

platform

Un lycée à Paris

son cours, parfois avec l'aide de ses notes, et bien souvent il
écrivait **à la craie** au tableau. A ce moment-là, les professeurs   *with chalk*
hommes **étaient tenus de porter** un costume et une cravate,   *were expected to wear*
mais cet usage se perd aussi. A la fin des classes, **une sonnerie**   *a bell rings*
retentit et les élèves se précipitent **hors de** la salle de classe.   *outside*

Questions

1. Il y a quelques années, est-ce que des coutumes strictes étaient observées au lycée Henri IV?
2. Que devaient faire les élèves quand le professeur entrait dans la salle de classe?
3. Est-ce que ce genre de politesse est en train de disparaître?
4. Depuis quand?
5. Que faisait le professeur une fois entré?
6. Où et avec quoi écrivait-il?
7. Qu'est-ce que les professeurs hommes étaient tenus de porter avant 1968?
8. Qu'est-ce qui se passe à la fin des cours?
9. Que savez-vous aux Etats-Unis des évenements de 1968 en France?

LECTURE: **L'enseignement en France**

Les principes de l'enseignement français datent de la Révolution française: l'instruction est **gratuite, laïque** et obligatoire jusqu'à 16 ans (depuis 1959). Elle est uniforme et centralisée. Toutes les décisions importantes viennent du ministère de l'Education 5 Nationale à Paris.

free / secular

Les enfants vont à l'école de 6 à 16 ans, soit dans les écoles publiques, soit dans les écoles privées.

Le système public est gratuit, avec un peu moins de 12 millions des jeunes. Le système libre ou privé, généralement ca- 10 tholique, est payant, avec plus de 2 millions des jeunes en 1988.

Dans l'enseignement élémentaire, l'école maternelle est pour tous les enfants de 2 à 5 ans. De 6 à 11 ans, les élèves vont à l'école primaire. Là, ils ont des maîtres/maîtresses ou des instituteurs/institutrices et ils sont **notés** de 0 à 10. Le mercredi 15 après-midi, le samedi et le dimanche sont libres.

graded

A l'opposé du système américain, les élèves français entrent à l'école en onzième année et terminent avec la première et la terminale.

Dans l'enseignement secondaire, les élèves ont de 11 à 17 ans. 20 Ils ont des professeurs et vont à leurs cours tous les jours, sauf le mercredi, le samedi après-midi et le dimanche. Le premier cycle est au collège de la sixième à la troisième année. Ensuite le deuxième cycle est au lycée pour la seconde, la première et la terminale. Les étudiants sont notés de 0 à 20 au lieu du 25 système par lettre (A, B, C, etc.). Chaque étudiant a un carnet trimestriel qui l'informe, ainsi que sa famille, sur ses progrès. Ses parents doivent le retourner signé.

L'enseignement des langues est intégré avec attention aux différents cycles, surtout depuis les perspectives qu'offrent le 30 marché unique européen. Au niveau secondaire, une première langue étrangère est obligatoire dès la sixième: 63 pour cent des étudiants étudient deux langues vivantes et 10 pour cent en choisissent une troisième. Comme première langue étrangère 85 pour cent choisissent l'anglais, 13 pour cent l'allemand, 2 pour 35 cent l'espagnol et quelques-uns l'italien. Comme deuxième langue étrangère, 46 pour cent choisissent l'espagnol, 28 pour cent l'allemand, 19 pour cent l'anglais et 6 pour cent l'italien.

En général, on quitte le lycée après avoir passé le baccalauréat. Il y a huit baccalauréats différents: **Lettres** et maths, Lettres et 40 langues, Maths et sciences... et plus de dix-huit en technologie. Le baccalauréat comporte des **épreuves écrites et orales.** Le candidat est admis lorsqu'il **a atteint une moyenne** de 10/20. Il y a également une épreuve physique et sportive obligatoire.

Humanities

*written and oral exams
has obtained an aver-
age*

Etre reçu au « bachot » ou au « bac » permet d'entrer dans
45 l'enseignement supérieur.

Celui-ci est divisé en trois parties:

1. L'université offre des cours en **Droit,** en Lettres et sciences,   *Law*
   en Economie. Les études comportent plusieurs cycles et différents diplômes.
50   En Médecine, les études durent six ans, avec un examen
   à la fin de chaque année. En Pharmacie, les études durent
   cinq ans. La Recherche prépare pour des recherches dans
   différents domaines: littéraires, scientifiques, techniques.

Entrée de la Sorbonne

2. Les grandes écoles nécessitent deux ou trois ans de prépa-
55 ration intensive après le baccalauréat parce que seulement
une très petite proportion de candidats sont acceptés. Parmi
les 185 grandes écoles sont l'Ecole Polytechnique, l'Ecole des
Mines pour les ingénieurs, l'Ecole Normale Supérieure,
l'Ecole des hautes études commerciales (H.E.C.) et l'Ecole
60 nationale d'administration (E.N.A.). Cette dernière forme les
cadres des grandes entreprises et de nombreux **hauts fonc-**   *executives*
tionnaires et dirigeants politiques. Ces écoles assurent une   *high-ranking civil ser-*
     vants
brillante situation **bien rémunérée** et la haute considération   *well paid*
de la société.

65 3. Les instituts universitaires de technologie (I.U.T.) assurent
une formation scientifique et technique plus concrète que
dans les universités. Cette formation généralement dure deux
ans et l'étudiant reçoit le diplôme universitaire de technologie
(D.U.T.).

Questions

1. Depuis la Révolution, quels sont les principes de l'enseignement français?
2. Jusqu'à quel âge l'instruction est-elle obligatoire en France?
3. Et aux Etats-Unis?
4. Comment les élèves sont-ils notés pour l'école primaire? pour l'enseignement secondaire?
5. Et aux Etats-Unis?
6. En quelle année les enfants français entrent-ils à l'école?
7. Et les enfants américains?
8. Pourquoi l'enseignement des langues est-il important en France?
9. Quand commence-t-on à apprendre sa première langue étrangère dans le secondaire?
10. Quelles sont les langues le plus souvent choisies comme première langue étrangère?
11. Quelles sont celles choisies comme deuxième langue étrangère?
12. Par quel examen le lycée se termine-t-il?
13. Quelle est la moyenne nécessaire pour passer le « bac »?
14. Comment l'enseignement supérieur est-il divisé?
15. Que peut-on étudier à l'université?
16. Comment devient-on candidat pour les grandes écoles?
17. Qu'est-ce que les grandes écoles assurent à leurs diplômés?
18. Qu'est-ce que les instituts universitaires de technologie assurent à leurs étudiants?

Tableau d'équivalences des niveaux scolaires

SYSTEME FRANÇAIS	SYSTEME AMERICAIN	
Crèche	Prenursery (2 to 3 years)	
Crèche	Nursery (3 to 4 years)	
Maternelle	Kindergarten	
Maternelle	1st grade	
Onzième	2nd grade	
Dixième	3rd grade	Elementary school
Neuvième	4th grade	
Huitième	5th grade	
Septième	6th grade	
Sixième	7th grade	
Cinquième	8th grade	Junior high
Quatrième	9th grade	
Troisième	10th grade	Secondary school
Seconde	11th grade	High school
Première	12th grade	(fin des études)
Terminale	No equivalent	

 Création et récréation

A. Maintenant vous visitez l'hôtel auquel vous avez écrit. Malheureusement, on a perdu la réservation. Expliquez à l'hôtelier ce que vous désirez. Un étudiant joue le rôle de l'hôtelier et vous êtes le client. Vous n'aimez pas la chambre qu'il vous montre. Vous demandez à en voir une autre. L'hôtelier dit qu'il est très occupé et qu'il n'a pas le temps de s'occuper de vous. Vous insistez: vous voulez voir une chambre qui donne sur (*looks out on*) la rue/la mer/le jardin.

B. Faites le portrait d'un prof américain. Ressemble-t-il au prof français décrit dans le micrologue?

C. On demande à six de vos camarades de classe de quitter la classe et de s'interviewer. Ils doivent répondre à toutes les questions suivantes, entre autres (*among others*).

1. Quel est votre repas favori?
2. Quel est votre passe-temps (*hobby*) préféré?
3. Qui est votre héros/héroïne?
4. Quel métier admirez-vous le plus?
5. Qu'est-ce que vous comptez devenir?
6. Quel sera votre épitaphe?

Quand les étudiants reviennent en classe, chacun à son tour décrit la personne qu'il a interviewée sans révéler le sexe ou d'autres caractéristiques visibles de cette personne. La classe essaie d'identifier la personne, basée seulement sur la description.

D. *Monique parle d'une pièce de théâtre qu'elle a lue.*

Coup d'œil

OUI   **NON**

_____ 66. A relative pronoun relates a clause to a noun or   _____
pronoun that precedes it:

> La femme **qui** arrive est ma mère.
> La femme **que** vous voyez est ma mère.

Both **qui** and **que** may refer to either persons or things. The key difference is that **qui** is the subject of the relative clause, whereas **que** replaces the direct object. Note particularly that there can be no other pronoun or noun in the relative clause with **qui**.

_____ The relative pronoun **où** refers to a place or time: _____

> Je ne sais pas **où** ils sont partis.
> L'été est la saison **où** les tomates mûrissent (*ripen*).

_____ 67. The relative pronouns **dont** and **à qui** act as objects   _____
of a preposition in a relative clause. **A qui** always refers
to persons, but **dont** may refer to persons or things:

> L'étudiant **à qui** vous parlez est mon ami.
> L'étudiante **dont** vous parlez est mon amie.
> Le livre **dont** vous parlez est sur la table.

_____ Other prepositions may also precede the relative pro-   _____
noun **qui**:

> La femme **pour qui** je le fais est mon amie.
> Les Fourchet, **chez qui** Robert habite, sont très
>   gentils.

68. The relative pronoun **lequel** is always preceded by a preposition and most often refers to things or animals:

> Le stylo **avec lequel** j'écris est ancien.
> Le chat **à côté duquel** dort le chien fait sa toilette.

The prepositions **à** and **de** contract with **lequel**:

> Les cartes de baseball **auxquelles** je m'intéresse coûtent très cher.
> L'ordinateur à côté **duquel** je suis assis est toujours allumé.

The form **dans lequel** can be replaced by **où**:

> La corbeille **dans laquelle** (*or* **où**) il jette le journal est pleine.

69. **Tout** may be used as either an adjective or a pronoun. When used as an adjective, it agrees in gender and number with the noun it modifies:

> Il a lu **tout** ce journal.
> J'ai bu **toute** la bouteille d'eau.

When used as a pronoun, **tout** means *everything* or *all*:

> Est-ce que **tout** s'est bien passé?
> **Tout** est pour le mieux dans le meilleur des mondes.

Tout is also used in a variety of expressions:

> J'ai **tout à fait** oublié de le lui dire.
> Ils sont partis **tout de suite**.

70. The irregular verbs **vivre** and **suivre** share certain similarities. Note the first person plural of each:

vivre

je **vis**	nous **vivons**
tu **vis**	vous **vivez**
il **vit**	ils **vivent**
elle **vit**	elles **vivent**
on **vit**	

☞

suivre

je **suis**	nous **suivons**
tu **suis**	vous **suivez**
il **suit**	ils **suivent**
elle **suit**	elles **suivent**
on **suit**	

IMPERATIF: **vis! vivons! vivez!**
suis! suivons! suivez!
PASSE COMPOSE: j'**ai vécu**
j'**ai suivi**
FUTUR: je **vivrai**
je **suivrai**
IMPARFAIT: je **vivais**
je **suivais**

VOCABULAIRE

VERBES

brancher	(s')inquiéter	(se) séparer
défaire	mûrir	suivre
(se) diriger	réserver	vivre
expédier	rêver	

NOMS

l'absence (f.)	la clef	le facteur
l'ascenseur (m.)	la communication	l'instituteur/l'institutrice
le cadran	la compréhension	la journée
le clavier	le destinataire	le maître/la maîtresse
la craie	l'enveloppe (f.)	

PRONOMS

lequel	que	qui

ADJECTIFS

chaque	enthousiasmé

EXPRESSIONS UTILES

avoir de la veine	faire le numéro	par téléphone
dire bonne nuit	hier soir	tandis que
ensuite	merci d'avance	

CHAPITRE 15

Une coïncidence

Itinéraire

Now you'll learn about French money and the famous people whose faces are featured on the bills. You'll find out more about how the French use their time off. You'll study several new ways to ask questions and make negative statements and how to express approximate quantities. You'll also learn about the French press and French people's newspaper reading habits.

Scénario .•–

PREMIERE ETAPE

Le lendemain matin les quatre amis décident de voir quelques monuments à Paris. Ils s'asseyent[1] à la terrasse d'un café. Tout d'un coup ils voient un jeune homme attaquer un monsieur. Les quatre sautent de leur chaise et se précipitent vers le pauvre homme.

LE MONSIEUR: Mais qu'est-ce qui s'est passé?
5 HENRY: Quelqu'un vous a agressé pour voler votre portefeuille.
LE MONSIEUR: Mais avec qui êtes-vous?
HENRY: Avec mes amis.
LE MONSIEUR: Lequel a vu cet incident?
TOUS LES QUATRE AMIS: Nous l'avons tous vu.
10 MARGUERITE: Comment vous sentez-vous?

DEUXIEME ETAPE

Le lendemain matin les quatre amis décident de voir quelques monuments à Paris. Ils essaient de se décider sur le meilleur itinéraire. Ils s'asseyent à la terrasse d'un café. Le garçon arrive et prend leurs commandes. Tout d'un coup ils voient un jeune homme attaquer un monsieur. Les quatre sautent de leur chaise et se précipitent vers le pauvre
5 *homme. Le jeune pickpocket s'enfuit et le monsieur tombe par terre.*

LE MONSIEUR: Mais qu'est-ce qui s'est passé? Qui êtes-vous?
HENRY: Quelqu'un vous a agressé pour voler votre portefeuille. Et moi, je suis un
    étudiant américain...
LE MONSIEUR: Mais avec qui êtes-vous?
10 HENRY: Je suis là avec mes amis.
LE MONSIEUR: Lequel a vu cet incident?
TOUS LES QUATRE AMIS: Nous l'avons tous vu.
LE MONSIEUR: Je vous demande pardon. J'ai été brusque avec vous.
MARGUERITE: Nous comprenons bien, monsieur. Après tout, vous avez reçu un coup.

15 *La police arrive.*

L'AGENT DE POLICE: (*Il salue le groupe.*) Monsieur, comment vous sentez-vous? Vou-
    lez-vous que j'appelle le S.A.M.U.? (*Le vieux monsieur hoche la tête.*) Alors, quel

---

[1] The verb **s'asseoir** (*to sit down*) is irregular:

je m'**assieds**	nous nous **asseyons**
tu t'**assieds**	vous vous **asseyez**
il s'**assied**	ils s'**asseyent**
elle s'**assied**	elles s'**asseyent**
on s'**assied**	

PASSE COMPOSE: je me **suis assis(e)**   IMPARFAIT: je m'**asseyais**
FUTUR: je m'**assiérai**   IMPERATIF: **assieds-toi! asseyons-nous! asseyez-vous!**

âge le pickpocket pouvait-il avoir? De quelle couleur étaient ses cheveux? Ses yeux? (*L'agent de police trouve un ticket de train par terre. Il le ramasse.*) Mais qu'est-ce
20   que c'est?

HENRY: (*reconnaissant le vieux monsieur*) Mais, ce n'est pas possible. Quelle coïncidence! C'est le gentil monsieur que nous avons rencontré dans le train.

TROISIEME ETAPE

Le lendemain matin les quatre amis décident de voir quelques monuments à Paris. Ils quittent l'hôtel assez tôt pour pouvoir profiter du temps qui leur reste dans la capitale. Ils essaient de se décider sur le meilleur itinéraire. Ils s'asseyent à la terrasse d'un café. Le garçon arrive et prend leurs commandes. Tout d'un coup ils voient un jeune homme
5   *attaquer un monsieur. Tous les quatre sautent de leur chaise et se précipitent vers le pauvre homme. Le jeune pickpocket s'enfuit emportant le portefeuille et le monsieur tombe par terre.*

LE MONSIEUR: Mais qu'est-ce qui s'est passé? Qui êtes-vous?

HENRY: Quelqu'un vous a sauté dessus pour voler votre portefeuille. Et moi, je suis
10   un étudiant américain...

LE MONSIEUR: Mais avec qui êtes-vous?

HENRY: Je suis là avec mes amis.

LE MONSIEUR: Lequel a vu cet incident?

TOUS LES QUATRE AMIS: Nous tous, nous l'avons tous vu.

15   LE MONSIEUR: Je vous demande pardon. J'ai été brusque avec vous.

MARGUERITE: Nous comprenons bien, monsieur. Après tout, vous avez reçu un coup.

Sur la terrasse d'un café au Quartier latin

LE MONSIEUR: Merci bien.

La police arrive.

L'AGENT DE POLICE: (*Il salue le groupe.*) Monsieur, comment vous sentez-vous?
20   Voulez-vous que j'appelle le S.A.M.U.? (*Le vieux monsieur hoche la tête pour dire
« non ».*) Alors, je vais vous poser quelques questions et vous n'avez qu'à y répondre
brièvement. Quel âge le pickpocket pouvait-il avoir? De quelle couleur étaient ses
cheveux? Ses yeux? Etait-il seul? (*L'agent de police trouve un ticket de train par
terre. Il le ramasse.*) Mais qu'est-ce que c'est? Ce ticket est-il à vous?
25   HENRY: (*reconnaissant le vieux monsieur*) Mais, ce n'est pas possible. Que c'est
bizarre! Quelle coïncidence! C'est le gentil monsieur que nous avons rencontré dans
le train.

Questions sur le scénario

1. Qu'est-ce que les amis décident de faire?
2. Où sont-ils?
3. Que voient-ils tout d'un coup?
4. Quelle est la réaction des quatre jeunes gens?
5. Qu'est-ce qui se passe?
6. Qu'est-ce que le pickpocket a volé?
7. Qui a vu cet incident?
8. Qui arrive sur la scène?
9. Qu'est-ce que c'est que le S.A.M.U.?
10. Quelles questions l'agent pose-t-il?

COIN CULTUREL: L'argent français

1. La France diffuse sa culture de différentes manières. Par exemple, les billets
issus par la Banque de France représentent des personnages célèbres. Il existe des
billets de 20 F, 50 F, 100 F, 200 F et 500 F.

2. Pendant de nombreuses années, le portrait de Voltaire a figuré sur un billet de
10 F. Sur un autre billet de 10 F figurait le musicien Hector Berlioz. Ces billets ont
été remplacés par des pièces.

3. Celui de 20 F représente Claude Debussy (1862–1918), compositeur français.
Ses recherches harmoniques, ses sonorités raffinées, la fluidité de ses mélodies ont
renouvelé le langage musical. Quelques-unes de ses compositions bien connues sont
Prélude de l'après-midi d'un faune, La Mer, Clair de lune, Ibéria et un opéra, *Pelléas
et Mélisande.*

4. Il y a quelques années, un billet de 50 F avait le portrait de Jean Racine et le
filigrane (*watermark*) montrait par transparence l'héroïne d'une de ses pièces, *Andro-
maque.* Maintenant le billet de 50 F représente Maurice Quentin de La Tour (1704–
1788), un pastelliste célèbre pour ses portraits pleins de vie.

5. Un billet de 100 F représente le peintre Eugène Delacroix (1798–1863). Il a été le chef de l'école romantique. Il est l'auteur de vastes peintures murales à Paris — au Louvre, par exemple — et il a peint le plafond d'une chapelle de l'église Saint-Sulpice. Parmi ces tableaux les plus célèbres, il faut citer *Dante et Virgile aux Enfers* et *La Mort de Sardanapale*.

6. Sur le billet de 200 F on peut voir un portrait de Montesquieu (1668–1755). Ce grand penseur a écrit plusieurs chefs-d'œuvre: *l'Esprit des Lois* (*The Spirit of Laws*), œuvre qui a influencé les fondateurs de la Constitution américaine, et *Les Lettres persanes* (*The Persian Letters*), une satire des mœurs françaises de l'époque.

7. Le billet de 500 F montre le masque mortuaire de Blaise Pascal (1623–1662), un mathématicien, physicien, philosophe et écrivain. Un passage des *Pensées* de Pascal se trouve au **Chapitre 19**.

8. Les pièces de monnaie sont de 5, 10, 20 et 50 centimes et de 1 F, 2 F, 5 F et 10 F. Sur toutes les pièces on peut lire « Liberté, Egalité, Fraternité ». La pièce de 10 F a le centre argenté et le pourtour doré. Pour le centenaire de Charles de Gaulle en 1989, l'Etat a issu une pièce de 1 F avec son effigie.

9. Le franc est une monnaie que l'on trouve dans différents pays, mais il a une valeur différente suivant le pays. Il existe le C.F.A. franc sénégalais, le franc belge et le franc suisse.

Gestes

1. « **Petit coquin!** » (*"You little rascal!"*) is said while wagging a finger at the intended victim of the remark.

2. To express « **avoir du mal à joindre les deux bouts** » (*"to have a hard time making ends meet"*), a French person brings the index finger of each hand close to the other on the same level, but the two do not meet.

« J'ai du mal à joindre les deux bouts! »

Proverbes

Il n'y a que le premier pas qui coûte.   *The first step is the most difficult.*
Ne réveillez pas le chat qui dort!   *Let sleeping dogs lie.*

VOCABULAIRE ILLUSTRE: Les billets et les pièces de monnaie

Billets de banque français

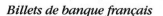

Un billet de 500 francs

200 francs

100 francs

50 francs

20 francs

Principales monnaies françaises

Une pièce de...

10 francs

5 francs

2 francs

1 franc

1 franc

½ franc
(50 centimes)

Allons plus loin: Les loisirs

Etudiez le vocabulaire.

des tas de   *a lot of*
un foyer   *home*
de moins en moins   *less and less*

même   *even*
délaissé   *abandoned*
la moitié   *half*

la classe ouvrière *working class*	bien plus que *even more than*
bricoler *to putter*	une agglomération *metropolitan area*
jardiner *to garden*	être en forme *to be in good shape*
le tiercé *off-track betting*	de plus en plus *more and more*
une fête foraine *country fair*	prisé *liked*
un citadin/une citadine *city dweller*	

TRAVAUX PRATIQUES

 A. Lisez et comprenez.

MME FOURCHET: L'autre jour tu me posais des tas de questions sur les loisirs des Français. Cela dépend encore des personnes. Certainement, presque tout le monde possède au moins une radio, plus de 94 pour cent des foyers ont des télévisions, 58 pour cent avec télécommande, et plus de 50 pour cent ont des magnétoscopes et
5   presque autant de chaînes stéréo. Dans un sens tous ces appareils audio-visuels font que les Français lisent de moins en moins. Même les journaux sont délaissés pour le journal télévisé. Il y a quelques sorties au cinéma et à des matches. Près de la moitié des Français jouent d'un instrument de musique. Comme tu l'as vu, beaucoup de jeunes jouent surtout de la guitare.

10 ROBERT: Est-ce que tous les loisirs sont les mêmes pour tout le monde?

MME FOURCHET: Non, dans la classe ouvrière les moins jeunes aiment bricoler, jardiner... Il y a des jeux: la loterie, le tiercé, les fêtes foraines... Les livres et tout ce qui est électronique se trouvent plus chez les citadins et les professions libérales.

ROBERT: Les Français sont-ils sportifs?

15 MME FOURCHET: Oui, bien plus qu'il y a quelques années. C'est encore à Paris et dans les grandes agglomérations que l'on est le plus sportif et que l'on pense à être en forme, à rester en forme. Le football est le premier sport collectif en France, alors que le tennis est certainement le sport individuel le plus pratiqué. Le jogging ainsi que d'autres activités physiques, telles que la planche à voile chez les jeunes,
20   l'aérobique, le stretching, la natation, ont de plus en plus d'adeptes.

ROBERT: Et je pense qu'en France, comme aux Etats-Unis, il existe aussi le « sportif assis » devant son appareil de télévision?

MME FOURCHET: Ça, oui. Le Tour de France est certainement le plus prisé, ainsi que la Coupe mondiale du football et le tennis à Roland Garros. Ce sont de grands
25   événements sportifs qui font même oublier la politique.

 B. Maintenant, posez des questions à votre partenaire.

1. Quels appareils audio-visuels les Français possèdent-ils?
2. Et vous, quels appareils audio-visuels possédez-vous?
3. Qu'est-ce qui est délaissé?
4. Est-ce la même chose aux Etats-Unis?
5. Comment les Français emploient-ils leurs loisirs?
6. Et vous?
7. Qu'aime-t-on faire dans la classe ouvrière?

Le Tour de France

8. Et les citadins en général?
9. Les Français sont-ils sportifs?
10. Etes-vous sportif/sportive?
11. Quels sports pratique-t-on en France?
12. Et vous, quels sports pratiquez-vous?
13. Existe-t-il aussi le « sportif assis »
    en France?
14. Quels événements sportifs sont les
    plus prisés en France?
15. Et aux Etats-Unis?

Greg Le Mond

NOTE DE GRAMMAIRE 71

Les pronoms interrogatifs **qui** et **que**

1. The interrogative pronoun **qui** (*who, whom*) is used to ask a question about a person or persons. It may serve as either a subject or a direct object. The long form **qui est-ce qui** may be used to replace **qui** used as a subject, and the long

form **qui est-ce que** may replace **qui** used as a direct object. Inversion is not required with the long forms:

	SHORT FORM	LONG FORM
SUBJECT	**Qui** est là?	**Qui est-ce qui** est là?
OBJECT	**Qui** voyez-vous?	**Qui est-ce que** vous voyez?

Note that when **qui** is the subject, the verb is always in the third person singular, even if the answer may be in the plural:

Qui est là?
Robert et Marguerite sont là.

2. The interrogative pronoun **que** (*what*) is used to ask a question about a thing. **Qu'est-ce qui** is the only form that may serve as the subject of a question. Either **que** or **qu'est-ce que** may be used as a direct object:

	SHORT FORM	LONG FORM
SUBJECT	(*none*)	**Qu'est-ce qui** se passe?
OBJECT	**Que** voyez-vous?	**Qu'est-ce que** vous voyez?

3. The idiomatic expressions **qu'est-ce que** and **qu'est-ce que c'est que** may be used to ask for a definition or description:

Qu'est-ce que c'est qu'un touriste?
Un touriste est une créature armée d'une caméra qui envahit un territoire étranger, dépense beaucoup d'argent et rentre crevé chez lui.

Exercices de transformation

A. **Modèle:** Les amis iront à Paris.
 Qui ira à Paris?
 Qui est-ce qui ira à Paris?

1. Olivier retient les deux chambres.
2. Ils arrivent à 2 heures.
3. Robert trouve l'hôtel Continental.
4. Nicole demande leurs chambres.
5. La patronne regarde dans le registre.

B. **Modèle:** Ils cherchent leurs amis.
 Qui cherchent-ils?
 Qui est-ce qu'ils cherchent?

1. Elle regarde le pickpocket.
2. Le vieux monsieur ne voit pas le voleur.
3. Le voleur agresse le vieux monsieur.
4. Le jeune pickpocket voit les jeunes gens.
5. L'agent interroge le vieux monsieur.

C. Modèle: Ils lisent les pièces d'Ionesco.
Que lisent-ils?
Qu'est-ce qu'ils lisent?

1. On comprend le dialogue.
2. Il critique le manque de communication.
3. Ils désirent lire toutes ses pièces.
4. Les spectateurs apprécient la pensée d'Ionesco.
5. Ils veulent trouver leur hôtel.

D. Modèle: Cette actrice vieillit bien.
Qui vieillit bien?
Qui est-ce qui vieillit bien?

1. Elle a bien appris son rôle.
2. Elle parle distinctement.
3. On lui donne de belles robes.
4. Ses admirateurs lui envoient des fleurs.
5. Les spectateurs l'applaudissent.

E.   Après la pièce on visite un bistro.

Modèle: Vous désirez une bouteille de vin.
Que désirez-vous?
Qu'est-ce que vous désirez?

1. On préfère un bon bordeaux.
2. On goûte le vin.
3. On verse le vin dans des verres.
4. On porte un toast à ses amis.
5. On commande une soupe à l'oignon.

F.   La nature agit.

Modèle: Le vent fait du bruit.
Qu'est-ce qui fait du bruit?

1. La lune brille la nuit.
2. Le brouillard provoque des accidents.
3. Le soleil a brûlé les fleurs.
4. Les grandes pluies causeront des inondations.
5. Le gel a ruiné les oranges.

G. Modèle: *Le Cid* est une pièce de théâtre.
Qu'est-ce que c'est que Le Cid?
Qu'est-ce que Le Cid?

1. Une chemise est une sorte de vêtement.
2. Un cheval est un animal.
3. La vérité est une chose éternelle.
4. Un cahier est un petit livre où on écrit des notes.

TRAVAUX PRATIQUES ◦◦◦◦◦◦◦◦◦◦◦◦◦◦◦◦◦◦◦◦◦◦◦◦◦◦◦◦◦◦◦◦

 A tour de rôle on définit quelque chose.

Modèle: *Qu'est-ce que c'est que le bonheur?*
Le bonheur est le bien-être (well-being).
Le bonheur est une journée au bord de la mer.
Le bonheur est un voyage au Togo.

NOTE DE GRAMMAIRE 72

Les prépositions avec les pronoms interrogatifs

1. Sometimes the interrogative pronoun **qui** functions as the object of a preposition. In such cases, the preposition precedes the pronoun:

   SHORT FORM   LONG FORM

   De qui parlez-vous?   **De qui est-ce que** vous parlez?
   A qui pensez-vous?   **A qui est-ce que** vous pensez?
   Avec qui mangez-vous?   **Avec qui est-ce que** vous mangez?
   Près de qui êtes-vous?   **Près de qui est-ce que** vous êtes?

2. To ask about a thing that is the object of a preposition, use the construction *preposition* + **quoi** or *preposition* + **quoi est-ce que**:

   SHORT FORM   LONG FORM

   De quoi parlez-vous?   **De quoi est-ce que** vous parlez?
   A quoi pensez-vous?   **A quoi est-ce que** vous pensez?
   Avec quoi mangez-vous?   **Avec quoi est-ce que** vous mangez?
   Près de quoi êtes-vous?   **Près de quoi est-ce que** vous êtes?

Exercices de transformation

A. **Modèle:** Elle parle à Robert.
A qui parle-t-elle?
A qui est-ce qu'elle parle?

1. Elle demande à Robert d'écrire une lettre.
2. Il l'écrit avec Nicole.
3. Il compte sur Mme Fourchet pour l'aider.
4. Il pense à sa mère.

B. **Modèle:** Il a besoin de sommeil.
De quoi a-t-il besoin?
De quoi est-ce qu'il a besoin?

1. Il a mis les couvertures sur le lit.
2. Il a sorti un pyjama de l'armoire.
3. Il a pensé à la soirée chez son amie.
4. Il s'est endormi sans téléphoner.

C. **Modèle:** Il décide de faire le repas ce soir.
   De quoi décide-t-il?
   De quoi est-ce qu'il décide?

1. Il a mis les assiettes sur la table.
2. Il a préparé du couscous avec ses propres ustensiles.
3. On a mangé le repas sans fourchettes.
4. On a bu du thé dans des tasses jaunes.

D. **Modèle:** Ils remplissent la carte pour l'hôtesse de l'air.
   Pour qui remplissent-ils la carte?
   Pour qui est-ce qu'ils remplissent la carte?

1. Nous avons besoin d'aide.
2. L'hôtesse vient à côté de nous.
3. Elle écrit avec un stylo.
4. Nous comptons sur elle pour nous aider.

E. **Modèle:** M. Fourchet parle avec Robert.
   Avec qui M. Fourchet parle-t-il?
   Avec qui est-ce que M. Fourchet parle?

1. Robert a mis de l'essence dans le réservoir.
2. Robert se sert de sa mobylette.
3. Il fait attention au code de la route.
4. Robert réussit à conduire.

NOTE DE GRAMMAIRE 73

Le pronom interrogatif **lequel**

1. A form of the interrogative pronoun **lequel** is used to ask *which one* or *which ones*. It may refer to either people or things and agrees in gender and number with its referent:

Voici deux hôtels. **Lequel** coûte le moins cher?	*Here are two hotels. **Which one** is the least expensive?*
Les familles sont arrivées. **Laquelle** désire recevoir un Américain?	*The families have arrived. **Which one** wants to host an American?*
Les animaux sont dans la forêt. **Lesquels** sont féroces?	*The animals are in the forest. **Which ones** are ferocious?*
Les voitures sont là. **Lesquelles** sont neuves?	*The automobiles are there. **Which ones** are new?*

2. When used with **à** or **de**, **lequel** takes the following forms:

Tous les étudiants sont intelligents. **Auquel** le professeur a-t-il donné le prix?	*All the students are intelligent. **To which one** did the professor give the prize?*

On nous a fait beaucoup de bonnes suggestions. **Auxquelles** vous intéressez-vous?

Vous avez vu beaucoup de tableaux. **Desquels** vous souvenez-vous?

J'ai lu tous les livres sur le programme. **Duquel** le prof a-t-il parlé hier?

*They offered us many good suggestions. **Which ones** are you interested in?*

*You've seen many paintings. **Which ones** do you recall?*

*I read all the books in the program. **Of which one** did the professor speak yesterday?*

Simples substitutions

1. Les trois frères sont là. Lequel est *le plus jeune?* (*le cadet, l'aîné, votre ami, le moins irrité, le plus grand, le plus courageux*)
2. Les trois femmes viennent d'arriver. Laquelle est *la plus jeune?* (*votre amie, la plus belle, la plus aimable, votre cousine, la plus grande*)
3. Les livres sont sur la table. Lequel *voulez-vous?* (*cherchez-vous, vendez-vous, lisez-vous, préférez-vous, choisissez-vous*)

TRAVAUX PRATIQUES

Visite à Paris. Complétez avec une des formes convenable de **lequel**.

1. Voilà deux plans de Paris. _____ avez-vous besoin?
2. Ils choisissent un itinéraire pour visiter Paris. _____ choisissent-ils?
3. Robert peut suivre deux routes. _____ suivra-t-il?
4. Un agent lui suggère plusieurs chemins. _____ prendra-t-il?
5. Marguerite s'intéresse aux musées. _____ s'intéresse-t-elle?
6. Nicole préfère aller dans les grands magasins. _____ préfère-t-elle aller?
7. Henry se souviendra des peintures du Louvre. _____ se souviendra-t-il?
8. Marguerite compte sur une de ses amies. _____ compte-t-elle?
9. Henry va acheter une robe pour une de ses sœurs. _____ va-t-il acheter?
10. Marguerite sort avec deux des membres de son équipe. _____ sort-elle?

NOTE DE GRAMMAIRE 74

Quantités approximatives

1. The French add **-aine** to the end of certain numbers to indicate an approximate quantity. This is possible with the following numbers:

8	une huitaine	**about** eight
10	une dizaine	**about** ten
12	une douzaine	**about** twelve
15	une quinzaine	**about** fifteen
20	une vingtaine	**about** twenty
30	une trentaine	**about** thirty

40	une quarantaine	*about* forty
50	une cinquantaine	*about* fifty
60	une soixantaine	*about* sixty
100	une centaine	*about* a hundred

To express *about* with other numbers, use **environ** or **à peu près**:

| **environ** quatre-vingts | *about* eighty |
| **à peu près** soixante-dix | *about* seventy |

2. The construction *number* + **-aine** is a feminine noun. Because it is an expression of quantity, it is followed by **de**:

Une trentaine d'étudiants sont allés au pique-nique.
About thirty students went to the picnic.

but:

Environ soixante-dix étudiants sont restés à l'école.
About seventy students stayed at school.

A peu près soixante-dix étudiants sont restés à l'école.
About seventy students stayed at school.

3. Depending on their context, the following may express specific quantities:

Je vous verrai dans **une huitaine**.
*I'll see you in **a week**.*[2]

On se verra dans **une quinzaine**.
*We will see each other in **two weeks**.*

Elle a acheté **une douzaine** d'œufs.
*She bought **a dozen** eggs.*

4. Another approximation is **un millier de** (*about a thousand*):

Un millier de soldats s'y battent.
***About a thousand** soldiers are fighting there.*

5. Fractional numbers other than **un demi** (*1/2*), **un tiers** (*1/3*), and **un quart** (*1/4*) have the same form as the ordinal numbers: **un cinquième** (*1/5*), **un sixième** (*1/6*), **un septième** (*1/7*), **un huitième** (*1/8*), and so on:

$1/4 + 2/4 = 3/4$ ou $6/8$ **Un quart** plus **deux quarts** font **trois quarts** ou **six huitièmes**.

Exercices de transformation

A. **Modèle:** Il a à peu près dix livres.
Il a une dizaine de livres.

---

[2] Because they include the day from which one is counting, the French say **huit jours** to indicate a week and **quinze jours** to express two weeks:

Je vous verrai **dans huit jours**.
*I will see you **in a week**.*

On se verra **dans quinze jours**.
*We will see each other **in two weeks**.*

D'aujourd'hui **en huit** (**en quinze**) je serai à Paris.
*A **week** (**two weeks**) from today I'll be in Paris.*

1. Elle a environ vingt amies dans cette école.
2. Nous avons environ cent dollars entre nous.
3. Notre équipe de basket a gagné environ trente matches.
4. J'ai vu à peu près quinze voitures.
5. Il a dormi à peu près huit heures.
6. Le musée contient environ soixante tableaux.

B. Lisez les expressions suivantes.

1. 1/3 + 1/3 = 2/3
2. 1/2 = 2/4 = 4/8
3. 4/8 = 8/16
4. 5/100 + 5/100 = 10/100 = 1/10

NOTE DE GRAMMAIRE 75

Négations: type **ne... que**

1. In **Chapitre 13**, you learned some negative expressions (**ne... pas**, **ne... plus**) that surround the verb in simple tenses and surround the auxiliary verb in compound tenses:

SIMPLE TENSE	Elle **ne** veut **pas** le faire.	*She does **not** want to do it.*
COMPOUND TENSE	Elle **n'**a **pas** voulu le faire.	*She did **not** want to do it.*

2. Other negative expressions, such as **ne... que** (*only*), surround the verb in simple tenses and surround both the auxiliary and the past participle in compound tenses:

SIMPLE TENSE	Elle **ne** mange **qu'**un morceau.	*She is eating **only** one piece.*
COMPOUND TENSE	Elle **n'**a mangé **qu'**un morceau.	*She ate **only** one piece.*

Although negative in form, **ne... que** is actually restrictive in meaning and does not take the negative partitive **de** when used with a quantity:

Il n'a mangé que **des** légumes.   *He ate **only** vegetables.*

3. Like **ne... que**, the following negative expressions surround both the auxiliary and the past participle in compound tenses:

ne... personne   *nobody, no one*

Je **ne** vois **personne**.
Je **n'**ai vu **personne**.

ne... ni... ni   *neither . . . nor*

Je **ne** veux **ni** pommes **ni** poires.
Je **n'**ai voulu **ni** pommes **ni** poires.

ne... aucun(**e**)   *not any, none, no*

Je **n'**achète **aucun** disque cette semaine.
Je **n'**ai acheté **aucun** disque cette semaine.

Note that **ne... ni... ni** takes the definite article, not the partitive.

Je n'aime ni **le** vin ni **la** bière.

3. **Personne** and **aucun**(e) may also be used as subjects:

Personne n'a téléphoné.   ***Nobody*** *phoned.*
Aucun n'a fait les corvées.   ***No one*** *did the chores.*
Aucune de mes amies   ***None of*** *my friends ate.*
   n'ont mangé.

4. The form **ne... qu'à** translates this way:

Nous **n'** avons qu'à le faire! We have only to do it!

Exercices de transformation

A. Modèle: J'ai lu des journaux français. (*ne... que*)
              Je n'ai lu que des journaux français.

1. Nous avons lu le menu. (*ne... aucun*)
2. Tu désirais du veau et du porc. (*ne... ni... ni*)
3. Nicole commandera un petit gâteau. (*ne... que*)
4. Tu cherches le garçon. (*ne... personne*)

B. Modèle: J'ai souvent suivi la Loire. (*ne... jamais*)
              Je n'ai jamais suivi la Loire.

1. Mon père a voulu voir le château de Chambord. (*ne... que*)
2. Nous avons vu des châteaux et des palais. (*ne... ni... ni*)
3. Avez-vous vu des vitraux? (*ne... aucun*)
4. A-t-elle vu un guide? (*ne... personne*)

TRAVAUX PRATIQUES

A. Réactions.

Modèle: Je suis fatigué! (*dormir*)
           Tu n'as qu'à dormir!

1. Il a soif! (*boire*)
2. Elle a faim! (*manger*)
3. Tu es en retard! (*se dépêcher*)
4. Nous avons trop chaud! (*ouvrir la fenêtre*)

5. Vous avez froid! (*fermer la fenêtre*)
6. Ils ont sommeil! (*se coucher*)

 B. Et maintenant à vous!

1. Elle a chaud!   4. On est perdu!
2. Nous sommes tristes!   5. Il veut voyager!
3. Vous êtes trop sérieux!

 C. Répondez aux questions générales.

1. Avez-vous vu quelqu'un agressé pas loin de vous?
2. Qu'est-ce qui lui est arrivé?
3. Est-ce que le problème de la drogue est important dans votre ville?
4. La France diffuse sa culture par ses timbres, ses billets de banque et ses noms de rues. Comment l'Amérique diffuse-t-elle sa culture?
5. Connaissez-vous d'autres musiciens français? d'autres écrivains français? d'autres artistes-peintres français?
6. Qui voit-on sur les billets américains d'un dollar? de cinq dollars? de dix dollars? et de vingt dollars? Parlez un peu de l'histoire de chacune de ces personnes.
7. Etudiez le taux de change (*exchange rate*) à la page financière (*financial page*) du journal et regardez combien de francs vous aurez pour un dollar aujourd'hui.

MICROLOGUE: La presse

Un journal français ressemble plus ou moins à un journal américain, bien que le français soit moins volumineux. Il y a des **rubriques** variées: les nouvelles, les sports, **les petites annonces**, **les réclames**, **les faits divers**, la vie internationale, la météo, **le carnet du jour**, **la bourse et l'économie**, la vie culturelle, les spectacles, la radio-télé. Les nouvelles les plus importantes sont annoncées par de gros titres (manchettes) « à la une » (c'est-à-dire à la première page).

section headings
want ads
ads / short news items
announcements of births, marriages, deaths, etc. / finance and business

Questions

1. Est-ce que les journaux français et américains se ressemblent? Comment?
2. Nommez quelques rubriques.
3. Comment appelle-t-on les gros titres?
4. Comment les nouvelles les plus importantes sont-elles annoncées?
5. Quel journal lisez-vous régulièrement?
6. Lisez-vous le journal tous les jours?
7. Quels articles vous intéressent le plus?
8. Quelle influence la presse a-t-elle sur vos opinions?
9. Quelle est votre bande dessinée (*comic strip*) favorite? Pourquoi l'aimez-vous?

LECTURE: **La presse**

Le Français a des idées politiques qu'il ne désire généralement
pas changer. Pour cette raison il achète le journal qui convient
le mieux à son opinion pour lui permettre de défendre sa manière
de penser.

5   Depuis une dizaine d'années, le nombre de lecteurs de la
presse quotidienne a beaucoup diminué. A Paris seulement 38
pour cent des habitants lisent un quotidien national, contre 55
pour cent en province pour les quotidiens régionaux. Pour beaucoup de Français, le journal télévisé du soir et les informations
10   à la radio pendant le petit déjeuner paraissent suffisants, surtout
que les quotidiens sont coûteux, soit plus du double du prix du
New York Times.

A Paris, on trouve un grand choix de journaux, chacun ayant
une opinion politique définie. Par ordre d'importance il y a les
15   journaux suivants:

Le Figaro, représentant la droite libérale, est ouvert aux grands
courants d'opinion actuelle.

Le Monde, un autre grand journal, se situe vers le centre gauche.
Il n'a aucune photo. Il est lu **davantage** par des intellectuels,   *more*
20   alors que *le Figaro* a plus de lecteurs dans le monde des
affaires.

Le Parisien libéré, publié depuis la Libération en 1944, est un
journal populaire où abondent les faits divers. Il se situe à
droite.

25   *France-Soir* est aussi un journal populaire de droite où l'actualité
et les faits divers dominent.

Libération, d'abord un journal d'extrême gauche, **s'est** progres-   *moved closer*
sivement **rapproché** du centre. Son style **décontracté** plaît   *relaxed*
aux jeunes.

30   *L'Humanité* est le journal du parti communiste français.

La Croix, quotidien catholique, est apprécié pour ses analyses.
Il peut se situer au centre.

Le Quotidien de Paris se situe à droite. Il est fortement opposé
au régime socialiste.

35   *Le Matin* est le journal du parti socialiste.

Parmi les quotidiens spécialisés il faut parler de *l'Equipe*, un
journal sportif, et *les Echos* pour l'économie et les finances.

A part *France-Dimanche* qui recherche le sensationnel et
l'Humanité Dimanche, les journaux français ne paraissent pas

40 le dimanche, mais la plupart font paraître le samedi un magazine. Par exemple, il y a *Figaro Magazine* et *Figaro Madame*. En
général, ils reprennent les titres de la semaine avec des articles
sur des sujets plus spécialisés.

Au contraire des quotidiens, la vente des **hebdomadaires**   *weeklies*
45 d'information générale est très puissante et augmente. Ils pré-
sentent des enquêtes et des analyses détaillées d'événements
politiques et sociaux. Le plus diffusé est *Paris-Match* avec beaucoup de reportages photographiques de l'actualité.

Ensuite vient *l'Express* qui a été le premier à adopter le format
50 du magazine américain *Time*. Il est plutôt de droite maintenant.
Le Point se dit politiquement indépendant. *Le Nouvel Observa-
teur* représente la gauche socialiste.

A côté d'eux, pour les lecteurs de fin de semaine on trouve
V.S.D. (pour « vendredi, samedi, dimanche »), qui est surtout
55 acheté pour s'informer sur les spectacles et les sports. *L'Evéne-
ment du Jeudi*, le dernier né, est indépendant et se vend très
vite. Il est dirigé par Jean-Paul Kaufman, journaliste catholique
qui a été otage au Liban pendant trois ans.

Le Canard enchaîné n'accepte pas de publicité et ne vit que
60 de ses ventes. De gauche, il est satirique de la vie politique et
poursuit des enquêtes très controversées.

On trouve également des magazines féminins, des magazines
familiaux, des magazines pour les jeunes, des magazines pour
la télévision et pour les sports, ainsi qu'une importante catégorie
65 de magazines pour la décoration de la maison et la presse économique et financière.

En province la presse s'adresse aux besoins de son public,
sans négliger les nouvelles nationales et internationales qui paraissent généralement en première et dernière pages. Le plus
70 gros **tirage** est *Ouest-France* en Bretagne, *la Voix du Nord, le*   *circulation*
Dauphiné libéré au sud-est, suivi de *Sud-Ouest* à Bordeaux.

Pour résumer, il est important de se rappeler le déclin de la
presse généraliste (les quotidiens) au profit de la presse spécialisée (les magazines) qui connaît de plus en plus de succès.

Questions

1. Qu'est-ce que le Français ne désire pas changer généralement?
2. Pourquoi achète-t-il le journal qui convient le mieux à son opinion?
3. Un journal n'a aucune photo. Lequel?
4. Quel est le journal qui a le plus de lecteurs dans le monde des affaires?
5. Depuis quand *le Parisien libéré* est-il publié?
6. Quel est le journal qui plaît le plus aux jeunes?
7. Les quotidiens paraissent-ils le dimanche?
8. Quel genre de journal est *France-Dimanche*?
9. Quels sont les magazines les plus lus? Et quels sont leurs tendances?
10. Quel est le premier des magazines qui a adopté le format de *Time*?
11. Quels magazines paraissent en fin de semaine?
12. Ils ont des particularités. Lesquelles?
13. Quels sont les autres magazines spécialisés?
14. Quel journal est dirigé par quelqu'un qui était otage au Liban?
15. Comment est la presse de province?
16. Nommez les plus importants journaux de province.
17. Quand on pense à la presse française, qu'est-ce qu'il est important de se rappeler?

Création et récréation

A. One student will play the role of a well-known personality and be introduced by another student. A panel of four or five students will act as journalists whose respective newspapers represent a wide spectrum of styles.

During the press conference, the reporters will first identify themselves and their papers and then take extensive notes on what the interviewee says. When the press conference has ended, each reporter must write an article in the style of his or her chosen newspaper. Each reporter will then submit an article to the paper's editor (another student), who will prepare the rough draft for final copy and will choose the appropriate headline.

Modèle: LE PRESENTATEUR: *Mesdames, mesdemoiselles, messieurs, j'ai l'honneur de vous présenter M./Mme/Mlle _____, qui est _____ et qui répondra à vos questions.* (Guest steps to podium; reporters raise hands.)

LE INTERVIEWE: (pointing to one reporter) *Oui, monsieur?*

LE JOURNALISTE: *Clark Kent,* la Planète quotidienne. *Monsieur/Madame _____, je voudrais vous demander...*

B. *Monique et Pierre discutent avec leurs amis de l'éducation américaine.*

Coup d'œil

OUI   NON

_____   71. The pronoun **qui** is used to ask questions about   _____
people. It may serve as either subject or object:

    Qui parle maintenant?   ***Who** is speaking now?*

    Qui voyez-vous?   ***Whom** do you see?*

_____   The long form **qui est-ce qui** may replace **qui** used as
a subject, and the long form **qui est-ce que** may replace
qui used as a direct object. Inversion is not required
with long forms:

    Qui est-ce que vous voyez?   ☞

When **qui** is the subject, the verb is always in the third person singular, even though the answer may be in the plural:

> **Qui** est là?
> **Robert et Marguerite sont** là.

Que is used to ask a question about a thing. **Qu'est-ce qui** always serves as the subject of a question, but both **que** and **qu'est-ce que** may be used as a direct object:

> **Que** lisent-ils?
> **Qu'est-ce qu'**ils lisent?
> « **Qu'est-ce qui** se passe, Doc? » demande Bugs
> Bunny.

To ask for a definition or a description, use the idiomatic **qu'est-ce que** or **qu'est-ce que c'est que**:

> **Qu'est-ce que** la liberté?
> **Qu'est-ce que c'est que** la justice?

72. The interrogative **qui** may also function as the object of a preposition:

> **De qui** parlez-vous?
> **Avec qui** mangez-vous?

To ask about a thing that is the object of a preposition, use *preposition* + **quoi** or *preposition* + **quoi est-ce que**:

> **De quoi** parlez-vous?
> **De quoi est-ce que** vous parlez?

73. A form of the interrogative pronoun **lequel** is used to ask *which one* or *which ones*. **Lequel** may refer to either people or things and agrees in gender and number with its referent:

> Les deux amis sont là. **Lequel** est le plus courageux?

When used with **à** or **de**, **lequel** contracts with the masculine singular and all plurals:

> Voici les deux hôtels. **Duquel** m'avez-vous parlé?
> Les familles sont arrivées. **Auxquelles** voulez-vous
> parler?

74. Approximate quantities are usually expressed by adding **-aine** to certain numbers: **une huitaine, une dizaine, une douzaine, une quinzaine,** etc.:

> Je vous verrai dans **une quinzaine**.

To express *about* with other numbers, use **environ** or **à peu près**:

> J'ai **environ** soixante-dix dollars.

75. Certain negative expressions surround the verb in simple tenses and surround both the auxiliary and the past participle in compound tenses:

> Je **ne** vois **personne**.   *I **don't** see **anyone**.*
> Je **n'**ai vu **personne**.   *I **didn't** see **anyone**.*
> Elle **n'**a acheté **ni**   *She bought **neither** ap-*
> pommes **ni** poires.   *ples **nor** pears.*

Ne... que, although negative in form, is restrictive in meaning. As such, it does not take the partitive **de** when used with a quantity:

> Il **n'**a **que** quinze francs   *He has **only** 15*
> dans sa poche.   *francs in his*
>   *pocket.*
> Il **n'**a bu **que du** vin.   *He drank **only** wine.*

VOCABULAIRE

VERBES

agresser	(s')enfuir	secouer
(s')asseoir	(se) précipiter	voler
dépenser	saluer	
emporter	(se) sauver	

NOMS

le bonheur	l'itinéraire (*m.*)	les petites annonces
la bourse	le lendemain	(*f. pl.*)
le chef-d'œuvre	la manchette	le portefeuille
la coïncidence	le musicien	la presse
la disco/la discothèque	le peintre	la réclame
les faits divers (*m. pl.*)	le penseur	la rubrique

PRONOMS

Que	Qui est-ce que... ?	A quoi... ?
Qui...	Qu'est-ce qui... ?	Lequel/Laquelle...
Qui est-ce qui... ?	Qu'est-ce que... ?	

ADJECTIFS

brusque   seul

ADVERBE

brièvement

EXPRESSIONS UTILES

demander pardon	ne... aucun/aucune	ne... personne
tomber par terre	ne... ni... ni	ne... que

CHAPITRE 16

Métiers

Itinéraire

In this chapter, you'll learn about professions and the problems of third-world immigrants in France. You'll also study the conditional tense, the sequence of tenses in conditional statements, two additional kinds of pronouns, and the irregular verbs **rire** (*to laugh*) and **courir** (*to run*). Finally, you'll read a poem about a young island boy's love for his native culture, written by Guy Tirolien, who was born in Guadeloupe.

Scénario .•—•

PREMIERE ETAPE

M. FOURCHET: Quel est le métier de ton père, Robert?

ROBERT: Mon père est avocat à New York.

M. FOURCHET: Et ta mère travaille-t-elle?

ROBERT: Elle est chirurgienne.

5   M. FOURCHET: Ce qui m'intéresse est de savoir ce que vous voulez devenir.

ROBERT: J'espère devenir médecin, comme Nicole.

NICOLE: Moi? Jamais de la vie! Tu te trompes. Je ne veux devenir ni médecin, ni infirmière.

ROBERT: Ne te fâche pas!

DEUXIEME ETAPE

M. FOURCHET: Quel est le métier de ton père, Robert?

ROBERT: Mon père est avocat à New York.

M. FOURCHET: Et ta mère travaille-t-elle?

ROBERT: Elle est chirurgienne.

5   M. FOURCHET: Ce qui m'intéresse est de savoir ce que vous voulez devenir.

ROBERT: J'espère devenir médecin, comme Nicole.

NICOLE: Moi? Jamais de la vie! Tu te trompes. Je ne veux devenir ni médecin, ni infirmière.

ROBERT: Ne te fâche pas! C'était juste pour plaisanter.

10   M. FOURCHET: Sérieusement, quel métier choisiras-tu quand tu finiras tes études?

ROBERT: Si j'étais meilleur en biologie, je deviendrais chirurgien, comme ma mère.

NICOLE: J'aimerais beaucoup devenir architecte.

M. FOURCHET: Mais il faudra que tu te spécialises!

NICOLE: Oui, je le sais. L'amie dont je t'ai parlé a fait la même chose.

TROISIEME ETAPE

M. FOURCHET: Quel est le métier de ton père, Robert?

ROBERT: Mon père est avocat à New York.

M. FOURCHET: Et ta mère travalle-t-elle?

ROBERT: Elle est chirurgienne.

5   M. FOURCHET: Moi, quand j'avais votre âge, je voulais devenir ingénieur, mais je n'ai pas pu finir mes études. Ce qui m'intéresse est de savoir ce que vous voulez devenir.

ROBERT: J'espère devenir médecin, comme Nicole.

NICOLE: Moi? Jamais de la vie! Tu te trompes. Je n'aime pas assez les sciences. Je ne veux devenir ni médecin, ni infirmière.

10   ROBERT: Ne te fâche pas! Je connais tes idées là-dessus. C'était juste pour plaisanter.

M. FOURCHET: Sérieusement, Robert, quel métier choisiras-tu quand tu finiras tes études?

ROBERT: Je ne suis pas sûr. Si j'étais meilleur en biologie, je deviendrais chirurgien, comme ma mère. Ou si je voulais faire plaisir à mon père je choisirais le métier de
15 mon père. Et toi, Nicole?

NICOLE: J'aimerais beaucoup devenir architecte.

M. FOURCHET: Mais il faudra que tu te spécialises dans une école d'art appliqué!

NICOLE: Oui, je le sais. L'amie dont je t'ai parlé a fait la même chose.

ROBERT: Parfait! Quand j'aurai de l'argent, je te demanderai de construire[1] ma future
20 maison.

Questions sur le scénario

1. Quel est le métier du père de Robert?
2. La mère de Robert travaille-t-elle aussi?
3. Pourquoi M. Fourchet n'est-il pas devenu ingénieur?
4. Qu'est-ce qui intéresse réellement M. Fourchet?
5. Robert sait-il ce qu'il désire devenir?
6. A quoi pense-t-il?
7. Pour quelle raison?
8. Et Nicole, que pense-t-elle devenir?
9. Que faut-il préparer pour devenir architecte?
10. Si Nicole devient architecte, que lui demandera Robert?

COIN CULTUREL: Les immigrés

En 1990, environ 4 millions d'immigrés vivaient en France, soit 7 pour cent de la population française: 22 pour cent viennent d'Algérie, 21 pour cent du Portugal, 9 pour cent du Maroc, d'Italie et d'Espagne, respectivement, et 7 pour cent de Tunisie.

Cette population est surtout localisée dans certaines régions: la région parisienne (plus de 18 pour cent), l'est de la France et les régions méditerranéennes. Ces immigrés occupent des emplois peu qualifiés (ouvrier, salarié agricole) et certains secteurs économiques (bâtiment, travaux publics) où les conditions de travail, plus difficiles, attirent (*attract*) peu les Français.

L'un des problèmes importants pour les immigrés est leur insertion dans la société française. Ceux d'Afrique du Nord ont du mal à s'intégrer. Des manifestations racistes ont parfois (*sometimes*) éclaté (*broken out*).

Une autre question délicate est celle des enfants de ces travailleurs. Près d'un million ont moins de vingt ans. Ils font partie de la deuxième génération dont la plupart sont nés en France. Ils vont aux écoles françaises et éprouvent (*experience*) parfois de sérieuses difficultés à se situer entre la culture occidentale et celle de leurs parents. La situation est grave pour ces jeunes qui sont souvent chômeurs (*unemployed*) à l'âge de travailler.

---

[1] **Construire** is conjugated like **conduire**.

Gestes

1. « **Je m'en lave les mains** » (*"I wash my hands of it"*) is said while miming handwashing to indicate refusal of responsibility. Another expression with the same meaning is « **Ce n'est pas mes oignons!** » (*"It's not my affair!"*).

« Je m'en lave les mains! »

2. « **On a eu chaud** » (*"That was a close call"*) is said while wiping the forehead with the back of the hand and puffing.

Proverbes

Il n'y a pas de sot métier.   *There is no bad vocation.*

Il n'est pire aveugle que celui qui ne veut pas voir.   *There is no one so blind as he who refuses to see.*

Rira bien qui rira le dernier.   *He who laughs last laughs best.*

VOCABULAIRE ILLUSTRE: Métiers

Je me spécialise...

en philosophie.

en biologie/chimie/physique.

en sciences politiques.

en maths.
(en mathématiques.)

en psychologie.

en informatique.

en beaux-arts.
(peinture/architecture/sculpture.)

en histoire.

en langues.

Questions

1. Combien de cours suivez-vous?
2. Avez-vous des cours avec des conférences? avec un laboratoire?
3. Quels cours trouvez-vous difficiles? faciles?
4. Avez-vous beaucoup de devoirs à faire?
5. Pour le cours d'anglais, écrivez-vous des compositions?
6. Prenez-vous beaucoup de notes pendant les cours?
7. Obtenez-vous toujours de bonnes notes?
8. Avez-vous passé un examen récemment?
9. L'aviez-vous bien préparé?
10. Avez-vous été reçu (*passed*) à cet examen ou bien l'avez-vous raté (*failed*)?

Allons plus loin: Les métiers et les professions

Nous avons déjà rencontré quelques métiers et professions. Maintenant en voici d'autres. Il y a ceux qui sont toujours masculins auquel il faut ajouter **femme** quand on fait référence à une femme (**un professeur/une femme professeur**) et ceux qui ont une terminaison spéciale au féminin (**un acteur/une actrice**).

un agent de police
un agent de voyages
un agent immobilier   *real estate agent*
un architecte
un(e) artiste(-peintre)
un(e) assistant(e) social(e)   *social worker*
un assureur   *insurance agent*
un auteur   *author*
un(e) avocat(e)   *lawyer*
un banquier/une banquière
un cadre   *executive*
un chanteur/une chanteuse   *singer*
un coiffeur/une coiffeuse   *hairdresser*
un comptable   *accountant*
un cuisinier/une cuisinière   *cook*
un danseur/une danseuse
un dentiste
un diplomate
un économiste
un écrivain   *writer*
un facteur   *mail carrier*
un fonctionnaire   *civil servant*
un(e) gérant(e)   *manager*

un homme/une femme d'affaires
un infirmier/une infirmière   *nurse*
un informaticien/une informaticienne   *data processing specialist*
un ingénieur   *engineer*
un instituteur/une institutrice   *teacher*
un(e) interprète
un(e) journaliste
un médecin = un docteur
un musicien/une musicienne
un ouvrier/une ouvrière   *worker*
un patron/une patronne   *boss*
un paysan/une paysanne   *peasant*
un P.D.G. (président-directeur général)   *chief executive officer*
un pompier   *firefighter*
un programmeur/une programmeuse
un psychiatre
un(e) représentant(e)   *regional sales representative*
un(e) responsable de marketing   *marketing manager*

un(e) secrétaire
un speaker/une speakerine   *TV*
   announcer

une vendeur/une vendeuse
   salesperson

TRAVAUX PRATIQUES

A. A vous maintenant!

1. Qui travaille dans un hôpital?
2. Qui est-ce qui est à la tête d'une compagnie?
3. Si vous avez un accident, quelles sont les personnes qui peuvent vous aider?
4. Si vous voulez faire construire une maison, de qui avez-vous besoin?
5. Vous voulez partir en voyage. A qui vous adressez-vous?
6. Vous voulez investir de l'argent. Qui consultez-vous?
7. Vous êtes malade. Qui pouvez-vous aller voir?
8. Vous désirez écouter les nouvelles. Qui allez-vous écouter?
9. Quels sont les employés qui aident énormément un patron?
10. Qui va vous distraire quand vous allez dans une boîte de nuit (*nightclub*)?
11. Pour quelle profession est-il nécessaire d'étudier une langue?
12. Quelle est la profession que vous espérez exercer?
13. A votre avis, quels sont les métiers où on trouve beaucoup de femmes?
14. Quelles sont les professions où on gagne beaucoup d'argent?
15. Quels sont les métiers où il y a beaucoup de stress?
16. Quels sont les métiers pour lesquels des diplômes universitaires ne sont pas nécessaires?

B. En général, un bon professeur possède les qualités suivantes:

la sincérité
l'enthousiasme (*m.*)
la curiosité
l'intégrité (*f.*)
la patience
le respect pour ses étudiants
l'intelligence (*f.*)
la compétence en sa matière
la générosité
la compréhension

1. Parlez des qualités que vous estimez le plus chez vos professeurs. Pourquoi les admirez-vous?
2. A votre avis, quelles sont les qualités que doit posséder un avocat? un cadre? un médecin? un étudiant? un psychiatre? une femme-ingénieur? une journaliste? une infirmière?

NOTE DE GRAMMAIRE 76

Le conditionnel

As in English, the conditional is used to indicate an eventuality. It translates as *would*.

1. The conditional of a regular verb is formed by adding the appropriate imperfect ending to the future stem:

	STEMS	ENDINGS
-er VERBS:	**parler-**	
-ir VERBS:	**finir-**	**-ais, -ais, -ait, -ions, -iez, -aient**
-re VERBS:	**vendr-**	

je parler**ais**	je finir**ais**	je vendr**ais**
tu parler**ais**	tu finir**ais**	tu vendr**ais**
il parler**ait**	il finir**ait**	il vendr**ait**
elle parler**ait**	elle finir**ait**	elle vendr**ait**
on parler**ait**	on finir**ait**	on vendr**ait**

nous parler**ions**	nous finir**ions**	nous vendr**ions**
vous parler**iez**	vous finir**iez**	vous vendr**iez**
ils parler**aient**	ils finir**aient**	ils vendr**aient**
elles parler**aient**	elles finir**aient**	elles vendr**aient**

Le professeur savait que **les étudiants étudieraient** sérieusement.
Les étudiants croyaient qu'**ils parleraient** français facilement.

*The professor knew that **the students would study** seriously.
The students thought **they would
speak** French easily.*

2. Irregular verbs follow the same pattern as regular verbs. The conditional is formed by adding the same set of endings to the future stem:

J'irais au cinéma avec toi.
Nous ferions le ménage ensemble.

*I **would go** to the movies with you.
We **would do** the housework together.*

Exercices de transformation

A. **Modèle:** Quel plat feriez-vous? (*vouloir*)
            Quel plat voudriez-vous?

1. Quel plat feriez-vous? (*vouloir, manger, choisir, aimer, désirer*)
2. Vous attendriez ici. (*dormir, travailler, vivre, rester, se laver*)
3. Ils le commenceraient à 9 heures. (*écrire, apprendre, lire, descendre, nettoyer*)
4. A sa place, tu le pourrais. (*faire, dire, servir, envoyer, choisir*)

B. Une bonne solution: **futur → conditionnel.**

Modèle: Je réfléchirai au problème.
         Je réfléchirais au problème.

1. J'étudierai le français.
2. Elle m'aidera à le comprendre.
3. Nous parlerons toujours français.

4. Nous réussirons avec beaucoup d'efforts.
5. Vous nous admirerez.

C. Restons en bonne santé!

Modèle: Nous aurons le choix.
              Nous aurions le choix.

1. J'irai à la piscine.
2. Nous pourrons nager.
3. Elle jouera au tennis.

4. Elle gagnera la partie.
5. Tu voudras faire du jogging.

D. **Modèle:** Tu iras faire du ski.
             Tu irais faire du ski.

1. Il vous suivra.
2. Vous étudierez la piste.
3. Tu continueras la course.

4. Elle viendra au match.
5. Ils gagneront la course.

NOTE DE GRAMMAIRE 77

Si (hypothèse + condition)

The following sequences of tenses are used in the two clauses of a conditional sentence:

IF CLAUSE	RESULT CLAUSE	
	PRESENT	S'il **parle**, vous **écoutez**. *If he **speaks**, you **listen**.*
PRESENT	FUTURE	S'il **parle**, vous **écouterez**. *If he **speaks**, you **will listen**.*
	IMPERATIVE	S'il **parle, écoutez**! *If he **speaks**, listen!*
IMPERFECT	CONDITIONAL	S'il **parlait**, vous **écouteriez**. *If he **spoke**, you **would listen**.*

Note that the conditional appears in the result clause when the imperfect appears in the **if** clause:

Si vous l'**aidiez**, elle **finirait** le travail.

*If you **helped** her, she **would finish** the work.*

Nous vous **vendrions** la voiture, si vous la **vouliez**.

*We **would sell** you the car if you **wanted** it.*

Si j'**avais** le temps, je le **ferais**.

*If I **had** time, I **would do** it.*

Exercices de transformation

A. Modèle: Si elle vient, je reste avec elle.
  Si elle vient, je resterai avec elle.
  Si elle vient, reste avec elle!

1. S'il ne pleut pas, nous allons à pied.
2. Si vous voyez le médecin, vous suivez ses conseils.
3. Si nous regardons la télé, nous entendons les nouvelles.
4. Si tu es architecte, tu construis des maisons.
5. Si ton ami est français, tu lui serres la main.

B. Rêvons un peu!

Modèle: Si nous avons le temps, nous lirons un bon livre.
  Si nous avions le temps, nous lirions un bon livre.

1. S'il a de l'argent, il achètera une Jaguar.
2. Si vous êtes libre, nous ferons du golf ensemble.
3. S'il a le temps, il ira faire du jogging.
4. Si vous allez au stade, vous verrez un bon match de basket.
5. S'il part au bord de la mer, il fera de la natation.

C. Modèle: Si on est sportif, on aime les sports.
  Si on était sportif, on aimerait les sports.

1. Si tu veux jouer au tennis, tu achèteras une raquette.
2. Si tu apprends les règles du jeu, tu pourras jouer avec nous.
3. Si la météo prévoit du beau temps, nous jouerons au tennis.
4. Si tu gagnes, tu seras content.
5. Si on est seul, on fera tout de même un sport.

D. De bons conseils.

Modèle: On dormira si on a sommeil.
  On dormirait si on avait sommeil.

1. On mangera bien si on a faim.
2. Vous marcherez beaucoup si vous grossissez.
3. Nous ne nous promènerons pas s'il pleut.
4. On pourra se détendre si on réussit à ses examens.
5. Tu seras en forme si tu fais de l'aérobique.
6. Tu ne pourras pas aller courir si tu ne te lèves pas tôt.

TRAVAUX PRATIQUES ·•–

A. A tour de rôle, écrivez et lisez à haute voix.

Modèle: *Si j'étais riche, je donnerais mon argent aux pauvres.*

1. Si j'étais beau/belle, je...
2. Si j'avais une grosse voiture, je...
3. Si j'étais tout puissant, je...
4. Si j'avais l'intelligence d'Einstein, je...
5. Si j'étudiais tout le temps, je...
6. Si je chantais bien, je...
7. Si j'étais Sherlock Holmes, je...
8. Si j'étais un éléphant, je...
9. Si j'habitais dans la lune, je...
10. Si j'étais professeur de français, je...

B. **Rêve et réalisation**. Voici l'occasion de définir votre rêve et de le remplir. La classe est divisée en deux groupes. Un groupe écrit une hypothèse avec un verbe à l'imparfait, c'est-à-dire une phrase commençant par **Si...** L'autre groupe écrit une phrase avec un verbe au conditionnel dont le sujet est **je...**

Plus les deux éléments sont absurdes, plus vous vous en souviendrez. (*The more absurd the two parts are, the better you will remember them.*)

Modèles: *Si j'étais un grand poète... je mangerais des concombres.*
Si j'étais pilote... je ferais le tour du monde.

C. **Faisons le ménage!** Etudiez le vocabulaire suivant.

balayer la cave	*to sweep the cellar*
cirer les parquets	*to wax the floor*
épousseter[2] les meubles	*to dust the furniture*
faire la cuisine	*to cook*
faire les lits	*to make the beds*
faire la vaisselle	*to wash the dishes*
passer l'aspirateur sur le tapis	*to vacuum the rug*
repasser les chemises	*to iron the shirts*
vider les ordures	*to empty the garbage*
une poubelle	*garbage can*

D. Maintenant complétez les phrases suivantes au temps convenable: imparfait ou conditionnel.

Modèle: Tu cirerais les parquets, si on (*venir danser*) chez toi.
Tu cirerais les parquets, si on venait danser chez toi.

1. Si la cave était sale, on la (*balayer*).
2. Si nous voulions apprécier les meubles, nous les (*épousseter*).
3. Je ferais la cuisine, si je (*avoir faim*).
4. Si votre lit était en désordre, vous le (*faire*).
5. Si nos assiettes étaient sales, nous (*faire*) la vaisselle.
6. Je (*passer*) l'aspirateur sur le tapis, s'il y avait des cendres.

[2] **Epousseter** is conjugated like **jeter**.

7. On (*vider*) les ordures, si les poubelles étaient pleines.
8. Si tu lavais les chemises, je les (*repasser*).
9. Si les fenêtres n'étaient pas propres, on les (*nettoyer*).
10. S'il y avait de la poussière (*dust*) sur les parquets, tu (*faire bien*) de passer l'aspirateur.

NOTE DE GRAMMAIRE 78

Les pronoms démonstratifs

1. A demonstrative pronoun may replace a noun preceded by a demonstrative adjective. The pronoun agrees in gender and number with the noun replaced. The forms of the demonstrative pronoun are:

	SINGULAR	PLURAL
MASCULINE	**celui**	**ceux**
FEMININE	**celle**	**celles**

2. A demonstrative pronoun cannot stand alone. The suffix **-ci** or **-là** may be added to the pronoun to express the notion of *this one* or *that one*:

J'aime **ce chat-ci**.	*I like **this cat**.*
J'aime **celui-ci**.	*I like **this one**.*
Nous allons à **cette école-là**.	*We go to **that school**.*
Nous allons à **celle-là**.	*We go to **that one**.*

3. The demonstrative pronoun may be followed by a prepositional phrase:

Il n'y a pas beaucoup de nez comme **celui de Cyrano de Bergerac**.	*There aren't many noses like **Cyrano de Bergerac's**.*
Voici votre livre et **celui de votre ami**.	*Here's your book and **your friend's**.*
Je connais **celle pour qui** vous travaillez.	*I know **the woman for whom** you are working.*

4. The demonstrative pronoun may be followed by **qui** or **que** and a relative clause:

Ceux qui mangent peu dorment bien.	***Those who** eat a little sleep well.*
Celui qui rit beaucoup reste en bonne santé.	***He who** laughs a lot stays in good health.*
Ceux qui courent le marathon sont en bonne forme.	***Those who** run in marathons are in good shape.*

Exercices de transformation

A. Rangeons nos vêtements!

Modèle: On met cette chemise-ci dans le tiroir.
              On met celle-ci dans le tiroir.

1. On descend ces valises-ci à la cave.
2. Vous placez ces robes-ci dans la penderie.
3. On va placer ces mouchoirs-ci dans cette armoire.
4. On range aussi cette ceinture-ci dans ce placard.

B. Un bon repas.

Modèle: Ces œufs sont bien cuits.
          Ceux-ci sont bien cuits.

1. Veux-tu me passer ces pommes frites-là?
2. Ce poulet-ci est délicieux.
3. Ce steak-ci n'a pas assez de poivre.
4. Cette viande-là n'a pas assez de sel.

C. Comparaisons.

Modèle: Ce chat-ci est aussi grand que ce chat-là.
          Celui-ci est aussi grand que celui-là.

1. Cette armoire-ci est plus petite que cette armoire-là.
2. Cet homme-ci est plus gros que cet homme-là.
3. Ces écoles-ci sont plus vieilles que ces écoles-là.
4. Ces messieurs-ci sont plus jeunes que ces messieurs-là.
5. Ce camion-ci est moins grand que ce camion-là.
6. Ces cravates-ci sont aussi jolies que ces cravates-là.

D. Choisissons une automobile!

Modèle: Laquelle aime-t-il? (*coûte le plus cher*)
          Celle qui coûte le plus cher.

1. Laquelle vas-tu acheter? (*roule le plus vite*)
2. Auxquelles avez-vous pensé? (*sont arrivées récemment*)
3. Desquelles parlez-vous? (*sont belles*)
4. A laquelle penses-tu? (*est la meilleure*)

E. Modèle: Quels fruits préférez-vous, ceux de l'épicier ou ceux du marché?
          Je préfère ceux de l'épicier.

1. Quels restaurants préférez-vous, ceux de Paris ou ceux de Bourges?
2. Quelles classes aimez-vous, celles de français ou celles d'anglais?
3. Quel métier choisirez-vous, celui de votre père ou celui de votre mère?
4. Quelle avenue voulez-vous prendre, celle de droite ou celle de gauche?

TRAVAUX PRATIQUES

Complétez les phrases suivantes par le pronom démonstratif convenable.

1. Défendez vos droits et respectez _____ autres.
2. Le plus fort n'est pas _____ est le plus riche.

3. Nous admirons _____ sont honnêtes.
4. _____ est arrivée P.D.G. a beaucoup travaillé.
5. _____ est institutrice enseigne les jeunes enfants.
6. _____ est programmeur travaille avec les ordinateurs.
7. _____ vous consultez à la banque vous aident à investir votre argent.
8. _____ on parle est la meilleure avocate de la ville.
9. _____ répondent à un incendie sont des pompiers.
10. _____ prépare de bons repas est une bonne cuisinière.

NOTE DE GRAMMAIRE 79

Pronoms sans antécédent défini

The relative pronouns that you learned in **Chapitre 14** all referred to clear antecedents. But some relative pronouns do not have specified antecedents. In such cases, **ce** is placed before the pronoun:

Qu'est-ce qui sent si bon?	*What smells so good?*
Ce qui sent bon est ton dîner.	***What** smells good is your dinner.*
Que dites-vous?	*What are you saying?*
Ce que je dis est intéressant.	***What** I am saying is interesting.*
De quoi parlez-vous?	*What are you talking about?*
Ce dont je parle ne vous regarde pas.	***What** I'm talking about is none of your business.*

Pronouns without antecedents need not appear at the beginning of a sentence:

Je sais **ce qui** est dans la boîte.	*I know **what's** in the box.*
Achètent-ils toujours **ce qu'**ils veulent?	*Do they always buy **what** they want?*
Il se demande **ce dont** elle a besoin.	*He's wondering **what** she needs.*
Elle ne dit jamais **à quoi** elle pense.	*She never says **what** she is thinking.*

Exercices de transformation

A. Incertain.

Modèle: Il pense à quelque chose.
        Mais je ne sais pas à quoi il pense.

1. Il parle de quelque chose.
2. Elles ont trouvé quelque chose là-bas.
3. Ils se sont lavés avec quelque chose.
4. Vous pouvez compter sur quelque chose.

B. Gardons un secret.

Modèle: Qu'est-ce que tu veux faire?
Je ne vais pas te dire ce que je veux faire.

1. De quoi as-tu envie?
2. Sur quoi as-tu mis le guide?
3. Qu'est-ce qui t'intéresse?
4. A quoi penses-tu?
5. Qu'est-ce qui te bouleverse?

TRAVAUX PRATIQUES

 A. Remplacez le nom antécédent par le pronom approprié.

Modèle: Vous voulez le trésor qui est dans la boîte.
Ce que vous voulez est dans la boîte.

1. Le trésor qui est dans la boîte coûte cher.
2. Le trésor que tout le monde désire est dans la boîte.
3. Elle pense au trésor qui est dans la boîte.
4. Tu as besoin du trésor qui est dans la boîte.
5. Le trésor que tu as trouvé est d'une grande valeur.

 B. Remplissez les blancs avec le pronom approprié.

Modèle: De quoi avez-vous besoin? _____ est en France.
Ce dont j'ai besoin est en France.

1. A quoi pensez-vous? _____ ne vous regarde pas.
2. De quoi vous souvenez-vous dans cet exercice? _____ est obscur.
3. A quoi réussit-on facilement? _____ n'est pas toujours désirable.
4. A quoi vous intéressez-vous? _____ a quatre jambes.
5. De quoi avez-vous peur? _____ est abominable.

 C. Faites une phrase en employant le pronom approprié.

Modèle: J'ai fini l'examen. Cela m'a fait plaisir.
J'ai fini l'examen, ce qui m'a fait plaisir.

1. J'ai appris toutes les leçons. Cela vous amuse.
2. Il a fait un bon travail. J'ai aimé cela.
3. J'ai fait une faute. Cela vous a irrité.
4. L'étudiant est en retard. Le prof n'aime pas cela.
5. Le prof m'a félicité. Mes amis l'ont appris.

 D. Remplissez les blancs par le pronom sans antécédent défini convenable.

1. Dis-moi _____ tu manges et je te dirai qui tu es.
2. _____ me gêne le plus c'est ceux qui mangent la bouche ouverte.

3. La lecture est _____ je préfère faire avant tout pour me décontracter.

4. Je ne sais pas _____ elle pense.

5. Il refuse de me dire _____ il a besoin.

6. _____ elle se souviendra est important.

7. _____ elle a réussi est particulièrement complexe.

NOTE DE GRAMMAIRE 80

Les verbes **rire** et **courir**

1. The irregular verb **rire** (*to laugh*) is conjugated as follows:

je **ris**	nous **rions**
tu **ris**	vous **rient**
il **rit**	ils **rient**
elle **rit**	elles **rient**
on **rit**	

IMPERATIF: **ris! rions! riez!**   FUTUR: je **rirai**

PASSE COMPOSE: j'**ai ri**   CONDITONNEL: je **rirais**

IMPARFAIT: je **riais**

Note the use of **rire** with **de**:

Henry **rit de** cette farce.   *Henry **laughs at** this farce.*

M. Fourchet **rit de** l'histoire.   *M. Fourchet **laughs over** the story.*

Sourire (*to smile*) is conjugated in the same way as **rire**.

2. The verb **courir** (*to run*) is conjugated as follows:

je **cours**	nous **courons**
tu **cours**	vous **courez**
il **court**	ils **courent**
elle **court**	elles **courent**
on **court**	

IMPERATIF: **cours! courons! courez!**   FUTUR: je **courrai**

PASSE COMPOSE: j'**ai couru**   CONDITIONNEL: je **courrais**

IMPARFAIT: je **courais**

Simples substitutions

A. 1. Je ris souvent. (*Nous rions, Vous riez, Elle rit, Tu ris, Ils rient*)

2. Si vous le disiez, nous en ririons. (*j'en rirais, ils en riraient, elle en rirait, vous en ririez*)

3. L'agent de police court après le pickpocket. (*Je cours, Les jeunes gens courent, Nous courons, Vous courez, Tu cours*)

Exercices de transformation

B. Modèle: Elle riait quand elle était heureuse. (*Vous*)
Vous riiez quand vous étiez heureuse.

(*Les enfants, La famille, Je, Le bébé, Nous*)

C. Modèle: Si nous courions après le voleur, nous l'arrêterions. (*Tu*)
Si tu courais après le voleur, tu l'arrêterais.

(*je, l'inspecteur, elles, on, vous*)

D. Modèle: Le chien court après le chat. (*demain*)
Le chien courra après le chat demain.

(*souvent, la nuit dernière, s'il était méchant, maintenant*)

TRAVAUX PRATIQUES

A. Faites des phrases logiques avec les mots suivants.

1. vous/rire/bien/lorsque/être/heureux
2. tortue/courir/après/lièvre
3. les badauds/courir/voir/accident/au coin/rue
4. les enfants/rire/quand/voir/clowns
5. chat/sourire/quand/avaler/canari (*canary*)

B. Posez des questions appropriées à ces réponses. Essayez de faire autant de questions que possible.

Modèle: On rit involontairement quand on voit quelqu'un tomber.
Quand rit-on involontairement?
Qu'est-ce qu'on fait quand on voit quelqu'un tomber?
Que fait-on quand on voit quelqu'un tomber?
Comment rit-on?

1. Les enfants courent après la balle.
2. Le professeur ne rit pas quand les étudiants se trompent.
3. Le chat court quand il sent son repas.
4. On rirait beaucoup si on voyait un film comique.
5. Nous avons souri quand nous avons appris les nouvelles.

C. Répondez aux questions générales.

1. Quel est le métier idéal?
2. Lequel semble être le plus prestigieux?
3. Qu'est-ce qui vous influencerait pour choisir un métier?
4. En quoi vous spécialisez-vous?
5. Pourquoi avez-vous choisi cette spécialité?
6. Est-ce que vos études actuelles vous préparent uniquement pour un métier particulier?

☞

7. Etes-vous content(e) de vos études?
8. Quels sont les problèmes que confrontent les immigrés?
9. Quel rôle la langue joue-t-elle dans cette situation?
10. Est-ce que vous êtes pour ou contre l'idée d'une langue officielle? Quels sont les avantages? Quels sont les désavantages?

MICROLOGUE: Introduction à « Prière d'un petit enfant nègre »[3]

Un petit enfant noir à la Guadeloupe ne veut plus aller à l'école des blancs. Il préférerait suivre son père dans **les ravines fraîches** et aller **pieds nus** sur les **sentiers brûlés**. Il ne voudrait pas devenir **pareil aux** messieurs de la ville. Il aimerait entendre les contes qu'un vieux monsieur raconte, ainsi que d'autres choses qu'on ne trouve pas dans les livres qu'on étudie à l'école. Il ne veut plus aller à l'école parce qu'on y enseigne des choses qui ne sont pas de son pays.

cool ravines
barefoot / burned paths
similar to

Questions

1. Qu'est-ce qu'un petit enfant noir ne veut plus faire?
2. Dans quel pays habite-t-il?
3. Qu'est-ce qu'il préférerait faire?
4. Qu'est-ce qu'il ne voudrait pas devenir?
5. Qu'aimerait-il continuer à écouter?
6. Pourquoi ne veut-il plus aller à l'école?

LECTURE: « Prière d'un petit enfant nègre » de Guy Tirolien

Guy Tirolien est né en 1917 à la Guadeloupe. Il a fait partie de **l'équipe** *Diop (voir le chapitre sur la Francophonie, p 524) avec qui il discutait des problèmes des noirs et rêvait d'Afrique à Paris. Après la libération de la France, il est parti en Afrique comme administrateur de* **la France d'outre-mer**. *Il est envoyé d'abord au Cameroun, puis au Soudan où il prend réellement contact avec les poètes africains. Là, l'exilé retrouvera ses vraies* **racines**.

team

France's overseas territories

roots

Seigneur
je suis très fatigué
je suis né fatigué
et j'ai beaucoup marché depuis **le chant du coq**

cockcrow

---

[3] « Prière d'un petit enfant nègre » est un poème très connu. Pour introduire ce poème difficile, le paragraphe d'introduction décrit la répugnance (*aversion*) d'un jeune enfant noir pour aller à l'école des blancs à la Guadeloupe parce qu'il ne veut pas devenir triste comme « les messieurs de la ville ».

Usine de sucre en Guadeloupe

5 et **le morne** est bien haut	*the hillock*
qui **mène** à leur école	*leads*

Seigneur je ne veux plus aller à leur école
faites je vous en prie que je n'y aille plus.

Je veux suivre mon père dans les ravines fraîches	
10 quand la nuit **flotte** encore **dans le mystère des bois**	*floats / in the mystery*
où **glissent** les esprits que **l'aube** vient **chasser**.	*of the woods*
	slide / dawn / to chase
Je veux aller pieds nus par les sentiers brûlés	
qui **longent** vers midi **les mares assoiffées**.	*border / thirsty ponds*

Je veux dormir ma **sieste** au pied des **lourds manguiers**.   *nap / heavy mango trees*

15 Je veux me réveiller	
lorsque là-bas **mugit** la sirène des blancs	*roars*
et que **l'usine**	*factory*
ancrée sur l'océan des **cannes**	*anchored / sugarcane*
vomit dans la campagne son **équipage** nègre.	*pours forth / crew*

20   Seigneur je ne veux plus aller à leur école
faites je vous en prie que je n'y aille plus.

Ils racontent qu'il faut qu'un petit nègre y aille	
pour qu'il devienne pareil	
aux messieurs de la ville	
25 aux messieurs **comme il faut**.	*proper*

mais moi je ne veux pas
  devenir comme ils disent
    un monsieur de la ville
      un monsieur comme il faut.

30   Je préfère **flâner le long des sucreries**   *to stroll along the*
        sugar factories
     où sont les sacs **repus**   *full*
     que **gonfle** un sucre brun   *swells*
     autant que **ma peau brune**.   *my brown skin*

     Je préfère
35   vers l'heure où **la lune amoureuse**   *the amorous moon*
     parle bas à l'oreille
     des **cocotiers penchés**   *leaning coconut trees*
     écouter ce que dit
     dans la nuit

40   **la voix cassée** d'un vieux qui raconte **en fumant**   *the broken voice / while*
        smoking
     les histoires de **Zamba**   *(characters in local*
        fables)
     et de compère **Lapin**
     et bien d'autres choses encore
     qui ne sont pas dans leurs livres.

45   Les nègres vous le savez n'ont que trop travaillé
     pourquoi faut-il de plus
     apprendre dans des livres
     qui nous parlent de choses qui **ne sont point** d'ici.   *are not*

     et puis
50   elle est vraiment trop **triste** leur école   *sad*
     triste comme
     ces messieurs de la ville
     ces messieurs comme il faut
     qui ne savent plus danser le soir **au clair de lune**   *in the moonlight*
55   qui ne savent plus marcher sur **la chair** de leurs pieds   *the flesh*
     qui ne savent plus conter les contes aux **veillées**—   *evening gatherings*

     Seigneur je ne veux plus aller à leurs écoles.

                            GUY TIROLIEN, *Balles d'or*
                            (Paris: Présence africaine, 1966)

DEBAT: POUR OU CONTRE?

La classe est divisée en deux: un groupe prend le parti pour, c'est-à-dire qui favorise le point de vue du petit enfant noir; l'autre prend le parti contre, c'est-à-dire qui s'oppose aux idées de l'enfant.

   Pour mieux défendre votre point de vue, chaque étudiant devra essayer de répondre aux questions ci-dessous:

   1. De quoi l'enfant a-t-il peur?
   2. Quelle est la prière de l'enfant?
   3. Que fait son père?

4. Qu'est-ce que pourrait être le mystère des bois?
5. Quand veut-il se réveiller?
6. Expliquez la métaphore décrite des lignes 16 à 19.
7. Comment peut-on définir « un monsieur comme il faut » ?
8. Pouvez-vous imaginer ce que la nuit pourrait lui dire?
9. Pourquoi ces livres n'intéressent-ils pas l'enfant noir?
10. Pourquoi l'école des messieurs est-elle triste?

Maintenant, pensez aux raisons pour lesquelles l'éducation est obligatoire dans la plupart des pays du monde. Alors, l'enfant a-t-il raison ou les messieurs de la ville ont-ils raison?

Après le débat, chacun aura l'occasion de s'exprimer sur le sujet.

 Création et récréation

A. Choix multiples. Choose the answer that best completes each item. Then explain why the other three choices do not make sense.

1. Le garçon à un client: « Comme boisson, je peux vous offrir du vin, de la bière, des jus de fruits et du whisky. _____ préférez-vous, monsieur? »

(a) Lequel   (b) Laquelle   (c) Lesquels   (d) Lesquelles

2. Si j'avais très soif, je boirais _____.

(a) une banane   (b) du verre   (c) de l'eau   (d) du pain

3. Si j'ai mal au nez, je vais chez le _____.

(a) prêtre   (b) charcutier   (c) médecin   (d) horloger

4. S'il faisait moins froid, _____.

(a) il essaie de nager   (b) je serai heureux de sortir   (c) j'ai porté mon manteau   (d) je serais plus content d'y aller

5. Quand le réveil sonne le matin, je _____.

(a) me réveille   (b) m'habille   (c) m'assieds   (d) me promène

6. Il est difficile de penser à « La Joconde » (*the Mona Lisa*) sans _____.

(a) sourire   (b) manger une pizza   (c) traverser l'Atlantique   (d) fermer les yeux

7. « Pardon, monsieur. A quelle heure commence le concert, s'il vous plaît? »

_____

(a) « Je n'ai pas le temps. »   (b) « Cela ne vous regarde pas. »   (c) « Allez faire votre lit! »   (d) « Je suis désolé, mais vous arrivez trop tard. »

B. *Monique continue la discussion avec sa famille sur les métiers d'hommes et de femmes.*

Coup d'œil

—— 76. The conditional is formed by adding the endings of the imperfect tense to the future stem. The endings of the imperfect are **-ais**, **-ais**, **-ait**, **-ions**, **-iez**, **-aient**: ——

Le prof savait qu'**ils parleraient** français.

—— Irregular verbs follow the same pattern as regular verbs. The imperfect endings are added to the future stem: ——

Je voudrais y aller avec vous.

—— 77. The sequence of tenses used in conditional sentences is determined by the tense of the verb in the result clause: ——

Si **elle parle**, j'écoute.   *If she speaks, I listen.*
Si **elle parle**, j'écouterai.   *If she speaks, I will*
                                       listen.

Si **elle parle**, écoutez!   *If she speaks, listen!*
Si **elle parlait**, j'écouterais.   *If she were to speak,*
                                       I would listen.

—— 78. Demonstrative pronouns replace nouns modified by demonstrative adjectives and agree in gender and number with the noun replaced. The demonstrative pronouns are **celui**, **ceux**, **celle**, **celles**. ——

—— A demonstrative pronoun cannot stand alone. The suffix **-ci** or **-là** is added to express the notion of *this one* or *that one*: ——

Elle préfère **cette voi-**   *She prefers **this auto-***
ture-ci, et moi, je   ***mobile,** and I prefer*
préfère **celle-là**.   ***that one**.*

—— A demonstrative pronoun may be followed by a prepositional phrase: ——

Il n'y a pas beaucoup   *There aren't many*
de nez comme **celui**   *noses like **Cyrano***
de Cyrano de Ber-   ***de Bergerac's**.*
gerac.

Voici votre livre et   *Here's your book and*
celui de votre ami.   ***your friend's**.*

A demonstrative pronoun may be followed by a relative clause:

Ceux qui mangent peu dorment bien.	***Those*** *who eat a little sleep well.*

79. Ce is placed before a relative pronoun that does not have a specific antecedent:

Ce qui sent bon est ton dîner.	***What*** *smells good is your dinner.*
Je sais **ce que** je veux.	*I know **what** I want.*
Ce dont vous parlez ne me regarde pas.	***What*** *you're talking about is none of my business.*
Je ne te dirai pas **à quoi** je pense.	*I will not tell you **what** I'm thinking about.*

80. Rire (*to laugh*) and **courir** (*to run*) are irregular verbs:

rire

je **ris**	nous **rions**
tu **ris**	vous **riez**
il **rit**	ils **rient**
elle **rit**	elles **rient**
on **rit**	

courir

je **cours**	nous **courons**
tu **cours**	vous **courez**
il **court**	ils **courent**
elle **court**	elles **courent**
on **court**	

IMPERATIF: **ris! rions! riez!**
cours! courons! courez!

PASSE COMPOSE: j'**ai ri**
j'**ai couru**

IMPARFAIT: je **riais**
je **courais**

FUTUR: je **rirai**
je **courrai**

CONDITIONNEL: je **rirais**
je **courrais**

VOCABULAIRE

VERBES

apporter
courir
emmener

gagner
plaisanter
rire

sourire

NOMS

les métiers (*m. pl.*) et les
    professions (*f. pl.*) (voir
    pp 405 et 406)
l'avocat/l'avocate
le chirurgien/la chirurgienne
le chômeur

la compétence
la curiosité
l'enthousiasme (*m.*)
la générosité
l'immigré(e)
l'infirmier/l'infirmière

l'intégrité (*f.*)
la manifestation
le respect
la sincérité

ADJECTIFS

agricole
économique

occidental
parfait

EXPRESSIONS UTILES

faire le ménage
faire erreur
faire plaisir
se mettre en colère

être reçu à un examen
passer un examen
préparer un examen
rater un examen

obtenir une bonne/mauvaise
    note
prendre des notes

CHAPITRE 17

Devant le gymnase

Itinéraire

In this chapter, you'll learn how to express necessity, will, judgment, emotion, doubt, and uncertainty. To help you accomplish this, you'll study the subjunctive, its regular and irregular forms and uses. You'll also find out how to use a French telephone. You'll be introduced to a Senegalese author and statesman, Léopold Sédar Senghor, and will read his account of how living in Paris helped him gain greater self-insight.

425

Scénario ....

PREMIERE ETAPE

ROBERT: Il faut que je rentre chez moi. J'essaierai de vous retrouver au café. Il est possible que je sois un peu en retard.

PIERRE: D'accord!

David sort du gymnase.

5 DAVID: Pourquoi Robert part-il come une flèche?

PIERRE: Il retourne chez lui. Allons au café!

Ils rencontrent Alain en route et l'invitent à les accompagner. Alain se présente à Henry et à Sylvie qui sont toujours au café.

PIERRE: Vous vous souvenez, pendant le match, quand...

10 SYLVIE: Ecoutez, vos histoires manquent d'intérêt. N'y a-t-il rien d'autre qui compte pour vous?

HENRY: Oh, si! Nous pourrions aussi bien former un orchestre.

SYLVIE: Ça vaudrait mieux.

DEUXIEME ETAPE

ROBERT: Aïe! Je me suis coupé! Il faut que je rentre chez moi. J'essaierai de vous retrouver au café. Il est possible que je sois un peu en retard. Sinon, je te téléphonerai.

PIERRE: D'accord!

5 *David sort du gymnase.*

DAVID: Pourquoi Robert part-il comme une flèche?

PIERRE: Il retourne chez lui pour se mettre un pansement. Allons au café!

Ils rencontrent Alain en route et l'invitent à les accompagner. Alain se présente à Henry et à Sylvie qui sont toujours au café.

10 PIERRE: Ah, bon! Vous voilà. Vous vous souvenez, pendant le match, quand...

SYLVIE: Ecoutez, j'en ai ras le bol d'entendre parler sports tout le temps. Vos histoires manquent d'intérêt. N'y a-t-il rien d'autre qui compte pour vous? N'avez-vous pas un violon d'Ingres, par exemple?[1]

---

[1] Notez bien le jeu de mots (*pun*): **un violon d'Ingres** est une activité que l'on aime faire en dehors de sa profession. Ingres, peintre célèbre, se délassait (*relaxed*) en jouant du violon.

HENRY: Oh, si! Tu tombes bien! Tous les membres de l'équipe jouent d'un instrument
15   de musique. Nous pourrions aussi bien former un orchestre.

SYLVIE: Ça vaudrait mieux et ça nous casserait moins les oreilles.

TROISIEME ETAPE

ROBERT: Aïe! Je me suis coupé! Il faut que je rentre chez moi. J'essaierai de vous
retrouver au café. Il est possible que je sois un peu en retard parce que je reviendrai
à pied. Sinon, je te téléphonerai pour te prévenir.

PIERRE: D'accord! Passe-moi un coup de fil! Je serai de retour chez moi vers 17
5   heures. J'ai un examen demain et il faut que j'étudie.

David sort du gymnase.

DAVID: Pourquoi Robert part-il comme une flèche?

PIERRE: Il était nécessaire qu'il retourne chez lui pour se mettre un pansement: il
s'est coupé. Allons au café! S'il le peut, il nous rejoindra plus tard.

10   *Ils rencontrent Alain en route et l'invitent à les accompagner. Alain se présente à Henry
et à Sylvie qui sont toujours au café.*

PIERRE: Ah, bon! Vous voilà. Vous vous souvenez, pendant le match, quand Robert
a fait une passe magnifique à David et que David l'a manquée? Quelle occasion
perdue!

15   SYLVIE: Ecoutez, j'en ai ras le bol d'entendre parler sports tout le temps. Vos histoires
manquent d'intérêt. N'y a-t-il rien d'autre qui compte pour vous? N'avez-vous pas
un violon d'Ingres, par exemple?

HENRY: Oh, si! Tu tombes bien! Tous les membres de l'équipe jouent d'un instrument
de musique. Robert joue de la trompette, Alain de la contrebasse, David de la
20   guitare, Louis du tambour et moi, je joue du piano. Alors, tu vois, nous pourrions
aussi bien former un orchestre.

SYLVIE: Ça vaudrait mieux et ça nous casserait moins les oreilles.

HENRY: Dans ce cas il nous faut un chef d'orchestre. Sylvie, es-tu candidate?

SYLVIE: Hi! Hi! Que c'est drôle!

Questions sur le scénario

1. Où Robert va-t-il? Pourquoi?
2. Comment Robert est-il parti?
3. Où Robert ira-t-il après?
4. Qui Pierre et David rencontrent-ils en allant au café?
5. Qui retrouvent-ils au café?
6. De quoi parlent-ils toujours?
7. Sylvie apprécie-t-elle leur sujet de conversation?
8. Ses amis ont-ils un autre intérêt?
9. Que pourraient-ils faire avec cet autre talent? Pourquoi?
10. Qu'en pense Sylvie et que propose Henry?

COIN CULTUREL: Les sports, les sons

1. Si on aime l'eau, on peut faire de la natation, du ski nautique, de la planche à voile (*windsurfing*), de la plongée sous-marine ou bien du patinage (*ice skating*) s'il y a un lac glacé ou une piste glacée (*ice rink*).

Dans les montagnes, les skieurs ont le choix entre le ski de fond (*cross-country skiing*) et le ski alpin (*downhill skiing*), ou ils peuvent même faire de la luge (*sledding*).

Pour faire une partie de tennis, il faut un court, un filet (*net*) et au moins deux joueurs avec des raquettes et des balles pour une partie en simple. Le serveur sert la balle et son adversaire la lui renvoie.

Le football (*soccer*) en France diffère du football américain. Il est joué avec un ballon rond auquel on ne touche pas avec les mains. Néanmoins (*Nevertheless*), tous les ans la France participe aux compétitions internationales de football américain.

2. Quand Robert se coupe la main, il s'écrie: « Aïe! Je me suis coupé! » Et plus tard, quand Henry propose Sylvie comme chef d'orchestre, elle éclate de rire: « Hi! Hi! Que c'est drôle! » Evidemment, les sons français diffèrent des sons anglais. Pour chacune des exclamations ci-dessous, essayer de déterminer ce qui se passe et de trouver le son équivalent anglais.

a. **Broum, broum,** le moteur démarre!
b. **Crac!** J'ai déchiré (*I tore*) mon pantalon sur le clou (*nail*).
c. **Drrring!** Il y a quelqu'un à la porte.
d. **Flic flac** font les gouttes (*drops*) d'eau en tombant sur le lac.
e. **Glouglou** fait le vin en s'échappant (*while coming out*) de la bouteille.
f. **Hi... !** fait le bébé qui vient de tomber!
g. **Hic!** J'ai le hoquet.
h. **Ouf!** Il est enfin parti!
i. **Ouille, ouille, ouille!** Nous nous sommes complètement trompés de route.
j. **Pan!** Un coup de feu éclate dans la nuit.
k. **Patatras!** Toute la vaisselle est par terre.
l. **Pin-pon!** C'est la sirène des pompiers. Il doit y avoir un feu.
m. **Pouah!** Que ce fruit est amer (*bitter*)!
n. **Tac, tac, tac!** fait la mitraillette.
o. **Teuf-teuf-teuf!** fait le moteur de la vieille voiture.
p. L'horloge fait **tic-tac! tic-tac!**
q. **Toc-toc-toc!** Qui est là?
r. **Trrring!** C'est le téléphone.
s. **Youpiiie!** Nous avons gagné!

Answers

a. an engine, b. ripping, c. the doorbell, d. raindrops on water, e. pouring, f. a baby crying, g. hiccups, h. relief, i. an unpleasant surprise, j. a gunshot, k. glass breaking, l. a siren, m. disgust, n. a burst of machine-gun fire, o. a sputtering engine, p. a clock, q. knocking on a door, r. a telephone ringing, s. a cheer.

Gestes

1. « **N, I, NI FINI! Bon débarras!** » (*"Good riddance!"*) is said while rubbing the palms of the hands, as though shaking dust from each.

« N, I, NI FINI! Bon débarras! »

2. « **Mon petit doigt me l'a dit** » (*"A little bird told me"*) is said while the speaker seems to listen to his small finger held to the ear. The gesture shows that one has an intuitive nature.

Proverbes

Il faut battre le fer quand il est chaud.   *Strike while the iron is hot.*

Il faut semer pour récolter.   *One must sow in order to harvest. (Reap what you sow.)*

VOCABULAIRE ILLUSTRE: Les sports et les instruments de musique

Je joue...

du piano.

de la guitare,

du violon.

de la trompette.

de la clarinette.

du saxophone.

du tambour.

Je joue...

au basketball.

au tennis.

au baseball.

aux cartes.

au football.

au golf.

Questions

1. Préférez-vous nager en piscine (*swimming pool*) ou dans la mer?
2. Faites-vous du ski nautique? de la planche à voile?
3. Aimez-vous faire du ski?
4. En faites-vous souvent?
5. Préférez-vous le ski de fond ou le ski alpin?
6. Savez-vous jouer au tennis?
7. Y jouez-vous souvent?
8. Aimez-vous mieux les jeux d'équipe? Lesquels?
9. Pour quelles raisons pratique-t-on un sport?
10. A votre avis, quel est le meilleur sport? Pourquoi?

Allons plus loin: Comment téléphoner?

Etudiez le vocabulaire.

décrocher *to pick up*	raccrocher *to hang up*
le récepteur *receiver*	un répondeur automatique
la tonalité *dial tone*	*answering machine*
composer *to dial*	se vend *is sold*
occupé *busy*	la fente *slot*
à l'appareil *on the phone*	qui vous restent *that you have left*
C'est de la part de qui?	une neuve *a new one*
Who's calling?	un téléphone à mémoire
un bruit *noise*	*phone with a memory*
Ne coupez pas! *Don't hang up!*	une touche de rappel *redial button*
par hasard *by chance*	un téléphone sans fil *cordless phone*
un faux numéro *wrong number*	de n'importe quelle pièce
je me suis trompé *I made a mistake*	*from any room*

TRAVAUX PRATIQUES ⁓⁓⁓⁓⁓⁓⁓⁓⁓⁓⁓⁓⁓⁓⁓⁓

A. Lisez et comprenez.

Si vous désirez téléphoner à quelqu'un, il vous suffit de décrocher le récepteur, d'attendre la tonalité et de composer le numéro.

Que peut-il se passer? Il y a trois possibilités:

1. La ligne est occupée. Il vous faudra retéléphoner dans quelques minutes.

2. Ça ne répond pas. Il vous faudra essayer un peu plus tard.

3. Ça sonne et quelqu'un dit: « Allô! » Alors, vous dites « Allô! Bonjour, puis-je parler à _____? » et si c'est votre correspondant, vous parlez.

Si c'est quelqu'un d'autre à l'appareil, mais votre correspondant est là, la personne dira: « Ne quittez pas! Je l'appelle! » ou « Un instant, s'il vous plaît! Je vais l'appeler! »

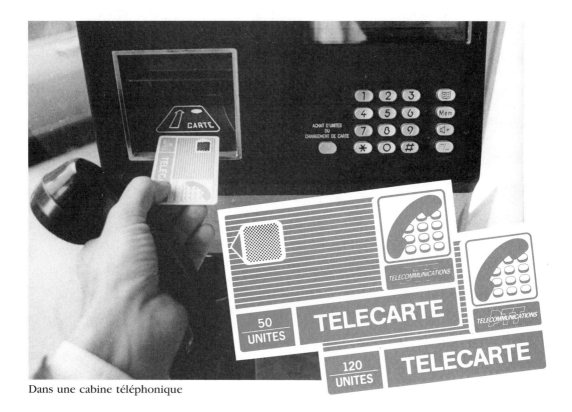

Dans une cabine téléphonique

Si votre correspondant n'est pas là, la personne à l'appareil vous demandera: « C'est de la part de qui? » Quand vous aurez donné votre nom, la personne vous dira: « Veuillez rappeler plus tard » ou vous demandera: « Voulez-vous laisser un message? »

Si vous entendez un bruit, vous dites: « Ne coupez pas, s'il vous plaît! » Si la communication est coupée pendant la conversation, vous pouvez réclamer et rede- mander le numéro à l'opératrice.

Si par hasard vous avez fait un faux numéro, vous direz: « Excusez-moi! Je me suis trompé. » Vous raccrocherez et composerez le bon numéro.

Il est possible que votre correspondant ne soit pas là mais qu'il ait un répondeur automatique. Dans ce cas-là, vous laisserez votre message après le « bip ».

Si vous devez téléphoner d'une cabine téléphonique, la meilleure solution sera d'avoir acheté une télécarte. Cette carte se vend à la poste et aux bureaux de tabac. Il y en a de 50 et de 120 unités. Les unités représentent non seulement le temps mais aussi la distance: le plus loin est votre correspondant, le plus rapidement dimi- nueront les unités de votre télécarte. Dans la cabine téléphonique, il vous suffit de décrocher le récepteur, d'introduire la carte dans la fente, d'attendre la tonalité et de composer le numéro. Un petit écran vous montre le nombre d'unités qui vous restent. A la dernière, vous avez le temps de retirer la carte et d'en mettre une neuve. A la fin de la conversation, après avoir raccroché, n'oubliez pas de reprendre votre carte.

Chez vous, vous n'avez peut-être plus besoin de composer le numéro de votre correspondant si vous avez un téléphone à mémoire. Cet appareil garde les numéros en mémoire et vous n'avez qu'à pousser une ou deux touches pour les retrouver. Il a peut-être aussi une touche de rappel qui refait le dernier numéro composé.

Si vous avez un téléphone sans fil, vous pouvez téléphoner chez vous de n'importe quelle pièce.

Il est encore possible que vous ayez un téléphone de voiture. Mais attention à qui paie la note!

 B. Maintenant, posez des questions à votre partenaire.

1. Vous êtes chez vous. Que pouvez-vous faire pour téléphoner?
2. Si la ligne est occupée ou si ça ne répond pas, que ferez-vous?
3. Ça sonne et quelqu'un dit: « Allô! » Que dites-vous?
4. Si ce n'est pas votre correspondant qui vous répond, qu'est-ce qui peut se passer?
5. Votre correspondant n'est pas là. Quelles options avez-vous?
6. Vous avez fait un faux numéro. Que ferez-vous?
7. Si votre correspondant a un répondeur automatique, que faites-vous?
8. Avez-vous un répondeur automatique? Si oui, pourquoi? Sinon, pourquoi pas?
9. Si vous devez téléphoner d'une cabine téléphonique, quelle est la meilleure solution?
10. A votre avis, la télécarte est-elle pratique?
11. Vous êtes dans une cabine téléphonique. Comment pouvez-vous téléphoner?
12. Qu'est-ce que c'est qu'un téléphone à mémoire? En avez-vous un? Est-ce pratique?
13. Avez-vous un téléphone sans fil? Avez-vous un téléphone de voiture?
14. Qui paie vos notes de téléphone?

 C. Vous êtes en France. Vous allez partir pour quelques jours et vous allez laisser un message sur votre répondeur. Quel sera le message? Y ajouterez-vous de la musique? Est-ce que le message dans votre répondeur sera comique? sérieux? court? Maintenant créez un message de chaque genre.

NOTE DE GRAMMAIRE 81

Le verbe **falloir**

The verb **falloir** is used only in the third person singular form as an impersonal expression of necessity or obligation. It is often accompanied by an indirect object pronoun and a noun:

Pour faire un sandwich, **il faut** du pain et du fromage.	*To make a sandwich, **one needs** bread and cheese.*
Il me faut une voiture.	*I **need** a car.*
Il te faut de l'argent.	*You **need** money.*

Falloir may also be followed by an infinitive. In such cases, it may be used to express general rules:

Il nous faut rentrer chez nous.   *We need to return home.*

Pour réussir dans la vie, **il faut tra-**   *To succeed in life, **one has to**
vailler dur.   ***work** hard.*

Il ne faut pas fumer en classe.   *You must not smoke in class.*

Other tenses of **falloir** are as follows:

PASSE COMPOSE: Hier, **il lui a fallu** rentrer   *Yesterday, **he had to** come
                  tôt.   back early.*

IMPARFAIT: **Il ne fallait pas** le faire.   *It wasn't necessary to do it.*

FUTUR: Demain, **il faudra** préparer   *Tomorrow, **it will be neces-**
                  l'examen.   ***sary** to prepare the test.*

CONDITIONNEL: **Il faudrait** partir maintenant   *We **would have to** leave now
                  pour arriver à temps.   to arrive in time.*

Simples substitutions

Choses dont nous avons besoin.

1. Il *me* faut de l'argent. (*te, vous, nous, lui, leur*)
2. Il *nous* faudra une mobylette. (*te, me, vous, leur, lui*)

TRAVAUX PRATIQUES ·–·–·–·–·–·–·–·–·–·–·–·–·–·–·–·–·–·–·–

Que faut-il pour faire les choses ci-dessous?

Modèle: Pour manger du steak, il faut...
            Pour manger du steak, il faut un couteau et une fourchette.

1. Pour manger de la soupe, il faut...
2. Pour porter un toast, il faut...
3. Pour payer un repas, il faut...
4. Pour aller au restaurant, il faut...
5. Pour aller en Europe, il faudrait...
6. Pour se reposer, il faut...
7. Pour se protéger contre le froid, il a fallu...
8. Pour nager, il faut...
9. Pour parler français, il faudra...

NOTE DE GRAMMAIRE 82

Le subjonctif et son emploi

1. The subjunctive stem of regular verbs and verbs like **dormir** can be found by dropping the **-ons** ending from the first person plural form of the present tense:

	FIRST PERSON PLURAL FORM	STEM FOR THE SUBJUNCTIVE
-er VERBS	nous **parl**ons	**parl-**
-ir VERBS	nous **finiss**ons	**finiss-**
-re VERBS	nous **vend**ons	**vend-**
VERBS LIKE **dormir**	nous **dorm**ons	**dorm-**

To the stems are added the subjunctive endings:
   -e, -es, -e, -ions, -iez, -ent

parler	**finir**
Il faut que je parl**e**.	... que je finiss**e**.
Il faut que tu parl**es**.	... que tu finiss**es**.
Il faut qu'il parl**e**.	... qu'il finiss**e**.
Il faut qu'elle parl**e**.	... qu'elle finiss**e**.
Il faut qu'on parl**e**.	... qu'on finiss**e**.
Il faut que nous parl**ions**.	... que nous finiss**ions**.
Il faut que vous parl**iez**.	... que vous finiss**iez**.
Il faut qu'ils parl**ent**.	... qu'ils finiss**ent**.
Il faut qu'elles parl**ent**.	... qu'elles finiss**ent**.

vendre	**dormir**
... que je vend**e**.	... que je dorm**e**.
... que tu vend**es**.	... que tu dorm**es**.
... qu'il vend**e**.	... qu'il dorm**e**.
... qu'elle vend**e**.	... qu'elle dorm**e**.
... qu'on vend**e**.	... qu'on dorm**e**.
... que nous vend**ions**.	... que nous dorm**ions**.
... que vous vend**iez**.	... que vous dorm**iez**.
... qu'ils vend**ent**.	... qu'ils dorm**ent**.
... qu'elles vend**ent**.	... qu'elles dorm**ent**.

2. The subjunctive is used in a subordinate clause when the main clause expresses urgency or necessity (**il faut, il est nécessaire, il est urgent**):

Il faut que vous l'**étudiiez**.	*You must learn it.*
Il est nécessaire que vous le **finissiez**.	*You must finish it.*

Note that the subject of the subordinate clause differs from the subject of the main clause.

3. The subjunctive is required in a subordinate clause when a verb expressing will or judgment (**aimer mieux, désirer, il est désirable, vouloir, avoir envie, préférer**) is in the main clause:

Nous voulons que vous vendiez la voiture.	*We want you to sell the car.*
Elle préfère que les enfants dorment toute la nuit.	*She prefers that the children sleep the whole night through.*

4. The subjunctive is required in a subordinate clause when a verb expressing doubt or uncertainty (**douter, ne pas être certain, ne pas être sûr**) is in the main clause:

Nous doutons qu'il remplisse le verre.	*We doubt that he will fill the glass.*
Elle n'est pas sûre que vous choisissiez la meilleure voiture.	*She isn't sure you will choose the best car.*

5. The subjunctive is used in a subordinate clause when a verb expressing an emotional state (**être content, être heureux, être désolé, être étonné, être furieux, être surpris, être triste, avoir peur, regretter**) is in the main clause:

Il est heureux que vous sortiez avec lui.	*He is happy that you are going out with him.*
Le chauffeur est furieux qu'on ne lui donne pas de pourboire.	*The driver is furious that they do not give him a tip.*

6. When the main clause and the subordinate clause have the same subject, the infinitive is used instead of the subjunctive. Compare:

Je veux continuer cette conversation.	*I want to continue this conversation.*
Je veux que tu continues cette conversation.	*I want you to continue this conversation.*
Il aime mieux partir seul.	*He prefers to go away alone.*
Il aime mieux que je parte seule.	*He prefers that I go away alone.*
Nous regrettons de finir en retard.	*We're sorry to finish late.*
Nous regrettons que tu finisses en retard.	*We're sorry that you're finishing late.*

7. There is no future subjunctive. The present subjunctive is used when a future time is indicated or implied:

Je regrette qu'elle ne vienne pas avec nous demain.	*I'm sorry that she will not come with us tomorrow.*
Pierre a peur que le film ne soit pas intéressant.	*Pierre is afraid that the film will not be interesting.*

Simples substitutions

A. Choses nécessaires en classe.

1. Il faut que *vous parliez* au professeur. (*nous parlions, tu parles, je parle, ils parlent, elle parle*)
2. Il est urgent que *vous finissiez* le devoir. (*je finisse, tu finisses, nous finissions, on finisse, ils finissent*)
3. Il est nécessaire que *vous rendiez* le devoir ce soir. (*nous rendions, tu rendes, je rende, il rende, elles rendent*)

Exercices de transformation

B. Achat de vêtements.

Modèle: Il faut que *tu* écoutes mes conseils. (*vous*)
     Il faut que vous écoutiez mes conseils

1. Il faut que *tu* choisisses les vêtements. (*il, elles, nous, je, vous*)
2. Il est nécessaire que *tu* achètes ces bottes-là. (*nous, vous, ils, il, je*)
3. Il faudrait que *tu* les mettes. (*vous, elle, je, nous, ils*)
4. Il vaut mieux que *je* donne l'argent à la vendeuse. (*nous, vous, on, tu, elle*)
5. Il faudra que tu portes le paquet. (*vous, ils, on, nous, je*)

C. Modèle: Il faut que *tu* cesses de parler. (*vous*)
         Il faut que vous cessiez de parler.

1. Il faut que *tu* commences à parler. (*vous, nous, ils, je, il*)
2. Je veux que *tu* répondes vite. (*nous, elle, ils, on, vous*)
3. Il est nécessaire que *tu* apprécies la vérité. (*elle, je, nous, ils, vous*)
4. Il aime que *vous* étudiiez les règles. (*je, nous, ils, tu, on*)

D. Modèle: Il doute que *vous* partiez à l'heure. (*je*)
         Il doute que je parte à l'heure.

1. Il doute que *vous* arriviez à l'heure. (*je, tu, nous, ils, elle*)
2. Nous ne sommes pas contents que *vous* sortiez tard. (*tu, on, vous, elles, il*)
3. Je ne suis pas sûr que *tu* rentres ce soir. (*vous, il, elle, ils, Mme Fourchet*)
4. Elle sera très fâchée que *vous* vous absentiez souvent. (*tu, je, nous, il, elles*)

E. Essayons de communiquer.

Modèle: Il perd son accent. (*Il faut que*)
     Il faut qu'il perde son accent.

1. Vous parlez souvent. (*Je suis content que*)
2. Vous étudiez le français. (*Il désire que*)
3. Tu finis le livre. (*Il est nécessaire que*)
4. Nous répondons correctement. (*Le professeur veut que*)

F. Nettoyage printanier.

Modèle: Nous lavons les couvertures. (*Il est désirable que*)
Il est désirable que nous lavions les couvertures.

1. Nous passons l'aspirateur sur le tapis. (*N'est-il pas content que*)
2. Ils vident les ordures. (*Il est surpris que*)
3. Elle cire le parquet. (*Nous ne sommes pas furieux que*)
4. Vous rangez les affaires. (*Nous sommes heureux que*)

G. Faisons de la musique.

Modèle: Vous jouez de la guitare. (*Le directeur veut que*)
Le directeur veut que vous jouiez de la guitare.

1. Vous aimez le violon. (*Je doute que*)
2. Nous étudions le piano. (*Elle veut que*)
3. Vous écoutez la clarinette. (*Il est heureux que*)
4. Vous choisissez de la bonne musique. (*Elle est contente que*)

H. **Modèle:** Vous oubliez souvent les noms de vos amis. (*Je regrette que*)
Je regrette que vous oubliiez souvent les noms de vos amis.

1. Vous ne travaillez pas bien. (*Nous sommes désolés que*)
2. Tu n'attends pas tes amis. (*Je suis triste que*)
3. Vous partez avant ce soir. (*Il veut que*)
4. Vous répondez toujours bien aux questions. (*Il doute que*)

NOTE DE GRAMMAIRE 83

Les subjonctifs irréguliers

1. The subjunctive stems of some irregular verbs are determined just like the stems of regular verbs—drop the **-ons** ending from the first person plural of the present tense:

INFINITIVE	FIRST PERSON PLURAL FORM	STEM FOR THE SUBJUNCTIVE
écrire	nous **écriv**ons	**écriv-**
dire	nous **dis**ons	**dis-**
connaître	nous **connaiss**ons	**connaiss-**
suivre	nous **suiv**ons	**suiv-**
vivre	nous **viv**ons	**viv-**
lire	nous **lis**ons	**lis-**
conduire	nous **conduis**ons	**conduis-**

2. The stems of **faire**, **pouvoir**, and **savoir** do not follow that rule:

INFINITIVE   STEM FOR THE SUBJUNCTIVE

faire   **fass-**
pouvoir   **puiss-**
savoir   **sach-**

3. The subjunctive forms of **être** and **avoir** are as follows:

être

que je **sois**	que nous **soyons**
que tu **sois**	que vous **soyez**
qu'il **soit**	qu'ils **soient**
qu'elle **soit**	qu'elles **soient**
qu'on **soit**	

avoir

que j'**aie**	que nous **ayons**
que tu **aies**	que vous **ayez**
qu'il **ait**	qu'ils **aient**
qu'elle **ait**	qu'elles **aient**
qu'on **ait**	

4. Some verbs have two different stems in the subjunctive. **Aller**, **boire**, **prendre**, **venir**, **voir**, and **vouloir** have one stem for the first and second persons plural and another for all singular forms and the third person plural:

aller	**venir** (and verbs like it)	**boire**
que j'**aille**	que je **vienne**	que je **boive**
que tu **ailles**	que tu **viennes**	que tu **boives**
qu'il **aille**	qu'il **vienne**	qu'il **boive**
qu'elle **aille**	qu'elle **vienne**	qu'elle **boive**
qu'on **aille**	qu'on **vienne**	qu'on **boive**
que nous **allions**	que nous **venions**	que nous **buvions**
que vous **alliez**	que vous **veniez**	que vous **buviez**
qu'ils **aillent**	qu'ils **viennent**	qu'ils **boivent**
qu'elles **aillent**	qu'elles **viennent**	qu'elles **boivent**

voir (and verbs like it)	**prendre** (and verbs like it)	**vouloir**
que je **voie**	que je **prenne**	que je **veuille**
que tu **voies**	que tu **prennes**	que tu **veuilles**
qu'il **voie**	qu'il **prenne**	qu'il **veuille**
qu'elle **voie**	qu'elle **prenne**	qu'elle **veuille**
qu'on **voie**	qu'on **prenne**	qu'on **veuille**
que nous **voyions**	que nous **prenions**	que nous **voulions**
que vous **voyiez**	que vous **preniez**	que vous **vouliez**
qu'ils **voient**	qu'ils **prennent**	qu'ils **veuillent**
qu'elles **voient**	qu'elles **prennent**	qu'elles **veuillent**

Simples substitutions

A. 1. Je suis surpris que *tu sois* encore ici. (*vous soyez, nous soyons, il soit, ils soient, Nicole soit*)
  2. Il est désirable que *vous ayez* confiance. (*nous ayons, elle ait, tu aies, ils aient*)
  3. Il faut que *vous alliez* à la pharmacie. (*nous allions, j'aille, il aille, ils aillent, tu ailles*)
  4. Il veut que *vous preniez* des médicaments. (*nous prenions, je prenne, tu prennes, ils prennent*)
  5. Il est nécessaire qu'*il boive* beaucoup d'eau. (*ils boivent, nous buvions, vous buviez, tu boives, je boive*)
  6. Il est urgent que *tu suives* les conseils du médecin. (*elle suive, nous suivions, vous suiviez, je suive, ils suivent*)

Exercices de transformation

B. Modèle: Elle préfère qu'*on* soit honnête. (*nous*)
    Elle préfère que nous soyons honnêtes.

  1. Elle préfère qu'*on* soit honnête. (*nous, vous, il, ils, tu*)
  2. Il doute que *nous* ayons de l'argent. (*vous, elle, je, tu, ils*)

C. Que faire avec des invités?

Modèle: Elle regrette que *je* les conduise chez moi. (*nous*)
    Elle regrette que nous les conduisions chez moi.

  1. Je doute que *tu* connaisses ces personnes. (*nous, vous, ils, il, on*)
  2. Elle désire que *je* le fasse. (*tu, nous, ils, vous, il*)
  3. Elle est surprise qu'*ils* viennent avec moi. (*nous, vous, tu, elles, on*)
  4. Elle insiste qu'*ils* conduisent à la maison. (*je, vous, elle, tu, nous*)

D. On n'aime pas le boudin.

Modèle: Mme Fourchet doute que *Robert* veuille du boudin. (*tu*)
    Mme Fourchet doute que tu veuilles du boudin.

  1. Mme Fourchet doute que *Robert* veuille du boudin. (*tu, nous, ils, je, vous*)
  2. Il faut qu'*il* en prenne un morceau. (*nous, je, vous, les garçons, tu*)
  3. Elle est triste que *vous* ne vouliez pas essayer. (*il, tu, les enfants, nous*)
  4. Elle est contente qu'*on* ne boive pas. (*les jeunes gens, je, mon père, tu, nous*)
  5. Les Fourchet veulent que *tu* reviennes dîner. (*je, nous, vous, les musiciens*)

TRAVAUX PRATIQUES ●◦

A. Remplissez les blancs par la forme convenable du verbe **être** ou **avoir**.

Pour réussir dans vos études il faut étudier. Il est nécessaire que vous _____ toujours
à l'heure pour la classe. Si vous n'êtes pas à l'heure, il sera désirable que le prof

_____ tolérant et qu'il _____ de la patience. On doute que vous puissiez réussir sans que vous _____ de bons résultats et de bonnes notes à vos examens.

B. Faites des phrases logiques avec les mots suivants, d'après le modèle. Employez le subjonctif.

Modèle: il faut/je/dans cette/prendre/initiative/affaire
Il faut que je prenne l'initiative dans cette affaire.

1. il est nécessaire/vous/écrire/ami(e)
2. on doute/il/savoir/vérité
3. il est urgent/elle/comprendre/ce qu'on dit
4. on veut/chauffeur/conduire/cette personne/jusqu'à la gare
5. nous voulons/ils/pouvoir/régler/affaires

NOTE DE GRAMMAIRE 84

Indicatif ou subjonctif?

1. It is necessary to distinguish between impersonal expressions that take the subjunctive in the subordinate clause and those that do not:

TAKE SUBJUNCTIVE	DO NOT TAKE SUBJUNCTIVE
Il est possible qu'il **vienne** demain.	Il est probable qu'il **viendra** demain.
Il est impossible...	Il est sûr...
Il est bon...	Il est évident...
Il est juste...	Il paraît...
Il est naturel...	Il est certain...
Il est normal...	Il est vrai...
Il est utile...	Il me semble...
Il semble...	

The expressions that take the subjective suggest that

$$\text{the idea} \begin{cases} \text{is possible} \\ \text{is impossible} \\ \text{is good} \\ \text{is just} \\ \text{is natural} \\ \text{is normal} \\ \text{is useful} \\ \text{seems} \end{cases} \text{that something } \textit{may} \text{ happen.}$$

The expressions that do not require the subjunctive indicate

the fact
$\left\{\begin{array}{l}\text{is probable}\\\text{is sure}\\\text{is evident}\\\text{appears}\\\text{is certain}\\\text{is true}\\\text{seems to me}\end{array}\right\}$
that something *is going* to happen.

2. When used in a negative statement or a question, the verbs **croire**, **penser**, and **espérer** suggest uncertainty. Consequently, the verb in the subordinate clause must be in the subjunctive:

AFFIRMATIVE:	**Je pense qu'il dit** la vérité.
NEGATIVE:	**Je ne pense pas qu'il dise** la vérité.
INTERROGATIVE:	**Penses-tu qu'il dise** la vérité?
AFFIRMATIVE:	**Je crois qu'il a** raison.
NEGATIVE:	**Je ne crois pas qu'il ait** raison.
INTERROGATIVE:	**Croyez-vous qu'il ait** raison?

Note: Negative interrogative sentences take the indicative:

Ne penses-tu pas qu'il dit la vérite?
Ne croyez-vous pas qu'il peut faire mieux?

Simples substitutions

A. 1. *Il est possible* que nous ayons cela. (*Il est naturel, Il est impossible, Il est bon, Il est juste, Il semble*)
   2. *Il est évident* qu'elle pourra le faire. (*Il me semble, Il est sûr, Il est certain, Il est probable, Il est fort évident*)

Exercices de transformation

B. **Modèle:** Cette actrice peut le faire. (*il est possible*)
   Il est possible que cette actrice puisse le faire.

1. La séance a commencé. (*Il est probable*)
2. Ce film sera un succès. (*Il est impossible*)
3. Elle écrit souvent des critiques. (*Il est naturel*)
4. Tu en connais un. (*Il est juste*)
5. Elle aime cela. (*Il semble*)
6. Il aime ce scénario. (*Il est impossible*)

C. Modèle: J'espère qu'il gagnera le prix à Cannes.
Espérez-vous qu'il gagne le prix à Cannes?

1. Je crois que nous devrons dire notre avis.
2. Je crois qu'il viendra à la séance.
3. Je pense qu'il nous entendra.
4. Je crois qu'on sera d'accord avec moi.
5. J'espère que nous verrons d'autres films.

D. Modèle: Vous préférez les films policiers. (*Pense-t-elle que*)
Pense-t-elle que vous préfériez les films policiers?

1. Vous préférez les films policiers. (*Croit-elle que, Ne pense-t-elle pas que, Elle espère que, Elle est sûre que*)
2. Vous détestez cet acteur. (*Elle ne croit pas que, On espère que, On n'est pas sûr que, On croit que*)
3. Ce film paraîtra bientôt. (*Nous croyons que, Tu penses que, N'espères-tu pas que, Ne crois-tu pas que*)
4. Le jeu sera bien mené. (*Elle ne croit pas que, Espère-t-il que, Elle pense vraiment que, Croyez-vous que*)

NOTE DE GRAMMAIRE 85

Emploi du subjonctif après des conjonctions

The subjunctive is used after certain conjunctions:

Bien qu'il soit essoufflé, il arrive à l'heure.	***Although he is*** out of breath, he *arrives on time.*
Afin qu'ils sachent que tu n'iras pas, téléphone-leur!	***In order that they'll know*** you *won't be going, phone them.*

Here are some other conjunctions that automatically require the subjunctive:

Quoiqu'il le **dise**, nous ne le croyons pas.	***Although he says*** it, we don't believe him.
Pour qu'il le **dise**, il faut qu'il ait du courage.	***To say*** it, he must have courage.
Jusqu'à ce qu'il le **dise**, nous ne ferons rien.	***Until he says*** it, we won't do anything.
En attendant qu'elle le **fasse**, nous ne ferons rien.	***While waiting for her to do*** it, we won't do anything.
A moins qu'elle n'en parle, nous ne ferons rien.[2]	***Unless she says*** something about it, we won't do anything.

[2] With **à moins que**, **avant que**, and **de peur que**, **ne** appears before the verb. This **ne** is not a negation.

Avant qu'il ne parte, il attendra le bon moment.

Pourvu qu'il le dise, nous en serons contents.

Sans qu'il le sache, elle est partie.

De peur que vous n'y alliez, il vous en parlera.

Before he leaves, he will wait for the right moment.

Provided that he says it, we will be happy.

Without his knowing it, she left.

For fear that you will go there, he will speak to you about it.

Simples substitutions

1. Je ferai le nécessaire *pour que tu le saches.* (*à moins que tu ne le saches, avant qu'elle ne parte, jusqu'à ce que vous puissiez le faire, quoiqu'il ne le veuille pas, en attendant qu'il vienne*)
2. Partons tout de suite *avant qu'il ne pleuve.* (*avant qu'il ne fasse mauvais, sans qu'il nous dise de le faire, pour que j'y sois en avance, quoiqu'elles nous fassent attendre*)

TRAVAUX PRATIQUES

A. Faites des phrases en employant les conjonctions données.

Modèle: Téléphone-lui! (*quoique/aller/travailler*)
Quoique tu ailles travailler, téléphone-lui!

1. Reste là! (*en attendant que/sortir*)
2. Ecris-lui! (*afin que/avoir de tes nouvelles*)
3. Ecoutons les disques! (*pourvu que/vouloir*)
4. Mangeons ensemble! (*à moins que/être en retard*)
5. Ne te dépêche pas! (*pour que/finir bien*)
6. Fais le travail! (*avant que/dire*)

B. Remplissez les blancs.

1. On a mis du poivre dans le lait de Francine sans qu'elle le (*savoir*) _____.
2. Je serai là, quoique vous ne le (*vouloir*) _____ pas.
3. Ce vin est mauvais, bien qu'on (*dire*) _____ le contraire.
4. J'attendrai à la gare jusqu'à ce que vous (*venir*) _____.
5. Si on jouait au tennis avant qu'il ne (*pleuvoir*) _____?
6. Nous pouvons sortir ensemble, à moins que tu n' (*avoir*) _____ trop de travail.
7. On gagne beaucoup d'argent, pourvu qu'on (*connaître*) _____ son métier.

C. Choisissez entre le subjonctif et l'indicatif.

Modèle: Arsène Lupin est tolérant bien qu'il (*être*) _____ impatient.
Arsène Lupin est tolérant bien qu'il soit impatient.

1. J'aurai froid dès que je (*arriver*) _____.
2. Nous pourrions nous réunir demain à moins que tu ne le (*vouloir*) _____pas.

3. Je me lève toujours après que le réveil (*sonner*) _____.
4. Il fera le nécessaire pour que vous y (*réussir*) _____.
5. Je ne te le dirai pas puisque tu le (*savoir*) _____ déjà.

D. Traduisez la conjonction indiquée et employez le subjonctif.

Modèle: Je ne peux pas faire la cuisine. On n'a pas acheté de nourriture. (*until*)
   Je ne peux pas faire la cuisine jusqu'à ce qu'on achète de la nourriture.

1. Vous ne réussirez pas à l'examen. Vous comprenez la matière. (*unless*)
2. Je n'irai pas faire les courses. Tu viens m'aider. (*until*)
3. Nous allons faire le ménage. Tout est propre. (*in order that*)
4. On veut te le dire. Tu partiras. (*before*)
5. J'essaie de sourire. Je suis de mauvaise humeur. (*although*)
6. Nous pourrons lui téléphoner. Nous achetons une télécarte. (*provided that*)
7. Je te dis de lire le livre. Tu apprendras beaucoup de choses. (*in order that*)
8. Robert est retourné chez lui. Je lui dis « au revoir ». (*without*)

E. Répondez aux questions générales.

1. Etes-vous membre d'une équipe sportive?
2. A quels sports jouez-vous?
3. Quel est le sport le plus important aux Etats-Unis?
4. Vous intéressez-vous au Tour de France?
5. Connaissez-vous le nom de l'Américain qui l'a gagné plusieurs fois?
6. Où les plus grandes compétitions de tennis se passent-elles au printemps?
7. Préférez-vous les Jeux olympiques d'été ou d'hiver?
8. Quelles sont les compétitions qui vous intéressent le plus?
9. Que préférez-vous, la lutte (*wrestling*) ou la boxe (*boxing*)?
10. Qui est la meilleure championne de tennis du monde?

MICROLOGUE: **Introduction à « La lumière de Paris »**[3]

Léopold Senghor nous décrit le Paris des années pendant lesquelles il était étudiant. Il a découvert la beauté physique et la
richesse culturelle de la ville. Il a su profiter de tout ce que la
ville avait à lui offrir. Il a fréquenté les théâtres, les musées, les
salles de concert et les salons d'art. Il y a éprouvé l'esprit de
Paris, le désir de connaître et d'**assimiler** tout pour créer et il a   *to assimilate*
fini par découvrir l'humanité. En **s'ouvrant** aux autres, Paris l'a   *opening up*
ouvert à la connaissance de lui-même.

---

[3] Dans le micrologue, Senghor décrit ce qu'il appelle « son expérience parisienne », c'est-à-dire l'influence
sur lui de son séjour à Paris. Cette influence est décrite plus complètement dans la lecture « La lumière
de Paris ».

Questions

1. Qu'est-ce que Léopold Senghor a découvert à Paris?
2. De quoi a-t-il su profiter?
3. Qu'est-ce qu'il a fréquenté à Paris?
4. Qu'est-ce qu'il a éprouvé à Paris?
5. Qu'est-ce qu'il a fini par découvrir?
6. A quoi Paris l'a-t-il ouvert?

LECTURE: « La lumière de Paris » de Léopold Senghor

*Léopold Sédar Senghor est né d'une famille riche au Sénégal en 1906. Il fait des études primaires chez les missionnaires et va ensuite au lycée à Dakar. Après le « bachot », il vient à Paris où il devient ami avec Georges Pompidou, le futur président de France. Il obtient une **agrégation** de grammaire française en 1935 et il enseigne dans différents lycées en France jusqu'à la deuxième guerre mondiale. Il sera mobilisé et restera prisonnier deux ans en Allemagne. En 1945, il s'engage dans la politique et **est élu** député du Sénégal. Cette même année il publie son premier **recueil** de poèmes qui contient un de ses poèmes les plus connus, « Femme noire » où il réhabilite la femme africaine.* — advanced degree / is elected / collection

*Au moment de l'indépendance du Sénégal en 1960, il devient son premier Président jusqu'en 1980, moment où il **cède** la place à son Premier ministre, Abdou Diouf. En 1983 il a été élu à l'Académie française. Il continue à écrire.* — yields

*Ayant vécu et ayant été éduqué dans les deux pays, il a gardé une personnalité ambiguë. Il n'a jamais vraiment renoncé à penser français et **pourtant** il a contribué fortement au début du Mouvement de la Négritude de 1934 à 1940, mouvement qui a réorienté les intellectuels noirs sur l'Afrique. Son style **a subi** une influence française, mais ses thèmes sont entièrement africains.* — yet / underwent

(...) De Paris j'ai connu, d'abord, les rues, **en touriste curieux**. Moins le Paris *by night* que la capitale **aux visages si divers** sous la lumière du jour. Ah! cette lumière que les fumées des usines n'arrivent pas à **ternir**. Blonde, bleue, grise, selon les — as a curious tourist / with such different faces / tarnish

5 saisons, les jours, les heures, elle reste toujours **fine** et **nuancée**, **éclairant** arbres et **pierres**, animant toutes choses de l'esprit de Paris... pour moi Paris, c'est d'abord cela: une ville — une symphonie de pierre — ouverte sur un paysage harmonieux d'eaux, de fleurs, de forêts et de **collines**. Paysage qui est pay- — delicate / varied / lighting / stones / hills

10 sage de **l'âme**, **à la mesure de l'homme**. — the soul / to the measure of man

Et **le tout** s'éclaire de la lumière de **l'Esprit**. Cet esprit de Paris, **exemplaire** de l'esprit français, a été l'objet de **ma quête**, durant mes années d'études. J'y ai mis une passion tout afri- — the whole / the (Holy) Spirit / typical / my quest

Léopold Sédar Senghor

caine: j'allais dire toute barbare. C'est, peut-être, **une lacune**,   *a failing*
15 j'ai fréquenté les théâtres et les musées, les salles de concert et
les salons d'art plus que les *night clubs*. Et il est vrai que l'on
nous offrait, souvent, des **chefs-d'œuvre** étrangers. C'est, pré-   *masterpieces*
cisément, un aspect de l'esprit de Paris, que cette **ouverture**   *opening to the World*
au Monde, que cette **recherche** de l'Autre. J'irai plus loin,   *seeking*
20 cette soif insatiable de connaître, cette volonté lucide d'assimiler
pour créer, voilà qui est **le sceau** de l'esprit de Paris, du **génie**   *the mark / genius*
français.

    Ce qui le distingue et fait sa valeur exemplaire, c'est que ce
génie est **choix créateur**. Rien ne **subsiste tel qu'il s'est**   *creative choice / is as it*
25 **présenté, avec sa sève et sa démesure**; tout **est ramené** à   *presents itself, with*
ses justes proportions, à sa mesure humaine. Tout y parle de   *its vigor (literally,*
l'homme et **tend à** l'homme, tout s'y accomplit comme expres-   *sap) and its unbri-*
sions de **l'Esprit**, qui est **esprit** de l'homme. (...)   *dled nature / is*
    brought back
    Cependant, la plus grande leçon que j'ai reçue de Paris est   *leads to*
30 moins la découverte des autres que de moi-même. En m'ouvrant   *the Mind / spirit*
aux autres, **la métropole** m'a ouvert à la connaissance de moi-
même.   *the capital*

LEOPOLD SEDAR SENGHOR
Réponse au Président du Conseil municipal à la
réception à l'Hôtel de Ville de Paris, 20 avril 1961.
Extrait de *Poètes d'aujourd hui* (Paris: Pierre Seghers, 1961)

Questions

1. Avez-vous jamais eu une expérience semblable à celle de Léopold Senghor? Si oui, où et quand? Décrivez-la avec autant de détails que possible.
2. Quand vous visitez une ville en tant que touriste, lisez-vous des guides à l'avance pour vous renseigner sur la ville ou préférez-vous y aller à l'aventure (*at random*)? Donnez vos raisons.

Création et récréation

A. Décrivez les qualités les plus importantes d'un athlète ou d'un musicien.

B. Faisons un peu d'aérobique! Vous allez donner l'exemple de chaque exercice ci-dessous à vos camarades qui vous imiteront: marchez / avancez de deux pas / reculez de trois pas / étirez-vous (*stretch*) / pliez (*bend*) les jambes / faites un pas à droite / faites un pas à gauche / couchez-vous / rentrez le ventre / inspirez (*breathe in*) / expirez (*breathe out*) / relevez-vous / sautez sur place / joggez autour de la salle de classe / etc.

C. *Monique rencontre un de ses amis américains au foyer des étudiants* (student center). *Ils commandent des boissons et ils parlent du dernier match de basket (ou d'un autre sport)...*

Coup d'œil

OUI   NON

_____ 81. The verb **falloir** is used only in the third person singular:

PRESENT: il **faut**   FUTUR: il **faudra**

PASSE COMPOSE: il **a fallu**   CONDITIONNEL: il **faudrait**

IMPARFAIT: il **fallait**

_____ **Il faut** used with an indirect object pronoun means *to need*:

Il me faut de l'argent.   *I need some money.*

Il me faudra de l'argent.   *I will need some money.*

It may also be followed by an infinitive:

Il ne faut pas fumer en classe.   *One must not smoke in class.*

82. The subjunctive stem of regular verbs and verbs like **dormir** is determined by the first person plural of the present indicative minus the **-ons** ending:

nous **parl**ons → **parl-**   nous **vend**ons → **vend-**
nous **finiss**ons →   nous **dorm**ons → **dorm-**
finiss-

The subjunctive endings are **-e**, **-es**, **-e**, **-ions**, **-iez**, **-ent**.

The subjunctive is used in the subordinate clause (the part of the sentence that begins with **que**) when the main clause expresses:

URGENCY: Il faut que vous le **choisissiez.**
VOLITION: Je veux que vous le **choisissiez.**
DOUBT: Je doute que vous le **choisissiez.**
EMOTION: Je suis content que vous le **choisissiez.**

There is no future subjunctive. The present subjunctive is used when a future time is indicated or implied:

Je suis heureux que   *I am happy that **you***
   tu viennes demain.   ***will come** tomor-*
                                 row.

83. Irregular verbs form the subjunctive in various ways.

a. Some are formed like the regular verbs by dropping **-ons** from the present tense **nous** form:

INFINITIVE	STEM
écrire	**écriv-**
dire	**dis-**
connaître	**connaiss-**
suivre	**suiv-**
vivre	**viv-**
s'asseoir	**assey-**
conduire	**conduis-**

b. **Faire**, **pouvoir**, and **savoir** have these stems:

faire	**fass-**
pouvoir	**puiss-**
savoir	**sach-**

c. **Etre** and **avoir** are conjugated as follows:

être

que je **sois**	que nous **soyons**
que tu **sois**	que vous **soyez**
qu'il **soit**	qu'ils **soient**
qu'elle **soit**	qu'elles **soient**
qu'on **soit**	

avoir

que j'**aie**	que nous **ayons**
que tu **aies**	que vous **ayez**
qu'il **ait**	qu'ils **aient**
qu'elle **ait**	qu'elles **aient**
qu'on **ait**	

d. Some verbs have two different stems in the subjunctive. **Aller, boire, prendre, venir, voir,** and **vouloir** have one stem for the first and second persons plural and another for all singular forms and the third person plural:

aller

que j'**aille**	que nous **allions**
que tu **ailles**	que vous **alliez**
qu'il **aille**	qu'ils **aillent**
qu'elle **aille**	qu'elles **aillent**
qu'on **aille**	

84. Some impersonal expressions require the subjunctive and others do not. Among those that do take the subjunctive are:

Il est bon
Il est possible
Il est impossible

The following do not take the subjunctive:

Il est probable
Il est sûr
Il me semble

The verbs **croire, penser,** and **espérer** suggest uncertainty when used in a negative sentence and thus take the subjunctive:

AFFIRMATIVE: **Je pense** qu'**il dit** la vérité.
NEGATIVE: **Je ne pense pas** qu'**il dise** la vérité.

85. The subjunctive is used automatically after certain conjunctions:

Bien qu'il soit essouf-flé...	*Although out of breath* . . .
Jusqu'à ce qu'il le dise...	*Until he says it* . . .
A moins qu'il ne le **prenne**...	*Unless he takes it* . . .
Quoiqu'il le dise...	*Although he says it* . . .
En attendant qu'elle le fasse...	*While waiting for her to do it* . . .

VOCABULAIRE

VERBES

falloir

jouer à / jouer de

(se) présenter

valoir mieux

NOMS

les instruments de musique
   (voir p 430)

les sports (voir p 431)

la blessure

le bruit

le chef d'orchestre

la contrebasse

la coupure

l'équipe (f.)

le filet

la luge

le match

la natation

le pansement

le patinage

le ski

ADJECTIFS

artistique

magnifique

CONJONCTIONS

suivies du subjonctif (voir pp
   444 et 445)

EXPRESSIONS UTILES

expressions impersonnelles
   suivies du subjonctif (voir
   pp 436, 437 et 442)

arriver fort à propos

en avoir ras le bol

il est désirable

il est urgent

il suffit de

passer un coup de fil

le ski alpin

le ski de fond

tout le temps

CHAPITRE 18

Au cinéma

Itinéraire

Now you'll learn a bit about going to the movies in France and find out about the European Community and its benefits for students and workers. You'll also review the subjunctive and study the irregular verbs **devoir** (*to owe, ought to*), **recevoir** (*to receive*), and **pleuvoir** (*to rain*), two uses of the infinitive, and the formation and uses of the present participle. At the end of the chapter, you'll read an excerpt from a mystery novel by the Belgian writer Georges Simenon.

Scénario ....

PREMIERE ETAPE

Au Lux on passe un film policier.

HENRY: J'aime ce genre de films.

PIERRE: Moi pas! Ils sont comme tous les films américains et je n'en aime aucun.

SYLVIE: On réfléchit avant d'ouvrir la bouche. Donne-nous au moins une bonne
5   raison!

PIERRE: Il y a trop de violence, il n'y a pas assez de psychologie et les acteurs ne
savent pas jouer.

FRANCINE: Nos films ne sont guère différents.

HENRY: Ça va, ça va. Allons-y! Je ne crois pas qu'il soit si difficile de se mettre
10   d'accord.

Après la séance...

HENRY: Alors, tu as changé d'avis maintenant?

PIÉRRE: Absolument pas!

SYLVIE: J'ai peur que tu n'exagères. Tu me fais rire.

15 MARGUERITE: Il faut que tu comprennes le but du film.

PIERRE: Il semble que le metteur en scène n'en ait pas eu.

SYLVIE: Moi, j'ai aimé le film.

MARGUERITE: Chacun à son goût.

DEUXIEME ETAPE

Au Lux on passe un film policier.

HENRY: J'aime ce genre de films. J'adore le suspense.

PIERRE: Moi pas! Ils sont comme tous les films américains et je n'en aime aucun.

SYLVIE: On réfléchit avant d'ouvrir la bouche. Donne-nous au moins une bonne
5   raison!

PIERRE: Il y a trop de violence, il n'y a pas assez de psychologie et si les acteurs sont
beaux, ils ne savent pas jouer.

FRANCINE: C'est plutôt idiot, ce que tu racontes là, non? Nos films ne sont guère
différents.

10 HENRY: Ça va, ça va. Ne vous emballez pas! Allons-y! Je ne crois pas qu'il soit si
difficile de se mettre d'accord. Nous discuterons après.

Après la séance...

HENRY: Alors, tu as changé d'avis maintenant que tu as vu le film?

PIERRE: Absolument pas!

15 SYLVIE: J'ai peur que tu n'exagères. Tu me fais rire.

MARGUERITE: Il faut que tu comprennes le but du film.

PIERRE: Il semble que le metteur en scène n'en ait pas eu.

SYLVIE: Moi, j'ai aimé le film. Le jeu était bien mené et les acteurs étaient tout à fait dans la peau de leurs personnages.

20 MARGUERITE: Chacun à son goût.

TROISIEME ETAPE

Au Lux on passe un film policier.

HENRY: J'aime ce genre de films. J'adore le suspense.

PIERRE: Moi pas! Ils sont comme tous les films américains et je n'en aime aucun.

SYLVIE: On réfléchit avant d'ouvrir la bouche. Donne-nous au moins une bonne
5 raison!

PIERRE: Il y a trop de violence, il n'y a pas assez de psychologie et si les acteurs sont beaux, ils ne savent pas jouer.

FRANCINE: C'est plutôt idiot, ce que tu racontes là, non? Nos films ne sont guère différents. Tu sembles avoir des idées très arrêtées sur le sujet!

10 HENRY: Ça va, ça va. Ne vous emballez pas! Allons-y! Ça ne vaut pas la peine de discuter et je ne crois pas qu'il soit si difficile de se mettre d'accord. Nous discuterons après le film.

Après la séance...

HENRY: Alors, tu as changé d'avis et perdu tes préjugés maintenant que tu as vu le
15 film?

PIERRE: Ce ne sont pas des préjugés. Et je n'ai absolument pas changé d'avis. Ces films sont des navets!

SYLVIE: J'ai peur que tu n'exagères. Tu me fais rire.

MARGUERITE: Il faut que tu comprennes le but du film.

20 PIERRE: Mais justement, il semble que le metteur en scène n'en ait pas eu. Par contre, j'ai beaucoup aimé le film documentaire sur la Communauté européenne. Là, j'ai pu apprécier un film sur un phénomène qui nous touche tous.

SYLVIE: Moi, j'ai aimé le film principal. Le jeu était bien mené et les acteurs étaient tout à fait dans la peau de leurs personnages.

25 MARGUERITE: (*taquinant Pierre*) Heureusement, il sort assez de films chaque année pour que les goûts sophistiqués de Pierre soient tout de même satisfaits. Chacun à son goût.

Questions sur le scénario

1. Quel genre de film passe-t-on au Lux?
2. Est-ce au goût de Pierre? Aime-t-il ce genre?
3. Comment Pierre définit-il le genre américain?
4. Francine est-elle d'accord?
5. Henry prend-il parti (*does he take sides*) dans la discussion?

6. Pierre change-t-il d'avis après le film?
7. Quelle est la réaction de Sylvie?
8. Sylvie a-t-elle aimé le film? Pourquoi?
9. Quelle est la conclusion de Marguerite?
10. Quel genre de films est-ce que Pierre préfère?

COIN CULTUREL: Se divertir au cinéma

Un film peut être psychologique, **d'espionnage**, d'horreur ou *spy movie*
d'épouvante, policier, ou de science-fiction. Pour faire un film,
il faut tout d'abord beaucoup d'argent. De nos jours un film peut
facilement coûter des millions de dollars. La personne qui est
responsable de trouver l'argent s'appelle **le producteur** ou **la** *producer*
productrice. Mais avant tout il faut un bon **scénario**. L'auteur *screenplay*
du scénario s'appelle **le/la scénariste**. On cherche un bon **met-** *scriptwriter / director*
teur en scène (**le réalisateur/la réalisatrice**) qui est respon-
sable de **la mise en scène** de l'histoire. C'est cette personne *production*
qui s'occupe du décor, de la photo et du **jeu** des acteurs et des *acting*
actrices qui font partie de **la distribution**. On trouve leurs noms *cast*
sur **le générique**. Avant de paraître sur **les écrans**, le film est *credits / screens*
monté soigneusement, **la bande sonore** est insérée avec la *edited / sound track*
musique appropriée, **l'éclairage** est réjusté — en un mot, il faut *lighting*
que tout soit mis au point. La publicité est organisée même avant
que la production ne commence. C'est un processus compliqué, long, coûteux. Si le film ne réussit pas à cause des
mauvaises critiques, il risque d'échouer au box-office et c'est ce
qu'on appelle **un navet**. Souvent, en dépit des réactions des *a flop*
critiques, le film peut **faire un tabac**. *be a hit*

Aux Oscars on cite les lauréats dans les catégories suivantes:

Film
Acteur, actrice
Second rôle masculin, second rôle féminin
Réalisateur
Scénario original, adaptation
Film en langue **étrangère**   *foreign*
Décors, photo, *costumes*
Effets spéciaux, **montage**   *editing*
Maquillage, musique originale, son   *makeup*
Documentaire, **court métrage** d'animation, court métrage   *short subject*
  de fiction

TRAVAUX PRATIQUES

 A. Décrivez un aspect d'un film que vous avez vu récemment. Choisissez l'interprétation des acteurs et des actrices, le décor, la photo, la bande sonore, la musique ou autre chose.

 B. Débat. La classe est divisée en deux groupes, le parti pour et le parti contre, qui discutent la question suivante: Est-ce que le drame est mieux respecté au théâtre ou au cinéma en général?

 C. Choisissez le meilleur candidat de cette année dans chaque catégorie des Oscars et donnez les raisons pour votre choix.

Gestes

1. « **La ferme!** » (a strong way of saying *"Shut up!"*) is said while closing four fingers against the thumb and opening and closing them rapidly. It has many synonyms: « **Tais-toi!** » « **Ta bouche!** » and « **Ferme-la!** » are some of them.

« La ferme! Tais-toi! »

2. « **En mettre sa main au feu** » or « **en mettre sa main à couper** » (*"To be willing to swear to it"*) is said while extending an arm in front of one's body.

Proverbes

C'est en forgeant qu'on devient forgeron! *Practice makes perfect.*
L'appétit vient en mangeant. *The more you get, the more you want.*

VOCABULAIRE ILLUSTRE: Au cinéma ou au théâtre?

Au cinéma on passe...

un dessin animé.

un film en version originale (v.o.).

un film doublé.

un documentaire.

Au théâtre on peut voir...

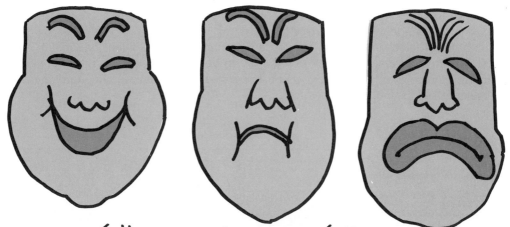

une comédie,   une tragi-comédie,   une tragédie,

une revue
musicale,   une opérette,   un ballet.

TRAVAUX PRATIQUES

Etudiez la page des spectacles. Les films que l'on passe en France sont présentés avec leurs nationalités, indiquées par des abbréviations. Par exemple, A = américain, Brit = anglais, Can = canadien, Esp = espagnol, Sov = russe. Il est facile de deviner (*figure out*) la nationalité des autres films.

Identifiez quelques-uns des films sur le programme: indiquez leur nationalité et si c'est un film en version originale (V.O.) ou en version française (V.F.). Trouvez le nom du cinéma, l'arrondissement où on le passe et le numéro de téléphone pour se renseigner sur les heures des séances.

04-67) ; UGC Lyon Bastille, 12ᵉ (43-43-01-59) ; Fauvette, 13ᵉ (43-31-56-86) ; Mistral, 14ᵉ (45-39-52-43) ; Pathé Montparnasse, 14ᵉ (43-20-12-06) ; UGC Convention, 15ᵉ (45-74-93-40) ; Pathé Wepler, 18ᵉ (45-22-46-01) ; Le Gambetta, 20ᵉ (46-36-10-96).

COMME UN OISEAU SUR LA BRANCHE (A., v.o.) : Forum Orient Express, 1ᵉʳ (42-33-42-26) ; Pathé Hautefeuille, 6ᵉ (46-33-79-38) ; Pathé Marignan-Concorde, 8ᵉ (43-59-92-82) ; UGC Biarritz, 8ᵉ (45-62-20-40) ; v.f. : Rex, 2ᵉ (42-36-83-93) ; Paramount Opéra, 9ᵉ (47-42-56-31) ; Fauvette Bis, 13ᵉ (43-31-60-74) ; Pathé Montparnasse, 14ᵉ (43-20-12-06) ; Pathé Clichy, 18ᵉ (45-22-46-01).

CRIMES ET DÉLITS (A., v.o.) : Reflet Logos II, 5ᵉ (43-54-42-34) ; Cinoches, 6ᵉ (46-33-10-82).

CRY-BABY (A.) : UGC Rotonde, 6ᵉ (45-74-94-94) ; Le Triomphe, 8ᵉ (45-74-93-50).

CYRANO DE BERGERAC (Fr.) : Forum Orient Express, 1ᵉʳ (42-33-42-26) ; Le Triomphe, 8ᵉ (45-74-93-50) ; Sept Parnassiens, 14ᵉ (43-20-32-20).

DADDY NOSTALGIE (Fr.) : UGC Montparnasse, 6ᵉ (45-74-94-94) ; Le Triomphe, 8ᵉ (45-74-93-50).

DICK TRACY (A., v.o.) : Forum Horizon, 1ᵉʳ (45-08-57-57) ; UGC Odéon, 6ᵉ (42-25-10-30) ; Pathé Marignan-Concorde, 8ᵉ (43-59-92-82) ; UGC Normandie, 8ᵉ (45-63-16-16) ; Max Linder Panorama, 9ᵉ (48-24-88-88) ; La Bastille, 11ᵉ (43-07-48-60) ; Kinopanorama, 15ᵉ (43-06-50-50) ; v.f. : Rex, 2ᵉ (42-36-83-93) ; UGC Montparnasse, 6ᵉ (45-74-94-94) ; Paramount Opéra, 9ᵉ (47-42-56-31) ; v.f. : UGC 43-04-67) ; UGC Lyon Bastille, 12ᵉ (43-43-01-59) ; UGC Gobelins, 13ᵉ (45-61-94-95) ; Mistral, 14ᵉ (45-39-52-43) ; Pathé Montparnasse, 14ᵉ (43-20-12-06) ; UGC Convention, 15ᵉ (45-74-93-40) ; Pathé Wepler, 18ᵉ (45-22-46-01) ; Le Gambetta, 20ᵉ (46-36-10-96).

LES FILMS NOUVEAUX

LES ARMES DE L'ESPRIT. Film français de Pierre Sauvage : Le Saint-Germain-des-Prés, Salle G. de Beauregard, 6ᵉ (42-22-87-23).

CASTE CRIMINELLE. Film français de Yolande Zauberman, v.o. : Utopia Champollion, 5ᵉ (43-26-84-65).

HENRY & JUNE. (*) Film français de Philip Kaufman, v.o. : Gaumont Les Halles, 1ᵉʳ (40-26-12-12) ; Pathé Impérial, 2ᵉ (47-42-72-52) ; 14 Juillet Odéon, 6ᵉ (43-25-59-83) ; Publicis Saint-Germain, 6ᵉ (42-22-72-80) ; UGC Champs-Elysées, 8ᵉ (45-62-20-40) ; 14 Juillet Bastille, 11ᵉ (43-57-90-81) ; Escurial, 13ᵉ (47-07-28-04) ; Gaumont Parnasse, 14ᵉ (43-35-30-40) ; Gaumont Alésia, 14ᵉ (43-27-84-50) ; 14 Juillet Beaugrenelle, 15ᵉ (45-75-79-79) ; v.f. : UGC Opéra, 9ᵉ (45-74-95-40) ; Les Montparnos, 14ᵉ (43-27-52-37) ; Gaumont Convention, 15ᵉ (48-28-42-27) ; Pathé Wepler II, 18ᵉ (45-22-47-94).

PROMOTION CANAPÉ. Film français de Didier Kaminka : Gaumont Les Halles, 1ᵉʳ (40-26-12-12) ; Rex, 2ᵉ (42-36-83-93) ; UGC Odéon, 6ᵉ (42-25-10-30) ; Gaumont Ambassade, 8ᵉ (43-59-19-08) ; George V, 8ᵉ (45-62-41-46) ; Saint-Lazare-Pasquier, 8ᵉ (43-87-35-43) ; Pathé Français, 9ᵉ (47-70-33-88) ; Les Nation, 12ᵉ (43-43-04-67) ; UGC Lyon Bastille, 12ᵉ (43-43-01-59) ; Fauvette Bis, 13ᵉ (43-31-60-74) ; Gaumont Alésia, 14ᵉ (43-27-84-50) ; Miramar, 14ᵉ (43-20-89-52) ; Pathé Montparnasse, 14ᵉ (43-20-12-06) ; Gaumont Convention, 15ᵉ (48-28-42-27) ; Pathé Clichy, 18ᵉ (45-22-46-01).

SEX & PERESTROIKA. (*) Film français de François Jouffa et Francis Leroi, v.o. : Forum Orient Express, 1ᵉʳ (42-33-42-26) ; George V, 8ᵉ (45-62-41-46) ; v.f. : Pathé Français, 9ᵉ (47-70-33-88) ; Fauvette, 13ᵉ (43-31-56-86) ; Pathé Wepler II, 18ᵉ (45-22-47-94).

HALFAOUINE (Fr.-Tun., v.o.) : Ciné Beaubourg, 3ᵉ (42-71-52-36) ; Saint-André-des-Arts II, 6ᵉ (43-26-80-25) ; Les Trois Balzac, 8ᵉ (45-61-10-60) ; UGC Opéra, 9ᵉ (45-74-95-40) ; La Bastille, 11ᵉ (43-07-48-60) ; Sept Parnassiens, 14ᵉ (43-20-32-20) ; Pathé Wepler II, 18ᵉ (45-22-47-94).

FIVE EASY PIECES (A., v.o.) : Saint-Lambert, 15ᵉ (45-32-91-68) mer., lun. 18 h 45, ven. 16 h 30.

LA FLUTE A SIX SCHTROUMPFS (Bel.) : Saint-Lambert, 15ᵉ (45-32-91-68) mer. 15 h 15.

GOOD MORNING VIETNAM (A., v.o.) : Action Rive Gauche, 5ᵉ (43-29-44-40) mer., jeu., ven., sam., lun., mar. 11 h 50 T.U. : 20 F.

L'HISTOIRE SANS FIN (All., v.f.) : Grand Pavois, 15ᵉ (45-54-46-85) mer. 16 h 30, sam. 15 h.

Juillet Parnasse, 6ᵉ (43-26-58-00) ; Pathé Hautefeuille, 6ᵉ (46-33-79-38).

NUIT D'ÉTÉ EN VILLE (Fr.) : Sept Parnassiens, 14ᵉ (43-20-32-20).

L'ORCHIDÉE SAUVAGE (*) (A., v.o.) : UGC Ermitage, 8ᵉ (45-63-16-16).

LE PRÉDESTINÉ (Isr., v.o.) : Epée de

LE JOURNAL D'UN CURÉ DE CAMPAGNE (Fr.) : Reflet Logos II, 5ᵉ (43-54-42-34) mer. 12 h 05.

JULES ET JIM (Fr.) : Les Trois Luxembourg, 6ᵉ (46-33-97-77) mer., ven., dim., mar. à 12 h.

LENINGRAD COW-BOYS GO AMERICA (Fin., v.o.) : Denfert, 14ᵉ (43-21-41-01) mer., jeu., sam., dim., mar. 22 h.

LE LOCATAIRE (Fr.) : Saint-Lambert, 15ᵉ (45-32-91-68) mer. 21 h, dim. 21 h 30.

Allons plus loin: La Communauté européenne

Etudiez le vocabulaire.

partager   *to share*
accroître   *to increase*
une entrave   *obstacle*
donc   *therefore*
grâce à   *thanks to*
à travers   *through*
épargner   *to save*

TRAVAUX PRATIQUES ━━━━━━━━━━━━━━━━━━━━━━━━━━━━━━━

A. Lisez et comprenez.

Qu'est-ce que la Communauté européenne (CE)?

La Communauté européenne est la réunion de 12 pays européens soit environ 324 millions de citoyens. Ils étaient 6 en 1952. Depuis 1986, ce sont 12 nations qui ont décidé de construire leur futur ensemble. Ces 12 pays sont l'Allemagne, la Belgique, le Danemark, l'Espagne, la France, la Grande Bretagne, la Grèce, la Hollande, l'Italie, l'Irlande, le Luxembourg et le Portugal. Riches par leur diversité culturelle et historique, les pays de la Communauté partagent aussi un certain nombre de valeurs communes. En s'associant, ils veulent accroître les chances de la démocratie, de la paix et d'une prospérité mieux répartie, ainsi qu'améliorer leur manière de vivre et de travailler.

En décidant d'éliminer entre eux, d'ici 1993, les dernières entraves aux échanges et d'établir ainsi une véritable Europe sans frontières, les pays de la Communauté entendent répondre aux grands défis économiques de notre temps, améliorer leur compétitivité internationale, et donc la situation de l'emploi.

A partir du 1er janvier 1993, les citoyens de la Communauté et les touristes étrangers pourront passer librement les frontières entre les pays membres de la CE. Cela sera possible grâce à une plus grande coopération des services responsables du trafic de la drogue et du terrorisme.

Depuis plusieurs années déjà, la Communauté a suivi une voie d'harmonisation et a tenté d'aligner les réglementations nationales sur une norme communautaire convenue.

Les étudiants sont libres de choisir leur université et d'étudier dans plus d'un état membre de la CE. Leurs diplômes sont reconnus à travers toute la Communauté.

Les ouvriers, les employés et les artisans; les mécaniciens et les comptables; les professeurs et ceux qui font des recherches; les médecins et les architectes—tous peuvent travailler dans le pays de leur choix, aux mêmes conditions et avec les mêmes chances de succès que les citoyens du pays choisi.

Tous les produits peuvent circuler librement sans arrêt grâce à la disparition des contraintes administratives.

Les entreprises peuvent offrir leurs services à travers toute la Communauté permettant aux clients de choisir la meilleure offre au meilleur prix.

La télévision européenne sans frontières offre un plus grand nombre de chaînes, de programmes et de services, grâce aux satellites et à l'introduction de nouvelles technologies.

Une nouvelle monnaie a été créée, l'ECU (*European Currency Unit*). Elle est déjà employée dans les affaires d'une manière régulière. Elle permet aux citoyens de la Communauté de voyager à travers les 12 pays avec la monnaie de leur choix sans restrictions.

Les citoyens aussi bien que les compagnies peuvent transférer de l'argent librement dans tous les membres de la CE. Chacun est libre d'épargner ou d'investir dans l'état membre de son choix.[1]

B. Maintenant, posez des questions à votre partenaire.

1. Qu'est-ce que la Communauté européenne?
2. Quels sont les 12 pays membres de la Communauté?
3. Donnez les raisons de leur association.
4. A partir du 1ᵉʳ janvier 1993, pourquoi pourra-t-on voyager librement?
5. Quels sont les avantages pour les étudiants?
6. Quels choix les travailleurs ont-ils?
7. Pour tous les produits, que permet la disparition des contraintes administratives?
8. Que peuvent offrir les entreprises à leurs clients?
9. Comment est la télévision européenne?
10. Quelle est la monnaie de la Communauté?
11. Au point de vue financier, quels sont les avantages pour les citoyens de la Communauté?

NOTE DE GRAMMAIRE 86

Récapitulation du subjonctif

1. The subjunctive is used primarily in subordinate clauses introduced by **que**.

2. The subjunctive is used when an expression of urgency or necessity precedes the subordinate clause:

Il faut que vous lisiez le livre tout de suite.

*You **must read** the book immediately.*

Il est urgent que les enfants reviennent vite.

It is urgent that the children return quickly.

---

[1] Depuis le 1ᵉʳ octobre 1991, une brigade franco-allemande a été instituée. Egalement, le 22 octobre 1991, la CE a pris un autre pas décisif en créant le plus grand bloc commercial du monde avec 380 millions de consommateurs. Elle a accepté d'élargir son marché libre avec sept autres nations.

3. The subjunctive is used when a verb expressing will or judgment precedes the subordinate clause:

Je désire que vous appreniez à conduire.	*I want you to learn* how to drive.
Après tout, **il vaut mieux que vous vendiez** la voiture.	*After all, it would be better if you sold* the car.

4. The subjunctive is used when an expression of doubt or uncertainty precedes the subordinate clause:

Nous ne sommes pas certains que l'avion arrive à l'heure.	*We are not certain that the plane will arrive* on time.
Je doute qu'il comprenne.	*I doubt that he understands.*

5. The subjunctive is used when an expression of emotion precedes the subordinate clause:

Elle a peur que ses étudiants ne réussissent pas.	*She is afraid that her students will not succeed.*
Elle est furieuse que vous n'étudiiez pas.	*She is furious that you don't study.*

6. There is no future subjunctive. The present subjunctive is used when a future time is indicated or implied:

Je regrette que tu ne puisses pas venir demain.	*I'm sorry that you can't* come tomorrow.
Ils ont peur que le film ne soit pas intéressant.	*They're afraid that the film will not be* interesting.

7. It is also used after certain impersonal expressions:

Il est bon que vous soyez ici.	*It's good that you're* here.
Il est possible qu'il fasse beau.	*It's possible that the weather will be fine.*

8. There are other impersonal expressions that do not require the subjunctive:

Il est probable que vous réussirez.	*It's probable that you will succeed.*
Il est évident que vous êtes heureuse.	*It's obvious that you are happy.*

9. The subjunctive is used after certain conjunctions:

Bien que vous sachiez que cela m'ennuie, vous le faites quand même.	*Although you know* it annoys me, *you do it anyway.*
Jusqu'à ce qu'il me le **dise**, je resterai ici.	*Until he tells* me so, *I shall stay* here.

10. When the verb in the main clause and the verb in the subordinate clause have the same subject, the infinitive is used instead of the subjunctive:

Tu préfères partir la semaine prochaine.

You prefer to leave next week.

Tu préfères que Martine parte la
semaine prochaine.

You prefer that Martine leave next week.

Il a envie de faire des recherches à
la bibliothèque.

He wants to do some research at the library.

Il a envie que je fasse des recherches à la bibliothèque.

He wants me do some research at the library.

TRAVAUX PRATIQUES

Répondez à chaque situation en employant le subjonctif, si possible. Faites votre choix parmi les possibilités indiquées.

Modèle: Vous êtes fatigué(e) mais on veut que vous alliez à une réunion. Que feriez-vous? (*Il faut que/trouver/bonne/excuse/rester/chez moi* ou: *y/aller*)
Il faut que je trouve une bonne excuse pour rester chez moi.
ou: *Il faut que j'y aille.*

1. Vous êtes amoureux(-se) de quelqu'un. Que voudriez-vous qu'il/elle fasse? (*Je désire que/me téléphoner* ou: *inviter chez lui[elle]*)
2. Vous n'êtes pas sûr(e) que vos amis soient devant le cinéma. (*Je doute que/se rencontrer* ou: *venir*)
3. Il n'est pas certain que vous aimiez le film. (*Je ne suis pas sûr(e)/apprécier* ou: *comprendre*)
4. On vous invite à passer la nuit avec quelqu'un sur une île déserte. (*Il est désirable/rester* ou: *partir*)
5. Vous êtes sûr(e) qu'il est bon de donner de l'argent pour une cause valable (*worthwhile*). (*Il est évident que/falloir/contribuer* ou: *aider*)
6. Vous savez qu'il est naturel de travailler et de s'amuser. Ensuite... (*Il est juste que/on/travailler* ou: *jouer à/tennis, golf, etc.*)
7. Vous êtes très malade. Que feriez-vous? (*Il est urgent que/rester au lit* ou: *appeler/le S.A.M.U.*)
8. Vous voyez qu'il fait mauvais. Que ferez-vous? (*Il est nécessaire que/porter un pardessus* ou: *lire un livre*)
9. Votre ami(e) ne répond plus à vos coups de fil. (*Il est possible que/oublier* ou: *refuser de parler*)
10. Il semble que vous ayez besoin d'un nouvel ami/une nouvelle amie. (*Il est probable que/il me/falloir/ami(e)* ou: *avoir besoin de/ami(e)*)

NOTE DE GRAMMAIRE 87

Le verbe **devoir**

1. The irregular verb **devoir** means either *to owe* or *ought to* (*must*). Its forms are as follows:

je **dois**	nous **devons**
tu **dois**	vous **devez**
il **doit**	ils **doivent**
elle **doit**	elles **doivent**
on **doit**	

PASSE COMPOSE: j'**ai dû**
IMPARFAIT: je **devais**
FUTUR: je **devrai**
CONDITIONNEL: je **devrais**

SUBJONCTIF:

que je **doive**	que nous **devions**
que tu **doives**	que vous **deviez**
qu'il **doive**	qu'ils **doivent**
qu'elle **doive**	qu'elles **doivent**
qu'on **doive**	

2. When used before a noun or with **combien**, **devoir** means *to owe*:

Je vous **dois** 20 francs.	*I **owe** you 20 francs.*
Combien vous **dois-je**?[2]	*How much **do I owe** you?*

3. When used before an infinitive, **devoir** means *should, ought to,* or *must* and is often used interchangeably with **il faut que** + *subjunctive*:

Vous devez partir.	***You must (ought to) leave**.*
Il faut que vous partiez.	***You must leave**.*

The verb **devoir**, however, carries a sense of moral obligation that **il faut** does not.

4. **Devoir** often varies in meaning according to the tense used. Study the following examples:

Je dois voir mes parents.	*I **must** (**I plan to**) see my parents.*
Je devrai voir mes parents demain.	*I **will have to** see my parents tomorrow.*
Je devrais me dépêcher parce que je suis en retard.	*I **should** (**ought to**) hurry because I am late.*
Je devais partir à huit heures, mais les routes étaient trop encombrées.	*I **was supposed to** (**I planned to**) leave at 8 o'clock, but the roads were too crowded.*

---

[2] Inversion in the first person singular is usual with this verb.

The **passé composé** of **devoir** has two possible meanings:

J'ai dû partir avant la fin de la conférence parce que Michel m'attendait.	*I **had to** leave before the end of the lecture because Michel was waiting for me. (The necessity arose and I left.)*
Où est mon devoir? **J'ai dû** le laisser dans ma chambre.	*Where is my homework? I **must have** left it in my room. (It isn't certain that I left my homework in my room, but logic indicates that I did.)*

Simples substitutions

A. *"Neither borrower nor lender be."*

1. Vous *doit-il* de l'argent? (*devons-nous, doivent-ils, dois-je, doit-on*)
2. Mais *il a dû* vous le rendre, n'est-ce pas? (*on a dû, elles ont dû, nous avons dû, tu as dû, vous avez dû*)
3. *Je devais* insister, mais il était trop tard. (*Vous deviez, Elles devaient, On devait, Nous devions, Tu devais*)
4. *Ne devriez-vous pas* attendre un peu? (*Ne devrait-on pas, Ne devrions-nous pas, Ne devraient-ils pas, Est-ce que je ne devrais pas, Ne devrais-tu pas*)
5. Enfin, quoiqu'*il me doive* 1 000 francs, je ne suis pas irrité. (*nous lui devions, on lui doive, tu lui doives, vous lui deviez, il lui doive*)

Exercice de transformation

B. **Modèle:** *Je* dois partir, on *m'*attend. (*Nous*)
      Nous devons partir, on nous attend.

1. *Nous* devons partir, on *nous* attend. (*Vous, Tu, Il, Elles, Je*)
2. *Vous* devrez partir parce qu'on *vous* attend. (*Nous, Elle, Elles, Je, Tu*)
3. *Tu* devrais le faire pour réussir. (*Nous, On, Elles, Je, Il*)
4. *Vous* deviez répondre mais *vous* ne saviez pas la leçon. (*Nous, Je, Elle, Ils, Tu*)
5. On a téléphoné, *j'*ai dû y aller. (*vous, elle, elles, tu, nous*)

TRAVAUX PRATIQUES

Employez **devoir** dans le sens indiqué.

1. Je viens d'acheter un parapluie et je (*owe*) _____ 250 francs.
2. Il (*was supposed to*) _____ arriver avant 20 heures.
3. Après avoir fini tes devoirs, tu (*should*) _____ aller te coucher.
4. Après avoir dîné, nous (*will have to*) _____ partir.

5. Paul regrette de (*owe*) _____ de l'argent à la bibliothèque.
6. En France, les chauffeurs (*have to*) _____ conduire à droite.
7. Nous (*had to*) _____ nous mettre d'accord pour choisir un film.
8. Il semble que je (*ought to*) _____ partir ce soir.

NOTE DE GRAMMAIRE 88

Les verbes **recevoir** et **pleuvoir**

1. **Recevoir** (*to receive*) is an irregular verb. Other verbs conjugated like it are **apercevoir** (*to perceive*) and **s'apercevoir de** (*to become aware of, to notice*):

je **reçois**	nous **recevons**
tu **reçois**	vous **recevez**
il **reçoit**	ils **reçoivent**
elle **reçoit**	elles **reçoivent**
on **reçoit**	

IMPERATIF: **reçois! recevons! recevez!**   CONDITIONNEL: je **recevrais**
PASSE COMPOSE: j'**ai reçu**   SUBJONCTIF: que je **reçoive**
IMPARFAIT: je **recevais**   que nous **recevions**
FUTUR: je **recevrai**

2. The verb **pleuvoir** (*to rain*) is used only in the third person singular:

PRESENT: il **pleut**   FUTUR: il **pleuvra**
PASSE COMPOSE: il **a plu**   CONDITIONNEL: il **pleuvrait**
IMPARFAIT: il **pleuvait**   SUBJONCTIF: qu'il **pleuve**

Simples substitutions

A. Le facteur arrive toujours.

1. *On apercevait le facteur de loin.* (*Tu apercevais, Nous apercevions, Elle apercevait, Ils apercevaient, Vous aperceviez*)
2. *Je m'aperçois qu'il est toujours à temps.* (*Nous nous apercevons, Tu t'aperçois, Elles s'aperçoivent, Il s'aperçoit, Vous vous apercevez*)
3. *Je reçois beaucoup de lettres.* (*Henry reçoit, M. et Mme Fourchet reçoivent, Tu reçois, Nous recevons, Vous recevez*)

Exercices de transformation

B. **Modèle:** *Elle reçoit des livres de ses amis.* (*Je*)
        Je reçois des livres de mes amis.

1. *Elle reçoit des livres de ses amis.* (*Je, Tu, Vous, Ils, Nous*)
2. *Elle a aperçu la bibliothèque.* (*On, Nous, Ils, Vous, Je*)

C. **Modèle:** Elle reçoit ses amis chez elle. (*hier*)
         Elle a reçu ses amis chez elle hier.

1. Elle reçoit ses amis chez elle. (*demain, autrefois, il y a une semaine, Si elle avait le temps, Il veut que*)
2. Ils aperçoivent leurs camarades. (*demain, il y a deux jours, Il faut que, hier, S'ils regardaient par la fenêtre, Nous voulons que*)

D. **Modèle:** Il pleut maintenant. (*demain*)
         Il pleuvra demain.

(*hier, pendant dix minutes ce matin, tous les jours, autrefois, quand je vous ai vu, s'il faisait plus chaud, maintenant*)

E. **Modèle:** Je crois qu'il pleut. (*Es-tu sûr que*)
         Es-tu sûr qu'il pleuve?

(*Je suis sûr que, Nous regrettons que, Marie nous dit que, Henry voudrait que, Il est nécessaire que, Tu crois que, Il est évident que*)

NOTE DE GRAMMAIRE 89

Emplois de l'infinitif

1. Negative expressions like **ne... pas**, which you learned in **Chapitre 11**, are placed together before the infinitive:

Je vous ai dit de **ne pas** le **dire**.	*I told you **not to say** it.*
Ils apprennent à **ne rien faire**.	*They are learning **to do nothing**.*
Nous espérons **ne jamais** le **voir**.	*We hope we'll **never see** him.*
Je vous ai demandé de **ne plus** en **parler**.	*I asked you **not to speak** of it **any longer**.*

Note that object pronouns follow the negative expression but precede the infinitive.

2. Negative expressions like **ne... que**, which you learned in **Chapitre 15**, surround the infinitive:

Je vous ai dit de **ne boire que** de l'eau.	*I told you **to drink only** water.*
Je vous ai dit de **ne voir personne**.	*I told you **not to see anyone**.*
Je vous ai dit de **ne** manger **ni** pommes **ni** poires.	*I told you **to eat neither** apples **nor** pears.*

3. The past infinitive is used after the preposition **après**. It indicates a completed past action that precedes another past action:

Après avoir fini notre travail, nous sommes partis.	***After having finished** our work, we left.*

4. The past infinitive is formed by using the infinitive of the auxiliary verb (**avoir** or **être**) + the past participle:

avoir fini   **être sorti**   **s'être lavé**

Après lui **avoir parlé**, il est parti.	***After having spoken*** *with him, he left.*
Après être sortie, elle a vu son frère.	***After having gone out***, *she saw her brother.*
Après s'être levée, elle a pris une douche.	***After having gotten up***, *she took a shower.*

Note that with the auxiliary verb **être**, the past participle must agree with the subject of the sentence.

Exercices de transformation

A. On change d'avis.

Modèle: Il préfère parler de ses expériences. (*ne... plus*)
Il préfère ne plus parler de ses expériences.

1. Elle nous a promis de le faire. (*ne... jamais*)
2. Elle nous prie de les raconter. (*ne... pas*)
3. Ils offrent de leur en parler. (*ne... pas*)
4. Nous réussissons à leur dire. (*ne... plus*)
5. On nous a demandé de leur répondre. (*ne... jamais*)

B. C'est comme si Jacques dit...

Modèle: Elle nous a dit de parler à ses amis. (*ne... personne*)
Elle nous a dit de ne parler à personne.

1. Il nous a dit de choisir des journaux et des revues. (*ne... ni... ni*)
2. Elle nous a dit de prendre ces livres. (*ne... aucun*)
3. Elle nous a dit de faire du café. (*ne... que*)
4. Il vous a dit de prendre des légumes et des boissons. (*ne... ni... ni*)
5. On nous a dit de voir nos amis. (*ne... personne*)

C. Modèle: Nous sommes entrés et nous lui avons dit bonjour.
Après être entrés, nous lui avons dit bonjour.

1. Nous avons dîné et nous avons regardé la télé.
2. On a parlé et on a écrit des lettres.
3. Elle s'est levée et elle est montée.
4. Je lui ai dit au revoir et je suis sorti.

D. Modèle: Il s'est réveillé et il a pris sa douche.

  Après s'être réveillé, il a pris sa douche.

1. Il s'est lavé la figure et il s'est peigné les cheveux.
2. Il s'est habillé et il a pris son petit déjeuner.
3. Il a débarrassé la table et il a fait la vaisselle.
4. Il a rangé ses affaires et il est parti pour le bureau.

TRAVAUX PRATIQUES

Remplissez les blancs par l'infinitif passé convenable.

Modèle: _____ brossé les dents, je me suis habillé(e).

  Après m'être brossé les dents, je me suis habillé(e).

_____ levé(e) à 7 heures, j'ai pris ma douche. Ensuite j'ai pris le petit déjeuner et j'ai lu le journal. _____ lu le journal, j'ai bu une deuxième tasse de café. On a sonné à la porte. _____ ouvert la porte, j'ai vu mon ami(e) qui est venu(e) me chercher. _____ salué(e)s, nous sommes monté(e)s dans ma voiture. _____ regardé dans les deux sens de la rue, j'ai commencé à conduire. Il y avait beaucoup de circulation ce jour-là et j'ai décidé d'aller aussi vite que possible. Malheureusement, je ne faisais pas attention. _____ brûlé un feu, un agent de police m'a arrêté et j'ai dû payer une amende.

NOTE DE GRAMMAIRE 90

Le participe présent

1. To form the present participle of almost all verbs, drop the **-ons** ending from the first person plural of the present indicative. Then add the ending **-ant**:

parler:	parl-	**parlant**
finir:	finiss-	**finissant**
vendre:	vend-	**vendant**
faire:	fais-	**faisant**
aller:	all-	**allant**
croire:	croy-	**croyant**

   There are only three irregular present participles:

avoir:	**ayant**
être:	**étant**
savoir:	**sachant**

2. The present participle may function as either an adjective or a verb. When used as an adjective, the present participle agrees in gender and number with the noun it modifies:

M. Fourchet est **un homme char-mant**.

*Mr. Fourchet is **a charming man**.*

Nous aimons **les enfants obéis-sants**.

*We like **obedient children**.*

3. When used as a verb, the present participle may be used to indicate:

a. An action that occurs prior to another action (usually translated in English by a verb ending in **-ing**):

Prenant son imperméable, il est sorti.

***Taking** his raincoat, he went out.*

b. An action that occurs at the same time as another action:

En entrant dans la salle de classe, j'ai vu le professeur.

***On entering** the classroom, I saw the teacher.*

En sortant trop vite de ma maison, je suis tombée.

***By leaving** my house too quickly, I fell.*

En discutant avec mon amie, j'ai appris beaucoup de choses.

***While talking** with my friend, I learned a lot of things.*

Note that **en** is used with the present participle when the subject of the sentence performs two simultaneous actions.

Exercices de transformation

A. Modèle: Parce que j'avais des choses à dire, j'ai levé le doigt.
   Ayant des choses à dire, j'ai levé le doigt.

1. Parce qu'elle voyait le beau paysage, elle s'est écriée de joie.
2. Parce qu'il avait peur d'être en retard, il est parti comme une flèche.
3. Si on écoute bien des gens intelligents, on apprend beaucoup.
4. Si je veux obtenir ce que je veux, il faut étudier beaucoup.
5. Il a repris son discours et il est devenu plus éloquent.

B. De bons conseils.

Modèle: Quand on mange, on ne parle pas.
   On ne parle pas en mangeant.

1. Pendant qu'on mange, on ne parle pas.
2. Pendant que nous conduisons, nous faisons attention.
3. Quand elle étudie, elle apprend vite.
4. Quand on combat l'adversité, on est sûr de gagner.
5. Si on mange peu, on ne grossit pas.
6. Quand on boit de l'eau minérale, on se sent mieux.
7. Quand on visite la France, on apprend sa civilisation.

TRAVAUX PRATIQUES

 A. **Un cauchemar** (*nightmare*). Remplissez les blancs par la forme correcte du participe présent comme adjectif du verbe entre parenthèses.

Modèle: Le Prince (*charmer*) _____ rencontre Cendrillon au bal.
   Le Prince charmant rencontre Cendrillon au bal.

1. Il faut qu'elle quitte le bal avant minuit (*taper*) _____.
2. Tout d'un coup, un cri (*déchirer*) _____ nous a fait peur.
3. Nous avons vu des soucoupes (*voler*)[3] _____ la kidnapper.
4. Heureusement, l'horloge (*parler*) _____ nous a réveillés.

 B. Répondez aux questions générales.

1. Allez-vous souvent au cinéma?
2. Quel genre de films aimez-vous?
3. Résumez l'intrigue d'un film que vous avez vu récemment.
4. Est-ce que le jeu était bien mené?
5. Comment avez-vous trouvé les acteurs?
6. Comment avez-vous trouvé les décors?
7. Est-ce que le film a eu un dénouement (*ending*) heureux?
8. Préférez-vous les dénouements heureux?
9. Pour qu'un film réussisse aujourd'hui, faut-il avoir un dénouement heureux?
10. Qu'est-ce qu'il semble que le public préfère aujourd'hui?
11. Y a-t-il des stars[4] que vous préférez? Lesquelles et pour quelles raisons?
12. Quelle est la différence entre une comédie et une tragédie?

MICROLOGUE: **Le cinéma**

Au cinéma en France, après avoir acheté votre billet, vous entrez
dans la salle et **une ouvreuse** s'approche de vous. Elle prend   *an usherette*
votre billet, **le déchire par moitié**, vous le rend et vous mène   *tears it in half*
à une place libre. Si les lumières sont éteintes, elle vous montre
5 le chemin, grâce à sa petite **lampe de poche**. Avant d'entrer   *flashlight*
dans **le rang** choisi, vous avez **tout juste** le temps de **glisser**   *row / barely / slip*
un pourboire dans sa main **tendue**.   *outstretched*
   Dans **les cinémas de quartier**, quand les rideaux s'ouvrent,   *neighborhood theaters*
la séance commence en vous montrant quelques films publici-
10 taires, **des vues** du prochain film et un court métrage.   *scenes*
   A l'**entracte** les rideaux se referment et les lumières se **ral-**   *intermission /come on*
lument. Les ouvreuses portant des **paniers pendus** à leur cou   *again / baskets /*
                                                                                hung

---

[3] The correct answer is the term for *flying saucers*.
[4] Le mot **star** est féminin:

   Robert De Niro est **une** grande star de cinéma.   *Robert De Niro is **a** big movie **star**.*

passent dans les allées, annonçant à l'audience: « Bonbons, ca-
ramels, **esquimaux glacés**, chocolats... » A vous de décider!   *ice cream bars*

15   A la fin de l'entracte, les rideaux s'ouvrent **de nouveau** et les   *again*
lumières s'éteignent. Vous pouvez enfin voir le film de votre
choix.

Questions

1. Au cinéma en France, que faites-vous après avoir acheté votre billet?
2. Que fait l'ouvreuse?
3. Que fait-elle si les lumières sont éteintes?
4. Quand et comment donnez-vous le pourboire à l'ouvreuse?
5. Comment commence une séance de cinéma dans un cinéma de quartier?
6. Qu'est-ce qui se passe à l'entracte?
7. Que font les ouvreuses pendant l'entracte?
8. Quand pouvez-vous enfin voir le film de votre choix?

LECTURE: *Maigret, Lognon et les gangsters* de Georges Simenon

*Georges Simenon, écrivain belge d'expression française, est un
des auteurs les plus prolifiques de la littérature. Il est né à Liège
en 1903. Il a écrit 220 romans sous son vrai nom, y inclus 84
mystères de l'inspecteur Maigret et plus de 200 nouvelles sous des
noms de plume (au moins dix-sept pseudonymes au début de sa
carrière) et plus de 1 000 histoires courtes et articles. Sa production littéraire n'est pas seulement de style policier, mais il a*

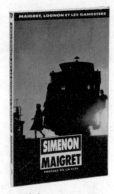

également publié de nombreux romans psychologiques analysant les rapports de la vie familiale avec ses problèmes quotidiens, ses haines, ses perturbations, ses regrets. Au moment de sa mort en 1989, il avait été vendu plus de 600 millions de ses livres dans le monde entier. Il a été traduit en quarante-sept langues et publié dans dix-neuf pays. Il travaillait rapidement: en moyenne, dix jours, lui suffisaient pour compléter une œuvre. Plus de cinquante films et plusieurs feuilletons télévisés ont été basés sur ses romans.

*Maigret reçoit un coup de téléphone de Mme Lognon, femme d'un de ses collègues qu'il n'aime pas trop. Mme Lognon s'inquiète parce que son mari a disparu. Elle-même est **infirme** et ne peut pas quitter son appartement.*   *invalid*

5   — Allô?
— Mme Lognon insiste pour vous parler personnellement.
— Madame qui?
— Lognon. (...)
— Passez-la-moi... Allô! Mme Lognon?
10   — Excusez-moi de vous **déranger**, monsieur le commissaire...   *bother*
   Elle articulait précieusement les syllabes à la façon des gens qui tiennent à vous prouver qu'ils ont reçu une bonne éducation. Maigret **nota** qu'on était le jeudi 19 novembre. L'horloge de   *noted*
marbre noir, sur la cheminée, marquait onze heures du matin.
15   — Je ne me serais permis d'insister pour vous parler personnellement si je n'avais pas eu de raison majeure...
— Oui, madame.
— Vous nous connaissez, mon mari et moi. Vous savez que...
— Oui, madame.
20   — J'ai absolument besoin de vous voir, monsieur le commissaire.
Il se passe des choses horribles, et j'ai peur. Si ma santé **ne**   *did not prevent me*
m'en empêchait, je courrais **Quai des Orfèvres**. Mais, comme   *(address of police head-*
vous ne l'ignorez pas, voilà des années que je suis **clouée** à mon   *quarters)*
cinquième étage.   *stuck*
25   — Si je comprends bien, vous voudriez que j'aille là-bas?
— Je vous en prie, monsieur Maigret.
   C'était énorme. Elle disait cela poliment, mais fermement.
— Votre mari n'est pas chez vous?
— Il a disparu.
30   — Hein? Lognon a disparu? Depuis quand?
— Je l'ignore. Il n'est pas à son bureau, et personne ne sait où il se trouve. Les gangsters sont revenus ce matin.
— Les quoi?
— Les gangsters. Je vous raconterai tout. Tant pis si Lognon est
35   furieux. J'ai trop peur.
— Vous voulez dire que des gens se sont introduits chez vous?

— Oui.

— De force?

— Oui.

40 — Pendant que vous y étiez?

— Oui.

— Ils ont emporté quelque chose?

— Peut-être des papiers. Je n'ai pas pu vérifier.

— Cela s'est passé ce matin?

45 — Il y a une demi-heure. Mais les deux autres
étaient déjà venus avant-hier.

— Quelle a été la réaction de votre mari?

— Je ne l'ai pas revu.

— J'arrive.

GEORGES SIMENON, *Maigret, Lognon et les gangsters*
(Paris: Presses de la Cité, 1962)

Georges Simenon

Questions

1. Comment parlait Mme Lognon?
2. Pouvez-vous imiter sa façon de parler?
3. Pourquoi restait-elle chez elle?
4. Quel est le métier de son mari?
5. Qu'est-ce qui s'est passé?
6. Comment les gens se sont-ils introduits chez Mme Lognon?
7. Ont-ils emporté quelque chose?
8. Qu'est-ce que Maigret va faire?
9. Aimez-vous ce genre de littérature?
10. Parlez d'un auteur de romans policiers qui vous intéresse.
11. Connaissez-vous les œuvres d'Elmore Leonard?

 Création et récréation

A. Most countries of the world have their own national symbol: for example, the British lion, the American eagle, and the Canadian maple leaf. Bring to class an example or a photo of an object that symbolizes a particular nation and explain the importance of the symbol to its nation. Include a brief description of the country itself: its location, principal cities, climate, industries, government, cuisine, and so on. Your instructor may make assignments to ensure that the presentations cover some of the principal French-speaking countries. For certain countries, there may be more than one symbol.

B. What action(s) can you add to one of the **Scénarios** you have read to make it more dramatic? For example, in the **Scénario** in **Chapitre 2**, the taxi driver gets so furious that he throws Robert out of the taxi. What does Henry do?

C. Le titre d'un film américain est rarement traduit littéralement en français. Etudiez les exemples ci-dessous et essayez de deviner les titres originaux en anglais. (Les titres français sont traduits littéralement entre parenthèses.)

1. *S.O.S. Fantômes* (S.O.S. Ghosts)
2. *La Déchirure* (The Tear)
3. *Comme un Torrent* (Like a Torrent)
4. *En Quatrième Vitesse* (In Fourth Gear)
5. *La Valse des Pantins* (The Puppets' Waltz)
6. *La Fureur de Vivre* (The Furor of Living)
7. *Tombe les Filles et Tais-Toi* (Get the Girls and Shut Up)
8. *A la Poursuite du Diamant Vert* (In Search of the Green Diamond)
9. *Recherche Suzanne, Désespérément* (Looking for Susan, Desperately)

Voici les titres originaux des films ci-dessus:

1. *Ghostbusters*
2. *The Killing Fields*
3. *Some Came Running*
4. *Kiss Me Deadly*
5. *The King of Comedy*
6. *Rebel Without a Cause*
7. *Play It Again, Sam*
8. *Romancing the Stone*
9. *Desperately Seeking Susan*

A l'aide d'un dictionnaire anglais-français, essayez de traduire les titres originaux en français. Comparez vos résultats.

D. Monique va au cinéma avec ses amis.

Coup d'œil

OUI   NON

_____   86. The subjunctive is used in subordinate clauses introduced by **que**:   _____

a. When an expression of urgency or necessity precedes the subordinate clause:

Il faut que vous fassiez *You must do* what I
ce que je vous ai dit.   *told you.*

b. When a verb expressing will or judgment precedes the subordinate clause:

Je veux que vous fermiez les portes et les fenêtres.   *I want you to close the doors and windows.*

c. When an expression of doubt or uncertainty precedes the subordinate clause:

Je ne suis pas sûr que vous sachiez la vérité.	*I am not sure that you know* the truth.

d. When an expression of emotion precedes the subordinate clause:

Elle a peur que les étudiants ne l'apprennent pas.	*She is afraid that the students will not learn* it.

e. There is no future subjunctive. The present subjunctive is used when a future time is indicated or implied:

Elle regrette que **nous n'allions pas** chez elle demain.	*She is sorry that **we will not go** to her place tomorrow.*

f. Certain impersonal expressions require the subjunctive:

Il est impossible que j'y aille.	*It's impossible that I go* there.

g. Other impersonal expressions do not require the subjunctive:

Il est certain qu'elle viendra.	*It's certain that she'll come.*

h. When **croire**, **penser**, or **espérer** is used in a negative statement or a question, it is followed by the subjunctive:

Crois-tu qu'elle vienne?	*Do you believe she will come?*
Non, **je ne crois pas qu'elle vienne.**	*No, I don't believe she will come.*
Oui, **je crois qu'elle viendra.**	*Yes, I believe she will come.*

i. The subjunctive is used after certain conjunctions:

Pourvu qu'il le **sache**, tout est permis.	*Provided that he knows* it, *everything is permitted.*
Afin qu'elle l'**apprécie**, je le lui donne.	*In order for her to appreciate* it, *I am giving it to her.*

87. **Devoir** is an irregular verb:

je **dois**	nous **devons**
tu **dois**	vous **devez**
il **doit**	ils **doivent**
elle **doit**	elles **doivent**
on **doit**	

PASSE COMPOSE: j'**ai dû**
IMPARFAIT: je **devais**
FUTUR: je **devrai**
CONDITIONNEL: je **devrais**

SUBJONCTIF:

que je **doive**	que nous **devions**
que tu **doives**	que vous **deviez**
qu'il **doive**	qu'ils **doivent**
qu'elle **doive**	qu'elles **doivent**
qu'on **doive**	

Used before a noun, **devoir** means *to owe*:

Je vous **dois** vingt francs.　　*I **owe** you 20 francs.*

Used before an infinitive, **devoir** means *should, ought to,* or *must*:

Vous devez partir.　　*You **must** leave.*

Devoir often varies in meaning according to the tense used, for instance:

Je devrais me dé-pêcher parce que je suis en retard.　　*I **should** (**ought to**) hurry because I am late.*

Je devais partir tôt, mais les routes étaient encombrées.　　*I **was supposed to** (**I planned to**) leave early, but the roads were crowded.*

88. **Recevoir** and **pleuvoir** are irregular verbs:

je **reçois**	nous **recevons**
tu **reçois**	vous **recevez**
il **reçoit**	ils **reçoivent**
elle **reçoit**	elles **reçoivent**
on **reçoit**	

IMPERATIF: **reçois! recevons! recevez!**
PASSE COMPOSE: j'**ai reçu**
IMPARFAIT: je **recevais**
FUTUR: je **recevrai**
CONDITIONNEL: je **recevrais**
SUBJONCTIF: que je **reçoive**
que nous **recevions**

Pleuvoir is used only in the third person singular:

PASSE COMPOSE: il **a plu**
IMPARFAIT: il **pleuvait**
FUTUR: il **pleuvra**
CONDITIONNEL: il **pleuvrait**
SUBJONCTIF: qu'il **pleuve**

89. An infinitive may be negated in one of two ways:

Negative expressions like **ne... pas** are placed together before the infinitive:

Je vous ai dit de **ne pas** le **faire**.

Negative expressions like **ne... que** surround the infinitive:

Je vous ai dit de **ne voir personne**.

The past infinitive indicates a past action that was completed before another past action. The preposition **après** requires the past infinitive:

Après avoir fini mon   *After having finished*
travail, je suis parti.   *my work, I left.*

90. The present participle of most verbs is formed by dropping the **-ons** of the first person plural and adding **-ant** to the stem:

parl-   parl**ant**
fais-   fais**ant**

There are only three irregular present participles:

avoir: **ayant**
être: **étant**
savoir: **sachant**

_____ A present participle may function as an adjective, in which case it agrees in gender and number with the noun it modifies:

> C'est un homme **charmant**.
> C'est une femme **charmante**.

_____ When preceded by the preposition **en**, the present participle indicates that two actions occurred at the same time. **En** + *present participle* may be translated in three ways:

En entrant dans la salle de classe, j'ai vu le prof.	*On entering the classroom, I saw the professor.*
En parlant trop vite, j'ai fait des fautes.	*While speaking too quickly, I made errors.*
En lui **disant** la vérité, elle a compris.	*By telling her the truth, she understood.*
Elle s'est excusée **en disant** la vérité.	*She apologized by telling the truth.*

VOCABULAIRE

VERBES

allumer	devoir	recevoir
(s')apercevoir	pleuvoir	siffler
applaudir		

NOMS

le ballet	le metteur en scène	la science-fiction
la comédie	l'opéra (*m.*)	la séance
le court/long métrage	l'opérette (*f.*)	le spectateur/la spectatrice
le décor	l'ouvreuse (*f.*)	le succès
le dessin animé	la revue musicale	le théâtre
le document	le rideau	la tragédie
l'entracte (*m.*)	la scène	la tragi-comédie

ADJECTIFS

doublé	original	policier

EXPRESSIONS UTILES

avoir tout juste le temps	changer d'avis	ne... guère
ça ne vaut pas la peine de	en tout cas	

CHAPITRE 19

Les villages

Itinéraire

In this chapter, you'll find out about small towns in France, about services that you can find at a post office, and about the educational and exchange programs offered by the European Community.

To help you express yourself better, you'll learn which verbs must be followed by a preposition and which may be followed directly by an infinitive. You'll also study the irregular verb **ouvrir** (*to open*), possessive pronouns, and two new tenses—the pluperfect and the past conditional. Finally, you will read a colorful passage by Charles Péguy describing the beauty of a French wheat field.

Scénario ....

PREMIERE ETAPE

A la fin des cours, le professeur avait proposé aux étudiants une expérience culturelle.
Les étudiants iraient visiter un village et rédigeraient un rapport. S'ils avaient eu assez
d'argent, les trois amis auraient pris le train. Ils s'y sont rendus en faisant de l'auto-
stop. Les voici au village de Valençay.

5 HENRY: Par quoi commence-t-on? As-tu une idée?
  ROBERT: Si on commençait par cet épicier?
  MARGUERITE: C'est le maire qui connaît le mieux les gens.
  ROBERT: D'accord. Allons-y!

Chez le maire...

10 MARGUERITE: Monsieur le Maire, notre professeur nous a demandé de visiter votre
     village et de faire un compte-rendu.
  LE MAIRE: Puisqu'il est l'heure du déjeuner, je vous invite à le partager avec nous à
     la bonne franquette.

DEUXIEME ETAPE

A la fin des cours, le professeur avait proposé aux étudiants une expérience culturelle.
Les étudiants iraient visiter un village et rédigeraient un rapport. En tirant au sort le
nom d'un village, Robert, Henry et Marguerite sont tombés sur le village de Valençay.
Le trois amis auraient pris le train s'ils avaient eu assez d'argent, mais ils s'y sont
5 *rendus en faisant de l'auto-stop. Les voici au village de Valençay.*

  HENRY: Par quoi commence-t-on? As-tu une idée?
  ROBERT: Si on commençait par cet épicier? Il connaît beaucoup de monde.
  MARGUERITE: Le village a environ trois mille habitants. C'est sûrement le maire qui
     connaît le mieux les gens et sait ce qui se passe dans son village. Essayons d'avoir
10   un tête-à-tête avec lui.
  ROBERT: D'accord, mais passons d'abord par le bureau de poste. J'ai besoin de timbres
     avant de mettre mes cartes postales à la boîte.

Un peu plus tard, chez le maire...

  MARGUERITE: Monsieur le Maire, notre professeur nous a demandé de visiter votre
15   village et de rassembler autant d'informations que possible pour en faire un compte-
     rendu.
  ROBERT: Nous aimerions bien vous poser quelques questions.
  LE MAIRE: Puisque c'est l'heure du repas, je vous invite à le partager avec nous à la
     bonne franquette. Ma femme sera heureuse de faire votre connaissance.

TROISIEME ETAPE

A la fin des cours, le professeur avait proposé aux étudiants une expérience culturelle.
Les étudiants iraient visiter un village et rédigeraient un rapport. En tirant au sort le
nom d'un village, Robert, Henry et Marguerite sont tombés sur le village de Valençay.
S'ils avaient eu assez d'argent, les trois amis auraient pris le train. Ils s'y sont rendus
5 *en faisant de l'auto-stop. Les voici au village de Valençay.*

HENRY: Par quoi commence-t-on? As-tu une idée?

ROBERT: Si on commençait par cet épicier? Il connaît beaucoup de monde. Tout le
village va y faire ses courses.

MARGUERITE: La plupart des gens passent sans doute chez l'épicier, mais le village
10 a environ trois mille habitants. C'est sûrement le maire qui connaît le mieux les
gens et sait ce qui se passe dans son village. Essayons d'avoir un tête-à-tête avec
lui.

ROBERT: D'accord, mais passons d'abord par le bureau de poste. J'ai besoin de timbres
avant de mettre mes cartes postales à la boîte.

15 *Un peu plus tard, chez le maire...*

MARGUERITE: Monsieur le Maire, notre professeur nous a demandé de visiter votre
village et de rassembler autant d'informations que possible pour en faire un compte-
rendu.

ROBERT: Si vous le permettez, nous aimerions bien vous poser quelques questions.

20 LE MAIRE: Quel plaisir de recevoir de jeunes étudiants américains dans le village de
Valençay! Puisque c'est l'heure du repas, je vous invite à le partager avec nous à la
bonne franquette. On va ajouter trois couverts. Ma femme sera heureuse de faire
votre connaissance et ça nous laissera du temps de bavarder. Mais dites-moi ce que
vous pensez déjà de notre village.

Questions sur le scénario

1. Qu'est-ce que le professeur avait demandé de faire aux étudiants?
2. Comment a-t-on choisi les noms des villages?
3. Qu'est-ce que les trois étudiants auraient fait s'ils avaient eu assez d'argent?
4. Comment s'y sont-ils rendus?
5. Pourquoi Robert veut-il commencer par questionner l'épicier?
6. Quelle est la réaction de Marguerite?
7. Lequel des deux semble avoir raison? Pourquoi?
8. Où vont-ils avant d'aller chez le maire?
9. Comment Marguerite explique-t-elle au maire ce que doit être leur expérience
culturelle?
10. Que leur répond le maire?

COIN CULTUREL: Le Minitel

Minitel vient de la contraction des mots **mini** et **télématique**. C'est un terminal informatique composé d'un écran noir et blanc de 23 centimètres de diamètre, d'un clavier à touches (*keyboard*) et d'un modem. En France il est distribué par France Télécom à tout abonné (*subscriber*) au téléphone qui le désire. Il suffit d'une prise de courant (*electrical outlet*) et d'une prise de téléphone pour être connecté, et d'en faire la demande.

Un Minitel est simple, pratique et facile à utiliser. Il permet à l'usager (*user*) de mieux s'organiser et surtout de gagner du temps.

Dès que vous avez un Minitel on vous apprend sur place comment vous en servir. Une fois votre Minitel installé, vous pouvez faire une quantité de choses en un instant:

- Consulter l'annuaire (*telephone directory*) électronique.
- Commander et vous faire livrer (*have delivered*) vos achats les plus divers.
- Réserver une place de train ou d'avion, une chambre d'hôtel...
- Trouver un emploi en consultant les petites annonces.
- Vous informer sur les nouveaux spectacles, les nouveaux films ou les événements sportifs.
- Consulter votre horoscope, la météo, un médecin...
- Suivre l'actualité minute par minute.
- Vous informez sur les cours de la Bourse (*stock market*).
- Consulter votre compte en banque et effectuer toutes vos opérations bancaires courantes sans vous déplacer.

Elle consulte son Minitel.

Il a tous les avantages d'un super téléphone. Vous voulez communiquer avec un de vos amis, vous appuyez (*press*) sur une touche et le Minitel composera le numéro mis en mémoire. Si la ligne est occupée, appuyez sur la touche de rappel automatique.

Qui payez-vous? Comme pour le téléphone, vous utilisez les réseaux de Télécom, donc ce sont les P.T.T. (Postes et Télécommunications) qui vous factureront. Ce sont eux aussi qui notent les minutes que vous passez sur votre Minitel. Les P.T.T. reversent (*pay back*) ensuite au serveur un certain pourcentage pour chaque heure d'utilisation.

En 1980, à Saint-Malo, une ville de Bretagne, cinquante-cinq habitants ont été les premiers usagers de ce nouvel annuaire électronique. A la fin de 1988, il y avait eu plus d'un milliard d'appels pendant l'année. En 1990, soit dix ans après le lancement (*launching*) du Minitel, plus de 5 millions de Français en sont équipés.

Gestes

1. « **Crétin va!** » (*"Idiot!"*) is said with a wide smile and a vacant stare—miming a village idiot.

2. « **Ah, c'est malin!** » (*"Clever!"*) is said sarcastically, scornfully, usually looking skyward while raising one shoulder.

« Crétin va! »

Proverbes

Fais ce que tu dois, advienne que pourra. *Do what you have to, and hang the consequences.*

A l'impossible nul n'est tenu. *No one is expected to do the impossible.*

VOCABULAIRE ILLUSTRE: Le bureau de poste

Dans un bureau de poste on trouve des guichets:

Dans un bureau de poste on trouve...

des guichets.

AFFRANCHISSEMENT   TELEGRAMMES   POSTE AERIENNE

des annuaires de téléphone.

des taxiphones.

un télécopieur. (un téléfax.)

des boîtes aux lettres.

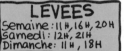

des cabines téléphoniques.

des timbres.

La Poste

L'affranchissement est le prix du timbre à payer pour une lettre ou une carte postale. Au guichet on dit simplement: « C'est combien pour une lettre pour les Etats-Unis? »

1. Savez-vous combien il faut payer pour une lettre par avion pour l'Europe?

2. Quand se sert-on d'un aérogramme?

3. Quand se sert-on d'un téléfax? Est-ce que le téléfax a radicalement changé notre façon de communiquer? Y a-t-il des avantages, des inconvénients?

4. Où trouve-t-on des distributeurs automatiques aux Etats-Unis?

5. En France, il y a un guichet spécial pour les timbres de collection. Un tableau montre les derniers timbres émis. Cela permet de suivre les émissions au jour le jour. Faites-vous collection de timbres?

6. Savez-vous pourquoi un annuaire de téléphone s'appelle aussi un Bottin?

(C'est parce que M. Bottin au 19ème siècle a été le premier à mettre les noms par ordre alphabétique.)

Allons plus loin

Etudiez le vocabulaire.

les enseignants *teachers*	la prise en charge des frais	accueilli *welcomed*
le but *goal*	*paying expenses*	les employeurs *bosses*
rester *to remain*	hors de *outside*	le lieu *place*
la croissance *increase*	une bourse *scholarship*	conçu *designed*

TRAVAUX PRATIQUES

A. Lisez et comprenez.

LES PROGRAMMES EUROPEENS DANS LA COMMUNAUTE

Des 324 millions de personnes qui vivent dans la Communauté, 70 millions sont des enfants et des étudiants avec près de 5 millions d'enseignants.

Afin de favoriser la mobilité communautaire, plusieurs programmes ont été consacrés à l'enseignement, aux langues et aux échanges de jeunes. Ces initiatives sont décentralisées et les étudiants peuvent recevoir des crédits acceptés dans les 12 pays de la Communauté.

Parmi les programmes offerts en voici quatre:

Comett est pour encourager la coopération entre les universités et les industries au niveau européen. Son but est que l'Europe reste compétitive, afin de favoriser le développement, la croissance et la création de nouveaux emplois. Pour les étudiants, ce programme offre des stages de 6 à 12 mois dans les pays membres comprenant la prise en charge des frais de voyage et d'une partie des frais de séjour.

Erasmus est pour encourager la mobilité de 6 millions d'étudiants entre 3 600 établissements d'enseignement supérieur dans la Communauté. Pour donner aux étudiants la chance de faire une partie de leurs études dans une université hors de leur propre pays, ainsi que pour faciliter l'échange d'enseignants. Quelques bourses sont offertes pour financer ces études. Ce programme a été accueilli avec enthousiasme par les enseignants et les étudiants. Il y a une énorme demande pour y participer. Par exemple, un étudiant français peut passer sa 2e et sa 3e années dans une université en Grande Bretagne avec une aide financière, retourner finir sa maîtrise en France et même avoir acquis un diplôme anglais.

Lingua, commencé en 1990, est pour développer toutes les langues entre tous les citoyens de la Communauté, promouvoir des innovations pour les enseigner, intensifier les échanges entre les écoles, encourager les jeunes à étudier deux langues de la Communauté en plus de leur langue maternelle et encourager aussi les employeurs à permettre à leurs employés d'étudier des langues sur leur lieu de travail.

YES (*Youth Exchange Scheme*) est un programme conçu pour encourager tous les jeunes Européens à communiquer avec d'autres cultures et à devenir conscients des intérêts qu'ils partagent avec les jeunes des autres pays. Il a été créé avec la pensée que les jeunes d'aujourd'hui feront l'Europe de demain.

 B. Maintenant, posez des questions à votre partenaire.

1. Combien de personnes vivent dans la Communauté?
2. Qu'est-ce qui a été créé pour favoriser la mobilité communautaire?
3. Quelles sont les raisons pour la création du programme **Comett**?
4. Pourquoi le programme **Erasmus** a-t-il été créé?
5. Comment ce programme a-t-il été accueilli? Donnez un exemple.
6. Aimeriez-vous participer à un tel programme? Pourquoi?
7. Expliquez pourquoi **Lingua** a été créé.
8. Pour qui le programme **YES** a-t-il été conçu?
9. Pensez-vous que ces programmes soient valables? Pour quelles raisons?

NOTE DE GRAMMAIRE 91

Les prépositions avec l'infinitif

When a conjugated verb is followed by an infinitive, the two verbs may be linked by a preposition.

1. Verbs of motion, mental activity, or inherent personal capacity usually require no preposition:

Je **vais** y travailler.	*I **am going** to work there.*
Il **vient** travailler.	*He **is coming** to work.*
Il **aime** le faire.	*He **likes** to do it.*
Elle **espère** partir.	*She **hopes** to leave.*

Je **veux** le faire.	*I **want** to do it.*
Nous **savons** nager.	*We **know how** to swim.*
Tu **peux** l'apercevoir.	*You **can** notice it.*

Although verbs of motion are not usually followed by a preposition, the preposition **pour** may be added to stress purpose:

Je viens **pour** travailler.	*I come (**in order**) **to** work.*

Note that English often makes no distinction and simply uses *to* in both cases.

2. The preposition **de** may be used when the first verb serves as the source of the action or the reason for the action of the second verb:

Je **finis de** manger.	*I'm **finishing** eating.*
J'**oublie** souvent **de** le faire.	*I often **forget** to do it.*
J'ai **décidé de** partir.	*I **decided** to leave.*
Il **promet de** dire la vérité.	*He **promises** to tell the truth.*
Nous **essayons d'**étudier.	*We **are trying** to study.*
L'enfant **a peur de** tomber.	*The child **is afraid** of falling.*
Tu **regrettes de** le dire.	*You **are sorry** to say it.*
Tu me **permets d'**en parler?	*Will you **allow** me to speak of it?*
Je **suis heureux de** vous voir.	*I **am happy** to see you.*
Il **refuse de** revenir.	*He **refuses** to come back.*

Note that **être** + *adjectives of emotion* take the preposition **de**.

3. The preposition **à** is often used after verbs that tend toward a goal or a purpose:

Il **commence à** pleuvoir.	*It **is beginning** to rain.*
Je t'**apprends à** parler.	*I **am teaching** you to speak.*
Il **arrive à** parler.	*He **succeeds** in speaking.*
Ce moteur t'**aidera à** rouler.	*This motor **will help** you to go.*
Nous **continuons à** parler.	*We **continue** to speak.*
Il m'**invite à** dîner.	*He **invites** me to dinner.*
Elle **est prête à** partir.	*She **is ready** to leave.*
Il **cherche à** le faire.	*He **is trying** to do it.*
On **se met à** travailler.	*We **begin** to work.*

Simples substitutions

A. 1. *Nous espérons rédiger un bon rapport. (Je vais, Elle veut, Vous savez, On peut, Tu aimes)*
   2. *Il a décidé de parler au maire. (Nous promettons, Jacques a peur, On a essayé, Vous avez oublié, Ils étaient heureux)*
   3. *Je suis prêt à acheter des souvenirs. (Elle cherche, Tu es arrivé, Nous nous mettons, Vous m'inviterez, On réussira)*

Exercice de transformation

B. Marguerite, Henry et Robert désirent explorer la région des châteaux.

1. *Ils ont décidé de* visiter les châteaux. (*Ils choisissent, Elle continue, Tu as peur, On va, Vous êtes contentes, J'ai essayé*)
2. *Elle est heureuse de* vous indiquer le chemin. (*Nous acceptons, Il faut, Je désire, On croit, Vous avez refusé*)
3. *Ils essayent de* voir les merveilles de la Loire. (*On est content, Nous espérons, Vous commencez, Je compte, Tu réussis*)

TRAVAUX PRATIQUES

On peut créer des phrases intéressantes en mettant ensemble deux infinitifs joints (*joined*) par l'expression **c'est**. Par exemple:

Savoir c'est pouvoir.	*Knowledge is power.*
Vouloir c'est pouvoir.	*Where there's a will, there's a way.*
Voir c'est croire.	*Seeing is believing.*

Maintenant, écrivez un infinitif sur un morceau de papier. Votre partenaire fait la même chose. Liez les deux verbes par **c'est**. Vous aurez peut-être une phrase telle que **Finir c'est commencer**. Souvent les combinaisons les plus absurdes ont un sens ou du moins provoquent la discussion, par exemple: « En effet, quand on finit quelque chose, on est prêt à en commencer une autre. »

Lisez votre phrase à haute voix et discutez-en.

NOTE DE GRAMMAIRE 92

Le verbe **ouvrir**

1. The irregular verb **ouvrir** (*to open*) is conjugated as follows:

j'**ouvre**	nous **ouvrons**
tu **ouvres**	vous **ouvrez**
il **ouvre**	ils **ouvrent**
elle **ouvre**	elles **ouvrent**
on **ouvre**	

IMPERATIF: **ouvre! ouvrons! ouvrez!**
PASSE COMPOSE: j'**ai ouvert**
IMPARFAIT: j'**ouvrais**
FUTUR: j'**ouvrirai**
CONDITIONNEL: j'**ouvrirais**
SUBJONCTIF: que j'**ouvre**
              que nous **ouvrions**

2. These verbs are conjugated like **ouvrir**:

couvrir *to cover*   **offrir** *to offer*
découvrir *to discover*   **souffrir** *to suffer*

Elle ouvrira ma lettre dès qu'elle la recevra.	**She will open** my letter as soon as she receives it.
La mère couvre l'enfant avec une couverture.	**The mother covers** the child with a blanket.
Pierre et Marie Curie ont découvert le radium en 1898.	**Pierre and Marie Curie discovered** radium in 1898.
Il lui **a offert** des fleurs pour son anniversaire.	**He offered** her flowers for her birthday.
Tu souffres souvent de maux de tête.	**You** often **suffer** from headaches.

Exercices de transformation

A. **Modèle:** Souffrez-*vous* beaucoup? (*il*)
         Souffre-t-il beaucoup?

1. Souffrez-*vous* beaucoup? (*nous, tu, ils, elle, Est-ce que je*)
2. S'il le demandait, *j*'ouvrirais la porte. (*nous, vous, on, tu, ils*)
3. *Nous* ouvrions le journal quand il est entré. (*Je, Elle, Vous, Tu, Ils*)
4. Elle attendait lorsque *j*'ai ouvert la porte. (*nous, tu, ils, on, vous*)
5. *Je* lui ai offert un bouquet de fleurs. (*Vous, On, Nous, Elles, Tu*)

B. **Modèle:** On a couvert la table *hier*. (*autrefois*)
         On couvrait la table autrefois.

1. On couvrait la table *autrefois*. (*maintenant, demain, si on avait le temps, hier soir, Il est nécessaire*)
2. Nous ouvrons la boutique *aujourd'hui*. (*hier, Je doute que, demain, autrefois, si nous avions le temps*)
3. Vous lui offrez le médicament *maintenant*. (*hier, autrefois, demain, si vous l'aviez, Il préfère*)

TRAVAUX PRATIQUES

Composez des phrases en employant les mots indiqués.

1. neige / couvrir / terre / hiver
2. quand / réfléchir / nous / découvrir / vérité
3. quand / on / souffrir / nous / offrir / fleurs
4. Pierre et Marie Curie/decouvrir/le radium/1898
5. parents/couvrir/bébés/avec/couvertures

NOTE DE GRAMMAIRE 93

Les pronoms possessifs

1. A possessive pronoun replaces both a possessive adjective and the noun it modifies. It agrees in gender and number with the possessive adjective and the noun it replaces:

C'est **mon livre**.	*It's **my book**.*
C'est **le mien**.	*It's **mine**.*
C'est **ma table**.	*It's **my table**.*
C'est **la mienne**.	*It's **mine**.*
Mes gants sont dans le tiroir.	***My gloves** are in the drawer.*
Les miens sont dans le tiroir.	***Mine** are in the drawer.*
Mes robes sont très élégantes.	***My dresses** are very elegant.*
Les miennes sont très élégantes.	***Mine** are very elegant.*

2. The possessive pronouns are as follows:

MASCULINE SINGULAR	MASCULINE PLURAL	FEMININE SINGULAR	FEMININE PLURAL
le mien	les miens	la mienne	les miennes
le tien	les tiens	la tienne	les tiennes
le sien	les siens	la sienne	les siennes
le nôtre	les nôtres	la nôtre	les nôtres
le vôtre	les vôtres	la vôtre	les vôtres
le leur	les leurs	la leur	les leurs

3. The article contracts with the prepositions **à** and **de**:

Je pense **à mon ami**.	Je pense **au mien**.
Je me sers **de ton crayon**.	Je me sers **du tien**.
Ils pensent **à leurs frères**	Ils pensent **aux leurs**.
Vous parlez **de vos affaires**.	Vous parlez **des vôtres**.
Il pense **à sa sœur**.	Il pense **à la sienne**.

Simples substitutions

A. 1. Il a son sac. Où est *le nôtre*? (*le mien, le tien, le sien, le leur, le vôtre*)
   2. Henry a sa mobylette. Où est *la mienne*? (*la tienne, la nôtre, la vôtre, la leur, la sienne*)
   3. On a ses cahiers. Où sont *les miens*? (*les tiens, les siens, les leurs, les nôtres*)
   4. Il a rangé ses affaires. Où sont *les tiennes*? (*les miennes, les nôtres, les leurs, les vôtres, les siennes*)

Exercices de transformation

B. Modèle: J'ai mon sac de couchage.
J'ai le mien.

1. As-tu ton billet?
2. Mme Fourchet conduit sa voiture.
3. Elle met ses chemises dans le tiroir.
4. Donne-nous notre bouteille!
5. A ta santé!
6. A votre santé!

C. Modèle: Mets ton pardessus! Il fait mauvais.
Mets le tien! Il fait mauvais.

1. Il fait froid. Prenez vos gants!
2. Où est ton mouchoir? Tu en auras besoin.
3. On nous invite. Nous mettrons nos cravates.
4. J'emprunterai votre mobylette.

D. Modèle: Regardes-tu ses cousines?
Regardes-tu les siennes?

1. As-tu appelé tes camarades?
2. On pense à vos sœurs.
3. Elles viennent avec leurs amis.
4. Ils ont besoin de vos amis.
5. On a parlé à nos camarades.

TRAVAUX PRATIQUES

Remplissez les blancs par le pronom possessif convenable.

1. Je prends cette écharpe? Non, c'est (*mine*) _____.
2. Jacques veut-il ces timbres? Non, ce sont (*mine*) _____.
3. Est-ce que ce rasoir sur le lavabo est à moi? Oui, c'est (*yours*) _____.
4. A qui ces clefs appartiennent-elles? Ce sont (*his*) _____.
5. Est-ce la nouvelle voiture des Fourchet? Oui, c'est (*theirs*) _____.
6. Cette maison est-elle à vendre? Mais non, c'est (*ours*) _____.
7. A qui sont ces nouveaux chapeaux? Ce sont (*hers*) _____.
8. Ces photos sont à moi. As-tu (*yours*) _____?

NOTE DE GRAMMAIRE 94

Le plus-que-parfait

1. The pluperfect is used to express a past action or event that preceded another past action or event:

Nous avions déjà **fini** le travail quand vous êtes arrivé.
We had already finished the work when you arrived.

J'étais déjà **monté** quand tu es venu.
I had already gone up when you came.

2. The pluperfect is formed by the imperfect of the auxiliary verb (**avoir** or **être**) + the past participle:

j'**avais été**	j'**étais parti**
tu **avais été**	tu **étais parti**(e)
il **avait été**	il **était parti**
elle **avait été**	elle **était partie**
on **avait été**	on **était parti**
nous **avions été**	nous **étions parti**(e)s
vous **aviez été**	vous **étiez parti**(e)(s)
ils **avaient été**	ils **étaient partis**
elles **avaient été**	elles **étaient parties**

3. Note the difference between the following sentences:

Je suis arrivé quand **tu parlais** aux enfants.
　　　　　1　　　　　　　　　2

*I arrived when **you were speaking** to the children.*

Action 1 was completed in the past while action 2 was going on in the past.

Je suis arrivé au même moment que **tu es parti**.
　　　　1　　　　　　　　　　　　　　　2

*I arrived at the same time as **you left**.*

Action 1 took place in the past at the same time as action 2. Both actions were completed in the past. Note again:

Il s'est fâché quand je lui ai dit la nouvelle.
　　　1　　　　　　　　2

*He got angry when **I told him** the news.*

4. Now note the use of the pluperfect:

Nous avions déjà fini le travail quand **vous êtes arrivé**.
　　　　　A　　　　　　　　　　　　　　　　　B

*We had already finished the work when **you arrived**.*

Action A took place in the past before action B. Action A is rendered by the pluperfect, action B by the **passé composé**.

TRAVAUX PRATIQUES

A. Imaginez une situation où vous devez compléter la phrase par le plus-que-parfait.

Modèles: *Quand l'agent de police est arrivé...*
　　　　　　Quand j'ai téléphoné...

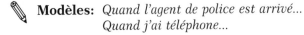

B. Par groupes de deux, un étudiant commence une phrase que le second étudiant doit compléter avec le plus-que-parfait.

C. Des deux actions qui suivent, l'une précède l'autre. Déterminez laquelle est au plus-que-parfait et l'autre au passé composé. Reliez les deux phrases avec **quand**.

Modèle: l'accident a eu lieu / la police est arrivée
L'accident avait eu lieu quand la police est arrivée.

1. j'ai préparé le café / j'ai vu qu'il n'y avait plus de sucre
2. je me suis brossé les dents / j'ai pris ma douche
2. je suis sorti(e) / la pluie a commencé
4. j'ai fermé la porte / j'ai entendu le téléphone sonner
5. nous avons bu notre apéritif / nous avons dîné

NOTE DE GRAMMAIRE 95

Le conditionnel passé

1. The past conditional is used to express an action or event that would have occurred in the past if certain conditions had been present. It is formed by the present conditional of the auxiliary verb (**avoir** or **être**) + the past participle:

j'**aurais été**	je **serais parti**
tu **aurais été**	tu **serais parti(e)**
il **aurait été**	il **serait parti**
elle **aurait été**	elle **serait partie**
on **aurait été**	on **serait parti**
nous **aurions été**	nous **serions parti(e)s**
vous **auriez été**	vous **seriez parti(e)(s)**
ils **auraient été**	ils **seraient partis**
elles **auraient été**	elles **seraient parties**

J'aurais aimé y aller avec mes amis.	*I **would have liked** to go there with my friends.*
Quand vous aviez cinq ans, **auriez-vous voulu** commencer le français?	*When you were 5 years old, **would you have** wanted to begin French?*
Je vous en **aurais parlé**, mais vous n'étiez pas là.	*I **would have spoken** to you about it, but you weren't there.*

2. In a conditional statement, the past conditional is used in the result clause when the pluperfect is used in the *if* clause. The past conditional implies that the action never occurred because the required conditions were not present:

Je l'**aurais fait** si j'avais eu le temps.	*I **would have done** it if I had had the time.*
Si je l'avais vu, **j'aurais été** heureux.	*If I had seen it, **I would have been** happy.*

3. Review the sequences of tenses used in conditional statements:

IF CLAUSE	RESULT CLAUSE	EXAMPLE
Present	{ Present	S'il **parle**, vous l'**écoutez**.
	Future	S'il **parle**, vous l'**écouterez**.
	Imperative	S'il **parle**, **écoutez**-le!
Imperfect	Conditional	S'il **parlait**, vous l'**écouteriez**.
Pluperfect	Past conditional	S'il **avait parlé**, vous l'**auriez écouté**.

Exercice de transformation

Modèle: Si elle venait, je resterais avec elle.
Si elle était venue, je serais resté avec elle.

1. S'il ne pleuvait pas, nous irions à pied.
2. Si je suivais ses conseils, je consulterais un médecin.
3. Si nous regardions la troisième chaîne, tu serais plus content.
4. Si je mettais la table, vous pourriez manger tout de suite.
5. S'il neigeait, vous mettriez vos bottes.
6. Si nous avions le temps, nous écouterions les cassettes.
7. Si tu disais ce que tu penses, nous te croirions.
8. Si nous étudiions le droit, nous deviendrions avocats.
9. Si vous craigniez les examens, vous étudieriez plus.
10. S'ils écrivaient, je lirais leurs lettres.
11. Si nous le connaissions, nous lui parlerions.
12. Si je me levais tôt, j'aurais le temps de tout faire.
13. Si je me dépêchais, j'y arriverais la première.
14. Si on mangeait, on n'aurait plus faim.
15. Si on buvait, on n'aurait pas soif.

TRAVAUX PRATIQUES

Répondez aux questions générales.

1. Aimeriez-vous avoir une expérience semblable à celle des étudiants du dialogue?
2. Agiriez-vous différemment?
3. Si vous aviez fait parti de leur groupe, quelles suggestions leur auriez-vous faites?
4. Si vous aviez ce devoir aux Etats-Unis, iriez-vous chez l'épicier? Chez le maire?
5. Pensez-vous à une autre solution? Laquelle?
6. Comment le maire d'un village américain recevrait-il de jeunes Français?
7. Les inviterait-il à déjeuner chez lui à la bonne franquette?
8. Faites-vous collection de timbres?
9. Si oui, collectionnez-vous les timbres américains, ou bien vous intéressez-vous aux timbres des pays étrangers? Lesquels?
10. Si oui, faites-vous des échanges de timbres avec d'autres collectionneurs?

Un champs de blé à Marne près d'Epernay

MICROLOGUE: **Paris n'est pas la France**

Si vous prenez Paris pour la France, je crains que vous ne soyez
déçu. Pigalle non plus n'est pas Paris. Il est préférable de
commencer un séjour en France par la province. On ne peut
mieux connaître l'esprit clair et réaliste, la vertu solide et **terre-**
5 **à-terre**, qu'à travers la province et les provinciaux.

    L'agriculteur a été longtemps **l'appui** de la France. La belle
semeuse que l'on trouve sur la plupart des pièces de monnaie
témoigne de cette idée qui persiste encore, même si les paysans
sont **en voie de** disparition.

10   En dépit de l'adversité des temps qu'il a connue, l'agriculteur
accepte le combat parce qu'il aime la terre. Son travail lui plaît
et **le blé** est le but de son travail. Ce pays a été créé par **la**
sueur, le dévouement et l'amour de l'agriculteur.

*disappointed / (night
club district in
Paris)*
matter-of-fact

the support
sower
gives evidence
in the process of

wheat / sweat

Questions

1. Qu'est-ce qui arrive quand on prend Paris pour la France?
2. Par où faut-il commencer un séjour en France?
3. Qu'est-ce que les provinciaux nous font connaître?
4. Quel rôle a joué l'agriculteur?
5. De quelle idée la semeuse témoigne-t-elle?
6. Pourquoi l'agriculteur a-t-il continué le combat?
7. Que représente le blé pour l'agriculteur?

LECTURE: La Beauce: grenier à blé de la France   *granary*

Le blé est sacré pour beaucoup de Français. Lisez ce passage de Charles Péguy sur le blé et essayez d'en ressentir sa beauté.

L'Ile de France...

Cette immense Beauce, grande comme la mer, immense et infinie comme la mer, cet océan de blé; une beauté parfaitement
horizontale; une beauté de platitude parfaite, **sans un défaut**;   *without a single fault*
5 le pays des véritables **couchers de soleil**;   *sunsets*
Plaine infinie. Plaine infiniment grande. Sérieuse et tragique.
Plaine, océan de blé, blés vivants, **vagues mouvantes**;   *moving waves*
Plaine, océan de blé, blés mouvants, vagues vivantes, vagues   *inexhaustible / ears of*
végétales, ondulations infinies; ondulations **inépuisables des**   *grain*
10 **épis**; océan de vert, océan de jaune et de blond et de **doré**;   *golden*
Puis parfaits **alignements** des beaux **chaumiers**; des grandes   *lines / straw left after*
et parfaitement belles **meules** dorées; meules, maisons de blés,   *the harvest*
entièrement faites en blé, **gerbes**, épis, **paille**, blé...   *haystacks*
    sheaves / straw
Immenses bâtiments de céréales, parfaites maisons de **froment**,   *wheat*
15 bien pleines, bien **pansues**, sans obésité toutefois, bien   *fat*
cossues; et cette forme sacramentelle, vieille comme le monde,   *rich*
une des plus vieilles des formes la vieille **ogive** aux **courbes**   *gothic arch / curves*
parfaites de toutes parts; innocentes courbes et formes, dites-
vous; innocentes apparemment; **astucieuses** en réalité, d'une   *clever*
20 patiente habileté paysanne, invinciblement astucieuse contre la
pluie.

Pays parfaitement classique, parfaitement probe...
Plaine, océan, plateau, univers de blés temporels...

CHARLES PEGUY,
De la gloire temporelle

Questions

1. A quoi un champ de blé ressemble-t-il?
2. Quel rôle la comparaison du champ de blé avec l'océan joue-t-elle dans la première partie de l'œuvre?
3. Qu'évoque pour vous le mouvement du blé?
4. L'auteur décrit le champ de blé avec plusieurs couleurs. Comment un champ de blé peut-il être vert, doré, blond et jaune en même temps?
5. Pourquoi l'auteur compare-t-il une meule à une maison?
6. Comment est-ce que la forme de l'ogive contribue à renforcer l'idée religieuse?
7. Est-ce que la forme de la meule est pratique? Dans quel sens?
8. Etes-vous d'accord que le blé, comme la foi, nourisse le corps et l'âme également?
9. L'auteur crée un effet hypnotisant. Comment?

Les glaneuses de Millet

Récolte de blé mécanisée

Blaise Pascal

TRAVAUX PRATIQUES

 A. Choisissez un passage littéraire qui vous paraît important. Lisez-le à haute voix et dites pourquoi vous estimez votre sélection.

 B. Nous vous offrons un passage des *Pensées* de Blaise Pascal. Pascal a été penseur, mathématicien et écrivain au dix-septième siècle. Profondément influencé par la théologie du jansénisme, il a écrit des pensées qui reflètent la vigueur et l'audacité de son intelligence. Une de ses pensées que l'on cite souvent explore le dilemme de ceux qui essaient de tout expliquer: « Le cœur a ses raisons que la raison ne connaît pas ».

Dans le passage ci-dessous, Pascal définit le sens de la dignité de l'humanité par une comparaison simple: l'humanité contre l'univers ou, si on veut, l'humanité contre la masse inerte, contre l'absurdité.

« Qu'est-ce qu'un homme dans l'infini? »

L'homme n'est qu'un roseau (*reed*), le plus faible de la nature; mais c'est un roseau pensant. Il ne faut pas que l'univers entier s'arme pour l'écraser: une vapeur, une goutte d'eau suffit pour le tuer. Mais, quand l'univers l'écraserait, l'homme serait encore plus noble que ce qui le tue, parce qu'il sait qu'il meurt, et l'avantage que l'univers a sur lui, l'univers n'en sait rien.

1. Pourquoi Pascal compare-t-il l'homme à un roseau?
2. Faut-il que l'univers entier s'arme pour écraser l'homme? Pourquoi?
3. Qu'est-ce qui peut tuer l'homme?
4. D'où vient la dignité de l'homme?

 Création et récréation

A. Henry meets a priest (**un curé**) and tries to explain his mission in the village, as described in the **Scénario** of this chapter. What questions would Henry ask? Write a dialogue between the two, using a relatively small town you know as your resource.

B. Quelle ville aux Etats-Unis considéreriez-vous la plus typique? Pourquoi?

C. Quel objet — le plus représentatif de notre civilisation — placeriez-vous dans une capsule (*time capsule*) qu'on ouvrirait en 2050?

D. Prenez une feuille de papier et écrivez — sans hésiter, s'il vous plaît! — à quoi vous pensez quand vous entendrez les mots que votre partenaire vous lira. Par exemple, votre partenaire dira « un lit » et vous écrirez peut-être **repos**, **rêve**, **cauchemar**, **dormir**, **se coucher** ou **fatigué**. Vous pouvez écrire un ou plusieurs mots. D'autres suggestions:

a. une expérience culturelle
b. rédiger un rapport
c. faire de l'auto-stop
d. un village
e. l'heure du repas

f. faire la connaissance de quelqu'un
g. les informations
h. à la bonne franquette
i. bavarder

Après l'exercice, comparez vos réponses avec celles de vos camarades et essayez d'expliquer pourquoi vous vous êtes exprimés ainsi.

E. Monique décide de passer un week-end à la campagne. Elle désire étudier un village typique et faire un rapport sur ce qu'elle voit. Elle essaie de comparer l'agriculteur français avec « the American farmer ».

Coup d'œil

_____   91. Some conjugated verbs may be followed directly by   _____
an infinitive:

> Je **vais** y travailler.
> Elle **espère** partir.

_____   Others require **de** before an infinitive: _____

> Je **finis de** travailler.
> Je **suis heureux de** vous voir.

_____   Still others take **à**:   _____

> J'**apprends à** nager.
> Il **commence à** pleuvoir.

_____   92. The verb **ouvrir** (*to open*) is irregular: _____

j'**ouvre**	nous **ouvrons**
tu **ouvres**	vous **ouvrez**
il **ouvre**	ils **ouvrent**
elle **ouvre**	elles **ouvrent**
on **ouvre**	

IMPERATIF: **ouvre! ouvrons! ouvrez**
PASSE COMPOSE: j'**ai ouvert**
IMPARFAIT: j'**ouvrais**
FUTUR: j'**ouvrirai**
CONDITIONNEL: j'**ouvrirais**
SUBJONCTIF: que j'**ouvre**
          que nous **ouvrions**

Verbs conjugated like **ouvrir** are **couvrir**, **découvrir**, **offrir**, and **souffrir**.

_____   93. A possessive pronoun replaces a noun preceded by   _____
a possessive adjective and agrees in gender and number
with the possessive adjective and noun it replaces:

> Elle a **son livre**.   Elle a **le sien**.
> Nous cherchons **nos**   Nous cherchons **les**
>   **affaires**.   **nôtres**.

94. The pluperfect expresses an action in the past that preceded another action in the past. It consists of the imperfect of the auxiliary verb (**avoir** or **être**) + a past participle:

Je l'**avais** presque **terminé** quand vous êtes arrivé.	*I **had** almost **finished** it when you arrived.*
Quand Jeanne s'est réveillée, **sa sœur était** déjà **partie**.	*When Jeanne awoke, **her sister had** already **left**.*

95. The past conditional expresses an action that would have occurred in the past if certain conditions had been present. It consists of the conditional of the auxiliary verb + a past participle:

Nous aurions voulu parler au maire.	*We **would have wanted to speak** to the mayor.*
Je serais allé chez le dentiste.	*I **would have gone** to the dentist's office.*

The past conditional is often used with the pluperfect in conditional sentences:

Je l'**aurais fait** si vous étiez venu.	*I **would have done** it if you had come.*

VOCABULAIRE

VERBES

appuyer	découvrir	souffrir
bavarder	offrir	
couvrir	ouvrir	

NOMS

au bureau de poste	le blé	le rapport
(voir p 486)	le clavier à touches	le village
l'abonné (*m.*)	le compte en banque	
l'agriculteur (*m.*)	le compte-rendu	
l'annuaire (*m.*)	l'écran (*m.*)	
	la fin	

ADJECTIFS

bancaire	déçu

EXPRESSIONS UTILES

choisir au hasard	mettre en mémoire	sans doute
faire un exposé	un numéro de rappel	

CHAPITRE FACULTATIF

"My boy, Grand-père is not the one to ask about such things. I have lived eighty-seven peaceful and happy years in Montoire-sur-le-Loir without the past anterior verb form."

Itinéraire

In this optional chapter, we present the past tense of the subjunctive, the verb **plaire** (*to please*), two new tenses—the past definite and the future perfect—and the passive voice. By now, you—like our three American students—have enough knowledge of structure and vocabulary, and enough cultural awareness to communicate with the vast numbers of people in the francophone world.

NOTE DE GRAMMAIRE A

Le subjonctif passé

1. The subjunctive has a tense in the past. It is called the perfect subjunctive. The perfect subjunctive is formed by the auxiliary verb in the present subjunctive + the past participle:

Je suis content que **vous l'ayez fait**.   *I am happy that **you did** it.*
Je suis content que **vous soyez parti**.   *I am happy that **you left**.*

2. The sequence of tenses for the subjunctive is quite simple in spoken French:

   a. When the action is simultaneous or future to the verb in the main clause, the subjunctive is in the present:

MAIN CLAUSE	SUBORDINATE CLAUSE	
Je regrette	que **vous** le **fassiez**.	*I am sorry that **you are doing** that.*
Je regretterai	que **vous** le **fassiez**.	*I will be sorry that **you will do** that.*
Je regretterais	que **vous** le **fassiez**.	*I would be sorry that **you would do** that.*
Je regrettais	que **vous** le **fassiez**.	*I was sorry that **you were doing** that.*

   b. If the action occurred prior to the verb in the main clause, the subjunctive is in the perfect:

MAIN CLAUSE	SUBORDINATE CLAUSE	
Je regrette	que **vous l'ayez fait**.	*I am sorry that **you did** that.*
Je regrettais	que **vous l'ayez fait**.	*I was sorry that **you had done** that.*
J'ai regretté	que **vous l'ayez fait**.	*I was sorry that **you had done** that.*

NOTE DE GRAMMAIRE B

Le verbe **plaire**

1. **Plaire à** (*to please*) is an irregular verb:

je **plais**	nous **plaisons**
tu **plais**	vous **plaisez**
il **plaît**	ils **plaisent**
elle **plaît**	elles **plaisent**
on **plaît**	

IMPERATIF: **plais! plaisons! plaisez!**
PASSE COMPOSE: j'**ai plu**

IMPARFAIT: je **plaisais**
FUTUR: je **plairai**
CONDITIONNEL: je **plairais**
SUBJONCTIF: que je **plaise**
que nous **plaisions**

Note the usage of **plaire à**:

Ces films **nous plaisent**.	**We like** these films.
Ce concert **ne plaît pas à mes parents**.	**My parents do not like** this concert.

2. The impersonal expression **il me plaît de** and the pronominal verb **me plaire à** both mean *I like*:

Il me plaît d'aller au cinéma.
Je me plais à aller au cinéma. } **I like** to go to the movies.

3. Other verbs conjugated like **plaire** are **déplaire à** (*to displease*) and **se taire** (*to be quiet*):

Il déplaît à mes parents que je rentre tard.	**It displeases** my parents that I come home late.
Le professeur a demandé à la classe de **se taire**.	The professor asked the class **to be quiet**.

The third person singular of **se taire** takes no circumflex: **il se tait**.

NOTE DE GRAMMAIRE C

Le passé simple

1. The **passé simple** (*past definite*) is a literary tense. Like the **passé composé**, it indicates that an action was completed in the past. It is used in narration to express an action or event that was completely finished in the past. The **passé simple** is almost never used in conversational French; it is used primarily in formal speeches and in literature.

2. Although you may never need to produce the **passé simple** yourself, you should be able to recognize its forms:

   a. The **passé simple** of infinitives ending in **-er** is formed by dropping the **-er** and adding the appropriate ending: **-ai**, **-as**, **-a**, **-âmes**, **-âtes**, **-èrent**:

   parler

Je **parlai** devant l'Assemblée nationale.	*I **spoke** before the National Assembly.*
Tu **parlas** à l'Académie française.	*You **spoke** to the French Academy.*
Le Président **parla** au Sénat.	*The President **spoke** to the senate.*

Nous **parlâmes** à l'université.   *We **spoke** at the university.*
Vous **parlâtes** à la conférence hier.   *You **spoke** at the lecture yesterday.*

Elles **parlèrent** bien à la radio hier. *They **spoke** well on the radio yesterday.*

aller

J'**allai** au Havre.   *I **went** to Le Havre.*
Tu **allas** à la Nouvelle-Orléans.   *You **went** to New Orleans.*
Il **alla** au Caire.   *He **went** to Cairo.*
Nous **allâmes** à Des Moines.   *We **went** to Des Moines.*
Vous **allâtes** à Salt Lake City.   *You **went** to Salt Lake City.*
Ils **allèrent** à Paris.   *They **went** to Paris.*

b. The **passé simple** of most infinitives ending in **-ir** and **-re** is formed by dropping the infinitive ending and adding the appropriate ending: **-is**, **-is**, **-it**, **-îmes**, **-îtes**, **-irent**:

finir

Je **finis** le manuscrit.   *I **finished** the manuscript.*
Tu **finis** le livre.   *You **finished** the book.*
Elle **finit** le document.   *She **finished** the document.*
Nous **finîmes** la lettre.   *We **finished** the letter.*
Vous **finîtes** le scénario.   *You **finished** the script.*
Ils **finirent** la revue.   *They **finished** the magazine.*

répondre

Je **répondis** à la question.   *I **answered** the question.*
Tu **répondis** à l'interrogation.   *You **answered** the interrogation.*
On **répondit** au professeur.   *Someone **answered** the professor.*
Nous **répondîmes** au prêtre.   *We **answered** the priest.*
Vous **répondîtes** au rabbin.   *You **answered** the rabbi.*
Ils **répondirent** au pasteur.   *They **answered** the pastor.*

c. For most infinitives ending in **-oir**, drop the **-oir** and add the endings **-us**, **-us**, **-ut**, **-ûmes**, **-ûtes**, **-urent**:

vouloir

Je **voulus** apprécier la littérature.   *I **wanted** to appreciate literature.*
Tu **voulus** apprendre le poème.   *You **wanted** to learn the poem.*
Elle **voulut** lire le drame.   *She **wanted** to read the drama.*
Nous **voulûmes** étudier le roman.   *We **wanted** to study the novel.*
Vous **voulûtes** créer un chef-d'œuvre.   *You **wanted** to create a masterpiece.*
Ils **voulurent** écrire un volume.   *They **wanted** to write a volume.*

d. Note that for certain verbs ending in **-oir**, **-oire**, and **-re**, the past participle gives a clue to the formation of the **passé simple**:

INFINITIVE	PAST PARTICIPLE	PASSE SIMPLE
pouvoir	pu	je **pus**
savoir	su	je **sus**
devoir	dû	je **dus**
recevoir	reçu	je **reçus**
boire	bu	je **bus**
croire	cru	je **crus**
lire	lu	je **lus**
connaître	connu	je **connus**
vivre	vécu	je **vécus**

e. Here are the **passé simple** forms of the auxiliary verbs:

être

je **fus**	nous **fûmes**
tu **fus**	vous **fûtes**
il **fut**	ils **furent**
elle **fut**	elles **furent**
on **fut**	

avoir

j'**eus**	nous **eûmes**
tu **eus**	vous **eûtes**
il **eut**	ils **eurent**
elle **eut**	elles **eurent**
on **eut**	

f. The following verbs have irregular stems but take the usual endings for verbs ending in **-ir** and **-re** (**-is**, **-is**, **-it**, **-îmes**, **-îtes**, **-irent**):

INFINITIVE	STEM	INFINITIVE	STEM
faire	**f-**	mettre	**m-**
prendre	**pr-**	craindre	**craign-**
voir	**v-**	naître	**naqu-**
dire	**d-**	rire	**r-**

g. The verb **venir** has different endings:

je **vins**	nous **vînmes**
tu **vins**	vous **vîntes**
il **vint**	ils **vinrent**
elle **vint**	elles **vinrent**
on **vint**	

These verbs are conjugated like **venir**:

contenir *to contain*	**retenir** *to retain*
convenir *to suit*	**revenir** *to come back*
détenir *to hold, to be in possession of*	**se souvenir** *to remember*
devenir *to become*	**tenir** *to hold*
obtenir *to obtain*	

NOTE DE GRAMMAIRE D

Le futur antérieur

1. The future perfect indicates that an action will have taken place in the future before another action will take place:

Tu l'**auras fini** quand nous arriverons.	*You will have finished it by the time we arrive.*

2. The future perfect is formed by using the future of the auxiliary + the past participle:

J'**aurai cherché** le livre...	*I will have looked for the book . . .*
Tu **auras trouvé** le livre...	*You will have found the book . . .*
Elle **aura acheté** le livre...	*She will have bought the book . . .*
Nous **aurons commencé** le livre...	*We will have begun the book . . .*
Vous **aurez fini** le livre...	*You will have finished the book . . .*
Ils **auront vendu** le livre...	*They will have sold the book . . .*

Je **serai entré(e)** dans la maison...	*I will have entered the house . . .*
Tu **seras monté(e)** au premier étage...	*You will have gone up to the second floor . . .*
Il y **sera resté** longtemps...	*He will have stayed there a long time . . .*

Nous **serons descendu(e)s**...	*We will have gone downstairs . . .*
Vous **serez tombé(e)(s)** dans l'escalier...	*You will have fallen down the stairs . . .*
Elles **seront sorties** de la maison...	*They will have gone out of the house . . .*

3. Note the differences between the following sentences:

Tu le **feras** quand **nous arriverons**.	*You will do it when we arrive.*
Tu l'**auras fait** quand **nous arriverons**.	*You will have done it when we arrive.*

In the first sentence, the future tense is used in both clauses because the two actions will occur simultaneously. In the second sentence, the future perfect is used in the first clause because that action will precede the action in the second clause.

4. The past infinitive and the future perfect may be used interchangeably when the subject of both clauses is the same:

Quand nous l'aurons acheté, nous vous le donnerons.	*When we have bought it, we will give it to you.*
Après l'avoir acheté, nous vous le donnerons.	*After buying it, we will give it to you.*

NOTE DE GRAMMAIRE E

La voix passive

1. In the active voice, the subject of the sentence performs the action of the verb, but in the passive voice, the subject receives the action of the verb:

ACTIVE: **Robert flatte** Mme Fourchet. *Robert flatters Mme Fourchet.*
PASSIVE: **Mme Fourchet est flattée** par *Mme Fourchet is flattered by*
Robert. *Robert.*

2. As in English, the passive voice is formed by using the past participle of any transitive verb with the appropriate tense of the verb **être**:

PRESENT: je **suis flatté(e)** *I am (am being) flattered*
PASSE COMPOSE: j'**ai été flatté(e)** *I am (have been) flattered*
IMPARFAIT: j'**étais flatté(e)** *I was (was being) flattered*
FUTUR: je **serai flatté(e)** *I shall (will) be flattered*
CONDITIONNEL: je **serais flatté(e)** *I should (would) be flattered*
SUBJONCTIF: que je **sois flatté(e)** *that I be (am, may be) flattered*

The past participle agrees in gender and number with the subject because it is used as an adjective.

3. Generally, a verb that takes **être** as an auxiliary cannot be made passive, nor can any verb that is intransitive.

4. In the passive voice, the performer of the action—the agent—is usually introduced by **par**:

Robert est puni **par le professeur**. *Robert is punished **by the professor**.*
La récolte est détruite **par la pluie**. *The harvest is destroyed **by the rain**.*

5. When the passive describes a state of being, a habitual occurrence, or a sentiment, the agent is introduced by **de**:

DESCRIPTIVE: La maison est entourée **de** *The house is surrounded **by**
beaux jardins. *beautiful gardens.*
HABITUAL ACTION: Il est entouré **de** ses disci- *He is surrounded **by** his*
ples. *disciples.*
SENTIMENT: Elle est aimée **de** ses en- *She is loved **by** her chil-*
fants. *dren.*

6. When there is no agent expressed, the passive voice may be replaced by:

   a. The indefinite pronoun **on** + *active voice*:

   On parle anglais. ***English is spoken** here.*

   b. A reflexive construction:

   Le pain se mange avec le beurre. ***Bread is eaten** with butter.*

7. In the past tenses, verbs denoting a state of affairs or condition are usually in the imperfect. Note the differences between the **passé composé** and the imperfect:

PASSE COMPOSE:	Robert **a été puni** par le professeur.	*Robert **was punished** by the professor.*
	La récolte **a été détruite** par la pluie.	*The harvest **was destroyed** by the rain.*
IMPARFAIT:	Mme Fourchet **était aimée** de tous.	*Mrs. Fourchet **was loved** by all.*
	Le professeur **était détesté** de ses étudiants.	*The professor **was hated** by his students.*

The imperfect suggests an action that lasts or that is simply a description of a state or condition, without specifying its duration. Note, however, that you can indicate an action that lasts with a **passé composé** when the duration is specified:

Le professeur **a été admiré** de ses étudiants pendant toute sa carrière.	*The teacher **was admired** by his students during his entire career.*

NOTE DE GRAMMAIRE F

Le verbe **craindre**

1. The irregular verbe **craindre** (**de**) means *to fear*. It is conjugated as follows:

je **crains**	nous **craignons**
tu **crains**	vous **craignez**
il **craint**	ils **craignent**
elle **craint**	elles **craignent**
on **craint**	

IMPERATIF: **crains! craignons! craignez!**	CONDITIONNEL: je **craindrais**
PASSE COMPOSE: j'**ai craint**	SUBJONCTIF: que je **craigne**
IMPARFAIT: je **craignais**	que nous **craignions**
FUTUR: je **craindrai**	

When **craindre** is the verb in the main clause, the verb in the subordinate clause must be in the subjunctive:

Nous craignons qu'il ne dise pas ce qu'il pense.	*We are afraid that he doesn't say what he thinks.*
On craint qu'il ne parte trop tôt.[1]	*We are afraid that he will leave too soon.*

---

[1] As with **à moins que** and certain other expressions, **craindre** and **avoir peur** take **ne** before the verb in a subordinate clause. This **ne** is not a negation:

Je crains que tu **ne** t'enrhumes. ⎱
J'ai peur que tu **ne** t'enrhumes. ⎰   *I'm afraid that you are catching a cold.*

2. These verbs are conjugated like **craindre**:

atteindre *to reach*		**plaindre** *to pity*	
éteindre *to extinguish*		**se plaindre (de)** *to complain (about)*	
joindre *to join*		**rejoindre** *to rejoin*	
peindre *to paint*			

Sir Edmund a atteint le sommet de l'Everest en 1953.

Sir Edmund reached the summit of Everest in 1953.

Il faut que vous éteigniez l'électricité quand vous quittez une pièce.

You must turn off the electricity when you leave a room.

Pour faire le passé composé **on joint** le verbe auxiliaire au participe passé.

To form the passé composé, you combine the auxiliary verb with the past participle.

Cet artiste peint des paysages.

This artist paints landscapes.

Je plains ceux qui ne veulent rien faire.

I pity those who don't want to do anything.

Elle se plaint du temps qu'il fait.

She's complaining about the weather.

Je vous **rejoindrai** au coin de la rue.

I will meet you at the corner of the street.

Le monde francophone

La francophonie

La francophonie comprend diverses organisations gouvernementales réunissant au sommet les chefs d'état et de gouvernement des pays francophones.

La francophonie, c'est aussi une multitude de journaux, de revues, de livres et d'émissions radiophoniques et télévisées qui emploient quotidiennement le français à travers le monde.

Mais la francophonie, c'est surtout des peuples aux cultures très diverses réparties sur les cinq continents qui vivent, travaillent, enseignent, chantent et communiquent en français.

Qu'appelle-t-on un francophone?

Un francophone est une personne qui emploie le français de façon régulière.

A part l'anglais, le français est la seule langue parlée sur les cinq continents. Environ 120 millions de francophones dans quarante-cinq pays l'emploient tous les jours et plus de 200 millions de personnes comprennent, parlent, lisent ou écrivent le français dans le monde entier.

A l'O.N.U. (l'Organisation des Nations unies), le français est la langue de travail et la langue officielle d'une cinquantaine d'états membres.

En dehors de la France, des départements d'outre-mer (D.O.M.)[1] et des territoires d'outre-mer (T.O.M.),[2] le français est la langue officielle de cinq pays d'Europe: la Suisse (avec l'allemand et l'italien), la Belgique (avec le néerlandais et l'allemand), le Luxembourg, Andorre (avec le catalan) et Monaco.

En Afrique, douze états ont adopté le français comme seule langue officielle et il est une des langues officielles dans neuf autres pays africains. Il est également langue officielle au Canada, et langue protégée au Val d'Aoste (Italie), en Louisiane et à Pondichéry (Inde).

Le français est la langue maternelle de plus de 75 millions de personnes, dont 63 millions d'Européens.

Hors d'Europe on compte plus de 10 millions de francophones de langue maternelle: Canadiens, Haïtiens, Mauriciens, Israéliens et habitants des Antilles ex-anglaises.

Le français reste une langue d'enseignement au Maghreb,[3] en Egypte et en Lybie; en fait, l'Afrique du Nord est une des plus grandes régions francophones avec près de 20 millions de personnes qui parlent français. Il en est de même au Proche-Orient (Liban, Syrie), en Extrême-Orient (Cambodge, Laos, Viêt-Nam), ainsi que dans certains pays sud-américains (Brésil, Colombie).

[1] D.O.M.: la Martinique, la Guadeloupe, la Réunion, la Guyane française et Saint-Pierre et Miquelon.

[2] T.O.M.: la Nouvelle-Calédonie, Wallis et Futuna, la Polynésie française, les Terres australes et antarctiques et Mayotte.

[3] Maghreb: les pays du nord-ouest de l'Afrique: le Maroc, l'Algérie et la Tunisie.

Le Mont-Saint-Michel

Dès 1966 le Président du Niger avait proposé un sommet réunissant tous les chefs des états francophones. Mais c'est seulement en 1986 que le premier sommet a eu lieu à Paris. Il a été ouvert par un discours du Président de Madagascar qui avait mis en question les motifs de la francophonie. Il a terminé en disant: « Vous vous demandez peut-être pourquoi je suis ici. C'est seulement par amour pour la langue française. »

Le français attire toujours beaucoup d'étrangers. Augustin Gomez-Arcos, un Espagnol qui a écrit de nombreux livres pendant les vingt-deux années qu'il a vécu à Paris, dit que le français est « la langue de ma libre expression... Le français m'a obligé à me concentrer sur ce qui est essentiel, donc universel. »

Un philosophe russe, Merab Mamar-Da Schvilli, auteur d'un traité sur Descartes, dit qu'il a appris le français tout seul, alors qu'il n'avait aucun espoir de jamais visiter la France « pour me doter d'une âme, d'une liberté secrète ».

Le sommet de Paris a été suivi d'autres à Québec en 1987, à Dakar en 1989 et à Paris en 1991.

L'Académie française qui défend la pureté de la langue française a établi de strictes règles pour l'uniformiser. Mais le français étant en contact avec d'autres langues dans des pays loin de son origine a subi des variations. Par exemple, un gant de toilette s'appelle une « débarbouillette » au Canada et une « lavette » en Suisse. Au Cameroun, deux verbes, « grossir » et « grassir », signifient « prendre du poids », mais « grassir », inconnu aux autres pays francophones, s'emploie uniquement pour une femme enceinte.

Les noms curieux des chiffres 70, 80 et 90 s'emploient dans tous les pays francophones sauf la Belgique et la Suisse, où les vieilles formes « septante » et « nonante » sont toujours entendues; « huitante » est moins employé. Petit à petit quelques-unes de ces différences ont tendance à disparaître grâce aux plus grands moyens de communication, notamment la radio, la télévision et la diffusion des livres.

Pour permettre une plus grand souplesse à la langue, l'Académie française a retenu certains mots de la francophonie dans son *Dictionnaire de l'Académie*.

Dans la lecture sur Haïti (p 525), vous remarquerez certains mots ayant subis quelques variations du français original. Voici quelques mots modifiés dans d'autres pays:

Au Sénégal on dit une « essencerie » pour un poste d'essence, « la gouvernance » pour le siège du gouverneur, un « pain chargé » ou un « pain garni » pour un sandwich et la « primature » pour le poste de Premier ministre et ses services.

Au Canada on dit une « auto-neige » pour un véhicule qui voyage sur la neige, « se casaner » pour se renfermer sur soi (quelqu'un qui préfère rester chez soi est un « casanier »), un « criard » pour un klaxon, « eau bleue » pour encre, « être aux oiseaux » pour être heureux, « être à pic » pour être irritable, « picoter » pour taquiner de façon agaçante, un « traversier » pour un bac (une sorte de bateau) et un « vivoir » pour le salon d'une maison ou d'un appartement.

QUESTIONS

1. Que veut dire le mot « francophone »?
2. Quelles sont les deux langues parlées sur les cinq continents?
3. Combien d'états membres de l'O.N.U. emploient le français comme langue de travail?
4. Dans combien d'états d'Afrique le français est-il langue officielle?
5. Quelle est une des fonctions principales de l'Académie française?
6. Donnez des exemples de mots français qui ont des variations locales, par exemple:

   a. Au Canada et en Suisse, le mot pour un gant de toilette.
   b. En Belgique et en Suisse, les chiffres 70 et 90.
   c. Au Sénégal, l'expression pour un sandwich.
   d. Au Canada, l'expression pour de l'encre.

La France géopolitique

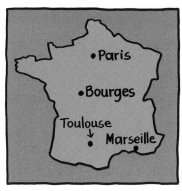

La carte de la France ressemble à un hexagone. Aucun point n'est situé à plus de 500 kilomètres de la mer. La France, plus petite que le Texas, avait 58 452 000 habitants au recensement *census* de 1990.

Elle est baignée au nord par la mer du Nord et la Manche qui la séparent de la Grande Bretagne, l'océan Atlantique à l'ouest et la mer Méditerranée au sud.

Elle a quatre grands fleuves: la Seine qui traverse Paris; la Loire, le plus long fleuve (*main river*) français; la Garonne qui se jette (*flows*) dans l'océan Atlantique et le Rhône qui se jette dans la Méditerranée. Il y a aussi le Rhin qui forme une frontière naturelle avec l'Allemagne sur 195 kilomètres.

Les principales montagnes sont les Alpes séparant la France de l'Italie, le Jura séparant la France de la Suisse et les Vosges le long du Rhin. Au sud, les Pyrénées séparent la France de l'Espagne. Il existe également quelques plus anciennes montagnes, le Massif central étant la plus importante.

Le climat est doux et tempéré.

Après Paris, la capitale, les cinq plus grandes villes sont Marseille et Lyon, Lille, Bordeaux et Toulouse.

Les jeunes sont majeurs à l'âge de dix-huit ans. Ils ont obtenu le droit de voter en 1974. Malgré beaucoup de débats, le service militaire reste obligatoire pour une durée d'un an.

La France est divisée en quatre-vingt-seize départements plus cinq départements d'outre-mer (D.O.M.) et cinq territoires d'outre-mer (T.O.M.).

Le gouvernement de France est divisé entre le pouvoir exécutif — le Président de la République qui est élu pour sept ans (il n'y a pas de vice-président), le Premier ministre et un nombre variable de ministres — et le pouvoir législatif, le Parlement, constitué de l'Assemblée nationale et du Sénat.

Les principaux partis politiques français sont, à gauche, le parti communiste français (PCF) et le parti socialiste (PS); au centre, l'Union pour la Démocratie Française (UDF); à droite, le Rassemblement pour la République (RPR), fondé par le général Charles de Gaulle après la Libération de la France en 1945, le Front National (FN) et les Verts ou parti écologiste.

QUESTIONS

1. A quoi la France ressemble-t-elle?
2. Est-elle plus grande que le Texas?
3. Quelles sont les mers qui la baignent?
4. Quels sont les principaux fleuves de France? Où se trouvent-ils?
5. Quelles sont les principales montagnes?
6. Avec quels pays forment-elles des frontières?
7. Comment le climat de la France est-il?
8. Quels sont les cinq plus grandes villes après Paris?
9. Cherchez-les sur la carte. Pouvez-vous indiquer où chaque ville se trouve par rapport à Paris?
10. A quel âge est-on majeur en France?
11. Quelle est la durée du service militaire en France?
12. Le service militaire est-il obligatoire aux Etats-Unis?
13. Comment la France est-elle divisée?
14. Pour combien de temps le Président de la République est-il élu?
15. Qui est le Président en ce moment? De quel parti est-il?
16. Comment s'appellent les deux assemblées du Parlement?
17. Quels sont les principaux partis politiques français?

LECTURE: **L'Algérie**

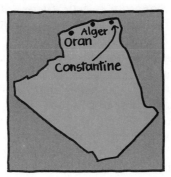

L'Algérie est au centre de l'Afrique du Nord. Du nord au sud, on distingue quatre grandes régions parallèles. Au nord, il y a les chaînes montagneuses du Tell et **les plaines côtières**. Le *coastal plains* climat est méditerranéen, doux l'hiver et chaud l'été. L'été est
5 sec mais les autres saisons sont pluvieuses.

Les hauts plateaux sont une région plus sèche pouvant avoir *The high plateaus* de grands **écarts** de température entre le jour et la nuit. La *differences* végétation consiste en une steppe à **alfa**. Cette **herbe** rare sert *wiry grass, esparto / grass* de nourriture aux moutons élevés par les Arabes nomades.
10 L'Atlas saharien est formé d'anciens **massifs**. Il a un climat *mountain masses* continental et très sec. On n'y trouve que de maigres forêts.

Au sud **s'étend** le désert du Sahara. *spreads*

L'Algérie a plus de 27 millions d'habitants. C'est une population très jeune. **Les indigènes** se divisent en deux groupes: *The natives*

Khalida Toumi-Messaoudi, une rou-
quine, Berbère de Kabylie, prof de
maths, est présidente de l'Association Indépendante pour le
Triomphe des Droits des Femmes
en Algérie.

15   d'abord les Berbères, blancs de race hamitique (la plus ancienne
race blanche établie en Afrique) qui sont de bons agriculteurs
sédentaires; ensuite les Arabes, blancs de race sémite descendus
des conquérants du septième siècle. Ce sont plutôt (*rather*) des
nomades qui se contentent de vivre sous la tente et d'élever leurs
20   moutons.

      Le reste de la population est constitué de Maures et d'Euro-
péens. Du point de vue historique, la France est en Algérie
depuis 1830. En 1870, la France a considéré l'Algérie comme
un prolongement du territoire français. Le pays a été divisé en   *extension*
25   trois départements administrés par **des préfets et des sous-**   *(administrative offi-*
préfets.   *cials)*

      En 1954, l'Algérie a commencé à **se soulever** pour obtenir   *rise up*
son indépendance. La France, avec le général Charles de Gaulle,
la lui a accordée en 1962 et la première république algérienne
30   à été formée.

      L'Algérie est surtout un pays agricole, producteur de citrus,
de dates, d'olives, de blé, de moutons et de bœufs. Elle est le
troisième pays producteur de vin du monde, après la France et
l'Italie. C'est un pays très riche aussi en **ressources minières**,   *mineral resources*
35   surtout le zinc, le **fer**, le **plomb**, le phosphate et le pétrole.   *iron / lead*

      La langue officielle est l'arabe, mais le français est la langue
administrative. Le français est toujours enseigné dans les écoles.
Les deux premières années du primaire sont en arabe, ensuite
l'éducation est bilingue. L'éducation est gratuite et obligatoire
40   jusqu'à treize ans.

      La religion officielle est l'islamisme, puis vient le catholicisme.
Les trois principales villes sont Alger, la capitale, Oran et Con-
stantine.

Un mariage traditionnel. Remarquez le contraste de l'habillement.

Sous les gants en soie de la mariée on a mis du henné pour la bonne fortune dans l'avenir.

QUESTIONS

1. Où se trouve l'Algérie?
2. Qu'est-ce qu'il y a au nord?
3. Comment est le climat?
4. Qu'est-ce que c'est que les hauts plateaux?
5. Quelle est la végétation des hauts plateaux?
6. Qui élève les moutons?
7. De quoi est formé l'Atlas saharien?
8. Quel est son climat?
9. Qu'y trouve-t-on?
10. Qu'est-ce qui s'étend au sud?
11. Quelle est la population de l'Algérie?
12. Comment est la population?
13. En combien de groupes se divisent les indigènes?
14. Qui sont les Berbères?
15. Qui sont les Arabes?
16. Depuis quand la France est-elle en Algérie?
17. En 1870, comment la France a-t-elle considéré l'Algérie?
18. Comment l'Algérie a-t-elle été divisée?
19. Quand a-t-elle commencé à se soulever?
20. Qui lui a accordé son indépendance?
21. Quel genre de pays est l'Algérie?
22. De quoi est-elle le troisième pays producteur?

23. Quelles sont ses ressources minières?
24. Quelle est la langue officielle? Quelle est la langue administrative?
25. En quelle langue l'enseignement se fait-il?
26. Quelle est la religion officielle?
27. Quelles sont les trois principales villes d'Algérie?

LECTURE: **Le Sénégal**

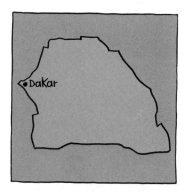

Le Sénégal, ancienne colonie de la France, est sur la côte ouest
de l'Afrique. Les pays qui bordent le Sénégal sont la Mauritanie
au nord, la Guinée au sud, le Mali à l'est, la Gambie à l'intérieur
du Sénégal et la Guinée-Bissau au sud-ouest.
5   Les relations entre la France et le Sénégal sont très cordiales.
La culture française est importante, surtout dans la capitale
(Dakar) et les villes. La langue officielle est le français, mais la
majorité des gens continue à parler le ouolof. Dans **la langue**   *colloquial language*
courante beaucoup de mots français ont été adoptés et acceptés.
10   Dans les villes, les habitants sont exposés à deux cultures:
française et sénégalaise. La population **urbaine** apprend le fran-   *urban*
çais à l'école et la langue locale en famille. L'éducation familiale
apprend aussi aux enfants une courtoisie naturelle et **les égards**   *respect due to the*
dûs à l'Ancien.   *Elder*
15   Les vêtements consistent de **la mode** qui arrive de Paris ou   *fashions*
du vêtement traditionnel. Les femmes portent le **boubou** [mot   *African dress*
venu du français], ou *mboube* en ouolof. Comme **coiffure**, elles   *headdress*
portent le *mousor*. **Le pagne** est un morceau d'étoffe qui couvre   *kind of skirt*
de la ceinture aux genoux. Les hommes portent des **culottes**
20 très larges avec une sorte de chemise appelée *niety-abdou*, le
boubou **par-dessus** et **une calotte** comme coiffure.   *on the top / cap*
    Dans quelques familles, tous mangent ensemble autour d'une
table avec des assiettes, fourchettes et couteaux. D'autres man-
gent assis **par terre** sous un arbre. Il y a un grand plat de métal   *on the ground*
25 *boly* au milieu duquel ils prennent la nourriture avec les mains.

La pêche au Sénégal

Se laver les mains avant de commencer à manger est un rite important. Dans certaines familles, les hommes mangent seuls. La dignité de l'Ancien est très importante, c'est lui qui donne les ordres. Les femmes peuvent servir les hommes et **se tenir** *remain standing*
30 **debout** près d'eux ou retourner à la cuisine. Les enfants mangent **soit** en groupe près des hommes, **soit** avec les femmes. *either... / or*

Les Sénégalais prennent trois repas par jour. Le plus important est le déjeuner. Ils mangent de la viande, mais encore plus de poisson, beaucoup de légumes et du riz qu'ils préparent de dif-
35 férentes manières. Ils mangent aussi beaucoup de fruits.

Pendant **le Ramadan**, les Sénégalais mangent moins. L'un *Moslem month of fasting*
des repas se compose d'**une bouillie** appelée *laax*, faite d'**une** *porridge / rice flour /*
farine de riz mélangée à du lait **caillé**, ou bien la farine de *mixed with / curdled*
riz est mélangée à **une sauce d'arachide** ou à du jus des fruits *peanut sauce*
40 du **baobab** pour former des **boulettes**. *baobab tree / balls*

La danse et les chants occupent une grande place au Sénégal. On entend de la musique nationale, française et latine. Les musiciens sont encouragés à jouer de la musique sénégalaise. Il existe plusieurs espèces de tambour, des guitares à **calebasse** *calabash*
45 telle la *kora*, un genre de xylophone tel le *xytar* et le *balaphon*.
La jeunesse est folle de musique **antillaise**, surtout de la pa- *West Indian*
changa et du cha cha cha, ainsi que de disco. Les plus âgés préfèrent écouter la musique traditionnelle.

Il existe aussi les griots. Ce sont des troubadours ou poètes-
50 musiciens ambulants (*strolling*). Il en existe deux genres: le griot
de famille qui chante **les louanges** de la famille pendant les   *praises*
cérémonies familiales (mariages, **baptêmes**...) et aussi le griot   *christenings*
de profession. Celui-ci est une sorte d'historien oral qui rappelle
le côté historique d'un village, d'une ville, d'une province ou
55 bien encore il peut présenter une pièce à la télévision ou à la
radio.

La lutte est le sport national; les courses de chevaux et le
football ont beaucoup d'amateurs au sud du pays.

La majorité des Sénégalais sont fermiers. L'agriculture con-
60 siste de **la culture maraîchère** de fruits et de légumes importée   *truck gardening*
en France en particulier et de la culture des céréales, princi-
palement l'arachide. Les fermiers la plantent aux premières
pluies, en juin, et **la récolte** a lieu du 15 octobre au 15 no-   *harvest*
vembre. **Pendant la demi-saison**, ils s'occupent d'entretenir   *Between seasons*
65 leur ferme.

Le Sénégal est un pays qui a su se réaliser en intégrant
d'autres cultures à la sienne.

QUESTIONS

1. Qu'est-ce que c'est que le Sénégal?
2. Quels sont les pays qui bordent le Sénégal?
3. Où se trouve la Gambie?
4. Comment sont les relations entre la France et le Sénégal?
5. Où la culture française est-elle importante?
6. Quelle est la langue officielle?
7. Que parle la majorité des gens?
8. Qu'est-ce qui a été adopté dans la langue courante?
9. Dans les villes, les habitants sont exposés à quelles cultures?
10. Où apprend-on le français?
11. Qu'est-ce qu'on apprend en famille?
12. En quoi consistent les vêtements au Sénégal?
13. Que portent les femmes?
14. Que portent les hommes?
15. Expliquez comment les hommes mangent.
16. Et les femmes, comment mangent-elles?
17. Les hommes mangent-ils avec les femmes?
18. Qui donne les ordres?
19. Avec qui les enfants mangent-ils?
20. Que mangent-ils?
21. Comparez la manière de prendre les repas au Sénégal et en France.
22. Qu'est-ce qui occupe une grande place au Sénégal?
23. Pendant le Ramadan, de quoi se compose l'un des repas?

24. Quels sont les instruments de musique?
25. Quelle musique les jeunes préfèrent-ils? Et les plus âgés?
26. Quel est le sport national?
27. Quelle est l'occupation de la majorité des Sénégalais?
28. Quelle est la culture la plus importante?
29. Quand plante-t-on et récolte-t-on l'arachide?
30. Que font les fermiers pendant la demi-saison?
31. Qu'est-ce que le Sénégal a su réaliser?

POEME: « Afrique »

David Diop (1927–1961) **a été élevé** *en France, à Bordeaux et*   was raised
ensuite à Paris dans la famille de son oncle Alioune Diop, d'ori-
*gine sénégalaise. Il chante de l'Afrique, un continent qu'**il con-***   he didn't know well
***naissait mal**. Il rêve à l'Afrique, et dans sa poésie on sent des*
accents pleins d'amour inspirés par sa nostalgie.

A ma mère.

Afrique mon Afrique
Afrique des **fiers guerriers** dans **les savanes** ancestrales   proud warriors / prai-
Afrique que chante ma grand-mère   ries
Au bord de son fleuve lointain   at the edge of
5 Je ne t'ai jamais connue
Mais mon regard est **plein de ton sang**   full of your blood
Ton beau sang noir **à travers les champs répandu**   spread across the fields
Le sang de ta sueur
La sueur de ton travail
10 Le travail de **l'esclavage**   slavery
L'esclavage de tes enfants
Afrique dis-moi Afrique
Est-ce donc toi ce dos qui **se courbe**   bends
Et se couche sous **le poids** de l'humilité   weight
15 Ce dos tremblant à **zébrures** rouges   stripes
Qui dit oui **au fouet** sur la route de **midi**   to the whip / south
Alors gravement une voix me répondit
Fils impétueux cet arbre robuste et jeune
Cet arbre là-bas
20 Splendidement seul **au milieu des** fleurs blanches et **fanées**   in the middle of / faded
C'est l'Afrique ton Afrique qui **repousse**   starts again
Qui repousse patiemment obstinément
Et dont les fruits ont peu à peu
L'amère saveur de la liberté.   bitter taste

DAVID DIOP, *Coups de Pilon*
(Paris: Présence africaine, 1961)

QUESTIONS

1. Comment David Diop voit-il l'Afrique?
2. Quels éléments se rappelle-t-il le plus vivement?

TRAVAUX PRATIQUES

Ecrivez le poème sous forme d'essai.

Modèle: Afrique des fiers guerriers dans les savanes ancestrales
Afrique que chante ma grand-mère...
L'Afrique de David Diop est un continent de fiers guerriers. Il n'a pas vraiment connu l'Afrique, mais il se rappelle les chansons de sa grand-mère...

LECTURE: **Haïti, la perle noire des Caraïbes**

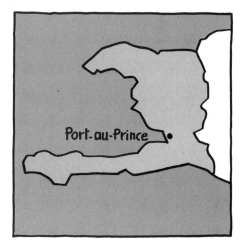

Haïti (« pays montagneux ») est une île des Antilles à l'est de Cuba. Elle était peuplée d'Indiens quand elle a été découverte en 1492 par Christophe Colomb qui la baptise Hispaniola. La colonisation espagnole entraîne la disparition de la plupart des
5   indigènes. En 1697, la partie occidentale de l'île est **cédée** à la   *transferred*
France et prend le nom d'Haïti. La partie orientale deviendra un état indépendant séparé, la République de Saint-Domingue, gardant la langue espagnole.

Haïti devient la plus prospère des colonies françaises grâce à
10 sa production de café, de cacao, de sucre et d'indigo. A ce moment-là, 90 pour cent de sa population consiste d'**esclaves** noirs,   *slaves*
d'**affranchis** et de **mulâtres**. En 1791, Toussaint Louverture   *freed slaves /*
prend la tête de la révolte des esclaves. Pour cette raison, Haïti   *mulattoes*

Un autobus décoré à Haïti

sera appelée « la fille de la Révolution française ». En 1804, la
15 France est expulsée et le noir Jean-Jacques Dessalines se pro-
clame empereur d'Haïti. Depuis lors, le pays a subi de nombreuses périodes d'instabilité politique.

Maintenant Haïti a près de 6 millions d'habitants et sa capitale
est Port-au-Prince. La majorité de la population est noire. C'est
20 un pays au climat tropical, formé de chaînes montagneuses sé-
parées par des terres plus basses produisant du café, des ba-
nanes, du coton, de la canne à sucre, ainsi que de la bauxite au
sud. Surpeuplé et sous-industrialisé, le pays a peu de travail à
offrir à ses habitants.

25 Le français, héritage de la colonisation française, est la langue
officielle du pays bien que la majorité des gens ne parlent que
le créole. Beaucoup de mots de la langue courante sont des mots
français d'orthographe modifiée. Le français s'apprend à l'école,
mais il ne s'emploie que dans les bureaux, dans les familles
30 bourgeoises et pendant les fêtes culturelles.

Le mode de vie haïtien varie entre la ville et la **campagne**. *countryside*
Les paysans, majoritaire, mènent une vie au style africain et se
reconnaissent dans la culture africaine. Les habitants de la ville
sont nourris de culture française et « envallis » (**envahis**) par la *invaded*
35 mode américaine.

L'éducation du petit **campagnard** se fait en famille, où il *country person*
apprend une courtoisie naturelle et les égards dûs à l'Ancien,
ainsi que dans les écoles publiques rurales. Le jeune **citadin** *city person*
est confié à des instituteurs d'école qui sont largement respon-
40 sables de son éducation. L'hospitalité et la gentillesse du petit
paysan font souvent la différence entre lui et le citadin.

Grâce à une communication accrue entre la campagne et la
ville, et entre Haïti et les autres pays, les modes de vie du paysan
changent. Ainsi jusque dans les années 1950 les vêtements
45 portés par les ruraux étaient surtout traditionnels. Les hommes
portaient le *karabela* qui recouvrait le torse et le pantalon *karako*,
leurs pieds nus ou **chaussés** de **sapates** en **caoutchouc** ou en *wearing / sandals /*
cuir. De même l'habitude de porter un chapeau de paille com- *rubber*
mence à disparaître. Les femmes se revêtaient d'une robe longue
50 jusqu'aux genoux, **serrée au niveau des reins** par un foulard. *belted around the hips*
Elles se coiffaient soit d'un foulard soit d'un panama, chapeau
à large rebord. Dans les villes, les aînés suivent la mode qui *wide-brimmed*
arrive d'Europe, alors que les jeunes préfèrent la mode qui arrive
d'Amérique.
55 Le paysan prend en général trois repas par jour. Le matin il
prend le pain « boîte » (rectangulaire comme une boîte) ou
grosse mie avec du **beurre d'arachide** et accompagné d'une *soft part of the bread*
tasse de café ou de chocolat. Le soir le paysan prend encore du *peanut butter*
pain, mais cette fois avec du thé ou de l'eau sucrée. A l'heure
60 du déjeuner, après une banane verte, il a le choix entre le maïs,
le **pois chiche** et le petit mil (céréale tropicale). Le dîner se *chick-peas*
prend dans le jardin ou dans la maison. Il est préparé (mais cela *pot*
a tendance à disparaître) dans une grande **chaudière** sur des *firestones / charred*
pierres à feu et des morceaux de **bois brûlé**, **étouffé** de *wood / smothered*
65 feuilles mortes de **bananier**. Quelquefois le dimanche, le paysan *banana tree*
pourra s'offrir du riz et de la viande de poulet. Le citadin mange
au moins trois fois par jour. Ses repas sont divers et variés.

La manière de manger a aussi tendance à changer. Autrefois
le paysan s'asseyait par terre, les pieds croisés, ou sur une pierre,
70 sa nourriture sur une feuille *poban* (de bananier) dans sa main
et se servant de ses doigts pour prendre chaque **bouchée**. Le *mouthful*
citadin se met à table, assis sur une chaise, devant une assiette
avec couteau, fourchette et cuillère et un gobelet ou un verre,
mangeant en famille ou au restaurant du coin.

75   La danse et les chants ont une place importante dans la vie
des Haïtiens. Pendant les *kove* (corvées) de la terre, les paysans
entament des chants populaires et folkloriques. Ainsi les tra-   *launch into*
vaux de la terre sont souvent une partie de plaisir. On entend
de la musique nationale, française, antillaise et américaine.
80   Durant les **veillées**, les paysans s'amusent beaucoup. Ils y   *evening gatherings*
racontent des contes et des histoires, boivent, jouent aux cartes
et aux dominos, leur jeu favori. Le citadin **jouit de** presque tous   *enjoys*
les loisirs du monde moderne.
    La religion la plus importante est le catholicisme. Il existe
85 aussi de nombreuses sectes protestantes et le vaudou, nom qui
vient d'un mot africain qui veut dire « esprit ». Le vaudou est
une religion animiste qui attribue un esprit ou une âme aux
objets, animaux et phénomènes.

QUESTIONS

1. Où est située l'île d'Haïti?
2. Qui a découvert cette île?
3. Comment est divisée cette île?
4. Comment l'île était-elle peuplée pendant la colonisation française?
5. Qui prend la tête de la révolte en 1791?
6. Qu'arrive-t-il en 1804?
7. Quelle est la capitale d'Haïti?
8. Quels produits trouve-t-on à Haïti?
9. Que parle-t-on dans cette partie de l'île?
10. Où se fait l'éducation des enfants?
11. Comment s'habillent les habitants?
12. De quelle manière les paysans mangent-ils et que mangent-ils?
13. Et les citadins?
14. Que font les Haïtiens pendant les corvées?
15. Comment les Haïtiens s'occupent-ils durant les veillées?
16. Quelles sont leurs religions?

LECTURE: **La Louisiane**

C'est en 1682 que René-Robert de La Salle a donné le nom de
Louisiane, en l'honneur du roi Louis XIV, à la partie sud de la
vallée du Mississippi. Baton Rouge a été fondé en 1699 et une
colonie française s'y est installée. Le site de la Nouvelle-Orléans
5 a été choisi et la ville fondée en 1718.
    Petit à petit des familles s'y sont installées. La population était
composée de blancs et de quelques esclaves noirs et indiens.

L'église Saint-Louis, la première, a été fondée en 1722. C'est la
plus ancienne cathédrale des Etats-Unis. Les premières rues de
10 la Nouvelle-Orléans portent encore des noms français.

Les Ursulines sont venues de France dès 1727. Elles ont bâti
leur couvent. Ces religieuses éduquaient les enfants, servaient
de **garde-malades** et **s'occupaient des orphelins**. Les res- *nurses / took care of*
sources du pays étaient **plutôt** agricoles, notamment le coton et *orphans*
15 la canne à sucre. *for the most part*

En 1803, l'empereur Napoléon Bonaparte a vendu le territoire
français aux Etats-Unis pour 80 millions de **franc-or** de *gold francs*
l'époque. A cette époque-là, la Louisiane prospérait grâce à ses
belles plantations et à ses nombreux **réseaux** d'eau, mais la *networks*
20 guerre de Sécession l'a ruinée. Les plantations furent ravagées
et n'ont jamais été complètement **remises en état**. *restored*

Plus d'un million de personnes en Louisiane parlent français.
Le groupe le plus important est les Cajuns, descendants d'Aca-
diens. Ils sont venus du Nouveau-Brunswick et de la Nouvelle-
25 Ecosse (**de nos jours** des provinces canadiennes) **à partir de** *nowadays / starting in*
1755, déportés par les Anglais pendant **la guerre de Sept Ans** *the Seven Years' War*
(1756–1763). D'autres sont ensuite arrivés de Martinique, de
Guadeloupe et même de France.

Les Créoles, environ 200 000, se sont installés à la Nouvelle-
30 Orléans **vers** 1730. Ils sont d'origine aristocratique française et *around*
espagnole.

Les mulâtres sont quelques dizaines de milliers. Ils descendent en général d'esclaves venus en compagnie de leurs maîtres
après la révolte haïtienne de 1809.

A la Nouvelle-Orléans

35   Les Cajuns vivent surtout dans la partie sud-ouest de la Louisiane. Pour les plus âgés d'entre eux, le français est resté la
langue familiale. Ils savent mieux le parler que l'écrire. Les plus
jeunes sont plutôt anglophones.

A la Nouvelle-Orléans, les Créoles sont restés francophones.
40   Pour eux, le français est une langue de culture. Les Créoles
représentent toujours l'aristocratie des débuts.

Quelques noirs et les plus pauvres Cajuns parlent une sorte
de *pidgin-French* qu'ils ont gardé depuis leurs origines. Le nord
de la Louisiane est entièrement anglophone.

45   « L'Acadiana » est divisée en 22 **paroisses** aux noms bien   *parishes*
français, tels que Saint-Bernard, Saint-Martinville et Abbéville.
Sur les portes des maisons on peut lire des noms de famille tels
que Bertrand, Hébert et Babin. Des panneaux indicateurs et
publicitaires sont écrits en français.

50   Chez les Cajuns on trouve beaucoup de folklore dans leurs
chansons et leurs danses. Par exemple, **une affiche** peut an-   *poster*
noncer un « fais-dodo »,[4] c'est-à-dire un bal où les joueurs de
violon et d'accordéon font de la musique à un rythme rapide.

---

[4] **Fais dodo** means *go to sleep* in baby talk. Because children had to be asleep in the care of a nanny while
their parents danced, these dances came to be known as **fais-dodo**.

QUESTIONS

1. Qui a donné le nom de Louisiane à la partie sud de la vallée du Mississippi? Pourquoi?
2. En quelle année la ville de Baton Rouge a-t-elle été fondée?
3. Qui s'est installé petit à petit à la Nouvelle-Orléans?
4. Quelle est la plus ancienne cathédrale des Etats-Unis?
5. Qui est venu de France?
6. Que faisaient les Ursulines?
7. A cette époque, quelles étaient les ressources de la Louisiane?
8. En 1803, qui a vendu ce territoire? A quel prix?
9. Pourquoi la Louisiane était-elle prospère?
10. Qu'est-ce qui l'a ruinée?
11. Les plantations ont-elles été remises en état?
12. Combien de personnes parlent français en Louisiane?
13. Quel est le groupe francophone le plus important?
14. D'où est venu ce groupe?
15. Quelle est l'origine des Créoles?
16. Les mulâtres sont-ils nombreux?
17. De qui descendent-ils en général?
18. Où vivent les Cajuns?
19. Que signifie le français pour les personnes âgées?
20. Qu'est-ce que représentent les Créoles à la Nouvelle-Orléans?
21. Qu'est-ce que le français est pour eux?
22. Qui parle un *pidgin-French*?
23. Le nord de la Louisiane est-il francophone?
24. Comment est divisée la Nouvelle-Acadie?
25. Que peut-on lire sur les portes des maisons et sur les panneaux indicateurs?
26. Où trouve-t-on le folklore chez les Cajuns? Donnez un exemple.

LECTURE: Le Québec

Le Québec est une des provinces les plus riches du Canada. C'est un grand centre de culture francophone.

Depuis trois siècles et demi, le Québec a su préserver son passé français en Amérique du Nord. Le Québec a toujours le
5 charme **désuet** des petites villes de province française.   *old-fashioned*

En 1534, Jacques Cartier est parti de Saint-Malo et **a débarqué** dans la baie de Gaspé. Il prend possession du pays   *landed*
au nom du roi de France, François Ier, et l'appelle la Nouvelle-France. En remontant le Saint-Laurent, Cartier s'arrête au site
10 de la future capitale de la colonie, Québec. Ce site a été choisi pour ses facilités de défense et de commerce. Plus tard, Champlain **a fondé** la vraie ville et est devenu gouverneur de la   *established*
nouvelle colonie.

15 L'occupation de ce site privilégié **a duré** près de 150 ans *lasted*
malgré les attaques des Iroquois et des Anglais — attaques peu
effrayantes pour cette ville bien protégée par de solides rem- *terrifying*
parts. Québec vivait dans la prospérité, grâce à ses **entrepôts**, *warehouses*
ses docks, ses écoles, son hôpital et ses tanneries qui transfor-
maient **les peaux** achetées aux Indiens. Mais en 1759 une plus *pelts*
20 forte attaque a laissé toute la province de Québec aux Anglais.

Bien que restée sous la domination anglaise, la ville de Québec
est fière de son héritage français: ses remparts; de vieilles maisons, dont certaines datent d'avant 1700, transformées en mu-
sées; de petites **ruelles** qui **s'entrelacent**; les rues pittoresques *alley ways / crisscross*
25 du quartier latin; le couvent des Ursulines où **le crâne** de Mont- *skull*
calm est conservé.[5] Tous les noms sont français et toute l'ambi-
ance rappelle la bonne vieille France.

Environ 90 pour cent de la province de Québec est francophone. Les Québécois ont voté pour que le français soit la seule
30 langue officielle et obligatoire. Le français a été adopté comme
langue officielle du Québec par **la loi** 101 du 26 août 1977. *law*

QUESTIONS

1. Depuis combien de temps la ville de Québec préserve-t-elle son passé français?
2. Qu'a fait Jacques Cartier?
3. Qui était le roi de France en 1534?
4. Quel nom est donné à cette colonie?

---

[5] Le marquis de Montcalm de Saint-Véran, général français, a été tué en défendant Québec contre les
Anglais en 1759.

Au Québec

5. Pourquoi le site de la ville de Québec a-t-il été choisi?
6. Qui est devenu le gouverneur de cette colonie?
7. Combien de temps a duré l'occupation de la Nouvelle-France?
8. Qui l'a attaquée et l'a prise en 1759?
9. Qu'est-ce qui protège la ville de Québec?
10. Qu'est-ce qui faisait la prospérité du Québec?
11. Qui désirait cette province?
12. Quel est l'héritage français dont la ville de Québec est fière?
13. Où est conservé le crâne de Montcalm?
14. Quel est le pourcentage des francophones dans la province de Québec?
15. Quand le français a-t-il été adopté comme langue officielle du Québec?

TRAVAUX PRATIQUES

A. Choisissez avec votre partenaire un pays francophone que nous n'avons pas étudié et décrivez son drapeau et son symbolisme, ses industries principales, son climat, sa place dans le monde, sa population et d'autres faits intéressants.

B. Essayez de trouver des timbres du pays de votre choix et commentez les images sur chacun, suivant le modèle qu'on a montré à la page 338. Rappelez-vous que les timbres nous permettent de rester en contact avec nos amis et de leur envoyer des nouvelles. L'image du timbre est aussi une sorte de fenêtre qui nous donne une idée des valeurs du pays: est-ce que le pays honore ses citoyens célèbres, sa technologie, ses produits de luxe, ses animaux?

A Versailles

C. Analysez les dangers des généralisations et des stéréotypes. Rassemblez des photos représentant des situations stéréotypiquement françaises ou américaines et discutez-en.

D. Comment peut-on distinguer entre la culture et la civilisation d'un pays? Ou bien peut-on dire tout simplement que la civilisation décrit des faits (côté historique) et que la culture offre un jugement de valeur? Etes-vous d'accord? Donnez quelques exemples.

E. Commentez les généralisations suivantes:

1. Le Français aime la bonne cuisine.
2. Le Français aime serrer la main d'un ami quand il le rencontre.
3. La frugalité est un des traits principaux du caractère français.
4. Le Français aime s'asseoir à la terrasse d'un café.
5. Le Français est fanatique de sa voiture.
6. L'Américain s'intéresse beaucoup à l'argent.
7. L'Américain prend beaucoup de vitamines.
8. L'Américain est violent.
9. L'Américain est décontracté.
10. L'Américain connaît mal la géographie.

Appendices

Verbs followed by an infinitive with or without prepositions

No preposition

aimer	to like, love	**laisser**	to let, leave
aller	to go	**penser**	to think
compter	to count	**pouvoir**	to be able to
croire	to believe	**préférer**	to prefer
désirer	to wish	**se rappeler**	to recall
détester	to dislike	**savoir**	to know
devoir	to be supposed to	**valoir (mieux)**	to be better
espérer	to hope	**venir**	to come
faire	to make, do	**voir**	to see
falloir	to have to	**vouloir**	to want

Verbs followed by the preposition **de** + infinitive

accepter	to accept	**se dépêcher**	to hurry
s'agir	to concern, be about	**dire (à qqn)**	to say
avoir besoin	to need	**essayer**	to try
avoir envie	to fancy	**finir**	to finish
avoir l'air	to seem	**oublier**	to forget
avoir l'habitude	to be accustomed	**permettre (à qqn)**	to allow
avoir l'intention	to intend	**prier (qqn)**	to beg, ask
avoir peur	to be afraid	**promettre (à qqn)**	to promise
choisir	to choose	**refuser**	to refuse
craindre	to fear	**regretter**	to regret
décider	to decide	**rêver**	to dream
demander (à qqn)	to ask	**venir**	to have just

Verbs followed by the preposition **à** + infinitive

aider	to help	**demander**	to ask
s'amuser	to have fun	**enseigner (qqch)**	to teach
apprendre	to learn	**s'habituer**	to get used to
arriver	to succeed	**hésiter**	to hesitate
s'attendre	to expect	**s'intéresser**	to be interested (in)
avoir	to have to	**inviter**	to invite
avoir mal	to ache	**se mettre**	to begin
commencer	to begin	**penser**	to think of
continuer	to continue, go on	**réussir**	to succeed in
décider	to decide	**tenir**	to hold

Verbs that are intransitive in French, but transitive in English

entrer dans	to enter	**répondre à**	to answer
discuter de	to discuss	**se souvenir de**	to remember
obéir à	to obey	**téléphoner à**	to telephone
plaire à (**qqn**)	to please		

Verbs that are transitive in French, but intransitive in English

attendre	to wait for	**écouter**	to listen to
chercher	to look for, search for	**payer**	to pay for
demander	to ask for	**regarder**	to look at

The verbs **penser à/penser de, parler à/parler de**

penser à	to think about	**penser de**	to think about (of)
parler à	to speak to	**parler de**	to speak about

APPENDIX B: Verb conjugations

Conjugation of regular verbs in simple tenses

	-er ENDING	**-ir** ENDING	**-re** ENDING
INFINITIVE	parler	finir	vendre
PARTICIPLES:			
PAST	parlé	fini	vendu
PRESENT	parlant	finissant	vendant
PRESENT INDICATIVE	je parle	je finis	je vends
	tu parles	tu finis	tu vends
	il parle	il finit	il vend
	nous parlons	nous finissons	nous vendons
	vous parlez	vous finissez	vous vendez
	ils parlent	ils finissent	ils vendent
IMPERFECT INDICATIVE	je parlais	je finissais	je vendais
	tu parlais	tu finissais	tu vendais
	elle parlait	il finissait	on vendait
	nous parlions	nous finissions	nous vendions
	vous parliez	vous finissiez	vous vendiez
	ils parlaient	ils finissaient	ils vendaient
PASSE SIMPLE	je parlai	je finis	je vendis
	tu parlas	tu finis	tu vendis
	on parla	il finit	elle vendit
	nous parlâmes	nous finîmes	nous vendîmes
	vous parlâtes	vous finîtes	vous vendîtes
	ils parlèrent	ils finirent	ils vendirent

IMPERATIVE	parle	finis	vends
	parlons	finissons	vendons
	parlez	finissez	vendez
FUTURE	je parlerai	je finirai	je vendrai
	tu parleras	tu finiras	tu vendras
	elle parlera	il finira	on vendra
	nous parlerons	nous finirons	nous vendrons
	vous parlerez	vous finirez	vous vendrez
	ils parleront	ils finiront	ils vendront
CONDITIONAL	je parlerais	je finirais	je vendrais
	tu parlerais	tu finirais	tu vendrais
	on parlerait	elle finirait	il vendrait
	nous parlerions	nous finirions	nous vendrions
	vous parleriez	vous finiriez	vous vendriez
	ils parleraient	ils finiraient	ils vendraient
PRESENT SUBJUNCTIVE	je parle	je finisse	je vende
	tu parles	tu finisses	tu vendes
	on parle	il finisse	elle vende
	nous parlions	nous finissions	nous vendions
	vous parliez	vous finissiez	vous vendiez
	ils parlent	ils finissent	ils vendent
IMPERFECT SUBJUNCTIVE	je parlasse	je finisse	je vendisse
	tu parlasses	tu finisses	tu vendisses
	il parlât	elle finît	on vendît
	nous parlassions	nous finissions	nous vendissions
	vous parlassiez	vous finissiez	vous vendissiez
	ils parlassent	ils finissent	ils vendissent

Conjugation of regular verbs in compound tenses

PERFECT PARTICIPLE	ayant parlé	ayant fini	ayant vendu
PASSE COMPOSE	j'ai parlé	j'ai fini	j'ai vendu
	tu as parlé	tu as fini	tu as vendu
	il a parlé	elle a fini	on a vendu
	nous avons parlé	nous avons fini	nous avons vendu
	vous avez parlé	vous avez fini	vous avez vendu
	ils ont parlé	ils ont fini	ils ont vendu
PLUPERFECT	j'avais parlé	j'avais fini	j'avais vendu
	tu avais parlé	tu avais fini	tu avais vendu
	elle avait parlé	on avait fini	il avait vendu
	nous avions parlé	nous avions fini	nous avions vendu
	vous aviez parlé	vous aviez fini	vous aviez vendu
	ils avaient parlé	ils avaient fini	ils avaient vendu

FUTURE PERFECT	j'aurai parlé	j'aurai fini	j'aurai vendu
	tu auras parlé	tu auras fini	tu auras vendu
	on aura parlé	il aura fini	elle aura vendu
	nous aurons parlé	nous aurons fini	nous aurons vendu
	vous aurez parlé	vous aurez fini	vous aurez vendu
	ils auront parlé	ils auront fini	ils auront vendu
CONDITIONAL PERFECT	j'aurais parlé	j'aurais fini	j'aurais vendu
	tu aurais parlé	tu aurais fini	tu aurais vendu
	il aurait parlé	on aurait fini	elle aurait vendu
	nous aurions parlé	nous aurions fini	nous aurions vendu
	vous auriez parlé	vous auriez fini	vous auriez vendu
	ils auraient parlé	ils auraient fini	ils auraient vendu
PERFECT SUBJUNCTIVE	j'aie parlé	j'aie fini	j'aie vendu
	tu aies parlé	tu aies fini	tu aies vendu
	elle ait parlé	on ait fini	il ait vendu
	nous ayons parlé	nous ayons fini	nous ayons vendu
	vous ayez parlé	vous ayez fini	vous ayez vendu
	ils aient parlé	ils aient fini	ils aient vendu
PAST ANTERIOR	j'eus parlé	j'eus fini	j'eus vendu
	tu eus parlé	tu eus fini	tu eus vendu
	on eut parlé	il eut fini	elle eut vendu
	nous eûmes parlé	nous eûmes fini	nous eûmes vendu
	vous eûtes parlé	vous eûtes fini	vous eûtes vendu
	ils eurent parlé	ils eurent fini	ils eurent vendu

Conjugation of regular **-er** verbs with stem spelling changes

- Note that pronoun subjects are not shown here.
- For formation of compound tenses, see models under **parler**, **finir**, **vendre**.
- The auxiliary verb for each verb is shown in parentheses. All reflexive verbs use **être** as the auxiliary verb.
- Abbreviations used:

Present	*Pres.*	Future	*Fut.*
Participle	*Part.*	Conditional	*Cond.*
Imperfect	*Impf.*	Passé simple	*P. simp.*
Present subjunctive	*Pres. subj.*	Imperfect subjunctive	*Impf. subj.*
Imperative	*Impve.*		

1. **commencer**   to begin (*avoir*)

> *Pres.:* commence, commences, commence, commençons, commencez, commencent
> *Part.: past:* commencé; *pres.:* commençant
> *Impf.:* commençais, commençais, commençait, commencions, commenciez, commençaient

Pres. subj.: commence, commences, commence, commencions, commenciez, commencent
Impve.: commence, commençons, commencez
Fut.: commencerai, commenceras, commencera, commencerons, commencerez, commenceront
Cond.: commencerais, commencerais, commencerait, commencerions, commenceriez, commenceraient
P. simp.: commençai, commenças, commença, commençâmes, commençâtes, commencèrent
Impf. subj.: commençasse, commençasses, commençât, commençassions, commençassiez, commençassent

Verbs like **commencer: prononcer, remplacer**

2. **voyager**   to travel (*avoir*)

Pres.: voyage, voyages, voyage, voyageons, voyagez, voyagent
Part.: past: voyagé; *pres.:* voyageant
Impf.: voyageais, voyageais, voyageait, voyagions, voyagiez, voyageaient
Pres. subj.: voyage, voyages, voyage, voyagions, voyagiez, voyagent
Impve.: voyage, voyageons, voyagez
Fut.: voyagerai, voyageras, voyagera, voyagerons, voyagerez, voyageront
Cond.: voyagerais, voyagerais, voyagerait, voyagerions, voyageriez, voyageraient
P. simp.: voyageai, voyageas, voyagea, voyageâmes, voyageâtes, voyagèrent
Impf. subj.: voyageasse, voyageasses, voyageât, voyageassions, voyageassiez, voyageassent

Verbs like **voyager: changer, manger, nager, neiger, obliger, partager**

3. **jeter**   to throw away (*avoir*)

Pres.: jette, jettes, jette, jetons, jetez, jettent
Part.: past: jeté; *pres.:* jetant
Impf.: jetais, jetais, jetait, jetions, jetiez, jetaient
Pres. subj.: jette, jettes, jette, jetions, jetiez, jettent
Impve.: jette, jetons, jetez
Fut.: jetterai, jetteras, jettera, jetterons, jetterez, jetteront
Cond.: jetterais, jetterais, jetterait, jetterions, jetteriez, jetteraient
P. simp.: jetai, jetas, jeta, jetâmes, jetâtes, jetèrent
Impf. sub.: jetasse, jetasses, jetât, jetassions, jetassiez, jetassent

Verbs like **jeter: appeler, épeler, épousseter, (se) rappeler**

4. **essayer**   to try (*avoir*)

Pres.: essaie, essaies, essaie, essayons, essayez, essaient
Part.: past: essayé; *pres.:* essayant
Impf.: essayais, essayais, essayait, essayions, essayiez, essayaient
Pres. subj.: essaie, essaies, essaie, essayions, essayiez, essaient
Impve.: essaie, essayons, essayez
Fut.: essaierai, essaieras, essaiera, essaierons, essaierez, essaieront
Cond.: essaierais, essaierais, essaierait, essaierions, essaieriez, essaieraient

P. simp.: essayai, essayas, essaya, essayâmes, essayâtes, essayèrent
Impf. subj.: essayasse, essayasses, essayât, essayassions, essayassiez, essayassent

Verbs like **essayer: balayer, employer, ennuyer, nettoyer, payer**

5. **acheter**   to buy (*avoir*)

Pres.: achète, achètes, achète, achetons, achetez, achètent
Part.: past: acheté; *pres.:* achetant
Impf.: achetais, achetais, achetait, achetions, achetiez, achetaient
Pres. subj.: achète, achètes, achète, achetions, achetiez, achètent
Impve.: achète, achetons, achetez
Fut.: achèterai, achèteras, achètera, achèterons, achèterez, achèteront
Cond.: achèterais, achèterais, achèterait, achèterions, achèteriez, achèteraient
P. simp.: achetai, achetas, acheta, achetâmes, achetâtes, achetèrent
Impf. subj.: achetasse, achetasses, achetât, achetassions, achetassiez, achetassent

Verbs like **acheter: amener, (se) lever, (se) promener**

6. **préférer**   to prefer (*avoir*)

Pres.: préfère, préfères, préfère, préférons, préférez, préfèrent
Part.: past: préféré; *pres.:* préférant
Impf.: préférais, préférais, préférait, préférions, préfériez, préféraient
Pres. subj.: préfère, préfères, préfère, préférions, préfériez, préfèrent
Impve.: préfère, préférons, préférez
Fut.: préférerai, préféreras, préférera, préférerons, préférerez, préféreront
Cond.: préférerais, préférerais, préférerait, préférerions, préféreriez, préféreraient
P. simp.: préférai, préféras, préféra, préférâmes, préférâtes, préférèrent
Impf. subj.: préférasse, préférasses, préférât, préférassions, préférassiez, préférassent

Verbs like **préférer: célébrer, espérer, (s')inquiéter, répéter**

Conjugation of irregular verbs

1. **avoir**   to have (*avoir*)

Pres.: ai, as, a, avons, avez, ont
Part.: past: eu; *pres.:* ayant
Impf.: avais, avais, avait, avions, aviez, avaient
Pres. subj.: aie, aies, ait, ayons, ayez, aient
Impve.: aie, ayons, ayez
Fut.: aurai, auras, aura, aurons, aurez, auront
Cond.: aurais, aurais, aurait, aurions, auriez, auraient
P. simp.: eus, eus, eut, eûmes, eûtes, eurent
Impf. subj.: eusse, eusses, eût, eussions, eussiez, eussent

2. **être**   to be (*avoir*)

Pres.: suis, es, est, sommes, êtes, sont
Part.: past: été; *pres.:* étant
Impf.: étais, étais, était, étions, étiez, étaient

Pres. subj.: sois, sois, soit, soyons, soyez, soient
Impve.: sois, soyons, soyez
Fut.: serai, seras, sera, serons, serez, seront
Cond.: serais, serais, serait, serions, seriez, seraient
P. simp.: fus, fus, fut, fûmes, fûtes, furent
Impf. subj.: fusse, fusses, fût, fussions, fussiez, fussent

3. **aller**   to go (*être*)

Pres.: vais, vas, va, allons, allez, vont
Part.: past: allé; *pres.:* allant
Impf.: allais, allais, allait, allions, alliez, allaient
Pres. subj.: aille, ailles, aille, allions, alliez, aillent
Impve.: va, allons, allez
Fut.: irai, iras, ira, irons, irez, iront
Cond.: irais, irais, irait, irions, iriez, iraient
P. simp.: allai, allas, alla, allâmes, allâtes, allèrent
Impf. subj.: allasse, allasses, allât, allassions, allassiez, allassent

4. **s'asseoir**   to sit down (*être*)

Pres.: m'assieds, t'assieds, s'assied, nous asseyons, vous asseyez, s'asseyent
Part.: past: assis; *pres.:* s'asseyant
Impf.: m'asseyais, t'asseyais, s'asseyait, nous asseyions, vous asseyiez, s'asseyaient
Pres. subj.: m'asseye, t'asseyes, s'asseye, nous asseyions, vous asseyiez, s'asseyent
Impve.: assieds-toi, asseyons-nous, asseyez-vous
Fut.: m'assiérai, t'assiéras, s'assiéra, nous assiérons, vous assiérez, s'assiéront
Cond.: m'assiérais, t'assiérais, s'assiérait, nous assiérions, vous assiériez, s'assiéraient
P. simp.: m'assis, t'assis, s'assit, nous assîmes, vous assîtes, s'assirent
Impf. subj.: m'assisse, t'assisses, s'assît, nous assissions, vous assissiez, s'assissent

5. **battre**   to beat (*avoir*)

Pres.: bats, bats, bat, battons, battez, battent
Part.: past: battu; *pres.:* battant
Impf.: battais, battais, battait, battions, battiez, battaient
Pres. subj.: batte, battes, batte, battions, battiez, battent
Impve.: bats, battons, battez
Fut.: battrai, battras, battra, battrons, battrez, battront
Cond.: battrais, battrais, battrait, battrions, battriez, battraient
P. simp.: battis, battis, battit, battîmes, battîtes, battirent
Impf. subj.: battisse, battisses, battît, battissions, battissiez, battissent

Verbs like **battre**: **abattre**, **se battre**, **combattre**

6. **boire**   to drink (*avoir*)

Pres.: bois, bois, boit, buvons, buvez, boivent
Part.: past: bu; *pres.:* buvant
Impf.: buvais, buvais, buvait, buvions, buviez, buvaient
Pres. subj.: boive, boives, boive, buvions, buviez, boivent

Impve.: bois, buvons, buvez
Fut.: boirai, boiras, boira, boirons, boirez, boiront
Cond.: boirais, boirais, boirait, boirions, boiriez, boiraient
P. simp.: bus, bus, but, bûmes, bûtes, burent
Impf. subj.: busse, busses, bût, bussions, bussiez, bussent

7. **conduire**   to drive (*avoir*)

Pres.: conduis, conduis, conduit, conduisons, conduisez, conduisent
Part.: past: conduit; *pres.:* conduisant
Impf.: conduisais, conduisais, conduisait, conduisions, conduisiez, conduisaient
Pres. subj.: conduise, conduises, conduise, conduisions, conduisiez, conduisent
Impve.: conduis, conduisons, conduisez
Fut.: conduirai, conduiras, conduira, conduirons, conduirez, conduiront
Cond.: conduirais, conduirais, conduirait, conduirions, conduiriez, conduiraient
P. simp.: conduisis, conduisis, conduisit, conduisîmes, conduisîtes, conduisirent
Impf. subj.: conduisisse, conduisisses, conduisît, conduisissions, conduisissiez, conduisissent

8. **connaître**   to know, be acquainted with (*avoir*)

Pres.: connais, connais, connaît, connaissons, connaissez, connaissent
Part.: past: connu; *pres.:* connaissant
Impf.: connaissais, connaissais, connaissait, connaissions, connaissiez, connaissaient
Pres. subj.: connaisse, connaisses, connaisse, connaissions, connaissiez, connaissent
Impve.: connais, connaissons, connaissez
Fut.: connaîtrai, connaîtras, connaîtra, connaîtrons, connaîtrez, connaîtront
Cond.: connaîtrais, connaîtrais, connaîtrait, connaîtrions, connaîtriez, connaîtraient
P. simp.: connus, connus, connut, connûmes, connûtes, connurent
Impf. subj.: connusse, connusses, connût, connussions, connussiez, connussent

Verb like **connaître**: **apparaître, reconnaître**

9. **craindre**   to fear (*avoir*)

Pres.: crains, crains, craint, craignons, craignez, craignent
Part.: past: craint; *pres.:* craignant
Impf.: craignais, craignais, craignait, craignions, craigniez, craignaient
Pres. subj.: craigne, craignes, craigne, craignions, craigniez, craignent
Impve.: crains, craignons, craignez
Fut.: craindrai, craindras, craindra, craindrons, craindrez, craindront
Cond.: craindrais, craindrais, craindrait, craindrions, craindriez, craindraient
P. simp.: craignis, craignis, craignit, craignîmes, craignîtes, craignirent
Impf. subj.: craignisse, craignisses, craignît, craignissions, craignissiez, craignissent

Verbs like **craindre**: **éteindre**, **joindre**, (**se**) **plaindre**

10. **croire**   to believe (*avoir*)

Pres.: crois, crois, croit, croyons, croyez, croient
Part.: past: cru; *pres.:* croyant

Impf.: croyais, croyais, croyait, croyions, croyiez, croyaient
Pres. subj.: croie, croies, croie, croyions, croyiez, croient
Impve.: crois, croyons, croyez
Fut.: croirai, croiras, croira, croirons, croirez, croiront
Cond.: croirais, croirais, croirait, croirions, croiriez, croiraient
P. simp.: crus, crus, crut, crûmes, crûtes, crurent
Impf. subj.: crusse, crusses, crût, crussions, crussiez, crussent

11. **devoir**   to owe; ought, must (*avoir*)

Pres.: dois, dois, doit, devons, devez, doivent
Part.: past: dû; *pres.:* devant
Impf.: devais, devais, devait, devions, deviez, devaient
Pres. subj.: doive, doives, doive, devions, deviez, doivent
Impve.: —
Fut.: devrai, devras, devra, devrons, devrez, devront
Cond.: devrais, devrais, devrait, devrions, devriez, devraient
P. simp.: dus, dus, dut, dûmes, dûtes, durent
Impf. subj.: dusse, dusses, dût, dussions, dussiez, dussent

Verbs like **devoir**: (**s'**)**apercevoir**, **recevoir**

12. **dire**   to say, tell (*avoir*)

Pres.: dis, dis, dit, disons, dites, disent
Part.: past: dit; *pres.:* disant
Impf.: disais, disais, disait, disions, disiez, disaient
Pres. subj.: dise, dises, dise, disions, disiez, disent
Impve.: dis, disons, dites
Fut.: dirai, diras, dira, dirons, direz, diront
Cond.: dirais, dirais, dirait, dirions, diriez, diraient
P. simp.: dis, dis, dit, dîmes, dîtes, dirent
Impf. subj.: disse, disses, dît, dissions, dissiez, dissent

13. **dormir**   to sleep (*avoir*)

Pres.: dors, dors, dort, dormons, dormez, dorment
Part.: past: dormi; *pres.:* dormant
Impf.: dormais, dormais, dormait, dormions, dormiez, dormaient
Pres. subj.: dorme, dormes, dorme, dormions, dormiez, dorment
Impve.: dors, dormons, dormez
Fut.: dormirai, dormiras, dormira, dormirons, dormirez, dormiront
Cond.: dormirais, dormirais, dormirait, dormirions, dormiriez, dormiraient
P. simp.: dormis, dormis, dormit, dormîmes, dormîtes, dormirent
Impf. subj.: dormisse, dormisses, dormît, dormissions, dormissiez, dormissent

Verbs like **dormir**: **mentir**, **sentir**, **servir** (*avoir*); **partir**, **sortir** (*être*)

14. **écrire**   to write (*avoir*)

Pres.: écris, écris, écrit, écrivons, écrivez, écrivent
Part.: past: écrit; *pres.:* écrivant

Impf.: écrivais, écrivais, écrivait, écrivions, écriviez, écrivaient
Pres. subj.: écrive, écrives, écrive, écrivions, écriviez, écrivent
Impve.: écris, écrivons, écrivez
Fut.: écrirai, écriras, écrira, écrirons, écrirez, écriront
Cond.: écrirais, écrirais, écrirait, écririons, écririez, écriraient
P. simp.: écrivis, écrivis, écrivit, écrivîmes, écrivîtes, écrivirent
Impf. subj.: écrivisse, écrivisses, écrivît, écrivissions, écrivissiez, écrivissent

Verb like **écrire**: **décrire**

15. **faire**   to do, make (*avoir*)

Pres.: fais, fais, fait, faisons, faites, font
Part.: past: fait; *pres.:* faisant
Impf.: faisais, faisais, faisait, faisions, faisiez, faisaient
Pres. subj.: fasse, fasses, fasse, fassions, fassiez, fassent
Impve.: fais, faisons, faites
Fut.: ferai, feras, fera, ferons, ferez, feront
Cond.: ferais, ferais, ferait, ferions, feriez, feraient
P. simp.: fis, fis, fit, fîmes, fîtes, firent
Impf. subj.: fisse, fisses, fît, fissions, fissiez, fissent

16. **falloir**   must, to be necessary (*avoir*); with impersonal subject pronoun

Pres.: il faut	*Fut.:* il faudra
Part.: past: fallu	*Cond.:* il faudrait
Impf.: il fallait	*P. simp.:* il fallut
Impve.: —	*Impf. subj.:* il fallût

17. **lire**   to read (*avoir*)

Pres.: lis, lis, lit, lisons, lisez, lisent
Part.: past: lu; *pres.:* lisant
Impf.: lisais, lisais, lisait, lisions, lisiez, lisaient
Pres. subj.: lise, lises, lise, lisions, lisiez, lisent
Impve.: lis, lisons, lisez
Fut.: lirai, liras, lira, lirons, lirez, liront
Cond.: lirais, lirais, lirait, lirions, liriez, liraient
P. simp.: lus, lus, lut, lûmes, lûtes, lurent
Impf. subj.: lusse, lusses, lût, lussions, lussiez, lussent

18. **mettre**   to place, put on (*avoir*)

Pres.: mets, mets, met, mettons, mettez, mettent
Part.: past: mis; *pres.:* mettant
Impf.: mettais, mettais, mettait, mettions, mettiez, mettaient
Pres. subj.: mette, mettes, mette, mettions, mettiez, mettent
Impve.: mets, mettons, mettez
Fut.: mettrai, mettras, mettra, mettrons, mettrez, mettront
Cond.: mettrais, mettrais, mettrait, mettrions, mettriez, mettraient

P. simp.: mis, mis, mit, mîmes, mîtes, mirent
Impf. subj.: misse, misses, mît, missions, missiez, missent

Verbs like **mettre**: **admettre, commettre, omettre, permettre, promettre, remettre, soumettre**

19. **mourir**   to die (*être*)

Pres.: meurs, meurs, meurt, mourons, mourez, meurent
Part.: past: mort; *pres.:* mourant
Impf.: mourais, mourais, mourait, mourions, mouriez, mouraient
Pres. subj.: meure, meures, meure, mourions, mouriez, meurent
Impve.: meurs, mourons, mourez ,
Fut.: mourrai, mourras, mourra, mourrons, mourrez, mourront
Cond.: mourrais, mourrais, mourrait, mourrions, mourriez, mourraient
P. simp.: mourus, mourus, mourut, mourûmes, mourûtes, moururent
Impf. subj.: mourusse, mourusses, mourût, mourussions, mourussiez, mourussent

20. **naître**   to be born (*être*)

Pres.: nais, nais, naît, naissons, naissez, naissent
Part.: past: né; *pres.:* naissant
Impf.: naissais, naissais, naissait, naissions, naissiez, naissaient
Pres. subj.: naisse, naisses, naisse, naissions, naissiez, naissent
Impve.: nais, naissons, naissez
Fut.: naîtrai, naîtras, naîtra, naîtrons, naîtrez, naîtront
Cond.: naîtrais, naîtrais, naîtrait, naîtrions, naîtriez, naîtraient
P. simp.: naquis, naquis, naquit, naquîmes, naquîtes, naquirent
Impf. subj.: naquisse, naquisses, naquît, naquissions, naquissiez, naquissent

21. **ouvrir**   to open (*avoir*)

Pres.: ouvre, ouvres, ouvre, ouvrons, ouvrez, ouvrent
Part.: past: ouvert: *pres.:* ouvrant
Impf.: ouvrais, ouvrais, ouvrait, ouvrions, ouvriez, ouvraient
Pres. subj.: ouvre, ouvres, ouvre, ouvrions, ouvriez, ouvrent
Impve.: ouvre, ouvrons, ouvrez
Fut.: ouvrirai, ouvriras, ouvrira, ouvrirons, ouvrirez, ouvriront
Cond.: ouvrirais, ouvrirais, ouvrirait, ouvririons, ouvririez, ouvriraient
P. simp.: ouvris, ouvris, ouvrit, ouvrîmes, ouvrîtes, ouvrirent
Impf. subj.: ouvrisse, ouvrisses, ouvrît, ouvrissions, ouvrissiez, ouvrissent

Verbs like **ouvrir**: **couvrir, découvrir, offrir, souffrir**

22. **plaire**   to please (*avoir*)

Pres.: plais, plais, plaît, plaisons, plaisez, plaisent
Part.: past: plu; *pres.:* plaisant
Impf.: plaisais, plaisais, plaisait, plaisions, plaisiez, plaisaient
Pres. subj.: plaise, plaises, plaise, plaisions, plaisiez, plaisent
Impve.: plais, plaisons, plaisez

Fut.: plairai, plairas, plaira, plairons, plairez, plairont
Cond.: plairais, plairais, plairait, plairions, plairiez, plairaient
P. simp.: plus, plus, plut, plûmes, plûtes, plurent
Impf. subj.: plusse, plusses, plût, plussions, plussiez, plussent

Verbs like **plaire**: **déplaire**, **se taire**

23. **pleuvoir**   to rain (*avoir*); with impersonal subject pronoun

Pres.: il pleut
Part.: past: plu: *pres.:* pleuvant
Impf.: il pleuvait
Pres. subj.: il pleuve
Impve.: —

Fut.: il pleuvra
Cond.: il pleuvrait
P. simp.: il plut
Impf. subj.: il plût

24. **pouvoir**   to be able (*avoir*)

Pres.: peux, peux, peut, pouvons, pouvez, peuvent
Part.: past: pu; *pres.:* pouvant
Impf.: pouvais, pouvais, pouvait, pouvions, pouviez, pouvaient
Pres. subj.: puisse, puisses, puisse, puissions, puissiez, puissent
Impve.: —
Fut.: pourrai, pourras, pourra, pourrons, pourrez, pourront
Cond.: pourrais, pourrais, pourrait, pourrions, pourriez, pourraient
P. simp.: pus, pus, put, pûmes, pûtes, pussent
Impf. subj.: pusse, pusses, pût, pussions, pussiez, pussent

25. **prendre**   to take (*avoir*)

Pres.: prends, prends, prend, prenons, prenez, prennent
Part.: past: pris; *pres.:* prenant
Impf.: prenais, prenais, prenait, prenions, preniez, prenaient
Pres. subj.: prenne, prennes, prenne, prenions, preniez, prennent
Impve.: prends, prenons, prenez
Fut.: prendrai, prendras, prendra, prendrons, prendrez, prendront
Cond.: prendrais, prendrais, prendrait, prendrions, prendriez, prendraient
P. simp.: pris, pris, prit, prîmes, prîtes, prirent
Impf. subj.: prisse, prisses, prît, prissions, prissiez, prissent

Verbs like **prendre**: **apprendre**, **comprendre**, **surprendre**

26. **rire**   to laugh (*avoir*)

Pres.: ris, ris, rit, rions, riez, rient
Part.: past: ri; *pres.:* riant
Impf.: riais, riais, riait, riions, riiez, riaient
Pres. subj.: rie, ries, rie, riions, riiez, rient
Impve.: ris, rions, riez
Fut.: rirai, riras, rira, rirons, rirez, riront
Cond.: rirais, rirais, rirait, ririons, ririez, riraient
P. simp.: ris, ris, rit, rîmes, rîtes, rirent
Impf. subj.: risse, risses, rît, rissions, rissiez, rissent

Verb like **rire**: **sourire**

27. **savoir**   to know (*avoir*)

> *Pres.:* sais, sais, sait, savons, savez, savent
> *Part.: past:* su; *pres.:* sachant
> *Impf.:* savais, savais, savait, savions, saviez, savaient
> *Pres. subj.:* sache, saches, sache, sachions, sachiez, sachent
> *Impve.:* sache, sachons, sachez
> *Fut.:* saurai, sauras, saura, saurons, saurez, sauront
> *Cond.:* saurais, saurais, saurait, saurions, sauriez, sauraient
> *P. simp.:* sus, sus, sut, sûmes, sûtes, surent
> *Impf. subj.:* susse, susses, sût, sussions, sussiez, sussent

28. **suivre**   to follow (*avoir*)

> *Pres.:* suis, suis, suit, suivons, suivez, suivent
> *Part.: past:* suivi; *pres.:* suivant
> *Impf.:* suivais, suivais, suivait, suivions, suiviez, suivaient
> *Pres. subj.:* suive, suives, suive, suivions, suiviez, suivent
> *Impve.:* suis, suivons, suivez
> *Fut.:* suivrai, suivras, suivra, suivrons, suivrez, suivront
> *Cond.:* suivrais, suivrais, suivrait, suivrions, suivriez, suivraient
> *P. simp.:* suivis, suivis, suivit, suivîmes, suivîtes, suivirent
> *Impf. subj.:* suivisse, suivisses, suivît, suivissions, suivissez, suivissent

29. **valoir**   to be better, be worth (*avoir*)

> *Pres.:* vaux, vaux, vaut, valons, valez, valent
> *Part.: past:* valu; *pres.:* valant
> *Impf.:* valais, valais, valait, valions, valiez, valaient
> *Pres. subj.:* vaille, vailles, vaille, valions, valiez, vaillent
> *Impve.:* —
> *Fut.:* vaudrai, vaudras, vaudra, vaudrons, vaudrez, vaudront
> *Cond.:* vaudrais, vaudrais, vaudrait, vaudrions, vaudriez, vaudraient
> *P. simp.:* valus, valus, valut, valûmes, valûtes, valurent
> *Impf. subj.:* valusse, valusses, valût, valussions, valussiez, valussent

30. **venir**   to come (*être*)

> *Pres.:* viens, viens, vient, venons, venez, viennent
> *Part.: past:* venu; *pres.:* venant
> *Impf.:* venais, venais, venait, venions, veniez, venaient
> *Pres. subj.:* vienne, viennes, vienne, venions, veniez, viennent
> *Impve.:* viens, venons, venez
> *Fut.:* viendrai, viendras, viendra, viendrons, viendrez, viendront
> *Cond.:* viendrais, viendrais, viendrait, viendrions, viendriez, viendraient
> *P. simp.:* vins, vins, vint, vînmes, vîntes, vinrent
> *Impf. subj.:* vinsse, vinsses, vînt, vinssions, vinssiez, vinssent

Verbs like **venir**: **devenir**, **revenir** (*être*); **appartenir**, **détenir**, **maintenir**, **obtenir**, **prévenir**, **tenir** (*avoir*)

31. **vivre**   to live (*avoir*)

Pres.: vis, vis, vit, vivons, vivez, vivent
Part.: *past:* vécu; *pres.:* vivant
Impf.: vivais, vivais, vivait, vivions, viviez, vivaient
Pres. subj.: vive, vives, vive, vivions, viviez, vivent
Impve.: vive, vivons, vivez
Fut.: vivrai, vivras, vivra, vivrons, vivrez, vivront
Cond.: vivrais, vivrais, vivrait, vivrions, vivriez, vivraient
P. simp.: vécus, vécus, vécut, vécûmes, vécûtes, vécurent
Impf. subj.: vécusse, vécusses, vécût, vécussions, vécussiez, vécussent

32. **voir**   to see (*avoir*)

Pres.: vois, vois, voit, voyons, voyez, voient
Part.: *past:* vu; *pres.:* voyant
Impf.: voyais, voyais, voyait, voyions, voyiez, voyaient
Pres. subj.: voie, voies, voie, voyions, voyiez, voient
Impve.: vois, voyons, voyez
Fut.: verrai, verras, verra, verrons, verrez, verront
Cond.: verrais, verrais, verrait, verrions, verriez, verraient
P. simp.: vis, vis, vit, vîmes, vîtes, virent
Impf. subj.: visse, visses, vît, vissions, vissiez, vissent

Verb like **voir**: **prévoir**

33. **vouloir**   to want (*avoir*)

Pres.: veux, veux, veut, voulons, voulez, veulent
Past.: *past:* voulu; *pres.:* voulant
Impf.: voulais, voulais, voulait, voulions, vouliez, voulaient
Pres. subj.: veuille, veuilles, veuille, voulions, vouliez, veuillent
Impve.: veuille, veuillons, veuillez
Fut.: voudrai, voudras, voudra, voudrons, voudrez, voudront
Cond.: voudrais, voudrais, voudrait, voudrions, voudriez, voudraient
P. simp.: voulus, voulus, voulut, voulûmes, voulûtes, voulurent
Impf. subj.: voulusse, voulusses, voulût, voulussions, voulussiez, voulussent

Glossary of grammatical terms

Adjective   A word used to modify, describe, or limit a noun (*good, big*).

Adverb   A word used to modify a verb, an adjective, or another adverb (*well, fast*).

Antecedent   The word, phrase, or clause to which a pronoun refers.

Article   A word used to point out a specific object or an indefinite one (*the, a, an*).

Auxiliary verb   A verb (**avoir** or **être**) that helps the main verb to express an action or a state.

Clause   A group of words containing a subject (*noun* or *pronoun*) and a verb. A main clause can stand alone and is called an *independent clause*. A subordinate clause cannot stand alone and is called a *dependent clause*.

Comparison   The change in the form of an adjective or adverb showing degrees of quality: positive (*big, useful*), comparative (*bigger, more useful*), superlative (*biggest, most useful*).

Compound tense   A verb form consisting of more than one word (*I **have spoken***).

Conjugation   The change of the verb in relation to its subject, tense, or mood.

Conjunction   A word used to connect words, phrases, or clauses (*and, or, but*).

Demonstrative adjective   An adjective that indicates or points out the person or thing referred to (*this, that, these, those*).

Direct object   A noun or pronoun that receives the action of the verb directly (*Adam bit **the apple***).

Disjunctive pronoun   A pronoun separated from the verb in the sentence.

Gender   The grammatical classification of nouns or pronouns as masculine or feminine.

Imperative   The mood of the verb expressing a command (*Sing! Dance! Go away!*).

Indirect object   A noun or pronoun toward which the action expressed is directed (*He spoke **to Eve***).

Infinitive   The form of the verb that expresses the general meaning of the verb (*to speak, to go, to do*).

Interrogative   An adjective or a pronoun used to ask a question (*what? who?*).

Intransitive verb   A verb that does not require a direct object to complete its meaning.

Invariable   Unchanging in form.

Inversion   Reversal of the normal order of words and phrases in a sentence (*Are you going?*).

Mood   The form that the verb assumes to express the speaker's attitude or feeling toward what is being said.

Noun   A word used to name a person, place, thing, or quality.

Number   That form of a noun, pronoun, or verb indicating one (singular: *book*) or more than one (plural: *books*).

Participle   A verb form used as an adjective or a verb. As a verb form it may be the *past participle* (**parlé**) or the *present participle* (**parlant**).

Partitive   An indefinite quantity or part of a whole, expressed through a partitive article (**du, de la, de l', des**).

Person   The characteristic of a verb or pronoun indicating whether the subject is the speaker (*first person*), the person spoken to (*second person*), or the person spoken about (*third person*).

Possessives   Adjectives used to show possession or ownership (*my, your, their*).

Preposition   A word used to show relationship to some other word in the sentence (*to, from*).

Pronominal verb   A verb that requires a pronoun that refers the action to the subject.

Pronoun   A word used in place of a noun (*I, he, she*).

Relative clause   A clause introduced by a relative pronoun.

Relative pronoun   A pronoun that connects the dependent clause with the main clause by referring directly to the antecedent noun or pronoun in the main clause.

Simple tense   A verb form consisting of one word (*I **speak***).

Stem   The part of an infinitive or a conjugated verb obtained by dropping the ending and to which new endings are added.

Subject   The word (person, thing, animal) that serves as the agent of the action or situation in the situation (***She** sings opera*).

Subjunctive   The mood that expresses wishes, doubts, necessity, or what is possible rather than certain.

Tense   The form of the verb showing the time of the action or state of being.

Transitive verb   A verb that takes a direct object.

Verb   A word that expresses an action or a state of being.

Voice   The form of the verb that indicates whether the subject acts (*active*) or is acted on (*passive*).

Vocabulaire

Abréviations et symboles

abbr.	abbreviation	*invar.*	invariable
adj.	adjective	*m.*	masculine
adv.	adverb	*obj.*	object
art.	article	*pers.*	personal
conj.	conjunction	*pl.*	plural
def.	definite	*poss.*	possessive
dem.	demonstrative	*prep.*	preposition
dir.	direct	*pron.*	pronoun
exclam.	exclamatory	*rel.*	relative
f.	feminine	*subj.*	subject
fam.	familiar	*v.*	verb
impers.	impersonal	*	aspirate *h*
ind.	indirect	<	from
inf.	infinitive	°	slang or familiar usage
interrog.	interrogative		

FRANÇAIS-ANGLAIS

A

a (< **avoir**) has
à at, to, in, into, for, by; **à dimanche** see you on Sunday; **à quelle heure?** at what time?
abord: d'abord first, at first
abricot (*m.*) apricot
absent absent
absenter: s'absenter to absent oneself
absolument absolutely
absurde absurd
académique academic
accent (*m.*) accent
accepter (**de**) to accept
accident (*m.*) accident
accompagner to accompany, go with
accord: d'accord in agreement (with), OK, agreed; **d'acc!**° OK
accoutumer: s'accoutumer à to get used to
accueillir to welcome
acheminer: s'acheminer to proceed
acheter to buy
acteur/actrice (*m./f.*) actor/actress
actif/active active
activement actively
actualités (*f. pl.*) news
actuellement at present, now
additionner to add
admettre to admit
admirer to admire
adorer to worship

adresse (*f.*) address
adresser: s'adresser à to address, speak to, appeal to
adversité (*f.*) adversity
aérogare (*f.*) air terminal
aéroport (*m.*) airport
affaires (*f. pl.*) things
affamé hungry; **être affamé** to be hungry, be starved
affectueusement affectionately
affectueux/affectueuse affectionate
affirmativement affirmatively
affoler: s'affoler to panic
afin de (+ *inf.*) in order to; **afin que** in order that
Afrique (*f.*) Africa
agacé irritated
âge (*m.*) age; **quel âge avez-vous?** how old are you?; **d'un certain âge** middle-aged
agent (*m.*): **agent de police** police officer
agir: s'agir de (*impers.*) to be a question of; **il s'agit de** it is a question of, it involves
agneau (*m.*) lamb
agréer to accept (in closing a letter)
aide (*f.*) help
aider to help
aiguille (*f.*) needle, hand of a clock
ailleurs elsewhere; **d'ailleurs** besides
aimable kind, nice
aimer to like, love; **aimer bien** to like, be fond of; **aimer mieux** to prefer
aîné/aînée elder (of two), eldest (of more than two)

ainsi so, thus
air (*m.*): **avoir l'air** to look, seem
ajouter to add
alerte alert
Allemagne (*f.*) Germany
allemand German
aller (*m.*): **aller simple** one-way ticket; **aller et retour** round-trip ticket; **aller** (*v.*) to go; **aller bien** to feel well; **comment allez-vous?** how are you?; **comment ça va?** how are you?; **aller à pied** to walk; **aller chercher** to go and get; **s'en aller** to go away; **aller de pair** to go together
alors then
ambiguïté (*f.*) ambiguity
ambition (*f.*) ambition
âme (*f.*) soul
amener to take, bring
américain American
Amérique (*f.*) America
ami/amie (*m./f.*) friend
amical friendly
amitié (*f.*) friendship
amusant amusing, fun
amuser: s'amuser to enjoy oneself
an (*m.*) year; **tous les ans** every year; **le jour de l'An** New Year's Day
ancien/ancienne former; old
anglais English
Angleterre (*f.*) England
animal (*m.*) animal
animer to animate; **s'animer** to come alive
année (*f.*) year
anniversaire (*m.*) birthday, anniversary
annuaire (*m.*) telephone directory
anxieux/anxieuse anxious
août (*m.*) August
apercevoir to catch sight of; **s'apercevoir** to realize, notice
apéritif (*m.*) before-dinner drink
appartement (*m.*) apartment
appartenir (**à**) to belong to
appeler to call; **s'appeler** to be called, be named; **comment vous appelez-vous?** what's your name?; **je m'appelle...** my name is . . .
applaudir to applaud
apporter to bring
apprécier to appreciate
appréhender to apprehend
apprendre to learn; **apprendre par cœur** to learn by heart
appui (*m.*) support
après after; **d'après** according to; **après tout** after all; **après-midi** (*m.* or *f.*) afternoon; **l'après-midi** in the afternoon
arbre (*m.*) tree; **arbre généalogique** family tree
arc-en-ciel (*m.*) rainbow

archéologique archaeological
archéologue (*m.* or *f.*) archaeologist
architecte (*m.* or *f.*) architect
argent (*m.*) money; silver; **argent liquide** cash
armoire (*f.*) wardrobe, closet
arrêt (*m.*) stop
arrêter to stop; **s'arrêter** to stop oneself
arrivée (*f.*) arrival
arriver to arrive; **arriver à propos** to arrive at the right time; **arriver à temps** to arrive in time
arroser to water; to toast (someone)
art (*m.*) art
artère (*f.*) artery
artichaut (*m.*) artichoke
article (*m.*) article
artiste (*m.* or *f.*) artist
artistique artistic
aspect (*m.*) aspect
asperge (*f.*) asparagus
aspirateur (*m.*) vacuum cleaner
aspiration (*f.*) aspiration
aspirine (*f.*) aspirin
assembler: s'assembler to gather
asseoir: s'asseoir to sit down
assez enough
assiette (*f.*) plate
assistance (*f.*) audience, spectators
assister (**à**) to attend
assoiffé thirsty
atteindre to reach, attain
attendre to wait, wait for, await; **s'attendre à** to expect
attention (*f.*) attention; **faire attention** (**à**) to pay attention (to)
attitude (*f.*) attitude
attrouper: s'attrouper to form a group
au (< **à** + **le**) to the, in the, at the; **au bout de** at the end of; **au début** in the beginning; **au fond de** at the bottom of
auberge (*f.*) inn; **auberge de jeunesse** youth hostel
aubergine (*f.*) eggplant
aucun/aucune none; **ne... aucun/aucune** no one
aujourd'hui today; **d'aujourd'hui en huit** a week from today; **c'est aujourd'hui samedi** today is Saturday
auparavant before, previously
auquel/à laquelle/auxquels/auxquelles (*rel. pron.*) to whom, to which; **auquel? à laquelle? auxquels? auxquelles?** (*interrog. pron.*) to whom? to which one? to which ones?
aussi also, so, as, thus, therefore; **aussi... que** as . . . as
aussitôt immediately; **aussitôt que** as soon as

autant as much; **autant que possible** insofar as possible
auteur (*m.*) author
auto (*f.*) auto, automobile, car
autobus (*m.*) bus; **en autobus** by bus
autocar (*m.*) tourist bus
automne (*m.*) fall, autumn
automobile (*f.*) automobile, auto, car
auto-stop (*m.*) hitchhiking; **faire de l'auto-stop** to hitchhike
autour de around
autre other
autrefois formerly
autrement otherwise
autrui others
avaler to swallow
avance: en avance forward, ahead, early
avancer to advance
avant before; **avant de** before
avec with
avenir (*m.*) future
aventurer: s'aventurer to venture, take risks
avenue (*f.*) avenue
avertir to warn, notify
avertisseur (*m.*) horn
aveugle blind
avion (*m.*) airplane; **par avion** by air, by airplane; via airmail
avis (*m.*) opinion, advice; **être de l'avis de quelqu'un** to agree with someone; **à mon avis** in my opinion
aviser to notify
avocat/avocate (*m./f.*) lawyer
avoir to have; **avoir besoin de** to need; **avoir chaud** to be warm; **avoir droit à** to have the right to; **avoir envie de** to feel like, want to; **avoir faim** to be hungry; **avoir froid** to be cold; **avoir honte (de)** to be ashamed (of); **avoir l'air de** to look, seem; **avoir l'habitude de** to be used to; **avoir l'intention de** to intend to; **avoir la patience de** to have the patience to; **avoir lieu** to take place; **avoir mal à la tête** to have a headache; **avoir peur (de)** to be afraid (of); **avoir raison** to be right; **avoir soif** to be thirsty; **avoir sommeil** to be sleepy; **avoir tort** to be wrong; **en avoir marre,° en avoir plein le dos,° en avoir ras le bol°** to have had it; **il y a** there is, there are; **il y a cinq ans** five years ago
avouer to acknowledge
avril (*m.*) April
aztèque Aztec

B

badaud (*m.*) onlooker
bagages (*m. pl.*) luggage

baguette (*f.*) stick of bread
baigner to bathe; **se baigner** to take a bath
bain (*m.*) bath; **salle** (*f.*) **de bains** bathroom
baiser (*m.*) kiss
baisser to lower
bal (*m.*) ball, dance
balayer to sweep
balcon (*m.*) balcony
ballet (*m.*) ballet
ballon (*m.*) ball
banane (*f.*) banana
bande (*f.*): **bande dessinée** comic strip
banque (*f.*) bank
barbe (*f.*) beard
bas (*m. pl.*) stockings
bas/basse low; **à voix basse** in a low voice
base-ball (*m.*) baseball
basket (*m.*) basketball
bateau (*m.*) boat
battre to beat; **se battre** to fight
bavard talkative, loquacious
bavarder to chatter
bâtiment (*m.*) building
bâtir to build
beau/bel/belle beautiful, nice; **il fait beau** the weather is nice
beaucoup much, very much; **beaucoup de monde** a lot of people
Belgique (*f.*) Belgium
besogne (*f.*) work, task
besoin (*m.*) need; **avoir besoin de** to need
beurre (*m.*) butter
bête (*f.*) beast, animal
bêtises (*f. pl.*) stupidities
bibliothèque (*f.*) library
bicyclette (*f.*) bicycle; **faire de la bicyclette** to go bicycle riding; **monter à bicyclette** to ride a bicycle
bien (*adv.*) well, indeed, very; **eh bien?** well?; (*conj.*) **bien que** although; **bien entendu** of course; **bien sûr!** surely!
bientôt soon; **à bientôt!** see you soon!
bière (*f.*) beer; **bière pression** draft beer
bifteck (*m.*) steak
bijou (*m.*) piece of jewelry
billet (*m.*) ticket, bank note, bill; **billet aller et retour** round-trip ticket
biologie (*f.*) biology
biologiste (*m.* or *f.*) biologist
biscotte (*f.*) biscuit
bistro, bistrot (*m.*) café
blâme (*m.*) blame
blanc/blanche white
blanchir to whiten
blazer (*m.*) blazer
blé (*m.*) wheat, grass
blesser to wound
blessure (*f.*) wound, injury

bleu blue; **bleu clair** light blue; **bleu marine** navy blue
blond blond
blouse (*f.*) blouse
blouson (*m.*) jacket; **blouson en cuir** leather jacket
bluffer to bluff
boire to drink
bois (*m.*) wood; woods, forest
boisson (*f.*) drink
boîte (*f.*) box; **boîte aux lettres** mailbox; **boîte de conserve** can of preserved food
bon/bonne good; **bon appétit** hearty appetite; **de bonne heure** early
bonbon (*m.*) piece of candy
bonheur (*m.*) happiness
bonjour good morning
bonsoir good evening
bord (*m.*) edge; **au bord de la mer** at the sea-shore
bordeaux maroon
bottes (*f. pl.*) boots
bottin (*m.*) telephone directory
bouche (*f.*) mouth
boucher/bouchère (*m./f.*) butcher
boucherie (*f.*) butcher shop
boudin (*m.*) blood sausage
boue (*f.*) mud
bouger to move
boulanger/boulangère (*m./f.*) baker
boulangerie (*f.*) bakery
boules (*f. pl.*) bowls (a game)
boulevard (*m.*) boulevard
bouleverser to upset
boulot° (*m.*) work
bouquet (*m.*) bouquet
bout (*m.*) end; **au bout de** at the end of
bouteille (*f.*) bottle
boutique (*f.*) shop
bœuf (*m.*) beef, ox
bras (*m.*) arm
brave brave, good, worthy
bretelles (*f. pl.*) suspenders
brièveté (*f.*) shortness, brevity
brosser: se brosser to brush
brouhaha (*m.*) confusion, noise, uproar
brouillard (*m.*) fog
bruit (*m.*) noise
brûler to burn; **brûler un feu** to go through a red light
brun brown; dark-haired
brusque abrupt
brusquement abruptly
bulletin (*m.*) bulletin
bureau (*m.*) office; desk; **bureau de poste** post office; **bureau de tabac** tobacconist's shop
but (*m.*) goal

C

c' < **ce**
ça (< **cela**) that; **c'est ça** that's right, that's it; **ça alors!** well!; **ça ne fait rien** it doesn't matter; **ça ne vaut pas la peine** it's not worth the trouble; **ça y est!** OK!
cabine (*f.*) booth; **cabine téléphonique** telephone booth
caddie (*m.*) luggage cart
cadeau (*m.*) gift
cadet/cadette the younger, the youngest (of a family)
café (*m.*) coffee; café
cahier (*m.*) notebook
caisse (*f.*) cashier's window, box
calendrier (*m.*) calendar
calme (*m.*) calm
calmer to calm
camarade (*m.* or *f.*) friend, pal
camembert (*m.*) camembert (cheese)
camion (*m.*) truck
campagne (*f.*) country, countryside
Canada (*m.*) Canada
canadien/canadienne Canadian
candidat (*m.*) candidate
capable capable
capitale (*f.*) capital
car (*m.*) tourist bus
car for, because
caractère (*m.*) character
cardigan (*m.*) cardigan
carnet (*m.*) booklet; **carnet de tickets** book of tickets
carotte (*f.*) carrot
carrière (*f.*) career
carte (*f.*) card; map; **jouer aux cartes** to play cards; **carte postale** postcard; **carte de débarquement** debarkation card; **carte de crédit** credit card
cas (*m.*) case; **au cas où** in the event that; **en tout cas** in any case
casser to break; **casser les oreilles** to deafen
catégorie (*f.*) category
cathédrale (*f.*) cathedral
catholique Catholic
cause (*f.*) cause; **à cause de** because of
cave (*f.*) cellar
ce (*pron.*) he, she, it, they, that; **ce qui, ce que** what
ce/cet/cette/ces (*adj.*) this/that/these/those; **ce chapeau-ci** this hat; **ce chapeau-là** that hat
ceci this
céder to yield
ceinture (*f.*) belt
cela that
célèbre famous
célébrer to celebrate

celui/celle/ceux/celles   the one/the ones; **celui-ci**   this one; **celui-là**   that one
cent   hundred
centaine (*f.*)   about a hundred
centième   hundredth
cependant   however
cerise (*f.*)   cherry
certain   certain
certainement   certainly
cervelle (*f.*)   brains
cesse: sans cesse   without stopping
cesser   to stop
chacun/chacune   each, each one
chaîne (*f.*)   channel
chaise (*f.*)   chair
chaleureusement   warmly
chambre (*f.*)   bedroom
champ (*m.*)   field
champignon (*m.*)   mushroom
chandail (*m.*)   sweater
changer   to change
chanson (*f.*)   song; **chanson d'amour**   love song
chanter   to sing
chapeau (*m.*)   hat
chapitre (*m.*)   chapter
chaque   each
charabia (*m.*)   nonsense, jargon
charcuterie (*f.*)   pork butcher's shop
charcutier/charcutière (*m./f.*)   pork butcher
chariot (*m.*)   carriage
charité (*f.*)   charity
charmant   charming
chat/chatte (*m./f.*)   cat
châtain   chestnut brown
château (*m.*)   castle
châtier   to punish
chaud   warm; **il fait chaud**   it is warm; **avoir chaud**   to feel warm
chaudement   warmly
chauffage (*m.*)   heating; **chauffage central** central heating
chauffeur (*m.*)   driver
chaussette (*f.*)   sock
chaussure (*f.*)   shoe
chef (*m.*)   head; **chef d'orchestre**   orchestra leader; **chef-d'œuvre**   masterpiece
chemin (*m.*)   road; **chemin de fer**   railroad
cheminée (*f.*)   fireplace
chemise (*f.*)   shirt
chemisier (*m.*)   blouse
cher/chère   dear, expensive
chercher   to look for, seek; **aller chercher**   to go and get; **venir chercher**   to come for
cheval (*m.*)   horse
chevelure (*f.*)   head of hair
cheveu (*m.*)   hair
cheville (*f.*)   ankle
chez   at the house of, at the shop of; **chez moi** at my house; **chez eux**   at their place; **chez le pharmacien**   at the pharmacist's
chic!   great! fine! neat!
chien/chienne (*m./f.*)   dog
chiffre (*m.*)   number
chimie (*f.*)   chemistry
Chine (*f.*)   China
chinois   Chinese
chocolat (*m.*)   chocolate
choisir   to choose
choix (*m.*)   choice
chose (*f.*)   thing; **quelque chose**   something; **autre chose**   something else
chou (*m.*)   cabbage
chouette!   great! fine! neat!
chuchoter   to whisper
ciel (*m.*)   sky
cigare (*m.*)   cigar
cinéma (*m.*)   movies, movie theater
cinglé°   crazy
cinq   five
cinquantaine (*f.*)   about fifty
cinquante   fifty
cinquième   fifth
circonstance (*f.*)   circumstance
circulation (*f.*)   traffic
cirer   to wax
citron (*m.*)   lemon
civilisation (*f.*)   civilization
clair   clear; light-colored; **voir clair**   to see clearly
clarinette (*f.*)   clarinet
classe (*f.*)   classroom; class; **première (classe)** first class; **seconde (classe)**   second class
classique   classic
client/cliente (*m./f.*)   client
cochon (*m.*)   pig
code (*m.*)   code; **code de la route**   traffic rules
cœur (*m.*)   heart; **par cœur**   by heart; **avoir mal au cœur**   to be nauseated
coiffure (*f.*)   hairdo
coin (*m.*)   corner
colère (*f.*)   anger; **être en colère**   to be angry
collant (*m.*)   pantyhose
collection (*f.*)   collection
collège (*m.*)   secondary school
colossal   colossal
combat (*f.*)   combat
combattre   to fight
combien   how much, how many; **combien de temps**   how long
combinaison (*f.*)   slip
comble (*m.*)   ultimate, upper limit
comédie (*f.*)   comedy, theatrics
comédien/comédienne (*m./f.*)   actor, comedian
commander   to order, command
comme   as, like; **comme d'habitude**   as usual; **comme si**   as if
commencer (**à**)   to begin

comment how; **comment allez-vous?** how are you?; **comment vous appelez-vous?** what's your name?
commenter to comment on
commettre to commit
commode (f.) chest of drawers
commun common
communiquer to communicate
compagne (f.) companion
compartiment (m.) compartment
compétent able
complet (m.) man's suit
complet/complète complete, full
compliment (m.) compliment
compliqué complicated
composer le numéro to dial a number
compositeur (m.) composer
composter to stamp with the date
comprendre to understand
compte (m.) account; **compte-rendu** report
computer to count
concert (m.) concert
concombre (m.) cucumber
condition (f.) condition
conduire to drive
conférence (f.) lecture
conférencier/conférencière (m./f.) lecturer
confesser to confess
confortable comfortable
confus confused
connaissance (f.) acquaintance; **faire la connaissance de** to make the acquaintance of
connaître to know, be acquainted with
consentir to consent
considérable considerable
considérer to consider
constamment constantly
constant constant
constat (m.) report
constater to ascertain, state
construire to build
consulter to consult
contenir to contain
content glad
continuer (à) to continue
contraire (adj.) contrary; (m.) opposite; **au contraire** on the contrary
contre against
contrôleur (m.) train conductor
convenable convenient
convenir (à) to suit, be appropriate
conversation (f.) conversation
copain/copine (m./f.) pal
copilote (m.) copilot
corbeille (f.) basket; **corbeille à papier** wastepaper basket
corps (m.) body
correct correct

correctement correctly
correspondre to correspond
corriger to correct
corsage (m.) blouse
corvée (f.) chore
costaud rugged
costume (m.) man's suit
côté (m.) side; **à côté de** beside, near
coton (m.) cotton
cou (m.) neck
coucher: se coucher to lie down, go to bed
coude (m.) elbow
couleur (f.) color
couloir (m.) hall
coup (m.) knock, blow; **tout à coup** suddenly; **coup de fil** phone call; **donner un coup de fil** to make a phone call; **coup d'œil** look, glance
couper to cut
coupure (f.) cut
courageux/courageuse courageous
courir to run
courrier (m.) mail
cours (m.) course; **au cours de** during
court short
cousin/cousine (m./f.) cousin
couteau (m.) knife
coûter to cost; **coûter moitié prix** cost half price
couvert (m.) table setting
couverture (f.) blanket
couvrir to cover
craindre (de) to fear
crainte (f.) fear
cravate (f.) necktie
crayon (m.) pencil
création (f.) creation
créer to create
crème (f.) cream
crémerie (f.) dairy store
crémier/crémière (m./f.) dairyman/dairywoman
crétin° (m.) imbecile, cretin
crevé° bushed, tired; (m.) flat tire
crever° (de) to burst, die
cri (m.) yell, cry
crier to shout
critique (f.) criticism
croire (à) to believe (in)
croissant (m.) crescent roll
croix (f.) cross
croustillant crusty
croyable believable
cruel/cruelle cruel
cuillère (f.) spoon
cuir (m.) leather
cuisine (f.) kitchen; cooking; **faire la cuisine** to cook
cuisse (f.) thigh

cuit cooked
cultiver to cultivate, grow
culturel/culturelle cultural
curé (*m.*) priest
curieux/curieuse curious

D

d' (< **de**): **d'abord** first; **d'après** according to; **d'autre part** on the other hand; **d'habitude** as usual
dame (*f.*) lady
danois Danish
dans in, into
danser to dance
danseur/danseuse (*m./f.*) dancer
date (*f.*) date
dater de to date from
davantage more
de of, from; **de toute façon** in any case
débile° crazy
debout standing, upright
début (*m.*) beginning
décéder to die
décembre (*m.*) December
décevoir to deceive, disappoint
décider (**de**) to decide
déclaration (*f.*) declaration
déconcerté disconcerted, taken aback
décontracté relaxed
découverte (*f.*) discovery
découvrir to discover
décrire to describe
décrocher to lift (telephone receiver)
dedans inside
définir to define
dégâts (*m. pl.*) damage
dehors outside
déjà already
déjeuner (*m.*) lunch; **petit déjeuner** breakfast
déjeuner to have lunch
délicat delicate
délices (*f. pl.*) delights, pleasures, delicious foods
délicieux/délicieuse delicious
demain tomorrow; **après-demain** day after tomorrow
demander to ask; **se demander** to wonder
demeurer to live, reside
demi half; **une demi-heure** a half hour; **une heure et demie** half past one
demoiselle (*f.*) young woman
dénouement (*m.*) outcome (of plot, story)
dent (*f.*) tooth
dentifrice (*m.*) toothpaste
dentiste (*m.* or *f.*) dentist
départ (*m.*) departure

dépêcher: se dépêcher (**de**) to hurry; **dépêche-toi** hurry up!
dépendre (**de**) to depend (on)
dépense (*f.*) expense
dépenser to spend
dépit: en dépit de in spite of
déplaire (**à**) to displease
depuis since; **depuis combien de temps? depuis quand?** for how long? since when?
déraisonnable unreasonable
déranger to disturb, inconvenience
dernier/dernière last; **samedi dernier** last Saturday
derrière behind
dès since; **dès que** as soon as
désappointé disappointed
descendre to go down, take down
déshabiller: se déshabiller to undress
désir (*m.*) desire, wish
désirer to desire, wish
désolé sorry
désorienté disoriented, puzzled, bewildered
dessert (*m.*) dessert
dessin (*m.*) drawing; **dessins animés** animated cartoons
dessous under
dessus on
destination (*f.*) destination
détenir to hold, be in possession of
détester to detest, dislike
détruire to destroy
deux two
deuxième second; **au deuxième étage** on the third floor
devant in front of, before
devenir to become
dévisager to stare at
devoir to owe; must, be supposed to, ought to; **je dois** I must, I am supposed to; **je devais** I was supposed to; **j'ai dû** I must have, I had to; **je devrais** I should; **j'aurais dû** I should have
devoirs (*m. pl.*) homework
dévouement (*m.*) devotion
diable (*m.*) devil
Dieu (*m.*) God; **Mon Dieu!** Good grief!
différent different
différer to delay
difficile difficult
dignité (*f.*) dignity
dimanche (*m.*) Sunday; **le dimanche** on Sunday(s); **à dimanche** see you on Sunday
dîner (*m.*) dinner
dîner to dine
dingue° crazy
dire to say, tell; **vouloir dire** to mean; **c'est-à-dire** that is to say
directement directly

disciple (*m.* or *f.*) disciple
discours (*m.*) discourse, speech
discret/discrète discreet
discussion (*f.*) discussion
discuter (**de**) to discuss
disparaître to disappear
disparition (*f.*) disappearance
disponible available
disputer: se disputer to argue
disque (*m.*) record
distance (*f.*) distance; **à quelle distance?**
  how far?
distingué distinguished
distraire to distract, divert
distribution (*f.*) distribution; **distribution du**
  courrier mail delivery
divertir: se divertir to amuse oneself, have fun
diviser to divide
dix ten
dix-huit eighteen
dixième tenth
dix-neuf nineteen
dix-neuvième nineteenth
dix-sept seventeen
dizaine (*f.*) about ten
docteur (*m.*) doctor
document (*m.*) document
documentaire (*m.*) documentary
doigt (*m.*) finger
dollar (*m.*) dollar
dommage (*m.*) damage; **c'est dommage!**
  that's too bad!
donc then, therefore
donner to give; **donner un coup de fil** to
  telephone; **donner une poignée de main à**
  to shake hands with
dont of whom, of which, whose
doré golden
dormir to sleep
dos (*m.*) back; **en avoir plein le dos°** to have
  had enough
doublé dubbed
douche (*f.*) shower
douleur (*f.*) pain
doute (*m.*) doubt; **sans doute** probably
douter (**de**) to doubt; **se douter de** to
  suspect
doux/douce sweet; soft
douzaine (*f.*) dozen; **une demi-douzaine** a
  half dozen
douze twelve
douzième twelfth
dramatique dramatic
drapeau (*m.*) flag
droit (*m.*) right; **avoir droit à** to have the right
  to
droit straight; **tout droit** straight ahead
droite (*f.*) right; **à droite** to the right, on the
  right

drôle funny
du (< **de** + **le**) of the, from the, some, any
dû (< **devoir**) had to
duquel/de laquelle/desquels/desquelles (*rel.*
  pron.) of which, of whom; **duquel? de la-**
  quelle? desquels? desquelles? (*interrog.*
  pron.) of which one? of which ones?
dur hard
durable lasting
durant during
durer to last

E

eau (*f.*) water; **eau minérale** mineral water
écarter: s'écarter to disperse
échanger to exchange
écharpe (*f.*) scarf
éclair (*m.*) lightning; eclair (pastry)
éclater to burst; **éclater de rire** to burst out
  laughing
école (*f.*) school
écouter to listen to
écouteurs (*m. pl.*) earphones
écrier: s'écrier to cry out
écrire to write
édifice (*m.*) building
éducation (*f.*) education
effaré frightened
effectivement effectively; indeed
effet (*m.*) effect; **en effet** indeed
effort (*m.*) effort
égal equal; **ça m'est égal** I don't care
église (*f.*) church
égratigner to scratch; **s'égratigner** to scratch
  oneself
Egypte (*f.*) Egypt
eh bien! well!
élancer: s'élancer to dash, spring
électrophone (*m.*) phonograph, record player
élégamment elegantly, gracefully
élégance (*f.*) elegance
élégant elegant
élémentaire elementary
éléphant (*m.*) elephant
élève (*m.* or *f.*) pupil
elle she, it; **elles** they
emballer: s'emballer to be carried away (with
  excitement)
embarrassé embarrassed
embellir to beautify
embêtant° annoying, boring
embêter° to bore, annoy
embrasser to kiss, embrace
émission (*f.*) broadcast
emmener to carry, take along
empêcher to prevent
employé/employée (*m./f.*) employee

employer to employ, use
emporter to take along, carry along
emprunter to borrow
ému moved, touched
en (*prep.*) in, into, at, to, by; **en attendant que** (+ *subj.*) till, until; **en avance** early; **en bas de** at the foot of; **en face de** opposite; **en dépit de** in spite of; **en tout cas** in any case; **en voie de** in the process of; (*pron.*) some, any, of it, of them
enchanté delighted
encore yet, still, again; **pas encore** not yet; **encore plus** still more; **encore une fois** once more
endormir: s'endormir to fall asleep
endroit (*m.*) place
énerver: s'énerver to become irritated
enfant (*m.* or *f.*) child
enfer (*m.*) hell
enfin finally, at last
enfoncer to run into (something)
enivrer: s'enivrer to get drunk
ennuyer to bother; **s'ennuyer** to be bored
ennuyeux/ennuyeuse boring
énorme enormous
énormément enormously
enseigner to teach
ensemble together
ensoleillé sunny
ensuite then, next
entendre to hear; **entendre parler de** to hear of; **entendre dire que** to hear that
entendu: c'est entendu agreed, all right; **bien entendu** of course
enthousiasme (*m.*) enthusiasm
enthousiasmer: s'enthousiasmer to be enthusiastic
entier/entière entire, whole
entourer to surround
entre among, between; **entre autres** among others
entrée (*f.*) entrance; **entrée d'agglomération** entrance to a city
entrer (**dans**) to enter, go in
enveloppe (*f.*) envelope
envie (*f.*) envy, desire; **avoir envie de** to feel like, want to
environ about, approximately
envisager to face, consider
envoyer to send; **envoyer chercher** to send for; **faire envoyer** to have (something) sent
épais/épaisse thick
épatant wonderful
épaule (*f.*) shoulder
épicerie (*f.*) grocery
épicier/épicière (*m./f.*) grocer
épinard (*m.*) spinach
époque (*f.*) epoch, time; **à la même époque** at the same time

épousseter to dust
épouvantable dreadful
épuisé exhausted
erreur (*f.*) mistake; **faire erreur** to make a mistake
escalier (*m.*) stairway
esclave (*m.*) slave
espace (*m.*) space
Espagne (*f.*) Spain
espagnol Spanish
espérer to hope; **je l'espère** I hope so
esprit (*m.*) spirit, mind
essayer to try, try on
essence (*f.*) gasoline
essoufflé out of breath
est (*m.*) east
estomac (*m.*) stomach
et and; **et tout ça** and all that
étage (*m.*) floor, story
état (*m.*) state, condition; **Etats-Unis** United States
été (*m.*) summer
été (< **être**) been
éteindre to extinguish
éternel/éternelle eternal
étoile (*f.*) star
étonnant surprising, astonishing
étonner to surprise; **s'étonner de** to wonder at
étranger/étrangère (*adj.*) foreign; (*n.*) foreigner; **à l'étranger** abroad
étrangler to strangle
être to be; **c'est** it is; **est-ce?** is it?; **qu'est-ce que c'est que... ?** what is . . . ?; **c'est-à-dire** that is to say; **il est une heure** it is one o'clock; **c'est aujourd'hui samedi** today is Saturday; **être à** to belong to; **être à plat** to be very tired; **être difficile à table** to be a fussy eater; **être en colère** to be angry
étude (*f.*) study; **faire ses études** to pursue one's studies
étudiant/étudiante (*m./f.*) student
étudier to study
Europe (*f.*) Europe
évidemment evidently
évidence (*f.*) obviousness
évident evident, obvious
éviter to avoid
exact exact
exactement exactly
exagérer to exaggerate
examen (*m.*) examination, test
examiner to examine
exaspéré aggravated
excédé: être excédé to have had enough
excellent excellent
exceptionnel/exceptionnelle exceptional
excès: à l'excès in excess
excuser to excuse; **s'excuser** to apologize

exemple (*m.*) example; **par exemple** for example
exercer to exercise; **s'exercer** (**à**) to practice
exercice (*m.*) exercise
existence (*f.*) existence
expédier to forward
expérience (*f.*) experience
explication (*f.*) explanation
expliquer to explain; **s'expliquer** to explain oneself
explorer to explore
exposé (*m.*) report
exprimer to express; **s'exprimer** to express oneself
exquis exquisite
extraordinaire extraordinary

F

fabriquer to make
face (*f.*) face; **en face de** opposite
fâché angry, annoyed
fâcher to anger; **se fâcher** to get angry
fâcheux/fâcheuse annoying
facile easy
facilement easily
façon (*f.*) manner; **à sa façon** in his/her own way
facteur (*m.*) mail carrier
faible feeble, weak
faim (*f.*) hunger; **avoir faim** to be hungry
faire to do, make; to equal (in mathematics); **faire attention** (**à**) to pay attention (to), watch out (for); **se faire couper les cheveux** to have one's hair cut; **faire de l'auto-stop** to hitchhike; **faire de la bicyclette** to go bicycle riding; **faire de la natation** to swim; **faire de la voile** to go sailing; **faire des progrès** to make progress; **faire du sport** to play (sports); **faire du tennis** to play tennis; **faire du ski** to go skiing; **faire la connaissance de** to make the acquaintance of; **faire la cuisine** to cook; **faire la queue** to line up; **faire la vaisselle** to do the dishes; **faire le numéro** to dial a number; **faire le plein** to fill the gas tank; **faire mal** (**à**) to harm, hurt; **faire sa toilette** to wash and dress; **faire ses études** to pursue one's studies; **faire un tour** to go for a walk, go for a ride; **faire une promenade** to take a walk; **faire venir** to have . . . come; **faire envoyer** to have . . . sent; **quel temps fait-il?** what's the weather like?; **il fait beau** it is nice; **il fait doux** it's nice weather; **il fait du vent** it is windy; **ça ne fait rien** it doesn't matter; **ne vous en faites pas** don't worry about it; **faire penser** to remind; **faire peur** to frighten; **se faire mal** to hurt oneself

fait (*m.*) fact; **en fait** in fact
falloir (*impers.*) to have to; **il faut** one must, it is necessary; **il fallait, il a fallu** it was necessary; **il faudra** it will be necessary
familièrement familiarly
famille (*f.*) family
fanatique fanatic
fantastique fantastic
farce (*f.*) farce
fatigué tired
faute (*f.*) fault, error
fauteuil (*m.*) armchair
faux/fausse false
favori/favorite favorite, preferred
favoris (*m. pl.*) sideburns
femme (*f.*) woman, wife
fenêtre (*f.*) window
fente (*f.*) slot
fermer to close
féroce ferocious
fête (*f.*) holiday, anniversary
fêter to celebrate
feu (*m.*) fire; traffic light
feuille (*f.*) leaf, page
février (*m.*) February
fiche (*f.*) registration form
figure (*f.*) face
fille (*f.*) daughter, girl; **jeune fille** girl; **petite fille** little girl
film (*m.*) film; **film policier** detective film
fils (*m.*) son
fin (*f.*) end; **fin d'agglomération** exit from a city
finalement finally
finir (**de**) to finish
flèche (*f.*) arrow
fleur (*f.*) flower
flic° (*m.*) cop, police officer
flûte!° darn!
fois (*f.*) time; **la première fois** the first time; **plusieurs fois** several times
foncer to rush, charge
fond (*m.*) bottom; **au fond de** at the bottom of
fontaine (*f.*) fountain
football (*m.*) soccer
forger to forge, make
forgeron (*m.*) blacksmith
forme: être en forme to be in shape
former to form; **former le numéro** to dial a number
formidable formidable; terrific
formule (*f.*) formula
fort strong
fou/folle mad, insane
foulard (*m.*) scarf
foule (*f.*) crowd
fourchette (*f.*) fork

foyer (*m.*) home
frais/fraîche cool
fraise (*f.*) strawberry
franc (*m.*) franc (money)
français French
France (*f.*) France
franchise (*f.*) frankness
franquette: à la bonne franquette
  potluck
frapper to hit
freiner to brake
fréquemment frequently
fréquenté popular
fréquenter to frequent, visit
frère (*m.*) brother
fric° (*m.*) money
frisé curly
froid cold; **il fait froid** it is cold; **avoir froid**
  to feel cold
fromage (*m.*) cheese
front (*m.*) forehead
frugalité (*f.*) frugality
fruit (*m.*) fruit
fumer to smoke
furieux/furieuse furious

G

gagner to earn
galimatias (*m.*) nonsense
gant (*m.*) glove
garage (*m.*) garage
garçon (*m.*) boy; waiter
garder to keep
gardien (*m.*) guard
gare (*f.*) railroad station
gas-oil (*m.*) diesel fuel
gaspiller to waste
gâteau (*m.*) cake
gauche (*f.*) left; **à gauche** on the left, to the
  left
geler to freeze
gêné ill at ease, embarrassed
gêner to embarrass; **se gêner** to be embarrassed
général: en général in general
généralement generally
généreux/généreuse generous
génial brilliant
genou (*m.*) knee
genre (*m.*) genre, type
gens (*m. pl.* or *f. pl.*) people; **jeunes gens**
  young people
gentil/gentille nice
gentiment nicely
géologie (*f.*) geology
géologue (*m.* or *f.*) geologist
geste (*m.*) gesture

gesticuler to gesticulate
gigantesque gigantic
gigot (*m.*) leg of lamb
gilet (*m.*) vest
girafe (*f.*) giraffe
glace (*f.*) ice
glacé iced
gorge (*f.*) throat; **avoir mal à la gorge** to have
  a sore throat
gothique gothic
goût (*m.*) taste
goûter to taste
grâce à thanks to
gramme (*m.*) gram
grand tall; great; **grand-mère** (*f.*) grandmother; **grand-père** (*m.*) grandfather; **grands-
  parents** (*m. pl.*) grandparents
grandiose grandiose
grandir to grow tall
gras/grasse fat
gratuitement at no cost
grave serious
grec/grecque Greek
Grèce (*f.*) Greece
grimace (*f.*) grimace
gris gray
grisbi° (*m.*) money
gros/grosse big
grossir to grow bigger
groupe (*m.*) group
guère: ne... guère scarcely, hardly
guerre (*f.*) war
guichet (*m.*) ticket window
guide (*m.*) guide
guise: à ta guise as you wish
guitare (*f.*) guitar
gymnase (*m.*) gymnasium

H

habiller to dress; **s'habiller** to get dressed
habit (*m.*) dress, costume
habitant (*m.*) inhabitant
habiter to live in, inhabit
habitude (*f.*) habit; **comme d'habitude** as
  usual; **d'habitude** usually; **avoir l'habitude
  de** to be used to
habituellement habitually
habituer: s'habituer (**à**) to get used to
*****hanche** (*f.*) hip
*****haricot** (*m.*) bean
harmonieux/harmonieuse harmonious
*****harpe** (*f.*) harp
*****hasard** (*m.*) chance
*****haut** high, top; **en haut de** at the top of
*****hautbois** (*m.*) oboe
héberger to lodge
hélas alas

héroïne (*f.*)   heroine
*héros (*m.*)   hero
heure (*f.*)   hour, time; **quelle heure est-il?**
  what time is it?; **il est dix heures**   it is ten
  o'clock; **une demi-heure**   a half hour; **à**
  l'heure   on time; **de bonne heure**   early;
  tout à l'heure   a while ago; in a while; **à tout**
  à l'heure   see you later; **heure tapante**   exactly on time
heureusement   happily, fortunately
heureux/heureuse   happy
*heurter: se heurter   to hit against
hier   yesterday; **hier soir**   last night
histoire (*f.*)   story, history
historien (*m.*)   historian
hiver (*m.*)   winter
homme (*m.*)   man; **jeune homme**   young man
honneur (*m.*)   honor
*honte (*f.*)   shame; **avoir honte** (**de**)   to be
  ashamed (of)
hôpital (*m.*)   hospital
horloge (*f.*)   clock
*hors   de   out of; **hors d'haleine**   out of breath
hors-d'œuvre (*m. sing.* or *pl.*)   appetizer(s)
hospitalier/hospitalière   hospitable
hôte (*m.*)   host
hôtel (*m.*)   hotel
hôtesse (*f.*)   hostess; **hôtesse de l'air**   flight attendant
huile (*f.*)   oil
*huit   eight; **huit jours**   a week
*huitaine (*f.*)   about eight
*huitième   eighth
huître (*f.*)   oyster
humble   humble
humide   humid, damp
humilier   to humiliate
humour (*m.*)   humor
*hurler   to yell
hypocrite (*adj.*)   hypocritical; (*m.*)   hypocrite

I

ici   here
idéal   ideal
idée (*f.*)   idea
identifier   to identify; **s'identifier** (**à**)   to identify (with), become identified (with)
identique   identical
identité (*f.*)   identity; **carte** (*f.*) **d'identité**
  identity card
idiot   idiotic
il   he, it; **ils**   they
image (*f.*)   picture
imaginer   to imagine
imbécile° (*m.*)   imbecile
imiter   to imitate
immédiatement   immediately
immense   immense

immeuble (*m.*)   building
immortel/immortelle   immortal
impair   odd (of numbers)
imparfait   imperfect
impatient   impatient
imper, imperméable (*m.*)   raincoat
important   important
importuner   to bother
imposant   imposing
impossible   impossible
impressionnant   impressive
impressionner   to impress, affect, move; **s'im-**
  pressionner   to be strongly affected
incarner   to incarnate
incomparable   incomparable
incroyable   unbelievable
indéfini   indefinite
indiquer   to indicate
infinitif (*m.*)   infinitive
infirmière (*f.*)   nurse
informations (*f. pl.*)   news
ingénieur (*m.*)   engineer
ingrédient (*m.*)   ingredient
inimaginable   unimaginable
inquiet/inquiète   worried
inquiéter: s'inquiéter (**de**)   to worry (about)
insister   to insist
installer: s'installer   to settle in
instituteur/institutrice (*m./f.*)   elementary
  school teacher
intelligent   intelligent
intention (*f.*)   intention; **avoir l'intention de**
  to intend to
intéressant   interesting
intéresser: s'intéresser (**à**)   to be interested (in)
intérieur (*m.*)   interior, inside; **à l'intérieur**
  inside
intermission (*f.*)   intermission
interrogatif/interrogative   interrogative
interrompre   to interrupt
intimidé   intimidated
intimider   to intimidate
intrigue (*f.*)   plot
intriguer   to intrigue
inviter   to invite
irrité   irritated
irriter   to irritate
Italie (*f.*)   Italy
italien/italienne   Italian
itinéraire (*m.*)   itinerary

J

j' < **je**
jaillir   to spring (up), to gush
jamais   never, ever; **ne... jamais**   never
jambe (*f.*)   leg
janvier (*m.*)   January
Japon (*m.*)   Japan

japonais Japanese
jardin (*m.*) garden
jaune yellow
je I
jean (*m.*) jeans
jeter to throw (away)
jeton (*m.*) slug, token
jeu (*m.*) game
jeudi (*m.*) Thursday
jeune young; **jeune fille** girl; **jeunes gens**
  young people
joie (*f.*) joy
joindre: se joindre (**à**) to join
joli pretty
joue (*f.*) cheek
jouer to play; **jouer à** to play (a sport); **jouer
  de** to play (a musical instrument)
joueur (*m.*) player
jour (*m.*) day, daylight; **jour de congé** holiday,
  day off; **le jour de l'An** New Year's Day; **huit
  jours** a week; **quinze jours** two weeks; **tous
  les jours** every day; **par jour** per day
journal (*m.*) newspaper; **journal parlé** radio
  or television news
journée (*f.*) day; **toute la journée** all day long
joyeux/joyeuse happy, merry
jugement (*m.*) judgment
jugeotte° (*f.*) common sense
juif/juive Jewish
juillet (*m.*) July
juin (*m.*) June
jupe (*f.*) skirt
jus (*m.*) juice
jusqu'à until, up to, as far; **jusqu'à ce que**
  until
juste right, just, fair; **c'était juste** it was right
justement rightly, exactly

K

kilo, kilogramme (*m.*) kilogram
kilomètre (*m.*) kilometer

L

l' < **la, le**
la (*def. art.*) the; (*pron.*) her, it
là there; **là-bas** over there; **là-dedans**
  therein; **là-dessus** on that, thereupon; **là-haut**
  up there; **ce jour-là** that day
labeur (*m.*) labor
laid ugly
laine (*f.*) wool
laisser to let, leave; **laisser couler l'eau** to let
  the water run; **laisser faire** to let (something
  be done)
lait (*m.*) milk

laitue (*f.*) lettuce
lampe (*f.*) lamp
langage (*m.*) language, speech
langue (*f.*) tongue, language
lapin (*m.*) rabbit
laquelle see **lequel**
larme (*f.*) tear
lavabo (*m.*) sink
laver to wash; **se laver** to wash oneself
le (*def. art.*) the; (*pron.*) him, it
leçon (*f.*) lesson
lecture (*f.*) reading
légume (*m.*) vegetable
lendemain (*m.*) the next day
lent slow
lentement slowly
lequel, laquelle, lesquels, lesquelles (*rel.
  pron.*) which; who, whom; **lequel? laquelle?
  lesquels? lesquelles?** (*interrog. pron.*) which?
  which one? which ones?
les (*def. art.*) the; (*pron.*) them
lettre (*f.*) letter
leur (*pers. pron.*) to them, them; **leur, leurs**
  (*poss. adj.*) their; **le leur, la leur, les leurs**
  (*poss. pron.*) theirs
levée (*f.*) pickup
lever: se lever to get up, rise; **lever le doigt**
  to raise one's hand
lèvre (*f.*) lip
liberté (*f.*) liberty
librairie (*f.*) bookstore
libre free
librement freely
lien (*m.*) link
lieu (*m.*) place; **avoir lieu** to take place
linguiste (*m.* or *f.*) linguist
lion/lionne (*m./f.*) lion
lire to read
liste (*f.*) list
lit (*m.*) bed
litre (*m.*) liter
littéraire literary
littérature (*f.*) literature
livre (*m.*) book
loger to lodge
logique (*f.*) logic
loin far; **loin de** far from
long/longue long
longtemps a long time
lorsque when
lourd heavy
lui him, to him, to her; he
luire to shine
lumière (*f.*) light
lundi (*m.*) Monday
lune (*f.*) moon
lunettes (*f. pl.*) glasses; **lunettes de soleil**
  sunglasses
lycée (*m.*) secondary school
lyrique lyrical

M

M. (< **Monsieur**) Mr.
ma < **mon**
madame (*f.*) madam; **Mme** (*abbr.*) Mrs.; **mes-dames** (*pl.*)
mademoiselle (*f.*) miss; **Mlle** (*abbr.*) Ms., Miss; **mesdemoiselles** (*pl.*)
magasin (*m.*) store
magazine (*m.*) magazine
magnifique magnificent
mai (*m.*) May
maigre thin, skinny
maigrir to grow thin
main (*f.*) hand; **poignée** (*f.*) **de main** handshake
maintenant now
maintenir to maintain
maire (*m.*) mayor
mais but
maïs (*m.*) maize, corn
maison (*f.*) house; **à la maison** at home
maîtresse (*f.*) mistress; **maîtresse d'école** schoolteacher
majestueux/majestueuse majestic
mal (*m.*) pain; **mal de tête** headache; **avoir mal à la tête** to have a headache; **avoir mal au cœur** to be nauseated; **se faire mal** to hurt oneself
mal (*adv.*) badly; **pas mal** not bad
malade sick
malgré in spite of
malheureusement unfortunately
malheureux/malheureuse unfortunate
malle (*f.*) trunk
manger to eat; **manger du bout des dents** to be a picky eater
manquer to miss; to lack
manteau (*m.*) coat
marcher to walk
mardi (*m.*) Tuesday
mari (*m.*) husband
marque (*f.*) make, brand
marre: en avoir marre° to be fed up
marron brown
mars (*m.*) March
mathématicien/mathématicienne (*m./ f.*) mathematician
mathématiques (*f. pl.*) mathematics
matière (*f.*) matter; **matière grise** gray matter
matin (*m.*) morning; **le matin** in the morning; **tous les matins** every morning; **du matin** a.m.
matinée (*f.*) morning
mauvais bad, wrong
me me, to me
méchant mean, nasty
mécontent dissatisfied
médecin (*m.*) doctor
médicament (*m.*) medication

meilleur, meilleure, meilleurs, meilleures (*adj., comparative of* **bon**) better; **le meilleur, la meilleure, les meilleurs, les meilleures** (*superlative of* **bon**) best
même (*adv.*) even, itself; **tout de même** nevertheless, anyway; **le même, la même, les mêmes** (*adj. and pron.*) the same
mené directed
mentir to lie
menton (*m.*) chin
menu (*m.*) menu
mer (*f.*) sea
merci (*m.*) thanks
mercredi (*m.*) Wednesday
mère (*f.*) mother
merveille (*f.*) marvel, wonder
mes< **mon**
mésaventure (*f.*) mishap
mesure (*f.*) measure; **outre mesure** beyond reason
mesurer to measure
météo (*f.*) meteorology, weather report
métier (*m.*) profession, occupation
mètre (*m.*) meter
métro (*m.*) subway
mets (*m. pl.*) food
metteur en scène (*m.*) director
mettre to put, put on, place; **mettre la table** to set the table; **se mettre à** to begin
meuble (*m.*) piece of furniture
Mexique (*m.*) Mexico
microbe (*m.*) microbe
midi (*m.*) noon; **après-midi** afternoon
mien: le mien, la mienne, les miens, les miennes mine
mieux (*adv., comparative of* **bien**) better; **aimer mieux** to prefer; **tant mieux** so much the better; **le mieux** (*superlative of* **bien**) the best
milieu (*m.*) middle; **au milieu de** in the middle of
mille one thousand
millième (*m.*) one thousandth
millier (*m.*) about a thousand
million (*m.*) million
mince thin
minuit (*m.*) midnight
minute (*f.*) minute
misogyne misogynous
mob,° mobylette (*f.*) moped
moi I, me, to me
moin (*m.*) monk
moindre lesser; **le moindre, la moindre, les moindres** the least, the slightest
moins less; **moins que** less than; **à moins que** unless; **une heure moins le quart** a quarter to one; **du moins, au moins** at least
mois (*m.*) month; **au mois de janvier** in the month of January
moitié (*f.*) half
mollet (*m.*) calf (of the leg)

moment (*m.*) moment, time; **à ce moment-là** at that time; **au moment de** at the time of; **au même moment** at the same time; **au moment où** at the time when
mon, ma, mes my
monde (*m.*) world, people; **tout le monde** everyone; **il y a du monde** there is a crowd
monnaie (*f.*) small change, money
monsieur (*m.*) gentleman, Sir; **M.** (*abbr.*) Mr.; **Messieurs** (*m. pl.*) men, gentlemen
monstre monstrous
montagne (*f.*) mountain
monter to go up; **monter à bicyclette** to ride a bicycle
montre (*f.*) watch
montrer to show
monument (*m.*) monument
mortel/mortelle mortal
mot (*m.*) word; **petit mot** note, message
motard (*m.*) motorcycle police officer
moteur (*m.*) motor
mouchoir (*m.*) handkerchief
mourir to die; **mourir de faim** to die of hunger
mousse (*f.*): **mousse au chocolat** chocolate mousse
moustache (*f.*) mustache
moutarde (*f.*) mustard
mouton (*m.*) sheep; mutton
moyens (*m. pl.*) means
multiplier to multiply
mur (*m.*) wall
murmurer to murmur
musée (*m.*) museum
musical musical
musicien/musicienne (*m./f.*) musician
musique (*f.*) music
mystère (*m.*) mystery

N

nager to swim
naître to be born
natation (*f.*) swimming; **faire de la natation** to go swimming
national national
nationalité (*f.*) nationality
naturel/naturelle natural
navet (*m.*) turnip; a bad film°
navire (*m.*) ship
ne not; **ne... pas** not; **ne... plus** no longer, no more; **ne... que** only; **ne... ni... ni** neither . . . nor; **ne... aucun/aucune** none; **ne... guère** scarcely, hardly; **ne... jamais** never; **ne... personne** no one; **ne... rien** nothing; **n'importe qui** no matter who; **n'importe que** no matter what
nécessaire necessary
nef (*f.*) nave

neige (*f.*) snow
neiger to snow
nettoyer to clean
neuf nine
neuf/neuve new
neuvième ninth
neveu (*m.*) nephew
nez (*m.*) nose
ni neither; **ne... ni... ni** neither . . . nor; **ni l'un ni l'autre** neither one nor the other
niais simpleminded
nièce (*f.*) niece
niveau (*m.*) level
Noël (*m.*) Christmas
noir black
noircir to blacken
nom (*m.*) name
nombre (*m.*) number
nombreux/nombreuse numerous
non no; **non plus** neither
nord (*m.*) north
normalement normally
nostalgie (*f.*) nostalgia
note (*f.*) grade
noter to note
notre, nos (*adj.*) our; **le nôtre, la nôtre, les nôtres** (*pron.*) ours
nourriture (*f.*) food
nous we, us; to us; **nous-mêmes** ourselves
nouveau/nouvelle new; **de nouveau** again
nouvelle (*f.*) piece of news
novembre (*m.*) November
nuage (*m.*) cloud; **il y a des nuages** it is cloudy
nuit (*f.*) night
nul/nulle no, no one; **nulle part** nowhere
numéro (*m.*) number; **numéro de téléphone** telephone number
nylon (*m.*) nylon

O

obéir (**à**) to obey
obéissant obedient
objet (*m.*) object
observer to observe
occasion (*f.*) occasion, bargain
occupation (*f.*) occupation
occupé busy
octobre (*m.*) October
odeur (*f.*) odor
œil (*m.*) eye; **yeux** (*pl.*)
œuf (*m.*) egg
œuvre (*f.*) work
offrir to offer
oignon (*m.*) onion
oiseau (*m.*) bird
oisiveté (*f.*) idleness
omelette (*f.*) omelet

omettre   to omit
on, l'on   one, they, someone, we
oncle (*m.*)   uncle
onze   eleven
onzième   eleventh
opinion (*f.*)   opinion
orange (*f.*)   orange
orchestre (*m.*)   orchestra
ordinaire   ordinary; **d'ordinaire**   usually
ordre (*m.*)   order
ordures (*f. pl.*)   garbage
oreille (*f.*)   ear; **être tout oreilles**   to be all ears
oreiller (*m.*)   pillow
orgue (*m.*)   organ
original   original, unusual
orteil (*m.*)   toe
oseille° (*f.*)   money
oser   to dare
ou   or
où   where, where?; in which, when; **où que**
   (+ *subj.*)   wherever
oublier (**de**)   to forget
ouest (*m.*)   west
oui   yes
ouie (*f.*)   sense of hearing; **être tout ouie**   to be
   all ears
ouvert   open
ouvertement   openly
ouvreuse (*f.*)   usherette
ouvrir   to open

P

pain (*m.*)   bread; **pain de mie**   white bread
pair   even (of number)
paire (*f.*)   pair
paix (*f.*)   peace
palais (*m.*)   palace; palate
pâle   pale
pâlir   to become pale
panique (*f.*)   panic
panneau (*m.*): **panneau indicateur**   road sign
pansement (*m.*)   bandage
pantalon (*m.*)   trousers, pants
papier (*m.*)   paper
Pâque (*f.*)   Passover
Pâques (*m. pl.*)   Easter; **Joyeuses Pâques** (*f. pl.*)
   Happy Easter
paquet (*m.*)   package
par   by, through; **par avion**   by air, by plane; via
   airmail; **par jour**   per day; **par le train**   by
   train
paraître   to appear
parapluie (*m.*)   umbrella
parce que   because
pardessus (*m.*)   overcoat, topcoat
pardon (*m.*)   pardon
pareil/pareille   same
parent/parente (*m./f.*)   parent, relative

parfait   perfect
parfaitement   perfectly
parfois   sometimes
parfum (*m.*)   perfume
parisien/parisienne   Parisian
parka (*m.*)   parka
parler   to speak; **parler à**   to speak to; **parler
   de**   to speak of; **entendre parler de**   to hear
   of
parmi   among
part (*f.*)   share; **nulle part**   nowhere; **d'autre
   part**   on the other hand
partager   to share, divide
participer (**à**)   to participate (in)
particulier: en particulier   in particular
particulièrement   particularly
partie (*f.*)   part, party
partir   to leave
partout   everywhere
pas   not; **ne... pas**   not; **pas encore**   not yet;
   pas du tout   not at all; **pas mal de**   a lot of;
   pas un   not one; **pas grand'chose**   not much
pas (*m.*)   step
passage (*m.*)   path, way; **passage à niveau**
   railroad crossing; **passage clouté**   crosswalk
passager/passagère (*m./f.*)   passenger
passer   to pass, spend; **passer un examen**   to
   take a test; **passer un film**   to show a film; **se
   passer de**   to do without; **qu'est-ce qui se
   passe?**   what's happening?
pasteur (*m.*)   pastor
pâté (*m.*)   pâté
patience (*f.*)   patience; **avoir la patience de**
   to have the patience to
patient   patient
pâtisserie (*f.*)   pastry; pastry shop
pâtissier/pâtissière (*m./f.*)   pastry cook
pauvre   poor
payer   to pay
pays (*m.*)   country
paysage (*m.*)   landscape
paysan/paysanne (*m./f.*)   farmer
peau (*f.*)   skin; **être dans la peau de
   quelqu'un**   to get into someone's skin
pédagogie (*f.*)   pedagogy
peigner   to comb; **se peigner**   to comb one's
   hair
peindre   to paint
peine (*f.*)   trouble, pain; **ce n'est pas la peine**
   it's not worthwhile, don't bother; **à peine**
   scarcely
pendant   during; **pendant que**   while
penderie (*f.*)   closet
pendre   to hang
pendule (*f.*)   clock
penser   to think, believe; **penser à**   to think of;
   penser de   to have an opinion about; **faire
   penser**   to remind
perdre   to lose
père (*m.*)   father

permettre (**de**)   to permit
permis (*m.*): **permis de conduire**   driver's licence
persister   to persist
personnage (*m.*)   person, character (in the theater)
personne (*f.*)   person
personne   no one; **ne... personne**   nobody, no one
petit   small, little; **petit déjeuner**   breakfast; **un petit mot**   a note; **petits pois**   green peas
peu   little; **un peu**   a little; **à peu près**   about; **peu après**   a little later, soon after; **peu de**   a little; **un peu plus tard**   a little later
peuple (*m.*)   people
peur (*f.*)   fear; **avoir peur** (**de**)   to be afraid (of); **avoir peur que** (+ *subj.*)   to be afraid that; **de peur que**   for fear that
peut-être   perhaps
pharmacie (*f.*)   pharmacy
pharmacien/pharmacienne (*m./f.*)   pharmacist
philosophe (*m.* or *f.*)   philosopher
philosophie (*f.*)   philosophy
photo, photographie (*f.*)   photograph
phrase (*f.*)   sentence
physique   physical
piano (*m.*)   piano
pièce (*f.*)   room; **pièce de théâtre**   play; **pièce de monnaie**   coin
pied (*f.*)   foot
piéton (*m.*)   pedestrian
piger°   to understand
pile: cinq heures pile   5 o'clock precisely
pilote (*m.*)   pilot
pire   worse; **le pire, la pire, les pires**   the worst
pis: tant pis   so much the worse, too bad
piscine (*f.*)   swimming pool
placard (*m.*)   closet
place (*f.*)   square, space, room, seat
placer   to place
plafond (*m.*)   ceiling
plaindre   to pity; **se plaindre** (**de**)   to complain (about)
plaire (**à**)   to please; **s'il vous plaît, s'il te plaît**   please; **se plaire à**   to like to
plaisanter   to joke
plaisir (*m.*)   pleasure
plancher (*m.*)   floor
planter   to plant
plat (*m.*)   dish
platane (*m.*)   plane tree
plateau (*m.*)   tray
plein   full; **faire le plein**   to fill the gas tank; **en avoir plein le dos°**   to have had enough
pleurer   to weep, cry
pleuvoir   to rain; **il pleut à verse**   it's pouring
pluie (*f.*)   rain
plupart (*f.*)   most

pluriel (*m.*)   plural
plus   more; **ne... plus**   no more, no longer; **plus de**   more than; **plus fort**   louder; **plus tard**   later; **plus que**   more than; **plus ou moins**   more or less; **de plus**   in addition
plusieurs   several
plutôt   rather
pneu (*m.*)   tire
poche (*f.*)   pocket
pochette-surprise (*f.*)   grab bag
poème (*m.*)   poem
poète (*m.*)   poet
poétique   poetic
poignet (*m.*)   wrist
poing (*m.*)   fist
point (*m.*)   period; **point de vue**   point of view; **sur le point de**   on the verge of
poire (*f.*)   pear
pois (*m.*): **petits pois**   peas
poitrine (*f.*)   chest
poivre (*m.*)   pepper
police (*f.*)   police; **agent de police**   policeman
politique   political
pomme (*f.*)   apple; **pomme de terre**   potato; **pommes frites**   French-fried potatoes
pont (*m.*)   bridge
populaire   popular
porc (*m.*)   pig, pork
portail (*m.*)   portal
porte (*f.*)   door
porter   to carry, wear; **porter un toast**   to toast; **se porter bien**   to be in good health
porte-serviettes (*m.*)   towel rack
portière (*f.*)   door (of a vehicle)
portugais   Portuguese
poser   to set, place; **poser une question**   to ask a question
posséder   to possess
possible   possible
poste (*f.*)   post office
poste (*m.*): **poste de télévision**   television set; **poste de radio**   radio
poster   to post
poule (*f.*)   chicken, hen
poulet (*m.*)   chicken
pour   for, in order to, to; **pour que** (+ *subj.*)   in order that, so that
pourboire (*m.*)   tip
pourquoi   why; **pourquoi pas?**   why not?
pourvu que (+ *subj.*)   provided that
pousser   to push
pouvoir   to be able to, can, could, may, might; **pouvoir compter** (**sur quelqu'un**)   to be able to count (on someone)
pratique   practical
pratiquer   to practice
précédent   preceding
précipitamment   hurriedly
précipiter   to rush
précis   precise

précisément precisely
préconçu preconceived
préféré preferred
préférer to prefer
préjugé (*m.*) prejudice
premier/première first; **le premier août** the
  first of August; **le premier étage** the second
  floor
premièrement first, in the first place
prendre to take; **prendre le petit déjeuner**
  to have breakfast; **prendre soin de** to take
  care of; **prendre une douche** to take a
  shower; **prendre un pot, prendre un verre**
  to have a drink
préparer to prepare; **se préparer à** to prepare
  for
près near, nearby; **près de** near; **à peu près**
  about
présent present
présenter to introduce; **présenter quelqu'un à
  quelqu'un** to introduce someone to someone;
  se présenter à quelqu'un to introduce oneself to someone
presque almost; **presque rien** almost nothing
prêt (à) ready (to)
prêtre (*m.*) priest
prévenir to warn
prévoir to foresee
prier to pray; **je vous en prie** please
principe (*m.*) principle
printemps (*m.*) spring
priorité (*f.*) priority; **priorité à droite** yield to
  the right
privilège (*m.*) privilege
prix (*m.*) price
prochain next; **la semaine prochaine** next
  week
prodigieux/prodigieuse amazing, stupendous
professeur (*m.*) professor
profession (*f.*) profession
profiter (de) to take advantage (of)
profondément profoundly, deeply
programme (*m.*) program
progrès (*m.*) progress; **faire des progrès** to
  make progress
projet (*m.*) project
promenade (*f.*) walk, drive; **faire une promenade** to take a walk
promener to walk (an animal); **se promener**
  to take a walk
promettre (de) to promise
pronom (*m.*) pronoun
propos: à propos de with regard to
proposer to propose
propre clean; own
propriétaire (*m.* or *f.*) prioprietor
protestant Protestant
proverbe (*m.*) proverb
province (*f.*) province; countryside

provincial provincial
prudemment prudently, carefully
psychanalyste (*m* or *f.*) psychoanalyst
psychologie (*f.*) psychology
psychologue (*m* or *f.*) psychologist
public/publique public
publicitaire of advertising
publicité (*f.*) publicity, advertising
puis then
puisque since
pull-over (*m.*) pullover, sweater
punir to punish
pur pure
purement purely

Q

qu' < **que**
quai (*m.*) train platform
qualité (*f.*) quality
quand when, when?; **depuis quand?** for how
  long? since when?; **quand même** even if
quarante forty
quart (*m.*) quarter; **trois heures et quart** a
  quarter past three; **trois heures moins le
  quart** a quarter to three
quartier (*m.*) neighborhood, district
quatorze fourteen
quatre four
quatre-vingt-dix ninety
quatre-vingts eighty
quatrième fourth
que (*rel. pron.*) whom, which; **ce que** that
  which, what; **que? qu'est-ce qui? qu'est-ce
  que?** what?; **qu'est-ce que c'est que... ?**
  what is . . . ?; **que** (*conj.*) that
quel, quelle, quels, quelles (*interrog.
  adj.*) what?; (*exclam. adj.*) what a . . . !
quelque, quelques some, a few; **quelque
  chose** something
quelquefois sometimes
quelques-uns/quelques-unes some, a few
quelqu'un somebody, someone
question (*f.*) question
queue (*f.*) tail; line; **faire la queue** to line up
qui (*rel. pron.*) who, whom, which; **ce qui**
  what; **qui?** (*interrog. pron.*) who? whom?; **qui
  est-ce qui?** who?; **qui est-ce que?** whom?;
  à qui? to whom? whose?
quiconque whoever
quinzaine (*f.*) about fifteen
quinze fifteen; **quinze jours** two weeks
quinzième fifteenth
quitter to leave
quoi what, what?; **à quoi bon?** what's the
  use?; **il n'y a pas de quoi** you are welcome
quoique (+ *subj.*) although

R

rabbin (*m.*)   rabbi
raconter   to tell, recount (a story)
radio (*f.*)   radio
raffiné   refined
raffinement (*m.*)   refinement
raisin (*m.*)   grape
raison (*f.*)   reason; **avoir raison**   to be right
rajeunir   to grow young
ralentir   to slow down
ramasser   to pick, pick up, gather
ranger   to put back in place
rapide   rapid, quick
rapidement   rapidly, quickly
rappeler   to remind; **se rappeler**   to remember
rapport (*m.*)   report
ras: en avoir ras le bol°   to have had it
rasoir (*m.*)   razor; **rasoir°**   boring
rassembler: se rassembler   to gather
réaction (*f.*)   reaction
réaliste   realistic
récemment   recently
récepteur (*m.*)   telephone receiver
recevoir   to receive
réclame (*f.*)   advertisement
récolte (*f.*)   harvest
reconnaître   to recognize
récréation (*f.*)   recreation
rédacteur/rédactrice   editor
rédiger   to edit
redonner   to give again
redouter   to dread, fear
réel/réelle   real
réfléchir   to reflect
refuser (de)   to refuse
régaler   to entertain (one's friends)
regarder   to look at
région (*f.*)   region
règle (*f.*)   rule; ruler
regrettable   unfortunate
regretter (de)   to regret, be sorry for
religieux/religieuse   religious
remarquable   remarkable
remarquer   to notice
remettre   to hand in; to postpone
remplir   to fill up
rencontre (*f.*)   meeting
rencontrer   to meet
rendre   to give back; **se rendre à**   to proceed to; **se rendre compte**   to realize
renommé   renowned, famed
renseignement (*m.*)   piece of information
renseigner   to inform; **se renseigner**   to get information, find out
rentrer   to return, return home
renvoyer   to send back
repas (*m.*)   meal
répéter   to repeat

répondre (à)   to answer
réponse (*f.*)   answer
reportage (*m.*)   report
repos (*m.*)   rest; **jour de repos**   day off
reposer: se reposer   to rest
reprendre   to take again, start again; **reprendre la parole**   to start to talk again
réputé (pour)   known (for)
réservé   reserved
réserver   to reserve
résidence (*f.*)   residence; **résidence universitaire**   dormitory
résonner   to resonate
responsabilité (*f.*)   responsibility
responsable   responsible
ressembler (à)   to resemble, look like
ressentir   to feel
restaurant (*m.*)   restaurant
rester   to stay, remain; **il reste à savoir**   it remains to be seen
retard (*m.*)   delay, lateness; **en retard**   late
retenir   to hold back
retour (*m.*)   return; **aller et retour**   round trip; **être de retour**   to be back
retourner   to go back; **se retourner**   to turn around
retrouver   to find again, meet
réunion (*f.*)   meeting
réunir: se réunir   to meet
réussir (à)   to succeed (in, at)
revanche: en revanche   in compensation
réveiller: se réveiller   to wake up
réveillon (*m.*)   meal eaten on Christmas Eve after midnight Mass
revenir   to return
rêver (de, à)   to dream about
revoir   to see again; **au revoir**   good-bye
revue (*f.*)   magazine
rez-de-chaussée (*m.*)   ground floor
riche   rich
ridicule   ridiculous
rien   nothing; **ne... rien**   nothing; **de rien**   you are welcome; **rien d'intéressant**   nothing interesting; **rien du tout**   nothing at all
rime (*f.*)   rhyme
rire (de)   to laugh (at)
robe (*f.*)   dress
robuste   robust
roi (*m.*)   king
rôle (*m.*)   role, part; **à tour de rôle**   each one in turn
roman (*m.*)   novel
rompre   to break
rond   round
rose   pink
rosse°   mean
rouge   red
rougir   to blush
rouler   to roll along

route (*f.*)   road; **en route**   on the way
roux/rousse   red-haired
rue (*f.*)   street
rural   rural
russe   Russian
Russie (*f.*)   Russia
rythme (*m.*)   rhythm

S

s' < **si, se**
sa < **son**
sac (*m.*)   bag; **sac de couchage**   sleeping bag
sage   good, wise
saisir   to seize
saison (*f.*)   season
salade (*f.*)   salad, lettuce
sale   dirty
salé   salty
saler   to salt
salle (*f.*)   room; **salle de bains**   bathroom; **salle de classe**   classroom; **salle à manger**   dining room; **salle d'attente**   waiting room
salon (*m.*)   living room
saluer   to salute, greet
samedi (*m.*)   Saturday
sans   without; **sans doute**   probably; **sans aucun doute**   without a doubt; **sans équivoque**   without ambiguity; **sans que**   without
santé (*f.*)   health; **à votre santé, à ta santé**   to your health; **reste en bonne santé**   to remain in good health
sardine (*f.*)   sardine
satisfait   satisfied
saucisse (*f.*)   sausage
saucisson (*m.*)   salami
sauter   to jump
savant (*m.*)   learned man
saveur (*f.*)   savor, taste
savoir   to know, know how
savon (*m.*)   soap
savoureux/savoureuse   tasty
scène (*f.*)   scene; stage
sciences (*f. pl.*)   sciences; **sciences politiques**   political science
se   oneself, himself, herself, themselves; to oneself, etc.
séance (*f.*)   session, meeting
sec/sèche   dry; **il fait sec**   it is dry
second   second; **seconde** (*f.*)   second class
sécurité (*f.*)   safety; **sécurité routière**   road safety
seize   sixteen
séjour (*m.*)   stay, visit
sel (*m.*)   salt
selon   according to
semaine (*f.*)   week; **la semaine prochaine**   next week; **la semaine dernière**   last week

semblable   similar
sembler   to seem
semer   to sow
semeuse (*f.*)   sower
Sénégal (*m.*)   Senegal
sens (*m.*)   sense, direction
sensass,° **sensationnel/sensationnelle**   sensational
sentiment (*m.*)   sentiment, feeling
sentir   to smell; **se sentir**   to feel
sept   seven
septembre (*m.*)   September
septième   seventh
sérieux/sérieuse   serious
sérieusement   seriously
serrer la main   to shake hands
serveuse (*f.*)   waitress
service (*m.*)   department; **service des bagages**   baggage service
serviette (*f.*)   towel, napkin
servir (à)   to serve; **se servir de**   to help oneself to, to use
ses < **son**
seul   alone, sole
seulement   only, but
shampooing (*m.*)   shampoo
si   if, whether; so; yes (in response to a negative expression)
siècle (*m.*)   century; **au douzième siècle**   in the twelfth century
sien: le sien, la sienne, les siens, les siennes (*poss. pron.*)   his, hers
signal (*m.*): **signal de localisation**   place marker
signalisation (*f.*)   road signage system
similitude (*f.*)   similarity
simple   simple
sinon   if not
situé   situated
six   six
sixième   sixth
ski (*m.*)   skiing; **faire du ski**   to ski
slip (*m.*)   panties, undershorts
socquette (*f.*)   sock
sœur (*f.*)   sister
soie (*f.*)   silk
soif (*f.*)   thirst; **avoir soif**   to be thirsty
soin (*m.*)   care; **prendre soin de**   to take care of
soir (*m.*)   evening; **le soir**   in the evening; **hier soir**   last night; **du soir**   p.m.
soirée (*f.*)   evening; evening party
soit... soit   either . . . or
soixante   sixty
soixante-dix   seventy
solde (*f.*)   sale
soleil (*m.*)   sun, sunshine; **il fait du soleil**   the sun is shining
solide   solid

solitude (*f.*) solitude
sommeil (*m.*) sleep; **avoir sommeil** to be sleepy
sommet (*m.*) summit
son, sa, ses (*poss. adj.*) his, her, its
son (*m.*) sound
songer à to dream of
sophistiqué sophisticated
sorte (*f.*) sort, kind; **de sorte que** so that
sortie (*f.*) exit
sortir to go out, leave
sot/sotte foolish
soucoupe (*f.*) saucer
soudain sudden
soudainement suddenly
souffrir to suffer
soulager to relieve
soulier (*m.*) shoe
soumettre to submit
sourire to smile
sourire (*m.*) smile
sous under; **sous forme de** in the form of; **sous-sol** (*m.*) basement
soustraire to subtract
soutien (*m.*) support; **soutien-gorge** (*m.*) bra
souvenir (*m.*) souvenir; **se souvenir (de)** to remember
souvent often
spécial special
spécialement specially
spécialiser: se spécialiser (en) to major (in)
sport (*m.*) sports; **faire du sport** to play (sports); **terrain de sports** playing field
sportif/sportive athletic
stage (*m.*) apprenticeship, training period
statue (*f.*) statue
steward (*m.*) steward
stupide stupid
style (*m.*) style
stylo (*m.*) pen
subitement suddenly
subtilité (*f.*) subtlety
succès (*m.*) success
succulent tasty, succulent
sucre (*m.*) sugar
sud (*m.*) south
Suède (*f.*) Sweden
suédois Swedish
sueur (*f.*) sweat, perspiration
suffire to suffice
suffisamment sufficiently
suggérer to suggest
Suisse (*f.*) Switzerland
suite: tout de suite right away, immediately
suivant following
suivre to follow; **suivre un cours** to take a course
sujet (*m.*) subject; **au sujet de** about
super super

superbe superb
sur on, upon
sûr sure
sûrement surely, certainly
surmené overworked
surnom (*m.*) nickname
surprendre to surprise
surpris surprised
surtout especially, above all
suspense (*m.*) suspense
symbole (*m.*) symbol
sympa,° sympathique friendly, nice
système (*m.*) system; **système métrique** metric system

T

tabac (*m.*) tobacco; **bureau de tabac** tobacconist's shop
table (*f.*) table
tableau (*m.*) chalkboard
tâcher (de) to try (to)
tact (*m.*) tact
tailleur (*m.*) woman's suit
taire: se taire to keep quiet, fall silent
tambour (*m.*) drum
tamponner: se tamponner to hit, collide
tandis que while
tant so much, so many; **tant mieux** so much the better; **tant pis** so much the worse, too bad
tante (*f.*) aunt
tapant on the dot, exactly, at the stroke of
tapis (*m.*) rug
tard late; **plus tard** later
tarder (à) to delay, put off
tasse (*f.*) cup
taxi (*m.*) taxi
taxiphone (*m.*) pay phone
te to you, for you (*fam.*)
tee-shirt (*m.*) T-shirt
tel/telle such (a); **tel/telle que** such as, like
télé (*f.*) television
télégramme (*m.*) telegram
téléphone (*m.*) telephone
téléphoner to telephone
téléviseur (*m.*) television (set)
télévision (*f.*) television
témoigner (de) to testify, bear witness
témoin (*m.*) witness
température (*f.*) temperature
temps (*m.*) time; weather; **quel temps fait-il?** how's the weather?; **combien de temps?** how long?; **avoir le temps de** to have the time to; **de temps à autre, de temps en temps** from time to time; **en même temps** at the same time; **à temps** in time

tenace   tenacious
tendance (*f.*)   tendency
tenir   to hold, keep; **tenir (sa) parole**   to keep one's word
tennis (*m.*)   tennis; **jouer au tennis**   to play tennis
tenue (*f.*)   outfit; **avoir de la tenue**   to be properly dressed
terminer: se terminer   to finish, end
terrain (*m.*)   plot of land; **terrain de sports** playing field
terrasse (*f.*)   terrace, balcony, patio
terre (*f.*)   earth, ground; **terre-à-terre**   down-to-earth
tête (*f.*)   head
texte (*m.*)   text
thé (*m.*)   tea
théâtre (*m.*)   theater
ticket (*m.*)   ticket
tien: le tien, la tienne, les tiens, les tiennes yours (*fam.*)
tiens!   indeed, well
tignasse (*f.*)   shock of hair
tigre (*m.*)   tiger
timbre (*m.*)   stamp; **timbre-poste** (*m.*)   postage stamp
tirer   to pull; **tirer au sort, tirer au hasard**   to draw by chance, by lot
tiroir (*m.*)   drawer
toi   you (*fam.*)
toilette (*f.*)   toilet; **faire sa toilette**   to wash and dress
tolérant   tolerant
tomate (*f.*)   tomato
tomber   to fall; **tomber bien, tomber à pic**   to happen at a good time
ton, ta, tes   your (*fam.*)
ton (*m.*)   tone
tonalité (*f.*)   dial tone
tort (*m.*)   wrong; **avoir tort**   to be wrong
tôt   soon; **plus tôt**   sooner; **le plus tôt possible** as soon as possible
toujours   always, still
tour (*m.*)   turn; **faire un tour**   to take a walk, go for a ride; **à tour de rôle**   each one in turn
touriste (*m.* or *f.*)   tourist
tourne-disque (*m.*)   record player
tourner   to turn
Toussaint (*f.*)   All Saints' Day
tout, toute, tous, toutes (*adj.*)   all, every; **toute la journée**   all day; **tous les jours**   every day; **tout le monde**   everybody; (*pron.*)   all, everybody, everything; **tout** (*adv.*)   all, quite, completely; **tout à fait**   quite; **tout à coup**   suddenly; **tout de suite**   immediately, right away; **à tout à l'heure**   in a while; **pas du tout**   not at all; **tout de même**   all the same; **rien du tout**   nothing at all
tragédie (*f.*)   tragedy

train (*m.*)   train; **en train de**   in the act of, busy at
trait (*m.*)   gulp; **d'un trait**   at one gulp
traiter   to treat
trajet (*m.*)   journey, distance
tranquille   quiet
transporter   to transport
travail (*m.*)   work
travailler   to work
travers: à travers   across
traverser   to cross
treize   thirteen
treizième   thirteenth
trench (*m.*)   trench-coat
trente   thirty
très   very; very much
tricot (*m.*)   knitwear; **tricot de corps**   T-shirt
triste   sad
trois   three
troisième   third
trombone (*m.*)   trombone
tromper: se tromper   to be mistaken
trompette (*f.*)   trumpet
tronche° (*f.*)   head
trop   too, too much, too many
troublé   confused, upset
trouver   to find; **se trouver**   to be located
truc° (*m.*)   thing
truquage (*m.*)   visual effects, trick shots
tu   you (*fam.*)
tuer   to kill
Turquie (*f.*)   Turkey
tutoyer   to address someone using **tu**
type (*m.*)   type, guy
typique   typical

U

un/une   a, an; one; **l'un**   one; **une fois**   once; **les uns, les unes**   some; **les un(e)s... les autres...**   some . . . , the others . . . ; **les un(e)s... d'autres...**   some . . . , others . . .
unique   unique
unité (*f.*)   unity
université (*f.*)   university
user   to wear out
usine (*f.*)   factory, plant
utile   useful
utiliser   to use

V

vacances (*f. pl.*)   vacation, holiday; **en vacances** on vacation
vache (*f.*)   cow
vaisselle: faire la vaisselle   to wash the dishes
valeur (*f.*)   value

valider to validate
valise (*f.*) suitcase
valoir to be worth; **il vaut mieux** it is better (to); **ça ne vaut pas la peine** it is not worth the trouble
vase (*m.*) vase
veau (*m.*) calf, veal
vélo (*m.*) bicycle; **faire du vélo** to go bicycling
vendre to sell
vendredi (*m.*) Friday
venir to come; **venir de** to have just; **il vient de rentrer** he has just returned home; **il venait de manger** he had just eaten; **venir à point** to come at the right moment
vent (*m.*) wind; **il fait du vent** it is windy
ventre (*m.*) abdomen
verdir to turn green
vérifier to check
véritable true
vérité (*f.*) truth
verre (*m.*) glass
vers toward, about
vert green
vertu (*f.*) virtue
veste (*f.*) (short) jacket
veston (*m.*) man's jacket
vêtement (*m.*) article of clothing
viande (*f.*) meat
victoire (*f.*) victory
vide empty
vider to empty
vie (*f.*) life
vieillir to grow old
vieux/vieille old; **mon vieux** old man, old chap
village (*m.*) village
ville (*f.*) city, town; **en ville** downtown
vin (*m.*) wine
vingt twenty
violence (*f.*) violence
violet purple
violon (*m.*) violin
violoncelle (*m.*) cello
visage (*m.*) face
visiter to visit (a place)
vitamine (*f.*) vitamin
vite fast
vitrail (*m.*) stained-glass window
vivement briskly, vigorously
vivre to live
voici here is; **le voici, la voici** here it is, here he is, here she is
voie: en voie de in the process of
voilà there is; **le voilà, la voilà** there it is, there he is, there she is
voile (*f.*) sail; **faire de la voile** to sail
voir to see
voiture (*f.*) car, vehicle
voix (*f.*) voice; **à voix basse** in a low voice

voler to fly; to steal
volontiers willingly
vos see **votre**
votre, vos (*poss. adj.*) your
vôtre: le vôtre, la vôtre, les vôtres yours
vouloir to want, wish; **vouloir bien** to be willing to; **je voudrais bien** I would like; **vouloir dire** to mean
vous you, to you
vouvoyer to address someone using **vous**
voyage (*m.*) trip
voyager to travel
voyageur/voyageuse (*m./f.*) traveler
vrai true
vraiment truly
vue (*f.*) view, sight; **point de vue** point of view

W

water-closets (*m. pl.*) toilet
wagon (*m.*) (train) car
W.-C. < **water-closets**
week-end (*m.*) weekend

Y

y to it, at it, to them, at them, there; **il y a** there is, there are; **y a-t-il?** is there? are there?; **il y avait** there was, there were; **il y a quinze ans** 15 years ago; **il y a vingt minutes que j'attends** I have been waiting for 20 minutes; **qu'est-ce qu'il y a?** what is the matter?
yeux (*pl. of* œil) eyes

Z

zélé zealous
zéro (*m.*) zero
zoologie (*f.*) zoology
zut, alors!° darn!

ANGLAIS-FRANÇAIS

A

a un/une
abdomen ventre (*m.*)
able (*adj.*) compétent; **to be able** pouvoir
about (*prep.*) (time) vers; (*adv.*) (approximately) à peu près, environ; (*prep.*) à propos de
above all surtout
abrupt brusque

abruptly brusquement
absent: to be absent s'absenter
absolutely absolument
absurd absurde
academic académique
accent accent (*m.*)
accept accepter; (in closing a letter) agréer
accident accident (*m.*)
accompany accompagner
according to d'après, selon
account compte-rendu (*m.*), rapport (*m.*)
acknowledge avouer
acquainted: to be acquainted with connaître
across à travers
act hastily agir avec hâte
active actif/active
actively activement
actor acteur/actrice (*m./f.*)
add ajouter, joindre
addition: in addition de plus
address adresse (*f.*); **to address** adresser; **to address someone** s'adresser à quelqu'un
admire admirer
admirer admirateur/admiratrice (*m./f.*)
admit admettre, avouer
adore adorer
adorn embellir
advantage avantage (*m.*)
adversity adversité (*f.*)
advertisement réclame (*f.*)
advertising publicité (*f.*)
advise aviser, conseiller
affectionate affectueux/affectueuse
affectionately affectueusement
after après; **after all** après tout
afternoon après-midi (*m.* or *f.*)
again encore
age âge (*m.*)
ago il y a; **two years ago** il y a deux ans
agricultural agricole
airmail par avion
airplane avion (*m.*)
airport aéroport (*m.*)
air terminal aérogare (*f.*)
alas hélas
Algeria Algérie (*f.*)
alienation aliénation (*f.*)
alive: to come alive s'animer
all tout/toute; **not at all** pas du tout; **all at once** d'un seul coup; **all the time** tout le temps; **all right** bien entendu; **and all that** et tout ça
almost presque, à peu près
alone seul
already déjà
also aussi
although bien que, quoique
always toujours
amazing étonnant, prodigieux/prodigieuse
ambiguity ambiguïté (*f.*)

ambition ambition (*f.*)
America Amérique (*f.*)
American Américain/Américaine (*m./f.*); (*adj.*) américain
amuse amuser; **to amuse oneself** s'amuser, se divertir
amusing amusant
ancient ancien/ancienne
anger colère (*f.*); **to anger** fâcher; **to become angry** se fâcher
angry fâché, furieux/furieuse; **to be angry** être en colère
animal animal (*m.*)
ankle cheville (*f.*)
anniversary anniversaire (*m.*)
annoy embêter
annoyed fâché
annoying fâcheux/fâcheuse
answer réponse (*f.*); **to answer** répondre (à)
anxious anxieux/anxieuse, inquiet/inquiète
any un/une, quelques-uns, quelques
anybody quiconque
anyone quelqu'un; **not anyone** ne... personne
anything quelque chose; **not anything** ne... rien
apartment appartement (*m.*)
apologize s'excuser
appear paraître, sembler
appetizer hors-d'œuvre (*m.*)
applaud applaudir
apple pomme (*f.*)
appreciate apprécier
apprehend appréhender
apprenticeship stage (*m.*)
April avril (*m.*)
archaeologist archéologue (*m.* or *f.*)
archaeology archéologie (*f.*)
architect architecte (*m.* or *f.*)
argue se disputer
arm bras (*m.*); **to arm** armer
army armée (*f.*)
arrival arrivée (*f.*)
arrive arriver; **to arrive in time** arriver à temps; **to arrive at the right time** arriver à propos
arrow flèche (*f.*)
art art (*m.*)
artery artère (*f.*)
artichoke artichaut (*m.*)
artist artiste (*m.* or *f.*)
artistic artistique
as comme; pendant que; **as if** comme si; **as soon as** dès que, aussitôt que; **as soon as possible** aussitôt que possible
ash cendre (*f.*)
ask demander; **to ask a question** poser une question; **to ask one's way** demander son chemin
asparagus asperge (*f.*)
aspect aspect (*m.*)

aspirin aspirine (*f.*)
astonishing étonnant
at à, chez; **at the** au, à la, à l', aux; **at Jacqueline's** chez Jacqueline; **at any rate** en tout cas; **at first** d'abord; **at least** au moins, du moins; **at that moment** à ce moment-là; **at the end of** au bout de; **at the same time** en même temps; **at the top of** en haut de; **at the bottom of** au fond de, en bas de
athletic sportif/sportive
athletics athlétisme (*m.*)
attach rattacher
attack agresser, attaquer
attention attention (*f.*); **to pay attention (to)** faire attention (à)
attest attester
attitude attitude (*f.*)
attract attirer
August août (*m.*)
aunt tante (*f.*)
Austria Autriche (*f.*)
automobile auto (*f.*), automobile (*f.*), voiture (*f.*)
autumn automne (*m.*); **in the autumn** en automne
available disponible, libre
avenue avenue (*f.*)
average moyen/moyenne
aviator aviateur/aviatrice (*m./f.*)
await attendre
award prix (*m.*)
Aztec aztèque

B

back dos (*m.*); **to be back** être de retour
bad mauvais
badly mal
bag sac (*m.*); **sleeping bag** sac de couchage
baggage service service (*m.*) des bagages
baker boulanger/boulangère (*m./f.*)
bakery boulangerie (*f.*)
balcony balcon (*m.*), terrasse (*f.*)
ball ballon (*m.*)
ballet ballet (*m.*)
banana banane (*f.*)
bandage pansement (*m.*)
bank banque (*f.*); **bank account** compte (*m.*) en banque; **bank note** billet (*m.*) de banque
bar bistro, bistrot (*m.*), café (*m.*)
basement sous-sol (*m.*)
bass (double) contrebasse (*f.*)
bathe baigner; **to bathe oneself** se baigner
bathroom salle (*f.*) de bains
be être; **to be afraid** avoir peur; **to be all ears** être tout oreilles, être tout ouïe; **to be angry** être en colère; **to be at the table** être à table; **to be called** s'appeler; **to be cold** avoir froid; **to be hungry** avoir faim, être affamé; **to be**

late être en retard; **to be right** avoir raison; **to be sleepy** avoir sommeil; **to be thirsty** avoir soif, être assoiffé; **to be warm** avoir chaud; **to be wrong** avoir tort; **to be a picky eater** être difficile à table
bean *haricot (*m.*)
beard barbe (*f.*)
beat frapper, battre
because car, parce que; **because of** à cause de
become devenir; **to become angry** se faire du mauvais sang; **to become animated** s'animer
bed lit (*m.*); **to go to bed** se coucher
bedroom chambre (*f.*) à coucher
beef bœuf (*m.*)
been été
beer bière (*f.*)
before (time) avant, avant de, avant que; auparavant; (place) devant; **before (doing something)** avant de (faire quelque chose)
begin commencer (à)
beginning début (*m.*)
behind derrière
Belgium Belgique (*f.*)
believable croyable
believe croire, penser (à)
belong appartenir à, être à
belt ceinture (*f.*)
benefit profiter
beside à côté de
besides d'ailleurs
best (*adj.*) le meilleur, la meilleure, les meilleurs, les meilleures; (*adv.*) le mieux
better (*adj.*) meilleure, meilleure, meilleurs, meilleures; (*adv.*) mieux; **so much the better** tant mieux; **it is better to** il vaut mieux; **it would be better** il vaudrait mieux
between entre
bicycle bicyclette (*f.*), vélo (*m.*)
big grand, gros/grosse
biologist biologiste (*m.* or *f.*)
biology biologie (*f.*)
bird oiseau (*m.*)
birthday anniversaire (*m.*)
biscuit biscotte (*f.*)
black noir
blacken noircir
blacksmith forgeron (*m.*)
blame blâmer
blanket couverture (*f.*)
blazer blazer (*m.*)
blind aveugle (*m.*)
blindly aveuglément
blond blond
blood sang (*m.*); **blood sausage** boudin (*m.*)
blouse blouse (*f.*), corsage (*m.*), chemisier (*m.*)
blow coup (*m.*)
blue bleu; **blue-collar worker** ouvrier/ouvrière
bluff bluffer
blunt brusque
blush rougir

boat   bateau (*m.*)
body (human)   corps (*m.*); (of vehicle)   carrosserie (*f.*)
book   livre (*m.*)
bookstore   librairie (*f.*)
boot   botte (*f.*)
bore   ennuyer, embêter°; **to be bored**   s'ennuyer
boring   ennuyeux/ennuyeuse, rasoir°
born   né; **to be born**   naître
borrow   emprunter
bosom   poitrine (*f.*)
botanist   botaniste (*m.* or *f.*)
botany   botanique (*f.*)
bother   ennuyer, déranger, importuner
bothersome   embêtant
bottle   bouteille (*f.*)
boulevard   boulevard (*m.*)
bowl   bol (*m.*)
box   caisse (*f.*), boîte (*f.*)
boy   garçon (*m.*), jeune homme (*m.*)
bra   soutien-gorge (*m.*)
brain   cervelle (*f.*)
brake   freiner
brave   courageux/courageuse, brave
Brazil   Brésil (*m.*)
bread   pain (*m.*), baguette (*f.*); **white bread** pain de mie
break   casser
breakfast   petit déjeuner (*m.*)
breath   souffle (*m.*); **out of breath**   à bout de souffle, hors d'haleine
brevity   brièveté (*f.*)
bridge   pont (*m.*)
briefly   brièvement
brilliant   génial
bring   apporter
broadcast   émission (*f.*)
brother   frère (*m.*)
brown   brun, marron
brush   brosser
budge   bouger
build   construire; **to have built**   faire construire
building   édifice (*m.*), bâtiment (*m.*)
bulletin   bulletin (*m.*)
bumper   pare-chocs (*m.*)
burst   éclater; **to burst out laughing**   éclater de rire
bus   autobus (*m.*), car (*m.*)
busy   occupé
but   mais
butcher   boucher/bouchère (*m./f.*); **butcher's shop**   boucherie (*f.*); **pork butcher**   charcutier/charcutière (*m./f.*); **pork butcher's shop** charcuterie (*f.*)
butter   beurre (*m.*)
buy   acheter
by   par, de

C

cabbage   chou (*m.*)
cable   câble (*m*); **cable television**   chaîne (*f.*) à péage
café   café (*m.*), bistro, bistrot (*m.*)
cake   gâteau (*m.*)
calf (of leg)   mollet (*m.*); (animal)   veau (*m.*)
call   appeler; **to be called**   s'appeler
calm   calme
camembert   camembert (*m.*)
can (of food)   boîte (*f.*) de conserve
Canada   Canada (*m.*)
Canadian   canadien/canadienne
candidate   candidat (*m.*)
candor   franchise (*f.*)
candy   bonbon (*m.*)
capable   capable
capital   capitale (*f.*)
car   auto (*f.*), automobile (*f.*), voiture (*f.*); (of train) wagon (*m.*)
card   carte (*f.*); to play cards   **jouer aux cartes**
cardigan   cardigan (*m.*)
care   soin (*m.*); **to take care of**   s'occuper de, prendre soin de
career   carrière (*f.*)
careful: to be careful   faire attention
carpet   tapis (*m.*)
carrot   carotte (*f.*)
carry: to be carried away   s'emballer
cart   chariot (*m.*)
cartoon   dessin (*m.*) animé
case   cas (*m.*); **in any case**   en tout cas; **in case**   au cas où
cash   argent liquide (*m.*), monnaie (*f.*); **cash register**   caisse (*f.*)
castle   château (*m.*)
cat   chat/chatte (*m./f.*)
category   catégorie (*f.*)
cathedral   cathédrale (*f.*)
Catholic   catholique
ceiling   plafond (*m.*)
celebrate   célébrer, fêter, arroser
cellar   cave (*f.*)
cello   violoncelle (*m.*)
central heat   chauffage (*m.*) central
century   siècle (*m.*)
certain   certain
certainly   certainement
certify   certifier
chair   chaise (*f.*)
chalk   craie (*f.*)
champagne   champagne (*m.*)
chance   *hasard (*m.*); **to take a chance**   se hasarder
change   monnaie (*f.*); **to change**   changer
channel (TV)   chaîne (*f.*)
character   personnage (*m.*), caractère (*m.*)
characteristic   caractéristique (*f.*)

charge foncer
charity charité (f.)
charmed enchanté
charming charmant
château château (m.)
check vérifier; **to check the oil** vérifier l'huile
cheek joue (f.)
cheese fromage (m.)
chemistry chimie (f.)
cherry cerise (f.)
chest (of drawers) commode (f.)
chest poitrine (f.)
chestnut brown châtain
chicken poulet (m.)
child enfant (m. or f.)
chimney cheminée (f.)
chin menton (m.)
China Chine (f.)
Chinese chinois
chocolate chocolat (m.); **chocolate mousse** mousse (f.) au chocolat
choice choix (m.)
choke étrangler
choose choisir
chore corvée (f.)
Christmas Noël (m.); **Christmas Eve party** réveillon (m.)
church église (f.)
cigar cigare (m.)
cinema cinéma (m.)
circulate circuler
circulation circulation (f.)
circumstance circonstance (f.)
city cité (f.), ville (f.)
civilization civilisation (f.)
classical classique
classified ads petites annonces (f. pl.)
classroom salle (f.) de classe
clean propre; **to clean** nettoyer
clear clair
clearly clair, clairement
clever savant, intelligent
clock pendule (f.), horloge (f.); **clock face** cadran (m.)
close fermer
closed fermé
closet penderie (f.), placard (m.); armoire (f.)
clothing vêtements (m. pl.), habit (m.)
cloud nuage (m.); **it is cloudy** il y a des nuages
coat (women's) manteau (m.); (men's) pardessus (m.)
coffee café (m.)
coin pièce (f.) de monnaie
coincidence coïncidence (f.)
cold (temperature) froid (m.); **it is cold** il fait froid; **to feel cold** avoir froid; (illness) rhume (m.)
collect ramasser, collectionner

collection collection (f.)
college collège (m.)
color couleur (f.)
colossal colossal
comb peigne (m.); **to comb** peigner; **to comb one's hair** se peigner
combat combat (m.); **to combat** combattre
come venir, arriver; **to come at the right moment** venir à point; **to come back** revenir; **to have (someone) come** faire venir (quelqu'un)
comedian comédien/comédienne (m./f.)
comedy comédie (f.)
comfortable confortable
comic strip bande (f.) dessinée
command commander
comment commenter
commerce commerce (m.)
commit commettre
common commun; **common sense** bon sens (m.), sens commun, jugeotte° (f.)
communicate communiquer
communication communication (f.)
companion compagne (f.)
compartment compartiment (m.)
competence compétence (f.)
competent compétent
complain: to complain about se plaindre de
complete complet/complète
completely complètement, tout à fait
complicated compliqué
compliment compliment (m.); **to compliment** faire des compliments
composer compositeur (m.)
computer science informatique (f.)
concede admettre
conciliation conciliation (f.)
condition condition (f.)
conditional conditionnel/conditionnelle
conductor (on train) contrôleur (m.)
conference room salle (f.) de conférence
confess confesser; se confesser
confusion brouhaha (m.)
consent consentir
consider considérer
constant constant
constantly constamment
consult consulter
contain contenir
content contenu (m.)
continual continuel/continuelle
continue continuer
contrary contraire (m.); **on the contrary** au contraire
contribute contribuer
convenient convenable
conversation conversation (f.)
cook faire la cuisine
cooked cuit

cool frais/fraîche
cop flic° (*m.*)
copier copieur (*m.*)
corn maïs (*m.*)
corner coin (*m.*)
correct correct; **to correct** corriger
correctly correctement
correspond correspondre, écrire
cost coûter; **to cost half price** coûter moitié prix; **at no cost** gratuitement
cotton coton (*m.*)
count compter; **to count on someone** compter sur quelqu'un
country pays (*m.*)
countryside campagne (*f.*), province (*f.*)
course cours (*m.*)
court someone faire la cour à quelqu'un
cousin cousin/cousine (*m./f.*)
cover couvrir
cow vache (*f.*)
craziness folie (*f.*)
crazy déraisonnable, cinglé,° débile,° dingue°
cream crème (*f.*)
create créer, forger
crescent roll croissant (*m.*)
cretin crétin (*m.*)
criticism critique (*f.*)
criticize critiquer
cross croix (*f.*); **to cross** traverser; **cross-country skiing** ski (*m.*) de fond
crosswalk passage (*m.*) clouté
crowd foule (*f.*)
cruel cruel/cruelle
crusty croustillant
cry pleurer; **to cry out** s'écrier
cucumber concombre (*m.*)
cultural culturel/culturelle
cup tasse (*f.*)
curiosity curiosité (*f.*)
curious curieux/curieuse
curly frisé
cut coupure (*f.*); **to cut** couper; **to cut oneself** se couper
Czechoslovakia Tchécoslovaquie (*f.*)

D

dairy crémerie (*f.*)
dairyman crémier (*m.*); **dairywoman** crémière (*f.*)
damages dégâts (*m. pl.*), dommages (*m. pl.*)
dance danser
dancer danseur/danseuse (*m./f.*)
Danish danois
dare oser
dark sombre
darn! flûte!,° zut!°
dart: to dart forth s'élancer

date date (*f.*); **to date** dater; **to date-stamp** composter
daughter fille (*f.*)
day jour (*m.*), journée (*f.*); **all day** toute la journée; **every day** tous les jours; **the next day** le lendemain; **the day after tomorrow** après-demain; **New Year's Day** le jour de l'An; **day off** jour de congé, jour de repos
daydream (**about**) songer (à)
dead mort
deafen casser les oreilles
deal: a great deal, a good deal beaucoup; **a great deal of** beaucoup de
dear cher/chère
debarkation card carte (*f.*) de débarquement
deceive tromper
December décembre (*m.*)
decide décider (de)
declaration déclaration (*f.*)
declare constater, déclarer
defect défaut (*m.*)
define définir
delay retard (*m.*); **to delay** différer
delicate délicat
delicious délicieux/délicieuse
delight délice (*f.*)
delighted enchanté
deliver: to have delivered faire livrer
demonstration manifestation (*f.*)
Denmark Danemark (*m.*)
dentist dentiste (*m.* or *f.*)
depart partir
departure départ (*m.*)
depend dépendre (de)
depict dépeindre
deprive priver
descend descendre
describe décrire
desk bureau (*m.*)
dessert dessert (*m.*)
destroy détruire
detective movie film (*m.*) policier
detest détester
develop développer
devil diable (*m.*)
devotion dévouement (*m.*)
dial cadran (*m.*); **to dial a number** faire le numéro, former le numéro, composer le numéro; **dial tone** tonalité (*f.*)
diamond (**shape**) losange (*m.*)
die mourir, décéder; **he died** il est mort; **to die of** crever de°; **to die of hunger** mourir de faim
difference différence (*f.*)
different différent
difficult difficile
dignity dignité (*f.*)
dine dîner
dining room salle (*f.*) à manger
dinner dîner (*m.*)

diplomatic diplomatique
directed mené
directly directement
director metteur (*m.*) en scène
dirt boue (*f.*)
disappearance disparition (*m.*)
disappoint décevoir, désappointer
disappointed déçu, désappointé
disciple disciple (*m.*)
disconcerted déconcerté
discover découvrir
discovery découverte (*f.*)
discreet discret/discrète
discuss discuter
discussion discussion (*f.*)
dish plat (*m.*); mets (*m. pl.*)
disorder désordre (*m.*)
disoriented désorienté
disperse se disperser
displease déplaire (à)
distance distance (*f.*); **distance marker** borne (*f.*) kilométrique
distinguished distingué
distract distraire
district quartier (*m.*)
disturb inquiéter, troubler, déranger
divert divertir
divide diviser
do faire; **do you . . . ?** est-ce que... ?; **how do you do?** comment allez-vous?; **all you have to do is** vous n'avez qu'à; **to do without** se passer de
doctor médecin (*m.*), docteur (*m.*)
document document (*m.*)
documentary documentaire (*m.*)
dog chien/chienne (*m./f.*)
dollar dollar (*m.*)
door porte (*f.*)
dormitory résidence (*f.*) universitaire
doubt doute (*m.*); **doubtless, no doubt** sans doute; **to doubt** douter (de); **to doubt strongly** douter fort
down en bas; **to go down** descendre; **down-town** en ville; **down-to-earth** terre-à-terre; **downhill skiing** ski (*m.*) alpin
dozen douzaine (*f.*)
draft beer bière (*f.*) pression
dramatic dramatique
draw by chance tirer au hasard; **to draw by lot** tirer au sort
drawer tiroir (*m.*)
drawing dessin (*m.*)
dream rêver (de, à)   •
dress robe (*f.*); **to dress** habiller; **to get dressed** s'habiller; **to be properly dressed** avoir de la tenue
drink boisson (*f.*); **to drink** boire; **to have a drink** boire un pot, prendre un verre
drive conduire; **to drive fast** foncer

driver chauffeur (*m.*); **driver's license** permis (*m.*) de conduire
drugstore pharmacie (*f.*)
drum tambour (*m.*)
drunk: to get drunk s'enivrer
dubbed film film (*m.*) doublé
during durant, pendant
dust poussière (*m.*); **to dust** épousseter
duty devoir (*m.*)

E

each (*adj.*) chaque; (*pron.*) chacun/chacune; **each one** chacun/chacune
ear oreille (*f.*)
early de bonne heure, en avance, tôt
earphones écouteurs (*m. pl.*)
earth terre (*f.*)
easily facilement
east est (*m.*)
Easter Pâques (*m. pl.*)
easy facile
eat manger; **to eat breakfast** prendre le petit déjeuner; **to be a picky eater** manger du bout des dents
eclair éclair (*m.*)
economic économique
economy économie (*f.*)
edit rédiger
editor rédacteur/rédactrice (*m./f.*)
education éducation (*f.*)
effect effectuer
effectively effectivement
effort effort (*f.*)
egg œuf (*m.*)
eggplant aubergine (*f.*)
eight *huit; **about eight** *huitaine (*f.*)
eighteen dix-huit
eighth *huitième
eighty quatre-vingts
either: either . . . or soit... soit; **not . . . either** ne... non plus
elbow coude (*m.*)
elder, eldest aîné/aînée
elderly âgé
elegance élégance (*f.*)
elegant élégant
elegantly élégamment
elementary élémentaire
elephant éléphant (*m.*)
elevator ascenseur (*m.*)
eleven onze
eleventh onzième
else autre chose; **nothing else** rien d'autre
embarrass gêner; **to be embarrassed** se gêner
embarrassed embarrassé, confus, gêné
embrace embrasser

employ employer
employee employé/employée (*m./f.*)
empty vide; **to empty** vider
end fin (*f.*), bout (*m.*); (of a play) dénouement (*m.*); **at the end of the street** au bout de la rue; finir, terminer
energetically énergiquement
engineer ingénieur (*m.*)
England Angleterre (*f.*)
English anglais
enjoy apprécier, aimer; **to enjoy a good meal** profiter de la bonne chère
enormous énorme, vaste
enormously énormément
enough assez (de)
entertain régaler, divertir, amuser
enthusiasm enthousiasme (*m.*); **to be enthusiastic** s'enthousiasmer
entire entier/entière
entirely entièrement, tout à fait
entrance entrée (*f.*); **entrance to a city** entrée d'agglomération
envy envie (*f.*)
episode épisode (*m.*)
equal égal, pareil; **to equal** (in mathematics) faire
equipped équipé
equivalent équivalent (*m.*)
errand course (*f.*); **to run errands** faire des courses
error erreur (*f.*)
erudite savant (*m.*)
especially surtout, spécialement
esteem estimer
eternal éternel/éternelle
Europe Europe (*f.*)
European européen/européenne
even même; **even so** quand même; **even** (of numbers) pair
evening soir (*m.*), soirée (*f.*); **in the evening** le soir; **every evening** tous les soirs; **good evening** bonsoir; **evening party** soirée (*f.*)
ever jamais
every chaque, tout; **every day** tous les jours; **everyone** tout le monde, chacun; **everything** tout; **everywhere** partout
evidence évidence (*f.*)
evidently évidemment
exact exact; **exact time** l'heure (*f.*) pile, l'heure tapante
exactly exactement
exaggerate exagérer
examination examen (*m.*)
examine examiner
example exemple (*m.*); **for example** par exemple
exasperated exaspéré
excellent excellent

exceptional exceptionnel/exceptionnelle
excess: in excess à l'excès
excited agité, excité
exclaim s'exclamer, s'écrier
excuse excuser
exercise exercice (*m.*); **to exercise** exercer
exhausted épuisé, crevé°
exist exister
existence existence (*f.*)
exit sortie (*f.*); **exit from a city** fin (*f.*) d'agglomération
expect s'attendre à
expenditure dépense (*f.*)
expensive cher/chère
experience expérience (*f.*); **to experience** éprouver
experiment expérience (*f.*)
explain expliquer; **to explain oneself** s'expliquer
explanation explication (*f.*)
express express (*m.*); **to express** exprimer; **to express oneself** s'exprimer
exquisite exquis
extinguish éteindre
extortion extortion (*f.*)
eye œil (*m.*)

F

face visage (*m.*), figure (*f.*), face (*f.*); (of a clock) cadran (*m.*)
fact fait (*m.*); **in fact** en fait
factory usine (*f.*)
fail an exam rater un examen
fall automne (*m.*); **in the fall** en automne
fall tomber; **to fall to the ground** tomber à terre, tomber par terre, tomber au sol; **to fall asleep** s'endormir
familiarly familièrement
family famille (*f.*)
famous célèbre; **famous for** réputé pour
fanatic fanatique (*m.*)
fantastic fantastique
far loin; **far away** loin; **far from** loin de
farewell dinner dîner (*m.*) d'adieu
farm ferme (*f.*)
fast vite
fat gras/grasse
father père (*m.*)
fault faute (*f.*)
favorite favori/favorite
fear peur (*f.*); **to fear** craindre, redouter, avoir peur de, avoir peur que; **for fear that** de peur que, de crainte que
feast fête (*f.*)
February février (*m.*)
feel sentir, ressentir; **to feel well** se sentir

bien; **to feel pain in** avoir mal à; **to feel like** (**having, doing**) avoir envie de
fence faire de l'escrime
ferocious féroce
fertility fertilité (*f.*)
few peu de, quelques; **a few** quelques-uns/ quelques-unes
fewer moins
field champ (*m.*); **playing field** terrain (*m.*) de sports
fierce féroce; furieux/furieuse
fifteen quinze; **about fifteen** quinzaine (*f.*)
fifteenth quinzième
fifth cinquième
fifty cinquante; **about fifty** cinquantaine (*f.*)
fight combattre, se battre
figure figurer
fill remplir; **to fill the gas tank** faire le plein
film film (*m.*); **bad film** navet° (*m.*)
finally finalement, enfin
find trouver; **to find again** retrouver
fine beau; **it is fine weather** il fait beau
finger doigt (*m.*)
finish finir, terminer
fire feu (*m.*)
firm ferme
first (*adj.*) premier, première; (*adv.*) premièrement; **at first** d'abord; **first class** première classe
fishmonger poissonnier/poissonnière (*m./f.*)
fist poing (*m.*)
five cinq
flee enfuir, s'enfuir, fuir
floor plancher (*m.*); étage (*m.*); **the second floor** le premier (étage); **the third floor** le deuxième (étage)
flower fleur (*f.*)
fly voler
follow suivre
follower disciple (*m.* or *f.*)
following suivant
fond: to be fond of aimer
foolish bête, sot/sotte; **foolish acts** bêtises (*f. pl.*)
foot pied (*m.*)
football football (*m.*) américain
for pour, depuis, pendant; **for fear that** de peur que; **I have been here for half an hour** je suis ici depuis une demi-heure
foreigner étranger/étrangère (*m./f.*)
foresee prévoir
forestall prévenir
forge forger, contrefaire
forget oublier (de)
fork fourchette (*f.*)
form former
former ancien/ancienne
formerly autrefois
formidable formidable

formula formule (*f.*)
forty quarante
fountain fontaine (*f.*)
four quatre
fourth quatrième
fragment fragment (*m.*)
frame cadre (*m.*)
franc franc (*m.*)
France France (*f.*)
free libre; gratuit, gratuitement
freely librement
freeze geler
French français; **French fries** pommes (*f. pl.*) frites
frequent fréquenter
frequently fréquemment
Friday vendredi (*m.*)
friend ami/amie (*m./f.*)
friendly amical, aimable; **in a friendly manner** amicalement
friendship amitié (*f.*)
frightened effaré
from de, depuis, d'après; **from the** du, de la, de l', des; **from time to time** de temps à autre, de temps en temps
front: in front of devant
frugality frugalité (*f.*)
fruit fruit (*m.*)
fry frire
full plein
fun: to have fun s'amuser; **to make fun of** se moquer de
funny drôle
furious furieux/furieuse
furnished meublé
furniture meubles (*m. pl.*)
future futur (*m.*)

G

garage garage (*m.*)
garbage ordure (*f.*); **garbage can** poubelle (*f.*)
garden jardin (*m.*)
game jeu (*m.*); match (*m.*)
gasoline essence (*f.*); **gas station** station-service (*f.*)
gather réunir, rassembler, se rassembler
genealogical tree arbre (*m.*) généalogique
generally généralement
generation génération (*f.*)
generosity générosité (*f.*)
generous généreux/généreuse
gentle doux/douce
genuine véritable
geologist géologue (*m.* or *f.*)
geology géologie (*f.*)
germ microbe (*m.*)
gesticulate gesticuler

gesture   geste (*m.*)

get   avoir, obtenir, prendre, recevoir; **to get in** entrer; **to get out**   sortir; **to get to**   arriver à, se rendre à; **to get up**   se lever; **to get on a bicycle**   monter à bicyclette; **to get down** descendre; **to get used to**   s'habituer à, s'accoutumer à; **to get on someone's nerves**   embêter°; **to get angry**   se mettre en colère; **to get old**   vieillir; **to get on one's high horse** monter sur ses grands chevaux

gift   cadeau (*m.*)

gigantic   gigantesque

giraffe   girafe (*f.*)

girl   fille (*f.*), jeune fille (*f.*); **little girl**   petite fille

girlfriend   petite amie (*f.*)

give   donner

glad   content, heureux/heureuse

gladly   volontiers, avec plaisir

glance   coup (*m.*) d'œil

glass   verre (*m.*)

glove   gant (*m.*)

go   aller; **to go away**   s'en aller; **to go in**   entrer; **to go out**   sortir; **to go up**   monter; **to go down**   descendre; **to go to bed**   se coucher; **to go with**   fréquenter, accompagner; **to go bike riding**   faire de la bicyclette; **to go shopping** faire le marché; **to go by car**   rouler; **to go through a red light**   brûler un feu

goal   but (*m.*)

golden   doré

good   bon/bonne; sage; **good-bye**   au revoir; **good day, good morning**   boujour; **good evening**   bonsoir; **good grief!**   mon Dieu!; **what a good idea!**   quelle bonne idée!

gothic   gothique

grab bag   pochette-surprise (*f.*)

graciously   gracieusement

gram   gramme (*m.*)

grandfather   grand-père (*m.*)

grandmother   grand-mère (*f.*)

grape   raisin (*m.*)

grapefruit   pamplemousse (*m.*)

grasp   saisir

gray   gris; **gray matter**   matière (*f.*) grise

great!   chic! chouette!

Greece   Grèce (*f.*)

Greek   grec/grecque

green   vert

grocer   épicier/épicière

grocery   épicerie (*f.*)

ground   terre (*f.*); **ground floor**   rez-de-chaussée (*m.*)

group   groupe (*m.*); **to form a group**   s'attrouper

grow   pousser; **to grow bigger**   grossir; **to grow old**   vieillir; **to grow younger**   rajeunir; **to grow tall, to grow up**   grandir; **to grow thin** maigrir

guard   gardien (*m.*)

guide   guide (*m.*)

guitar   guitare (*f.*)

gush   jaillir

guy   type° (*m.*)

gymnasium   gymnase (*m.*)

H

habit   habitude (*f.*); (clothes)   habit (*m.*); **to be in the habit of**   avoir l'habitude de

habitually   habituellement

hair   cheveu (*m.*), cheveux (*pl.*); **hairdo**   chevelure (*f.*); **shock of hair**   tignasse (*f.*)

half   demi/demie; **half past six**   six heures et demie; **a half hour**   une demi-heure

hall   couloir (*m.*)

hand   main (*f.*); (of a clock)   aiguille (*f.*); **on the other hand**   d'autre part; **to hand in**   remettre; **to hand out**   distribuer

handkerchief   mouchoir (*m.*)

handshake   poignée (*f.*) de main

hang   pendre

happen   se passer; **to happen at the right time** tomber bien, tomber à pic

happily   heureusement

happiness   bonheur (*m.*)

happy   heureux/heureuse, content, joyeux/joyeuse

hard   dur, difficile

hardly   à peine, ne... guère

hare   lièvre (*m.*)

harmonious   harmonieux/harmonieuse

harp   *harpe (*f.*)

harvest   récolte (*f.*), moisson (*f.*)

hat   chapeau (*m.*)

hate   détester

have   avoir; **to have to**   avoir à, devoir, il faut... , avoir besoin de, être obligé de; **to have a headache**   avoir mal à la tête; **to have a toothache** avoir mal aux dents; **to have patience**   avoir de la patience; **to have one's hair cut**   se faire couper les cheveux; **to have the right to** avoir droit à; **to have had enough**   en avoir marre,° en avoir plein le dos,° en avoir ras le bol°

he   il; lui

head   tête (*f.*), tronche° (*f.*); **head of hair** chevelure (*f.*)

heading   rubrique (*f.*)

headlight   phare (*m.*)

headline   manchette (*f.*)

health   santé (*f.*); **to be in good health**   se porter bien; **to remain in good health**   rester en bonne santé

healthy   robuste

hear   entendre; **to hear of, to hear about**   entendre parler de; **to hear that**   entendre dire que

heart   cœur (*m.*); **by heart**   par cœur

heat   chaleur (*f.*)

hell   enfer (*m.*)
hello   bonjour (*m.*)
help   aider; **to help oneself to**   se servir de
hen   poule (*f.*)
her   (*pers. pron.*)   la, lui, elle; **to her, for her** lui; (*poss. adj.*)   son, sa, ses
here   ici; **here is, here are**   voici; **here it is** le voici, la voici; **here they are**   les voici; **here!**   tiens!, tenez!
hero   *héros (*m.*)
heroine   héroïne (*f.*)
hers   le sien, la sienne, les siens, les siennes
high   *haut
him   le, lui; **to him, for him**   lui
hip   *hanche (*f.*)
historian   historien (*m.*)
history   histoire (*f.*)
hit   se *heurter, se tamponner
hitchhike   faire de l'auto-stop
hobby   passe-temps (*m.*)
hold   tenir
holiday   jour (*m.*) férié, **fête** (*f.*); **Easter holidays**   vacances (*f. pl.*) de Pâques
home   maison (*f.*), foyer (*m.*); **at home**   chez soi; **to go home, to get home**   rentrer
homework   devoirs (*m. pl.*)
honor   honneur (*m.*)
hood (of car)   capot (*m.*)
hope   espérer; **I hope so**   je l'espère
horn   avertisseur (*m.*)
hors d'œuvres   hors-d'œuvre (*m., invar.*)
horse   cheval (*m.*)
hospitable   hospitalier/hospitalière
hospital   hôpital (*m.*)
host   hôte/hôtesse (*m./f.*) **to host**   héberger
hot   chaud; **it is hot**   il fait chaud
hotel   hôtel (*m.*)
hotly   chaudement, avec chaleur, vivement
hour   heure (*f.*); **a half hour**   une demi-heure
house   maison (*f.*); **at our house**   chez nous; **at their house**   chez eux
how   comment; **how much, how many**   combien; **how much is it?**   combien est-ce?; **how long?**   combien de temps?; **how is the weather?**   quel temps fait-il?; **how old are you?**   quel âge avez-vous?
however   cependant, pourtant
huge   monstre
humble   humble
humid   humide
humiliate   humilier
humor   humour (*m.*)
hundred   cent; **about a hundred**   centaine (*f.*)
Hungary   *Hongrie (*f.*)
hunger   faim (*f.*)
hungry: to be hungry   avoir faim
hurry   se dépêcher; **hurry!**   dépêche-toi!, dépêchez-vous!; **to be in a hurry**   être pressé
hurt   blesser; **to hurt oneself**   se blesser, se faire mal à

husband   mari (*m.*)
hypocrite   hypocrite (*m. or f.*)
hypocritical   hypocrite

I

I   je, moi
ice   glace (*f.*); (on road)   verglas (*m.*)
iced   glacé
idea   idée (*f.*)
ideal   idéal
identical   identique
identify   identifier
identity   identité (*f.*)
idiot   idiot (*m.*)
idiotic   idiot, absurde
idleness   oisiveté (*f.*)
ill   malade
imbecile   imbécile° (*m.*), crétin° (*m.*)
imitate   imiter
immediately   immédiatement, tout de suite
immense   immense
immigrant   immigré/immigrée (*m./f.*)
immortal   immortel/immortelle
impart   communiquer
impatient   impatient
important   important
imposing   imposant
impossible   impossible
impress   impressionner
impression   impression (*f.*)
impressive   impressionnant
in   dans, en, à; **in front of**   devant; **in Paris**   à Paris; **in France**   en France; **in Canada**   au Canada; **in the month of May**   en mai; **in the spring**   au printemps; **in the summer**   en été; **in the morning**   le matin; **at 10 o'clock in the morning**   à dix heures du matin; **in general**   en général; **in it**   y; **in order that**   afin que, pour que; **in order to**   afin de, pour; **in particular**   en particulier; **in return**   en revanche; **in spite of**   malgré, en dépit de; **in such a case**   alors; **in the form of**   sous forme de; **in the process of**   en voie de; **in his/her way**   à sa façon; **in action**   en action; **in any case**   de toute façon; **in common**   en commun
inadequacy   insuffisance (*f.*)
incarnate   incarner
incident   incident (*m.*)
included   inclus
incomparable   incomparable
incomprehensible talk   charabia (*m.*)
indeed   en effet, vraiment
indicate   indiquer
influence   influencer
inform   renseigner
informally   sans cérémonie
information   renseignements (*m. pl.*)

ingredient ingrédient (*m.*)
inhabit habiter
inhabitant habitant (*m.*)
inn auberge (*f.*)
insane fou/folle
insanity démence (*f.*), déraison (*f.*)
insertion insertion (*f.*)
inside intérieur (*m.*); (*adv.*) à l'intérieur
insist insister
instant instant (*m.*)
instructor instructeur (*m.*)
integrity intégrité (*f.*)
intelligence intelligence (*f.*)
intend avoir l'intention de
interest intéresser
interesting intéressant
interior intérieur (*m.*)
intermission intermission (*f.*)
interrogative interrogatif/interrogative
interrupt interrompre
intimidate intimider
intimidated intimidé
into dans
intrigue intriguer
introduce introduire; **to introduce someone**
  présenter quelqu'un (à); **to introduce oneself**
  se présenter (à)
invade envahir
invite inviter
Ireland Irlande (*f.*)
iron repasser
irritate irriter
irritated irrité
Israel Israël (*m.*)
it (*pron.*) il, elle, ce; **it is** c'est, il est, elle est;
  (*dir. obj.*) le, la, l'; (*ind. obj.*) y; **of it** en
Italian italien/italienne
Italy Italie (*f.*)
itinerary itinéraire (*m.*)
its son, sa, ses
Ivory Coast Côte (*f.*) d'Ivoire

J

jacket veste (*f.*), veston (*m.*)
January janvier (*m.*)
jargon jargon (*m.*)
jeans jean (*m.*)
jeweler bijoutier (*m.*)
jewelry bijouterie (*f.*); **piece of jewelry** bijou
  (*m.*)
Jewish juif/juive
job besogne (*f.*), travail (*m.*)
jog faire du jogging
join joindre; **to join someone** se joindre à
joke plaisanter
joy joie (*f.*)
judgment jugement (*m.*)
juice jus (*m.*)

July juillet (*m.*)
jump sauter
June juin (*m.*)
just seulement; **to have just** venir de; **I have
  just studied** je veins d'étudier; **just as much,
  just as many** autant de

K

keep garder, tenir, retenir; **to keep on** continuer à; **to keep one's promise, to keep one's
  word** tenir (sa) parole
keeper gardien (*m.*)
keepsake souvenir (*m.*)
key clé, clef (*f.*)
keyboard clavier (*m.*)
kill tuer
kilogram kilogramme (*m.*), kilo (*m.*)
kilometer kilomètre (*m.*)
kind sorte (*f.*), genre (*m.*), espèce (*f.*)
kindness bonté (*f.*)
king roi (*m.*)
kiss baiser (*m.*); **to kiss** embrasser
kitchen cuisine (*f.*)
knee genou (*m.*)
knife couteau (*m.*)
knock coup (*m.*); **to knock down** abattre
know connaître, savoir; **to know how to** savoir

L

labor labeur (*m.*)
lack manquer
lady dame (*f.*); **young lady** demoiselle (*f.*)
lamb agneau (*m.*)
lamp lampe (*f.*)
land terre (*f.*)
landscape paysage (*m.*)
language langue (*f.*), langage (*m.*)
large grand
last dernier/dernière; **last week** la semaine
  dernière, la semaine passée; **last night** hier
  soir
last durer
late tard, en retard; **later** plus tard; **to be late**
  être en retard
Latin latin (*m.*); **Latin Quarter** Quartier (*m.*)
  latin
laugh rire; **to laugh at** rire de
launch lancement (*m.*)
law loi (*f.*)
lawyer avocat/avocate (*m./f.*)
lead mener, conduire; **to lead away** emmener
leaf feuille (*f.*)
learn apprendre; **to learn by heart** apprendre
  par cœur

least: the least le moins, la moins, les moins

leather cuir (*m.*); **leather jacket** blouson (*m.*) en cuir

leave partir, quitter, s'en aller; laisser

lecture conférence (*f.*)

lecturer conférencier/conférencière (*m./f.*)

left gauche; **to the left** à gauche

leg jambe (*f.*); **leg of lamb** gigot (*m.*)

lemon citron (*m.*)

lemonade limonade (*f.*)

length longueur (*f.*); **at length** longuement

less moins; **less than** moins que; (numbers) moins de; **more or less** plus ou moins

lesson leçon (*f.*)

let permettre, laisser; **let the water run** laisser couler l'eau

letter lettre (*f.*)

lettuce salade (*f.*), laitue (*f.*)

level niveau (*m.*)

library bibliothèque (*f.*)

lie mentir

lie down se coucher

life vie (*f.*); **not on your life!** jamais de la vie!

light léger/légère; **light blue** bleu clair

light lumière (*f.*); **traffic light** feu (*m.*)

lightly légèrement

lightning éclair (*m.*)

like aimer, aimer bien; **do you like it?** est-ce qu'il vous plaît?; **how do you like it?** comment le/la trouvez-vous?; **I would like** je voudrais

like comme

linguist linguiste (*m.* or *f.*)

link lien (*m.*)

lion lion/lionne (*m./f.*)

lip lèvre (*f.*)

list liste (*f.*)

listen écouter

literary littéraire

literature littérature (*f.*)

little petit; **little girl** petite fille (*f.*); (*adv.*) peu; **a little** un peu (de)

live vivre; **to live at** demeurer à, habiter à

living room salon (*m.*)

located localisé, situé

lodge loger, héberger

logic logique (*f.*)

long long/longue; **a long time** longtemps; **for a long time** depuis longtemps, pendant longtemps; **no longer** ne... plus; **all day long** toute la journée; **how long?** combien de temps?

look regard (*m.*), coup (*m.*) d'œil; **to look at** regarder; **to look for** chercher; **to look like** ressembler à

lose perdre

loss perte (*f.*); **loss of sanity** perte de raison

lost perdu

lot: a lot of, lots of beaucoup de

lovable aimable

love amour (*m.*); **love and kisses** bons baisers (*m. pl.*); **love song** chanson (*f.*) d'amour

low bas/basse; **lower** plus bas; **to lower** baisser

luck chance (*f.*); **to be lucky** avoir de la chance, avoir de la veine

lunch déjeuner (*m.*); **to have lunch** déjeuner

Luxembourg Luxembourg (*m.*)

lyrical lyrique

M

mad fou/folle

Madam madame (*f.*); (*abbr.*) Mme

magazine revue (*f.*), magazine (*m.*)

magnificent magnifique

maid bonne (*f.*)

mail courrier (*m.*); **mailbox** boîte (*f.*) aux lettres; **mail carrier** facteur (*m.*); **mail delivery** distribution (*f.*) du courrier; **mail pickup** levée (*f.*) du courrier; **to mail** mettre à la poste, mettre à la boîte (aux lettres)

maintain maintenir

maize maïs (*m.*)

majestic majestueux/majestueuse

make faire, fabriquer; **to make one think** faire penser; **to make progress** faire des progrès; **to make the acquaintance (of)** faire la connaissance (de); **to make a toast** porter un toast; **to make a mistake** faire erreur; **to make a telephone call** passer un coup de fil; **to make purchases** faire des achats

makeup: to put on makeup se maquiller

man homme (*m.*)

many beaucoup; **so many** tant; **too many** trop (de); **how many?** combien?

March mars (*m.*)

maroon bordeaux

marry se marier (avec)

marvel merveille (*f.*)

master maître (*m.*)

masterpiece chef-d'œuvre (*m.*)

match match (*m.*)

mathematician mathématicien/mathématicienne (*m./f.*)

mathematics mathématiques (*f. pl.*)

matter: what's the matter? qu'est-ce qu'il y a?; **what's the matter with you?** qu'est-ce que vous avez?; **nothing is the matter with me** je n'ai rien

May mai (*m.*)

may pouvoir; **may I?** est-ce que je peux?, puis-je?

maybe peut-être

mayor maire (*m.*)

me me, moi

meal repas (*m.*)

mean méchant, rosse°

mean vouloir dire

means   moyens (*m. pl.*)
measure   mesurer
meat   viande (*f.*)
medicine   médicament (*m.*)
meet   rencontrer, se rencontrer; faire la connaissance (de); **to meet again**   retrouver, se retrouver
meeting   rencontre (*f.*)
melon   melon (*m.*)
member   membre (*m.*)
memory   souvenir (*m.*)
mental   mental
menu   menu (*m.*)
merchant   commerçant/commerçante
merry   joyeux/joyeuse
message   petit mot
meter   mètre (*m.*)
Mexico   Mexique (*m.*)
middle   milieu (*m.*); **in the middle of**   au milieu de
midnight   minuit (*m.*)
milk   lait (*m.*)
million   million (*m.*)
mind   esprit (*m.*)
mine   le mien, la mienne, les miens, les miennes; **it is mine**   c'est à moi; **a friend of mine**   un de mes amis
mineral water   eau (*f.*) minérale
minute   minute (*f.*)
mishap   mésaventure (*f.*)
misogynous   misogyne
Miss   mademoiselle (*f.*); (*abbr.*)   Mlle
miss   marquer
mission   mission (*f.*)
mistake   faute (*f.*)
mistaken: to be mistaken   se tromper
moment   moment (*m.*); **a moment ago**   il y a un moment; **at the moment when**   au moment où; **at the moment of**   au moment de
Monday   lundi (*m.*)
money   argent (*m.*), fric° (*m.*), grisbi° (*m.*), oseille° (*f.*)
monk   moine (*m.*)
monstrous   monstre
month   mois (*m.*)
monument   monument (*m.*)
monumental   monumental
moon   lune (*f.*)
moped   mobylette (*f.*), mob° (*f.*)
more   davantage, plus; **not any more**   ne... plus; **more than**   plus que; (numbers) plus de; **no more**   ne... plus de; **more or less**   plus ou moins; **some more**   encore, d'autres
mores   mœurs (*f. pl.*)
morning   matin (*m.*); **good morning**   bonjour; **every morning**   tous les matins; **in the morning**   le matin
Morocco   Maroc (*m.*)
mortal   mortel/mortelle
most   plupart (*f.*)

mother   mère (*f.*)
motor   moteur (*m.*)
mountain   montagne (*f.*)
mouth   bouche (*f.*)
move   bouger; **to move forward**   avancer; **to move away**   éloigner; **to move in**   s'installer
moved (by emotion)   ému
movie   film (*m.*); **the movies**   cinéma (*m.*); **movie theater**   cinéma (*m.*)
Mr.   monsieur (*m.*); (*abbr.*)   M.
Mrs.   madame (*f.*), (*abbr.*)   Mme
much   beaucoup; **very much**   beaucoup; **so much**   tant; **too much**   trop (de); **how much?**   combien?; **not much**   pas beaucoup
mud   boue (*f.*)
murmur   murmurer
museum   musée (*m.*)
mushroom   champignon (*m.*)
music   musique (*f.*)
musical   musical
musician   musicien/musicienne (*m./f.*)
must   devoir, falloir; **I must**   je dois, il faut que je
mustache   moustache (*f.*)
mustard   moutarde (*f.*)
my   mon, ma, mes
mystery   mystère (*m.*)

N

name   nom (*m.*); **to be named**   s'appeler; **what's your name?**   comment vous appelez-vous?; **my name is**   je m'appelle
napkin   serviette (*f.*)
narrow   étroit
national   national
nationality   nationalité (*f.*)
nauseated: to be nauseated   avoir mal au cœur
nave   nef (*f.*)
navy blue   bleu marine
near   près de; **near here**   près d'ici
nearly   presque
necessary   nécessaire; **to be necessary**   falloir; **it is necessary**   il faut que
neck   cou (*m.*)
necktie   cravate (*f.*)
need   avoir besoin (de)
needle   aiguille (*f.*)
negative   négatif/négative
neighbor   voisin/voisine (*m./f.*); **neighborhood**   quartier (*m.*)
neither . . . nor   ne... ni... ni
nephew   neveu (*m.*)
Netherlands   Pays-Bas (*m. pl.*)
never   ne... jamais
new   nouveau/nouvelle; neuf/neuve
news   nouvelles (*f. pl.*), informations (*f. pl.*), actualités (*f. pl.*); **news items**   faits (*m. pl.*) divers; **newspaper**   journal (*m.*)

next ensuite, puis
nice gentil/gentille, aimable
nicely gentiment
nickname surnom (*m.*)
niece nièce (*f.*)
night nuit (*f.*); **last night** hier soir; **tonight** ce soir; **at night** la nuit
nine neuf
nineteen dix-neuf
ninety quatre-vingt-dix
no non, ne... pas, pas de; **no one** personne, ne... personne, nul/nulle; nul... ne; **no matter what** n'importe quoi; **no matter which** n'importe quel; **no matter who** n'importe qui; **no more** ne... plus; **nowhere** nulle part
nod hocher
noise bruit (*m.*), brouhaha (*m.*)
none aucun/aucune; ne... aucun/aucune
noon midi (*m.*)
nor ni; **neither . . . nor** ne... ni... ni
normally normalement
north nord (*m.*)
Norway Norvège (*f.*)
nose nez (*m.*)
nostalgia nostalgie (*f.*)
not ne... pas; **not any, not one** aucun/aucune, pas un, ne... aucun/aucune; **not anymore** ne... plus; **not at all** pas du tout; **not much** pas beaucoup, pas grand'chose
note note (*f.*), petit mot (*m.*); **to note** noter
notebook cahier (*m.*)
nothing rien, ne... rien, **nothing at all** rien du tout; **nothing interesting** rien d'intéressant; **nothing else** rien d'autre; **almost nothing** presque rien
notice remarquer
notify avertir, viser
noun nom (*m.*)
nourishment nourriture (*f.*)
novel roman (*m.*)
November novembre (*m.*)
now maintenant
nowhere nulle part
number nombre (*m.*); numéro (*m.*)
numerous nombreux/nombreuse
nurse infirmier/infirmière (*m./f.*)
nylon nylon (*m.*)

O

obedient obéissant
obey obéir à
object objet (*m.*)
oboe *hautbois (*m.*)
observe observer
obtain obtenir
occasion occasion (*f.*)
occidental occidental
occupation occupation (*f.*)

o'clock heure (*f.*); **it is 6 o'clock** il est six heures
October octobre (*m.*)
odd bizarre; (of numbers) impair
of de; **of the** du, de la, de l', des; **of it, of them** en; **of course** bien entendu
offer offrir, proposer
office bureau (*m.*)
often souvent
oil huile (*f.*)
OK entendu, d'accord, d'acc!,° O.K.
old vieux/vieille, ancien/ancienne; **how old are you?** quel âge avez-vous?; **old man, old chap** mon vieux
omit omettre
on à, dans, en, sur; **on the train** dans le train; **on time** à l'heure; **on Sunday** dimanche; **on the verge of** sur le point de; **on the way** en route
once une fois; **once more** encore une fois; **once a week** une fois par semaine
one un/une; (*pers. pron.*) on, l'on; (*dem. pron.*) **the one, the ones** celui, celle, ceux, celles; **this one** celui-ci, celle-ci; **that one** celui-là, celle-là; **not one** aucun/aucune, ne... aucun/aucune; **I have one** j'en ai un/une; **one after the other** à tour de rôle
onion oignon (*m.*)
onlooker badaud (*m.*)
only (*adj.*) seul; (*adv.*) ne... que, seulement
open ouvert; **to open** ouvrir
openly ouvertement
opinion avis (*m.*), opinion (*f.*); **in my opinion** à mon avis
opposite opposé (*m.*), contraire (*m.*); (*adv.*) en face de
or ou; **either . . . or** soit... soit
orange orange (*f.*)
orchestra orchestre (*m.*); **orchestra leader** chef (*m.*) d'orchestre
order ordre (*m.*); **in order to** afin de, pour; **to order** commander
ordinary ordinaire
organ orgue (*m.*)
original original
other autre; **the other one** l'autre; **others, other people** autrui
otherwise autrement
ought devoir; **you ought to leave** vous devriez partir
our notre, nos
ours le nôtre, la nôtre, les nôtres
ourselves nous-mêmes
out: to go out sortir; **out of breath** essoufflé
outcome dénouement (*m.*)
outside dehors, en dehors; **outside of** en dehors de
oval ovale
over sur; **over there** là-bas
overcoat manteau (*m.*), pardessus (*m.*)

overturn renverser
overwhelmed: to be overwhelmed être excédé
overworked surmené
owe devoir
own propre
owner propriétaire (*m.* or *f.*)
ox bœuf (*m.*)
oyster huître (*f.*)

P

package paquet (*m.*)
pain mal (*m.*), douleur (*f.*); **pains** (trouble) peine (*f.*)
paint peindre
painter peintre (*m.*)
painting peinture (*f.*)
pair paire (*f.*)
pal copain/copine (*m./f.*)
palace palais (*m.*), château (*m.*)
palate palais (*m.*)
pale pâle; **to become pale** pâlir
panic panique (*f.*); **to panic** s'affoler
pants pantalon (*m.*)
panty slip (*m.*)
paper papier (*m.*); **newspaper** journal (*m.*)
pardon pardon (*m.*); **to pardon** pardonner; **pardon me!** pardon!
parent parent/parente (*m./f.*)
Parisian parisien/parisienne
parka parka (*m.*)
part partie (*f.*); rôle (*m.*)
participate (in) participer (à)
particular particulier/particulière; **in particular** en particulier, notamment
particularly particulièrement
party soirée (*f.*)
pass passe (*f.*); **to pass** passer; (overtake) dépasser; **to pass an exam** être reçu à un examen
pastor pasteur (*m.*)
pastry pâtisserie (*f.*), gâteau (*m.*); **pastry cook** pâtissier/pâtissière; **pastry shop** pâtisserie (*f.*)
patience patience (*f.*)
patient patient/patiente
patient malade (*m.* or *f.*), client/cliente (*m./f.*) (d'un médecin)
patiently patiemment
pay payer; **to pay for** payer; **to pay attention** écouter, faire attention
pâté pâté (*m.*)
peach pêche (*f.*)
pear poire (*f.*)
peas petits pois (*m. pl.*)
peasant paysan/paysanne (*m./f.*)
pedagogy pédagogie (*f.*)
pedestrian piéton/piétonne (*m./f.*); **pedestrian walk** passage (*m.*) clouté
pencil crayon (*m.*)

people gens (*m.* and *f. pl.*), monde (*m.*); **a lot of people** beaucoup de monde; **too many people** trop de monde; (*pron.*) on
pepper poivre (*m.*)
per: per hour à l'heure; **per week** par semaine
perfect parfait
perfectly parfaitement
performance jeu (*m.*), représentation (*f.*)
perfume parfum (*m.*)
perhaps peut-être
period époque (*f.*), période (*f.*)
permission permission (*f.*)
permit permettre
persist persister (à)
person personne (*f.*)
perspiration sueur (*f.*)
pharmacist pharmacien/pharmacienne (*m./f.*)
pharmacy pharmacie (*f.*)
philosopher philosophe (*m.* or *f.*)
philosophy philosophie (*f.*)
phone téléphone (*m.*); **phone booth** cabine (*f.*) téléphonique; **phone call** coup (*m.*) de fil; **to make a phone call** donner un coup de fil; **phone number** numéro (*m.*) de téléphone
photograph photographie (*f.*), photo (*f.*)
physical physique
piano piano (*f.*)
pick cueillir, ramasser; **to pick up** (telephone receiver) décrocher
pickpocket pickpocket (*m.*)
picture photographie (*f.*), photo (*f.*), tableau (*m.*); **to take a picture** prendre une photo
pie tarte (*f.*)
piece morceau (*m.*)
pig cochon (*m.*), porc (*m.*)
pillow oreiller (*m.*)
pink rose
pity plaindre
place endroit (*m.*), lieu (*m.*), place (*f.*); **to take place** avoir lieu; **to place** placer, poser, mettre
plainly évidemment
plane avion (*m.*)
plant planter
plate assiette (*f.*)
platform (train) quai (*m.*)
platter plat (*m.*)
play pièce (*f.*) de théâtre; **to play** jouer, jouer à; **to play cards** jouer aux cartes; **to play** (musical instrument) jouer de; **to play sports** faire du sport; **to play tennis** faire du tennis
player joueur (*m.*)
playwright dramaturge (*m.*)
pleasant agréable
please s'il vous plaît, s'il te plaît, je vous prie, je vous en prie; **to please** plaire à, convenir à; faire plaisir; **please receive** veuillez agréer; **pleased to meet you** enchanté
pleasure plaisir (*m.*)

plot   intrigue (*m.*); **to plot**   intriguer
plug in   brancher
plum   prune (*f.*)
plural   pluriel (*m.*)
pocket   poche (*f.*)
poem   poème (*m.*)
poet   poète (*m.*)
poetic   poétique
Poland   Pologne (*f.*)
police officer   agent (*m.*) de police; **police station**   commissariat (*m.*) de police
polish   polir
polite   poli
political   politique; **political science**   sciences (*f. pl.*) politiques
poor   pauvre
population   population (*f.*)
pork   porc (*m.*); **pork butcher**   charcutier/charcutière (*m./f.*); **pork butcher's shop**   **charcuterie** (*f.*)
portal   portail (*m.*)
portrait   portrait (*m.*)
Portugal   Portugal (*m.*)
Portuguese   portugais
possess   posséder
possible   possible
postcard   carte (*f.*) postale; **postman**   facteur (*m.*); **post office**   bureau (*m.*) de poste, poste (*f.*)
postpone   remettre
potato   pomme (*f.*) de terre
potluck   à la bonne franquette
pound   livre (*f.*)
pour   verser; **it is pouring**   il pleut à verse
practical   pratique
practice   exercer, pratiquer
pray   prier
preceding   précédent
precipitously   précipitamment
precisely   précisément
prefer   préférer, aimer mieux
preferred   préféré
prepare   préparer; **to prepare oneself to**   se préparer à
present   présent; actuel/actuelle
present   présenter à; **to present oneself (to, for, at**)   se présenter (à)
press   appuyer
press   presse (*f.*)
pretty   joli
previously   auparavant
price   prix (*m.*)
priest   curé (*m.*), prêtre (*m.*)
principle   principe (*m.*)
privilege   privilège (*m.*)
prize   prix (*m.*)
probably   sans doute
proceed   acheminer
process: in the process of   en voie de
profession   profession (*f.*), métier (*m.*)

professor   professeur (*m.*)
profit: to profit (by)   profiter (de)
profitable   profitable
profound   profond
profoundly   profondément
program   programme (*m.*); émission (*f.*)
progress   progrès (*m.*)
project   projet (*m.*)
promise   promettre (de)
pronoun   pronom (*m.*)
propose   proposer
Protestant   protestant
proverb   proverbe (*m.*)
provided that   pourvu que
province   province (*f.*)
provincial   provincial
prudent   prudent
prudently   prudemment
psychoanalyst   psychanalyste (*m.* or *f.*)
psychologist   psychologue (*m.* or *f.*)
psychology   psychologie (*f.*)
public   public/publique
publicity   publicité (*f.*)
punish   punir, châtier
pupil   élève (*m.* or *f.*)
pure   pur
purely   purement
purple   violet/violette
push   pousser
put   mettre, poser; **to put in order**   ranger; **to put off**   différer; **to put on** (clothes)   mettre
pyjama   pyjama (*m.*)

Q

qualified   qualifié
quality   qualité (*f.*)
quarter   quart (*m.*); quartier (*m.*); **a quarter past five**   cinq heures et quart; **a quarter of eight**   huit heures moins le quart; **the Latin Quarter**   le Quartier latin
queen   reine (*f.*)
question   question (*f.*); **it is a question of**   il s'agit de
quickly   vite; rapidement, vivement
quiet   tranquille

R

rabbi   rabbin (*m.*)
rabbit   lapin (*m.*)
racism   racisme (*m.*)
radio   radio (*f.*)
railroad   chemin (*m.*) de fer; **railroad crossing**   passage (*m.*) à niveau; **railroad platform**   quai (*m.*); **railroad station**   gare (*f.*)
rain   pluie (*f.*); **to rain**   pleuvoir
rainbow   arc-en-ciel (*m.*)

raincoat imperméable (*m.*), imper (*m.*)
random: to choose at random choisir au hasard
rapid rapide
rare rare
rather plutôt, assez
reach atteindre
reaction réaction (*f.*)
read lire
ready (to) prêt (à)
real réel
realistic réaliste
realize se rendre compte de, se rendre compte que
really vraiment; **really!** tiens!
reason raison (*f.*); **beyond reason** outre mesure
recall rappeler
receive recevoir
recently récemment
recognize reconnaître
record disque (*m.*); **record player** tourne-disques (*m.*), pick-up (*m.*)
recount raconter
recover retrouver
recreation récréation (*f.*)
rectangular rectangulaire
red rouge; (of hair) roux/rousse; **red light** feu (*m.*) rouge; **red wine** vin (*m.*) rouge
refined raffiné
refinement raffinement (*m.*)
reflect réfléchir
refuse refuser
regarding à propos de
regime régime (*m.*)
region région (*f.*)
regret regretter (de)
regrettable regrettable
relative parent/parente (*m./f.*)
relax se détendre
relaxed décontracté
relieved soulagé
religious religieux/religieuse
remain rester; **to remain silent** se taire
remarkable remarquable
remember se rappeler, se souvenir de
remembrance souvenir (*m.*)
renowned renommé
repair réparation (*f.*); **to repair** réparer
repeat répéter
replace remplacer
reply répondre à
report compte-rendu (*m.*), rapport (*m.*), constat (*m.*), exposé (*m.*)
resemble ressembler
reserve réserver
reserved réservé
resident habitant (*m.*)
resonate résonner
respect respect (*m.*)

responsibility responsabilité (*f.*)
responsible responsable
rest reste (*m.*); repos (*m.*); **to rest** se reposer
restaurant restaurant (*m.*)
retain retenir
retake reprendre
return retourner, rendre; **to return home** rentrer (à la maison)
rhyme rime (*f.*)
rhythm rythme (*m.*)
rich riche
ride promenade (*f.*) (à bicyclette, en auto); **to ride** aller en auto, en mobylette
ridiculous ridicule
right juste; **it was right** c'était juste; **to be right** avoir raison; **right away** tout de suite
right droit (*m.*); droite (*f.*) **on the right, to the right** à droite; **right of way** priorité (*f.*)
rigidly rigidement
ring sonner, retentir
rise se lever
risk se hasarder, se risquer
river rivière (*f.*)
road route (*f.*); **country road** chemin (*m.*); **road safety** sécurité (*f.*) routière; **road sign** panneau (*m.*) indicateur; **road signage system** signalisation (*f.*) routière
robust robuste
role rôle (*m.*)
roll petit pain (*m.*); **crescent roll** croissant (*m.*)
Romania Roumanie (*f.*)
room pièce (*f.*), salle (*f.*); **bathroom** salle de bains; **dining room** salle à manger; **bedroom** chambre (*f.*); **living room** salon (*m.*)
round rond; **round trip** aller et retour (*m.*)
route: to route (**mail**) acheminer
rubbish ordures (*f. pl.*)
rug tapis (*m.*)
rule règle (*f.*); **rules of the road** code (*m.*) de la route
ruler règle (*f.*)
run courir; **my watch doesn't run well** ma montre ne marche pas bien; **to run into (something)** enfoncer; **to run errands** faire les courses
rush se précipiter, foncer, s'élancer
Russia Russie (*f.*)
Russian russe

S

sad triste
sadness tristesse (*f.*)
sail voile (*f.*); **to sail** faire de la voile
saint saint/sainte
salad salade (*f.*)
salami saucisson (*m.*)

salt   sel (*m.*); **to salt**   saler
same   même
sandal   sandale (*f.*)
sardine   sardine (*f.*)
satire   satire (*f.*)
satisfied   satisfait
Saturday   samedi (*m.*)
saucer   soucoupe (*f.*)
sausage   saucisse (*f.*)
savor   saveur (*f.*)
savory   savoureux/savoureuse
say   dire; **they say**   on dit; **how does one say . . . ?**   comment dit-on . . . ?; **that is to say**   c'est-à-dire; **to say goodnight**   dire bonne nuit
scarcely   à peine, ne... guère
scarf   écharpe (*f.*), foulard (*m.*)
scene   scène (*f.*)
scent   odeur (*f.*)
schedule   emploi (*m.*) du temps, horaire (*m.*)
scholarship   bourse (*f.*)
school   école (*f.*); **secondary school**   lycée (*m.*), collège (*m.*); **schoolmistress**   maîtresse (*f.*) d'école
science   sciences (*f. pl.*)
Scotland   Ecosse (*f.*)
scratch: to scratch oneself   s'égratigner
screen   écran (*m.*)
sea   mer (*f.*)
search   chercher
seashore: at the seashore   au bord de la mer
season   saison (*f.*)
seat   place (*f.*)
second   second, deuxième; **second class**   seconde (*f.*); deuxième (classe) (*f.*); **the second floor**   le premier étage
secondary   secondaire; **secondary school**   lycée (*m.*), collège (*m.*)
secretary   secrétaire (*m.* or *f.*)
sector   secteur (*m.*)
see   voir; **let's see**   voyons; **see you soon, see you later**   à bientôt, à tout à l'heure
seed   graine (*f.*); **to seed**   semer
seek   chercher
seem   sembler, avoir l'air de
seen   vu
seize   saisir
sell   vendre
send   envoyer; (mail) expédier; **to send away, to send back**   renvoyer; **to send for**   envoyer chercher
sensational   sensationnel/sensationnelle, sensass°
sense   sens (*m.*)
sensitive   sensible
sentence   phrase (*f.*)
sentiment   sentiment (*m.*)
September   septembre (*m.*)
serious   sérieux/sérieuse, grave
seriously   sérieusement

serve   servir
session   séance (*f.*)
set   mettre, poser; **to set the table**   mettre la table
settle in   s'installer
seven   sept
seventeen   dix-sept
seventeenth   dix-septième
seventy   soixante-dix
several   plusieurs; **several times**   plusieurs fois
shade   ombre (*f.*)
shake   secouer; **to shake hands**   serrer la main (à, de)
shame   *honte (*f.*); **to be ashamed**   avoir honte
shampoo   shampooing (*m.*)
shape   forme (*f.*); **to be in shape**   être en forme; **to stay in shape**   rester en forme
shave   se raser
she   elle
sheep   mouton (*m.*)
shine   briller
ship   bateau (*m.*), navire (*m.*)
shock   choc (*m.*)
shoe   chaussure (*f.*), soulier (*m.*)
shoot: to shoot out   s'élancer
shop   boutique (*f.*), magasin (*m.*); **to shop**   faire des courses
short   court
should   devoir
shoulder   épaule (*f.*)
shout   crier
show   montrer
shower   douche (*f.*)
shut   fermé; **to shut**   fermer
side   côté (*m.*)
sideburns   favoris (*m. pl.*)
sidewalk   trottoir (*m.*); **sidewalk café**   terrasse (*f.*) d'un café
silent   silencieux/silencieuse
silk   soie (*f.*)
silver   argent (*m.*)
similar   semblable
similarity   similitude (*f.*)
simple   simple, niais; terre-à-terre
since   dès, depuis, puisque; **since when?**   depuis quand?; **since a little while ago**   depuis peu
sincerity   sincérité (*f.*)
sing   chanter
single   seul
sink   lavabo (*m.*)
Sir   Monsieur; M. (*abbr.*)
sister   sœur (*f.*)
sit: to sit down   s'asseoir, être assis; **sit down, be seated**   asseyez-vous; **to sit down at the table**   se mettre à table
situation   situation (*f.*)
six   six
sixteen   seize
sixth   sixième

sixty soixante
size taille (*f.*); **shoe size** pointure (*f.*)
skating patinage (*m.*)
ski faire du ski
skillful habile
skin peau (*f.*); **to get into someone's skin** être dans la peau de quelqu'un
skirt jupe (*f.*)
sky ciel (*m.*); **the sky is overcast** le ciel est couvert
slang argot (*m.*)
slapstick comedy farce (*f.*)
slave esclave (*m.* or *f.*)
sled luge (*f.*)
sleep sommeil (*m.*); **to sleep** dormir; **to fall asleep** s'endormir; **to sleep late** faire la grasse matinée
slip combinaison (*f.*)
slot fente (*f.*)
slow lent; **to slow down** freiner, ralentir
slowly lentement
small petit
smell odeur (*f.*); (sense) odorat (*m.*); **to smell** sentir
smile sourire (*m.*); **to smile** sourire
smoke fumer
snow neige (*f.*); **to snow** neiger
so alors; aussi, si; **so much the better** tant mieux; **so that** afin que, pour que
soap savon (*m.*)
soccer football (*m.*)
sock chaussette (*f.*), socquette (*f.*)
soft doux/douce
sojourn séjour (*m.*)
solid solide
solitude solitude (*f.*)
some du, de la, de l', des; (*adj.*) quelque; (*pron.*) en; quelques-uns/quelques-unes; les uns/les unes; **some of them** quelques-uns/quelques-unes; **some more** encore; **someone** quelqu'un; **something** quelque chose; **something else** autre chose; **sometimes** parfois, quelquefois; **somewhere** quelque part
son fils (*m.*)
soon bientôt, tôt; **as soon as possible** le plus tôt possible; **see you soon** à bientôt, à tout à l'heure
sophisticated sophistiqué
sore: to have a sore thorat avoir mal à la gorge
sorry désolé, fâché; **I am sorry** je regrette, je suis désolé
sort espèce (*f.*), sorte (*f.*)
soul âme (*f.*)
sound son (*m.*)
south sud (*m.*)
souvenir souvenir (*m.*)
sow semer
sower semeur/semeuse (*m./f.*)
space espace (*m.*)
Spain Espagne (*f.*)

Spanish espagnol
speak parler; **to speak loudly** parler fort; **to speak again** reprendre la parole
special spécial
specialize se spécialiser (en, dans)
specially spécialement
speech discours (*m.*)
speed vitesse (*f.*)
spend dépenser (money); passer (time)
spinach épinard (*m.*)
spirit esprit (*m.*)
spite: in spite of en dépit de
spoon cuillère (*f.*); **teaspoon** cuillère à café, petite cuillère
spring printemps (*m.*); **in the spring** au printemps
spring out s'élancer
square carré; **town square** place (*f.*)
stained-glass window vitrail (*m.*)
staircase escalier (*m.*); **flight of stairs** escaliers
stamp timbre (*m.*); **postage stamp** timbre-poste (*m.*)
stand in line faire la queue
standing debout
star étoile (*f.*)
stare at dévisager
start départ (*m.*); **to start** commencer, se mettre à
state état (*m.*)
state constater
station gare (*f.*)
statue statue (*f.*)
stay séjour (*m.*); **to stay** rester
steak steak (*m.*)
step pas (*m.*)
sterility stérilité (*f.*)
stewardess hôtesse (*f.*) de l'air
stock exchange Bourse (*f.*)
stockings bas (*m. pl.*)
stomach estomac (*m.*)
stop arrêt (*m.*); **to stop** arrêter, s'arrêter, cesser; **without stopping** sans cesse
store magasin (*m.*)
storm orage (*m.*)
story histoire (*f.*)
straight droit; **straight ahead** tout droit
strangle étrangler
strawberry fraise (*f.*)
street rue (*f.*); **street level** rez-de-chaussée (*m.*)
strengthening raffermissement (*m.*)
strike battre
strong fort
struggle se battre, combattre
stubborn tenace, têtu
student étudiant/étudiante (*m./f.*)
study étude (*f.*); **to study** étudier; **to pursue one's studies** faire ses études; **to study for an exam** préparer un examen

stupid   stupide
stupidities   bêtises (*f. pl.*)
style   style (*m.*)
submit   soumettre
subtlety   subtilité (*f.*)
subway   métro (*m.*)
succeed (**in**)   réussir (à)
success   succès (*m.*)
succulent   succulent
such   tel/telle; **such a father**   un tel père
suddenly   soudain, soudainement, tout à coup, tout d'un coup, subitement
suffer   souffrir
suffice   suffire
sugar   sucre (*m.*)
suggest   suggérer
suit (men's)   complet (*m.*), (women's)   tailleur (*m.*)
suit   convenir à
suitable   convenable
suitcase   valise (*f.*)
summer   été (*m.*); **in the summer**   en été
summit   sommet (*m.*)
sun   soleil (*m.*); **sun-filled**   ensoleillé
Sunday   dimanche (*m.*)
sunglasses   lunettes (*f. pl.*) de soleil
sunny   ensoleillé
super   super°
superb   superbe
supermarket   supermarché (*m.*)
support   appui (*m.*), soutien (*m.*)
sure   sûr
surely   sûrement
surgeon   chirurgien/chirurgienne (*m./f.*)
surprise   surprise (*f.*); **to surprise**   surprendre
surprised   surpris
surprising   étonnant, surprenant
surround (**with**)   entourer (de)
suspect   se douter de
suspenders   bretelles (*f. pl.*)
suspense   suspense (*m.*)
swallow   avaler
sweat   sueur (*f.*)
sweater   chandail (*m.*), tricot (*m.*)
sweep   balayer
sweet   doux/douce
swim   faire de la natation, nager
swimming   natation (*f.*); **swimming pool**   piscine (*f.*)
Switzerland   Suisse (*f.*)
symbolize   symboliser
system   système (*m.*); **metric system**   système métrique

T

table   table (*f.*); **table setting**   couvert (*m.*)
tact   tact (*m.*)
tailor   tailleur (*m.*)

take   prendre; **to take along**   emmener, emporter; **to take again**   reprendre; **to take a shower**   prendre une douche; **to take a test**   passer un examen; **to take a tour**   faire un tour; **take a trip**   faire un voyage; **to take a walk**   se promener, faire une promenade; **to take notes**   prendre des notes; **how long does it take?**   combien de temps faut-il?; **to take care of**   prendre soin de; **to take risks**   s'aventurer
talk   parler; **to talk again**   reprendre la parole
talkative   bavard
tall   grand
tank (for gas)   réservoir (*m.*)
task   besogne (*f.*)
taste   goût (*m.*), saveur (*f.*); **to taste**   goûter
tasty   savoureux/savoureuse
taxi   taxi (*m.*)
tea   thé (*m.*)
team   équipe (*f.*)
telegram   télégramme (*m.*)
telephone   téléphone (*m.*); **to telephone**   téléphoner (à), donner un coup de fil; **telephone booth**   cabine (*f.*) téléphonique; **telephone directory**   annuaire (*m.*) de téléphone, bottin (*m.*); **telephone receiver**   récepteur (*m.*); **by telephone**   par téléphone
television   télévision (*f.*), télé (*f.*); **television set**   téléviseur (*m.*), poste (*m.*) de télévision
tell   dire, raconter; **to tell about**   parler de
temperature   température (*f.*)
ten   dix
tenacious   tenace
tendency   tendance (*f.*)
tennis   tennis (*m.*); **to play tennis**   jouer au tennis
tenth   dixième
terrace   terrasse (*f.*)
terrific   formidable
territory   territoire (*m.*)
test   expérience (*f.*), examen (*m.*)
testify (**to**)   témoigner (de)
text   texte (*m.*)
thank   remercier; **thank you**   merci; **thank you in advance**   merci d'avance; **thanks to**   grâce à
that, those (*dem. adj.*)   ce, cet, cette, ces; ce...-là, etc.; (*dem. pron.*)   celui, celle, ceux, celles; celui-là, etc.; cela; (*rel. pron.*)   qui, que, lequel, laquelle, lesquels, lesquelles; (*conj.*)   que; **all that**   tout ce qui, tout ce que; **that is to say**   c'est-à-dire; **that's enough**   ça suffit
the   le, la, l', les; **the best** (*adv.*)   le mieux, (*adj.*)   le meilleur; **the worst**   le pire
theater   théâtre (*m.*)
their (*poss. adj.*)   leur, leurs
theirs (*poss. pron.*)   le leur, la leur, les leurs
them   les, leur; eux, elles; **of them**   en
then   alors, ensuite, puis
there   là, y; **there is, there are**   il y a, voilà; **is**

there? are there? y a-t-il?; **there he is** le voilà; **there they are** les voilà; **there is a crowd** il y a foule, il y a du monde; **there you are!** ça y est!

therefore aussi, donc

therein là-dedans

thereupon là-dessus

these < **this**

they ils, elles, on

thick épais/épaisse

thigh cuisse (f.)

thin maigre, fin

thing chose (f.); **things** affaires (f. pl.), trucs° (m. pl.); **many things** beaucoup de choses

think penser (à, de), croire; **to think of** songer à; **what do you think of Nicole?** que pensez-vous de Nicole?; **I think so** je crois que oui; **not to think so** douter de

thinker penseur (m.)

third troisième

thirst soif (f.)

thirsty assoiffé; **to be thirsty** avoir soif

thirteen treizième

thirty trente

this, these (dem. adj.) ce, cet, cette, ces; ce...-ci, etc.; (dem. pron.) celui, celle, ceux, celles; celui-ci, etc.; ceci; **this one** celui-ci, celle-ci

those < **that**

thousand mille; **about a thousand** millier (m.) **three** trois

throat gorge (f.)

through à travers, par

throw away jeter

thunder tonnerre (m.)

Thursday jeudi (m.)

ticket billet (m.); **ticket window** guichet (m.); **book of tickets** carnet (m.) de tickets

tidy up ranger

tie cravate (f.)

tiger tigre (m.)

till jusqu'à; **till Saturday** jusqu'à samedi

time fois (f.); heure (f.), moment (m.), temps (m.); **what time is it?** quelle heure est-il?; **at what time?** à quelle heure?; **the first time** la première fois; **several times** plusieurs fois; **to have time** avoir le temps; **on time** à l'heure; **in time** à temps; **at that time** à ce moment-là; **to have a good time** s'amuser; **from time to time** de temps à autre, de temps en temps; **at the time when** au moment où; **at the time of** au moment de; **some time ago** il y a quelque temps

tip pourboire (m.)

tire pneu (m.)

tired épuisé, fatigué, crevé°; **to be very tired** être à plat

to à, chez, en, jusqu'à, pour; **to the** au, à, la, à l', aux; **it is ten minutes to seven** il est sept heures moins dix; **to the left** à gauche; **to the right** à droite; **to the top of** en haut de; **to the United States** aux Etats-Unis; **to Paris**

à Paris: **to the Fourchets'** chez les Fourchet; **to our house** chez nous; **to the country** à la campagne; **to your health!** à votre santé! à ta santé!

tobacco tabac (m.); **tobacconist's shop** bureau (m.) de tabac

today aujourd'hui; **today is Thursday** nous sommes jeudi aujourd'hui, c'est jeudi aujourd'hui, c'est aujourd'hui jeudi

toe orteil (m.)

together ensemble

toilet water-closets (m. pl.), (abbr.) W.-C.

token jeton (m.)

tolerant tolérant

tomato tomate (f.)

tomorrow demain; **day after tomorrow** après-demain

tone ton (m.)

tongue langue (f.)

tonight ce soir

too aussi; trop

tool outil (m.)

tooth dent (f.); **to have a toothache** avoir mal aux dents; **toothpaste** dentifrice (m.), pâte (f.) dentifrice

top *haut (m.), sommet (m.); **at the top of** en haut de

tortoise tortue (f.)

touch toucher

tour tour (m.)

tourist touriste (m. or f.)

toward vers

towel serviette (f.); **towel rack** porte-serviettes (m.)

tower tour (f.); **the Eiffel Tower** la tour Eiffel

town ville (f.); **downtown** en ville

trade métier (m.)

tragedy tragédie (f.)

train train (m.)

trait trait (m.)

tranquil tranquille

transport transporter

travel voyager

tray plateau (m.)

treat traiter

tree arbre (m.)

trench coat trench (m.)

trick shots (film) truquage (m.)

trip voyage (m.); **round trip** aller et retour (m.); **to take a trip** faire un voyage

trombone trombone (m.)

trouble peine (f.); **it is not worth the trouble** ça ne vaut pas la peine

troubled troublé

truck camion (m.)

true réel/réelle; véritable, vrai

truly réellement, vraiment

trumpet trompette (f.)

trunk coffre (m.), malle (f.)

truth vérité (f.)

try essayer (de), tâcher (de)

T-shirt tricot (*m.*) de corps, tee-shirt (*m.*)
Tuesday mardi (*m.*)
Tunisia Tunisie (*f.*)
turn tourner; **to turn around** se retourner; **to turn to** s'adresser à; **to turn green** verdir
turnip navet (*m.*)
twelfth douzième
twelve douze; **twelve noon** midi (*m.*); **twelve midnight** minuit (*m.*)
twenty vingt; **twenty-one** vingt et un
twice deux fois
two deux
type type (*m.*)
typical typique
typically typiquement

U

ugly laid
umbrella parapluie (*m.*)
unbelievable incroyable
uncle oncle (*m.*)
under sous, dessous
understand comprendre, saisir, piger°
understanding compréhension (*f.*)
underwear slip (*m.*)
undo défaire
undress déshabiller, se déshabiller
uneasy inquiet/inquiète
unemployed person chômeur/chômeuse (*m./f.*)
unexpectedly subitement
unfortunately malheureusement
unhappily malheureusement
unhappy malheureux/malheureuse, mécontent
unimaginable inimaginable
unique unique
unite joindre (à)
United States Etats-Unis (*m. pl.*)
university université (*f.*)
unless à moins que
unreasonable déraisonnable
until jusqu'à, jusqu' à ce que; **until tomorrow** à demain
up en haut; **up there** là-haut; **to go up** monter
uproar brouhaha (*m.*)
upset bouleversé, déconcerté; **to upset** déranger
use emploi (*m.*); **to use** employer, utiliser, se servir de; **I used to go** j'allais; **to be used to** avoir l'habitude de; **to get used to** s'habituer à
user usager/usagère (*m./f.*), utilisateur/utilisatrice (*m./f.*)
usherette ouvreuse (*f.*)
usually d'habitude, d'ordinaire, habituellement
utensil ustensile (*m.*)

V

vacation vacances (*f. pl.*); **on vacation** en vacances

vacuum cleaner aspirateur (*m.*); **to vacuum** passer l'aspirateur
validate valider
valuable: to be valuable avoir de la valeur
value valeur (*f.*)
vanilla vanille
vase vase (*m.*)
veal veau (*m.*)
vegetable légume (*m.*)
vehicle véhicule (*m.*)
venture s'aventurer
very très
vest gilet (*m.*)
victory victoire (*f.*)
view vue (*f.*); **point of view** point (*m.*) de vue
villa pavillon (*m.*)
village village (*m.*)
violence violence (*f.*)
violent violent
violet violet/violette
violin violon (*m.*)
virtue vertu (*f.*)
visit visite (*f.*); **to visit** (a place) visiter; **to visit** (a person) rendre visite à
vitamin vitamine (*f.*)
voice voix (*f.*); **in a low voice** à voix basse
voyager voyageur/voyageuse (*m./f.*)

W

wage earner salarié/salariée (*m./f.*)
wait for attendre
waiter garçon (*m.*); **waitress** serveuse (*f.*)
wake up se réveiller
walk marcher, se promener, aller à pied, faire un tour
wall mur (*m.*)
wallet portefeuille (*m.*)
want vouloir, avoir envie de
war guerre (*f.*)
warm chaud, amical; **it is warm** il fait chaud; **I am warm** j'ai chaud
warmly chaleureusement
warn prévenir, avertir, aviser
wash laver; **to wash one's hands** se laver les mains; **to wash the dishes** faire la vaisselle
waste gaspiller
wastepaper basket corbeille (*f.*) à papier
watch montre (*f.*)
watch out faire attention
water eau (*f.*); **to water** arroser
wax cirer
way moyen (*m.*); **on the way** en route
we nous, on
weak faible
weather temps (*m.*); **how is the weather?** quel temps fait-il?; **the weather is fine** il fait beau; **the weather is dreadful** il fait un temps épouvantable; **weather bureau** météo (*f.*); **weather report** météo (*f.*)

Wednesday   mercredi (*m.*)

week   semaine (*f.*); **in a week**   dans huit jours; **in two weeks**   dans quinze jours; **last week**   la semaine dernière; **a week from today**   d'aujourd'hui en huit

welcome   bienvenue (*f.*); **you are welcome**   de rien, il n'y a pas de quoi; **to welcome**   accueillir

well   bien; **well!** eh bien!; **I am well**   je vais bien; **well built**   bien bâti; **well directed** (film)   bien mené; **well behaved**   sage

well-being   bien-être (*m.*)

west   ouest (*m.*)

what (*interrog. adj.*)   quel? quelle? quels? quelles?; (*interrog. pron.*)   qu'est-ce qui? qu'est-ce que? quoi?; **what is** . . . ?   qu'est-ce que c'est que... ?; (*rel. pron.*)   ce qui, ce que; **whatever**   quelconque, quoi que

wheat   blé (*m.*)

wheel   roue (*f.*)

when   lorsque, quand; **when were you born?**   quand êtes-vous né?; **whenever**   quand

where   où; **wherever**   où que

which (*interrog. adj.*)   quel? quelle? quels? quelles?; (*interrog. pron.*)   lequel? laquelle? lesquels? lesquelles?; **which one**   lequel? laquelle? **which ones**   lesquels? lesquelles?; (*rel. pron.*)   qui, que, lequel, laquelle, lesquels, lesquelles; **of which**   dont; **in which**   où; **whichever**   quelconque, quiconque

while   pendant que; **see you in a while**   à tout à l'heure; **while waiting for**   en attendant que

whisper   chuchoter (*m.*)

white   blanc/blanche

whiten   blanchir

who (*interrog. pron.*)   qui est-ce qui?; (*rel. pron.*)   qui, lequel, laquelle, lesquels, lesquelles; **whoever**   quiconque

whom (*interrog. pron.*)   qui? qui est-ce que?; (*rel. pron.*)   que, lequel, laquelle, lesquels, lesquelles; **of whom**   dont, duquel; **to whom**   à qui; **whomever**   quiconque

whose (*interrog. pron.*)   à qui?; **whose shoes are these?**   à qui sont ces chaussures?; **at whose house?**   chez qui?; (*rel. pron.*)   dont, de qui

why   pourquoi; **why not?**   pourquoi pas?

wickedly   méchamment

wife   femme (*f.*)

willing: I am willing   je veux bien

win   gagner

wind   vent (*m.*); **it is windy**   il fait du vent

window   fenêtre (*f.*); **ticket window**   guichet (*m.*); **stain-glass window**   vitrail (*m.*)

windshield   pare-brise (*m.*); **windshield wiper**   essuie-glace (*m.*)

wine   vin (*m.*)

winter   hiver (*m.*); **in the winter**   en hiver

wipe   essuyer

wire   télégramme (*m.*)

wise   savant

wish   désir (*m.*); **to wish**   désirer, souhaiter; **if you wish**   si vous voulez; **as you wish**   à votre guise

wit   esprit (*m.*)

with   avec

within   dans

without   sans, sans que; **without a doubt**   sans aucun doute; **without ambiguity**   sans équivoque

witness   témoin (*m.*)

woman   femme (*f.*)

wonder   se demander

wonderful   épatant

wood   bois (*m.*)

wool   laine (*f.*)

word   mot (*m.*)

work   travail (*m.*), besogne (*f.*), œuvre (*f.*); **to work**   travailler; **work of art**   œuvre d'art

world   monde (*m.*)

worried   inquiet/inquiète; préoccupé

worry   s'inquiéter, tracasser; **don't worry about it**   ne vous en faites pas

worse   pire, pis; **worst**   le pire

worship   adorer

worth   valeur (*f.*); **to be worth**   valoir; **it is not worth the trouble**   cela ne vaut pas la peine

wound   blessure (*f.*)

wrist   poignet (*m.*)

write   écrire

wrong   mauvais, mal; **to be wrong**   avoir tort

Y

year   an (*m.*), année (*f.*); **New Year's Day**   le jour de l'An; **every year**   tous les ans

yell   cri (*m.*); **to yell**   *hurler

yellow   jaune

yes   oui; si

yesterday   hier

yet   encore

yield   céder

you   vous; tu, te, toi

young   jeune; **young people**   jeunes gens (*m. pl.*); **youngest child**   cadet/cadette

your   votre, vos; ton, ta, tes

yours   le vôtre, la vôtre, les vôtres; le tien, la tienne, les tiens, les tiennes; **is it yours?**   est-ce à vous? est-ce à toi?; **a friend of yours**   un de vos amis, un de tes amis

Yugoslavia   Yougoslavie (*f.*)

Z

zealous   zélé

zero   zéro (*m.*)

zoo   jardin (*m.*) zoologique

zoology   zoologie (*f.*)

Index

Photo Credits